T5-ANA-310

МАРШ ТУРЕЦКОГО

Фридрих
НЕЗНАНСКИЙ

Контрольный выстрел

МОСКВА
2001

УДК 882
ББК 84(2Рос-Рус)6
Н44

Серия основана в 1995 году

Эта книга от начала и до конца придумана автором. Конечно, в ней использованы некоторые подлинные материалы как из собственной практики автора, бывшего российского следователя и адвоката, так и из практики других российских юристов. Однако события, место действия и персонажи, безусловно, вымышлены. Совпадения имен и названий с именами и названиями реально существующих лиц и мест могут быть только случайными.

ISBN 5-17-007435-2 (ООО «Издательство АСТ»)
ISBN 5-7390-0303-2 («Издательство «Олимп»)

ЧЕТВЕРГ, 5 октября

1

На Олимпийском проспекте вокруг «жигуленка» Турецкого неожиданно начал совершать странные пассы приземистый, видавший виды «БМВ» с побитыми крыльями и залепленным грязью номером. Два лба, в спортивных куртках, сидевшие в салоне, вели себя намеренно нагло: иномарка без всякой причины пару раз подрезала нос «жигуленку», и Турецкому пришлось резко давить на тормоз, чтобы не вылететь на встречную полосу, затем же вообще перейти в правый ряд, спрятавшись за троллейбусом. А сволочная иномарка выскочила далеко вперед и притерлась к тротуару, видимо, в ожидании своей напуганной жертвы. Так наверняка думали наглецы.

«А ведь это началась охота! — сказал себе Турецкий, продумывая свой дальнейший маршрут и прикидывая, как оторваться от преследователей. — Они, конечно, не отстанут. Но ведь и на откровенное нападение пока не идут, хотя возможность такая уже им представлялась... Значит, что же? Пугают? Играют, словно с мышонком...»

Гаишников, когда они особенно нужны, как обычно, поблизости не было, значит, рассчитывать можно только на собственную сообразительность. Был, конечно, еще один вариант: домчаться до Неглинки, до грязновской конторы, где наверняка сидят сейчас его молодцы из охранно-розыскного бюро «Слава», а те — только свистни — вмиг скрутят этих лбов, да еще и шишек им наставят, чтоб были вежливее. Но до Вячеслава Ивановича надо еще добраться, хотя он практически уже в двух шагах, лишь бы проскочить безболезненно Цветной бульвар.

Но на Трубной Турецкого ожидало очередное испытание. Он обошел «девятку» — «Ладу» и пристроился сзади к шикарному белому «линкольну» со сплошными нулями на номере (не иначе какой-нибудь очень крупный босс!), наивно полагая, что «девятка» прикроет его сзади от висевшего на хвосте «БМВ». Но та поступила неразумно, вильнув совсем вправо и прижавшись к бортику. Турецкий успел лишь заметить в зеркальце стремительно надвигающуюся акулью морду «БМВ» и понял, что через мгновение эти сукины дети вомнут его в шикарный багажник «линкольна». И сразу сработал автомат: Турецкий резко вильнул влево и вырвался в третий ряд, хамски подрезав нос «ушастому» «Запорожцу», который тут же завопил, захлебнувшись в истерике. И тут — ну надо же! — мгновенно, словно из-под земли, явился гаишник и царственно махнул Турецкому жезлом, показывая, что ГАИ бдит и нарушителю не уйти от возмездия. Александр Борисович покорно и радостно сунулся вправо и вышел из машины. Пока гаишник степенно приближался к нему, Саша успел увидеть развернувшуюся сзади картину: погоня врезалась-таки в великолепную задницу босса, и теперь за перекрестком царил подлинный кавардак. Бросив свою разбитую машину, преследователи живо удирали — один по Цветному, другой — по Петровскому бульварам, причем удирали грамотно, скинув приметные куртки. Возле подбитого «линкольна» вовсю базарила толпа сбившихся в кучу зевак и водителей. Но гаишника это не касалось. А может быть, он решил, что причина данного содома — вот она, перед ним, стоит себе и покорно улыбается? Ну-ну!

Отдав вежливо честь и представившись, майор-гаишник протянул руку за правами Турецкого. Получив их и раскрыв, стал удивленно вчитываться, поглядывая то на цветное фото Турецкого, то на оригинал.

— Как же это вы так... господин старший следователь? — с наигранным изумлением произнес наконец майор. — Ведь вот какую кашу заварили! — Он небрежно ткнул жезлом в сторону пробки на перекрестке.

— Я бы посоветовал вам, майор, не догадками сейчас заниматься, а своим прямым делом. Составляйте протокол, я вам продиктую. Итак, старший следователь по особо важным делам при Генеральном прокуроре Российской Федерации Турецкий Александр Борисович, уходя от преследовавшего его, наверняка находящегося в розыске автомобиля марки «БМВ» с двумя парнями в салоне, одетыми в спортивные куртки синего цвета, был вынужден нарушить правила движения и подрезать нос «Запорожцу», который благополучно уехал. Преследователи же, не рассчитав скорости, врезались в автомобиль марки «линкольн», после чего, бросив разбитую машину, скрылись... В чем дело, майор? — удивленно поднял брови Турецкий. — Почему не пишете?

Но гаишник лишь вздохнул, молча вернул ему права, отдал честь и неторопливо направился к побитому «линкольну». Какие права?! Какой там протокол?! Впрочем, Александр Борисович нос-то «Запорожцу» все-таки подрезал, а это неправильно. За это штраф платить надо. Невелика, конечно, сумма — всего каких-то пятнадцать тысяч, но... не было у старшего следователя по особо важным делам лишних пятнадцати тысяч в кармане. Не было, и все. Потому что отпускных он еще не получил. На что, кстати, очень даже рассчитывал.

Господи, да разве в этом дело? Ведь эти лихие молодцы только что запросто могли бы размазать его. Знать бы, за какие заслуги...

Кому ж это он до такой степени насолил?.. Ну ладно, как бы отмахнулся от собственных мыслей Турецкий, это все — лирика. Этот вшивый «БМВ» он впервые засек еще на Олимпийском проспекте, то есть в непосредственной близости от конторы Яремчика. Но самого Яремчика, этого востроносого лиса с бегающими глазками, Саша навестил с подачи Славки Грязнова. А у Славы клиентура все-таки порядочная, честь фирмы чего-то же стоит! Похоже, что вели Турецкого эти лбы гораздо раньше, но вот прокололись только там. Значит, Яремчик тут ни при чем, и это хорошо. Каждый должен заниматься исключительно своим делом и не лезть туда, где пахнет керосином. Яремчик делает визы, когда очень надо, и даже бесплатно, а Турецкий ловит убийц. Каждому свое, и все довольны. Но самое приятное, отметил про себя Турецкий, что никакого страха он так и не почувствовал. Напряжение — это было. Но не страх за свою жизнь...

Саша вдруг обнаружил, что все еще стоит, привалившись плечом к «жигуленку», и размышляет о вещах, в сущности совершенно посторонних и не имеющих отношения к тому, чем он в настоящий момент должен был заниматься. А предстояло ему буквально через десять минут сидеть на ответственнейшем заседании, которое вели в конференц-зале Генеральной прокуратуры сам генеральный прокурор и министр внутренних дел. Не надо быть провидцем, чтобы догадаться, что речь будет идти скорее всего об участившихся за последнее время и поражающих своей наглостью убийствах крупнейших в стране банкиров, коммерсантов и даже — подумать только! — депутатов самой Госдумы! Нет, не сами факты преступлений будут сегодня муссироваться, а то, что за редчайшим исключением подавляющее большинство убийств так и остается нераскрытым. Висяки и висячки... Однако, как заметил поэт, «довольно бреда, время для труда», то есть пора и честь знать. Раз блистательный представитель ГАИ в чине майора приступил к непосредственному несению своих обязанностей на перекрестке Трубной площади, жди очередных пробок, это закон.

«Невозможная стала жизнь, — уныло покачал головой Турецкий. — Ездить — нельзя, ходить — опасно. Рэкет, киллеры — куда мужику-то теперь податься? А куда ни сунься, везде прибьют или таким налогом обложат!.. Ну все, все!» — остановил он себя и включил зажигание.

2

— Да, Саш, вот тут я с тобой согласен: ваше поколение совсем ни при чем. Просто вас некому было научить это... готовить «Блади Мэри»...

Турецкий хмыкнул.

«Ну надо же, какой апломб! А произношение какое! Оксфорд! Кембридж! Куда нам, лапотным... Подумаешь, «Кровавая Мэри» — два слова, но как подано!..»

Олег многозначительно покивал, как бы завершая беседу с самим собой, и пьяно-пристальным взглядом уперся в Турецкого.

— Но я готов это... продолжить лекцию. Давай сюда томатный сок... А в чем дело? У нас что, больше нет томатного сока?

— Извините, сэр, — вежливо и холодно, словно вышколенный слуга, склонил Саша голову в полупоклоне, — весь вышел, сэр. И вообще, кончилось все, что мы имели. Правда, я могу залезть в холодильник Грязнова, и не исключено, совсем не исключено...

— Твой Грязнов — плебей. Это я безале...пели...ционно заявляю, да.

— Не ври! — возразил Турецкий. — Грязнов очень хороший человек. И мой старинный друг, товарищ и брат, понял? И у него всегда чего-нибудь стоит в холодильнике... А что касается некоторых аристократов, то я сильно извиняюсь: не вижу, где они? Ау!.. Тишина! Может, ты видишь?

Олег расхохотался. И Турецкому на миг показалось, что не так он и пьян, как хочет выглядеть в какие-то моменты. Хотя с другой стороны... Все-таки литр они уже усидели. Смешивая с томатным соком в разных пропорциях. Но никак не добиваясь при этом чистоты картины, то есть четкой линии разделения красного и белого. Из-за чего, собственно, и окрысился как-то непонятно Олег — сперва на Сашу, а потом ни за что ни про что и Славку плебеем обозвал. Не в шутку, нет, это Турецкий даже своим не совсем трезвым умом почуял. Нервничает, видно, Олежка. Или вправду, как он сообщил днем, устал? Последнее вообще-то можно понять: на его посту председателя Межведомственной комиссии по борьбе с преступностью и коррупцией Совета безопасности Российской... нет, не империи, пока Федерации, — любой бы так еще уставал. Тут же, если не химичить, а Олег всегда был таким, какой же толщины жилы надо иметь, чтобы суметь противостоять этой самой межведомственной коррумпированной сволочи! Канаты, а не жилы... Ну вот, он, значит, будет теперь нервничать, а ты его терпи?

Турецкий открыл холодильник Грязнова и обнаружил там совершенно свежую, то есть непочатую бутылку водки. Той, которая с откровенной наглостью нувориша ежеминутно лезет с телевизионного экрана в темную душу российского обывателя, — «Кремлевская де люкс». Достал бутылку и потряс перед носом Олега.

— Водка есть, сэр, а вот томатного сока — нет. Как прикажете, сэр?

— Плевать. Давай сюда, а то у меня ни в одном глазу...

— Да ну-у-у!..

— Точно! — Олег нарочито, пальцами, раскрыл до отказа глаза, поводил головой из стороны в сторону и поднял лицо к потолку. — Ну? Сам же видишь! Давай еще раз за нашу встречу!

За встречу они уже тяпнули. И не раз. Но почему же не повторять, коли есть сильное желание?

Не виделись они давно, не годы, конечно, но несколько месяцев — это точно. Олег — младший сын глубоко уважаемой Шурочки Романовой. Многолетняя и очень грозная начальница МУРа, полковник Романова, годами занимавшая генеральскую должность, наконец-то делом подтвердила свои многократные обиды-обещания бросить все и уйти на пенсию. В этот последний раз сдержала слово. Вернее, ей активно помогла длящаяся практически все перестроечные годы, то есть уже целое десятилетие, министерская чехарда. Министры внутренних дел, их замы, генпрокуроры и их замы, а также вся остальная правоохранительная братия, потерявшая, по общему мнению, чувство основательности, твердости своих позиций, а соответственно, и решений, занялась наконец единственно возможным в сегодняшней ситуации делом — самообеспечением. Люблю себя — вчера, сегодня, завтра. Ну и в дальнейшем тем более. И никто в таком святом деле помешать мне не может. Но если все-таки захочет, то... Не дай ему Бог! А Шурочка, то бишь полковник Александра Ивановна Романова, возьми да и вылези на трибуну: куда прем, товарищи?! Ох уж эти максималисты-правдоискатели! Борцы за какую-то недоделанную, мифическую справедливость! Уйти хочешь? Милости просим. Какой может быть разговор, если человек устал? Есть еще вопросы? Ах, так у нее еще и опыт? Ну что ж, в таком случае вот ей вполне синекурное место начальника методического отдела МВД России. Подойдет? Оч-чень вам обязаны!

Только, уверен был Турецкий, не случай какой-нибудь или чья-то действительно оказавшаяся на месте умная голова этот ход подсказали. Детишки мамы Шуры — вот кто. Алька — младшенький, как звала его Шура, в «Белом доме» ныне восседает. В личных апартаментах, прикрытый от посторонних глаз эскадроном секретарш и телохранителей. А иначе чего ж там сидеть?.. Да и старший — Кирилл, Кирка, Кира — тоже не шибко отстал от времени, в котором сильному все по плечу. В службе внешней разведки обретается. И, как утверждает Шурочка... тихо, конечно, в очень узком кругу, — числится на хорошем счету.

Поэтому, когда ребятки, живущие, кстати, вполне приличной холостяцкой жизнью и отдельно от мамаши, узнав о последнем демарше родительницы, с некоторой долей юмора поделились своими соображениями с начальством, оно, высокопоставленное и влиятельное начальство, сочло возможным тоже с улыбкой намекнуть министру внутренних дел об одной строптивой, зато порядочной и знающей полковнице, опыт которой... и так далее. Нынешний министр был бы абсолютной бездарностью, если бы с ходу не усек интереса своих более опытных товарищей. Так Шурочка вместо ожидаемой пенсионной старости обрела синекуру. Непонятно только: кто ее заставляет ежедневно торчать на работе чуть ли не до полуночи, если всех ее младших коллег волной смывает, когда на часах без нескольких секунд шесть? Вот уж действительно вечная загадка поколения!

И еще одна немаловажная, как теперь говорят шибко грамотные, деталь тут имелась. У Кирки и Олега разные отцы. И фамилии, соответственно, разные. Как однажды под большим секретом рассказал Саше его собственный шеф и учитель, а также старый друг Костя Меркулов, по праву занимающий высокий кабинет заместителя Генерального прокурора матушки-России, Кирилл, носящий фамилию и даже отчество матери, был плодом еще девического увлечения Шурочки. С отцом Кирилла она вместе училась на юрфаке МГУ, жили не расписываясь, «оттепель» же была, благословенные шестидесятые... Потом Матвей этот куда-то делся, кажется, за бугор слинял. Попереживала тогда Шурочка, однако Киру она на ноги поставила и только после этого вышла замуж. Всерьез. И этот второй ее супруг, кстати, теперь тоже уже бывший, дослужился в Комитете госбезопасности до звания генерал-лейтенанта и благополучно, не в пример бывшей своей супруге, по выслуге лет вышел на пенсию. А все свои нерастраченные силы и способности успешно перенес в сферу банковских операций. Занимает он сегодня, сколько было известно Турецкому, второе место в одном из крупнейших коммерческих банков. А может, так говорят, когда на самом деле — первое, но неафишируемое, кто знает? Анатолий Николаевич Марчук — личность в недавнем прошлом известная и вполне заслуженная. Вот и Олег скорее в него пошел — деловой, хваткий, — а не в бессребреную свою матушку.

Пока все эти высокоумные сопоставления прокручивались в несколько ослабевшем мозгу Турецкого, Олег щедро разлил «Де люкс» в мутные от бывшего томата бокалы, а потом достал из верхнего кармана твидового «клифта» маленькую щеточку-расческу и, оттопырив верхнюю губу, начал вполне трезвыми движениями причесывать-приглаживать элегантные черные усики. Да это уж просто мания какая-то! За последний час — каждые десять минут с регулярностью автомата.

— Я пить больше не хочу, — заявил Саша из вполне понятного самому себе чувства противоречия.

— Ну тогда и я не стану, — почему-то охотно согласился Олег.

— Я ухожу в отпуск, — вот чем аргументировал Турецкий нежелание пить.

— Этот вопрос мы уже обсудили. Не аргумент, конечно, но... Придумай причину получше.

«Вот негодяй! Пьян, а сечет... — хмыкнул Турецкий. — Молодой потому что. Свежий. Тридцати еще нет, почти на десяток лет моложе меня. Кирилл как раз между нами, ему сейчас тридцать три, Христов возраст. Опасный...»

С Олегом он сегодня встретился действительно совершенно случайно. С утра занимался самым необходимым делом. Смешно представить: старший следователь по особо важным делам Российской Генпрокуратуры договаривался с крупным жуликом об организации для себя лично и для своего семейства в составе жены Ирины и дочери Нины бесплатных виз в Германию. Через какие-то неведомые коммерческие структуры. А в середине дня сдуру взял да позвонил Косте, который обещал, и на сей раз твердо, отпустить его на все четыре стороны сроком на три недели, то есть в Германию, к школьному приятелю Турецкого — Толе Равичу. Этот Толя, ставший крупным немецким бизнесменом, предложил семейству Турецкого бесплатный отдых в Альпах — со всем подобающим сервисом и возможностью поездить по Германии. И вот вся эта многоэтапная затея едва не рухнула. Костя снял трубку и тут же безапелляционным тоном предложил лучшему другу Саше немедленно прибыть на совещание. Тон не предполагал возражений. Ну а дальше — известно: переделка на Трубной площади и совершенно бездарное, никчемнейшее, многочасовое бдение в конференц-зале — под строгим контролем ведомственной охраны.

Оно, это совещание, было, естественно, закрытым. Единственной радостью оказалась встреча с Олегом, который за последнее время, как показалось Саше, стал еще длиннее, но, надо отдать ему должное, и элегантнее. От прически с тонким, сверкающим пробором до узконосых ботинок — все на нем было словно от Версачи. Народ, особенно негустая женская часть участников чрезмерно многочисленного совещания, с навязчивым интересом разглядывал стройного «белодомовца». Рядом с ним перепадала толика внимания и Турецкому. Они сели подальше от президиума, заполненного генералитетом, и сразу усекли, что грядет обыкновенная жвачка. Олег, слегка наклоняясь к Саше, начал свистящим шепотом травить анекдоты, циркулирующие по этажам «Белого дома». Турецкий сперва сдерживался, а потом стал легонько повизгивать от наслаждения. На них завистливо и нехорошо оглядывались. Кончилось тем, что после первого же перерыва они сбежали. Олег в Столешниковом купил литровую бутылку «Абсолюта» и пару банок густого, концентрированного томатного сока, после чего они на двух машинах приехали на Енисейскую, где Турецкий квартировал у Грязнова.

— Не понимаю, за что моего бездарного и, по-моему, достаточно запачканного генерального так любит Президент? Ты там поближе, Олежка, скажи!

— А этих козлов обоих днями снимут с работы, — брезгливо заметил Олег и усмехнулся.

— Ты что, обоих имеешь в виду? Сегодняшних?

— Я же сказал, неужели не ясно? Повод нужен... наверно. Но вопрос, по сути, решен.

— Ну, положим, разговоры по поводу нашего давно в ушах навязли. А Президент, как ты, конечно, слышал, на днях моего Толю так послал, что другой на карачках бы прошение приволок: отпусти, мол, барин, дурак я, не справился. А этому — хоть ты ему ссы в глаза, все Божья роса...

Не любил и не уважал Турецкий своего генерального, то есть высшего собственного начальника. И ведь было за что. Последние два месяца, вот как бы к слову, занимался он делом об убийстве крупного банкира, крупней, как говорится, уж и некуда. Да ко всему прочему — депутата Госдумы. Как ему стало известно, в узких, но весьма влиятельных кругах подлинных вершителей государственной политики были подготовлены настоятельные рекомендации Президенту предложить этому банкиру кресло председателя Центробанка. Знающие консультанты объяснили Турецкому, что в условиях так называемых у нас экономических реформ назначение нового главного банкира страны может вызвать самую непредсказуемую реакцию, вплоть до смены правительства.

Умом Турецкий понимал, что все подобные «страшилки» вызваны одним, даже нескрываемым желанием: усилить дестабилизацию в обществе накануне выборов в Государственную Думу. Но подспудно он испытывал ощущение, что некие, и, кстати, весьма серьезные, силы из президентского окружения этим ходом как бы бросили пробный шар: пройдет или нет у них данный номер? Кажется, более точного примера сращивания госструктур, крупного капитала и уголовщины не придумаешь. Но говорят об этом, как правило, лишь журналисты, а политики отмахиваются и продолжают свое дело. Однако, судя по всему, те деятели из высоких кругов на этот раз допустили промашку: если исходить из тех характеристик, что получило следствие, покойный был действительно крупнейшим «авторитетом» как минимум в двух ипостасях — в уголовной и банковской сферах, отличаясь при этом сугубой жестокостью и беспощадностью к конкурентам. Поэтому одна из первых, но основательных версий следствия: пахана «замочили» объединившиеся обиженные — вскоре стала и окончательной. Однако на Турецкого вдруг поползли такие фигуранты, а само дело начало так стремительно разбухать, что генеральный прокурор, после чьего-то требовательного звонка забравший дело к себе для ознакомления и принятия решения, приказал дать задний ход. Причем такой резкий, что ведомый Турецким состав едва не загремел под откос. Что ж, сказал себе Саша, нам не впервой. Раз не допущают до корешков, пострижем вершки. В кои-то веки доблестным муровцам под командованием Юры Федорова удалось с ходу выйти на исполнителя, которого довольно толково описал вот уж воистину случайный свидетель. Затем уже сам Турецкий, вопреки скверной традиции последних лет беспечно и бездарно терять драгоценных свидетелей, сумел сохранить ему жизнь и довести дело до суда. Того киллера, конечно, прислонят к стенке, двух мнений нет. Но слушание по причине неизвестных, но, вероятно, весьма тонких обстоятельств уже не первый раз переносится, а бывшие фигуранты, естественно, на свободе и продолжают руководить своими банками и прочими коммерческими структурами. Уж не от них ли прилетала, хоть и с явным опозданием, тревожная ласточка — «БМВ»?

Известно Саше стало и другое обстоятельство. Абсолютно ясное, с его точки зрения, дело вызвало наверху неожиданно бурную реакцию. Нет, с самим Турецким никто не разговаривал — уровень не тот. А вот генеральный, как доверительно сообщил Саше Меркулов, крутился словно уж на раскаленной сковороде. А что остается делать, когда тебя несут со всех сторон, а возраст твой — далеко не пенсионный, и руководить бы еще, ох, как охота руководить!.. Конечно, в окружении Президента есть люди, которым необходим именно такой генпрокурор, и обязательно действующий, а не отставной. Это он может быть Президенту костью в горле, но служит-то он тем, кому обязан постоянным личным сегодняшним благополучием. А подобных забот у Толи-прокурора немало: недаром он так торопливо достраивает огромные краснокирпичные дачи-коттеджи и себе, и многочисленной своей родне, и все они до последнего завязаны на бешеных деньгах, и битва их обладателей пошла уже в открытую, без всяких правил и снисхождений. Так вот, учитывая данные обстоятельства, с кем должен быть генеральный прокурор? С Президентом, которому чисто словесно помог в 93-м году, рекламируя свои демократические пристрастия, или тем, кто кормит и разрешает кормиться самому? Дурацкий вопрос. Разумеется, никакой Президент с его постоянными указами о необходимости резкого усиления борьбы с уголовщиной, коррупцией и пр. и др. ему, извините, не указ. Сила-то не у Президента.

Вот почему, охотно скинув дело об убийстве банкира Киргизова с плеч, точнее, обозначив характер и масштабы мафиозно-банковской разборки, последствия которой аукнутся российской экономике еще не раз, Турецкий, веря обещанию Константина Дмитриевича Меркулова, немедленно написал заявление о долгожданном отпуске, а тот недрогнувшей рукой заместителя генпрокурора утвердил прошение.

«Свободен! Свободен!» — кричал, говорят, Энгельс и подкидывал ногой собственный атласный цилиндр, когда узнал, что его лучший друг Маркс завершил вечный свой труд «Капитал». Чопорный британский полисмен, наблюдавший за этой чудовищной сценой, был несказанно удивлен и озадачен.

Сегодняшний демарш Турецкого с высокого массового совещания закрытого типа представлялся ему самому подобным эксцентричной, но глубоко выстраданной выходке одного из двух основоположников марксизма.

— То, что Толя не жилец в нашем доме, — сказал Саша, — знают все. Но, Боже, когда же это наконец произойдет? Я совсем не кровожаден, но венок понесу...

— Вообще-то в его возрасте и положении совсем о другом думают... — усмехнулся Олег. — А на пенсию провожают не с венками, это ты брось...

— Какая еще пенсия?! — возмутился Турецкий.

— Ишь ты, какой быстрый, — расслабленно засмеялся Олег. — По тебе — так сразу к стенке?

— Ему ж наворованного теперь до старости хватит. Еще и внукам останется. Так я считаю...

— Неправильно считаешь, — упрямо возразил Олег. — Значит, что, завязываем на сегодня?

— А кто тебе сказал про нашего? — не уходил от темы Турецкий. — Ведь из-за него вся моя двухмесячная напряженка пошла коту под хвост.

— В этой стране все идет в то самое место, дорогой мой друг и учитель Александр Борисович. А кто сказал — не спрашивай. Не скажу. Ты хоть догадываешься, чем я занимаюсь? Нет? А я целый год рефра...мирую банковскую систему. Которая совсем того не хочет. Понимаешь? Не же-лает!

— Финансы — это очень скучно, — поморщился Турецкий.

— Но когда их много, Саш, оч-чень много, тогда совсем не скучно. Ну так что, завязываем, да?

— Я бы, может, не против, Олежка, но тебе же надо ехать, сам говорил. За рулем все-таки...

— Не будем, — покорно кивнул он и отодвинул бокал с водкой. — Хотя я могу сюда шофера вызвать... Ладно, не будем. — Олег устало опустил голову на грудь. — Но почему под хвост? Этому... коту?

— Потому что у нашего праведного суда найдется по меньшей мере сотня причин переносить и затягивать процесс, что и требуется в конечном счете. Главное — не торописса и не волновасса, так ты сам нынче заявил.

— И повторю! — Олег воинственно поднял голову. — Но ты же ведь свое-то дело сделал?

— Сделал, а теперь иду в отпуск. Прямо с завтрашнего дня. Еду. Всей семьей, с Иркой и Нинкой. За бугор. В Мюнхен. К Тольке Равичу. Он мой школьный друг. Будем жить три недели на всем готовом. Хоп! Я все сказал.

— Ты пятый раз это говоришь. А Ирка твоя очень красивая, да? — Олег улыбнулся такой широкой белоснежной улыбкой, что Саше сделалось нехорошо. Он вспомнил, что ему просто необходимо топать к зубному врачу, который не без доли садизма станет стращать его бормашиной, от одного вида которой у Турецкого задница холодеет, а мифическая «гроза Одессы» превращается в жалкую тряпочку. Или подождать еще? Ну а вдруг за бугром прихватит?..

— У меня, между прочим, и дочка красивая! — постарался он отвлечься от неприятной темы.

— Не знаю, не видел.

— А как же ты мог ее видеть, если мы с тобой и сами вон сколько не виделись? Далеко живем... И Кирка твой тоже.

— Чего — Кирилл? — вроде насторожился Олег.

— Тоже, говорю, сто лет его не видел. Где, что — ничего не знаю.

— Он теперь весь засекреченный, — хмыкнул Олег. — Но это я лишь тебе, — он прижал палец к губам, — понял? А зачем ты своих услал к этим... латышам? Мог бы и мне позвонить. У меня знаешь какая сейчас квартира? На всех вас, да еще останется.

— А я даже и не знал, что ты в Москве. Тем более в «Белом доме»... И потом, с какой стати, а?

— Что значит — с какой стати?! Мы что, чужие? Сто лет незнакомы? Тоже мне — «важняк»! Ютишься черт знает на каком диване, семья у черта на куличках. Ты просто неумеха, Саш, извини...

— Точно, — согласился Турецкий. — Ирка говорит то же самое...

Но если рассуждать всерьез, то действительно получалось так, что не научился он жить в условиях кардинальной перестройки общественного организма, а если еще точнее — в режиме всеобщего бардака. Экономического, идеологического, да просто человеческого. Он даже не сумел организовать для себя временного жилья, когда начался капитальный ремонт дома. Всем жильцам выделили, правда, не в лучших районах и тем более домах, хоть какое-то пристанище: ремонт ведь рассчитывали провести как минимум за год. Тем, кто готов был навсегда покинуть Фрунзенскую престижную набережную, какие-то бойкие дельцы предлагали больший метраж, но... где-нибудь в Солнцеве или Митине, поближе к кладбищам, так сказать. И вообще, давление на жильцов шло с разных сторон, так что вовсе не исключено, что за право возврата в собственную отремонтированную квартиру кое-кому придется еще и побороться.

Но юмор ситуации заключался в том, что пока Саша телился и занимался государственно необходимым трудом, его, а тем самым и его семью, обошли стороной в буквальном смысле. Когда он со смехотворным опозданием явился в родное РЭУ, ему заявили, что все нормальные люди давно выехали на предоставленную временную жилплощадь, и так как практически никаких резервных помещений РЭУ не имел, оставалось переселяться в какой-то вшивый барак не то в Бибиреве, не то в Бутове, но не там даже, где новый район функционирует, а чуть ли не в Щербинке, то есть на краю земли. Вот поэтому женской части семьи Турецких пришлось снова перебираться за границу, то есть к Иркиной тетке в Ригу, а сам Саша налегке кочевал по первопрестольной от приятеля к приятелю, деля жизнь между своим рабочим кабинетом на Пушкинской улице, холостяцкими раскладушками, холодом в плохо отапливаемом автомобиле, глотками спиртного из горла и надоевшими вялыми спорами о том, куда нас всех занесла нелегкая.

Всю эту житейскую дребедень разом оборвал Грязнов, и теперь они стали жить втроем в его новой трехкомнатной квартире: Слава, его племянник из Барнаула Денис и Турецкий.

Естественна поэтому и негативная Сашина реакция на злую реплику Олега в адрес поистине настоящего друга Славки Грязнова, бывшего подполковника милиции, а ныне хозяина хитрого сыскного бюро «Слава».

Впрочем, Турецкий сообразил, что отдельные детали всего вышеизложенного как бы прокрутил в собственном мозгу, но что-то все-таки изложил и вслух, потому что Олег, изобразив на лице глубокую и озабоченную задумчивость, неожиданно произнес:

— Ну что ж, за этот вполне товарищеский поступок я снимаю свою дерзость в отношении это... хозяина и придвигаю свой бокал...

— Ладно, по чуть-чуть, — снизошел Турецкий.

— Пусть по чуть-чуть, а потом я поеду. Уже пять часов, смотрика. Ну, за твой отпуск!.. Это что, телефон? Зачем он звонит?

— Наплевать. Дома никого нет. Там работает автоответчик. Да и все равно, это же не нам с тобой. Будем?

— Будем.

— Грязнов! Это Романова, — донеслось из динамика телефонного аппарата. — Когда появится Турецкий, спроси, куда он девал моего младшенького? Я их засекла вместе на совещании, а потом они оба дружно исчезли. О причинах я, конечно, догадываюсь, но Алька мне срочно нужен. Я задерживаюсь на работе до восьми.

Последовал звуковой отбой.

— Романова?! — спросили они друг у друга. А Саша добавил:

— Что ли, Шура Романова?

Как будто у них бы целый воз и маленькая тележка этих Романовых, излагающих указания строгими женскими голосами.

— Кажется, это звонила твоя мама, Олежка, — высказал Турецкий самую умную за целый день догадку.

Олег как-то сразу построжел лицом, протрезвел, собрался, но, когда встал, его качнуло. И, крутя диск, он несколько раз ошибся. Ведь как-никак без закуски полкило уложил на грудь.

— Романова, — сурово прозвучало в динамике телефона. Вот же аппарат соорудили хлопцы из хитрой конторы Грязнова: никаких секретов не утаишь. Были, конечно, в аппарате свои тайны, не без того, но Саша со своим необразованным копытом в эти тайны не совался, и правильно делал. Грязнов ведь не для этого его в своем доме поселил.

— Это я, ма... — вполне свежим голосом заявил Олег.

— Алька! Вот хорошо, что догадался, а то я тебя чуть не потеряла. От Киры весточка, Алька! Сообщает, что с ним все в порядке... Ты что, не рад? Чего молчишь?

— Рад, ма, хорошо, ма... А когда прислали?

— Пришла вчера, сообщили сегодня. А что это у тебя с голосом? Ты опять напился? — Голос Шурочки построжел.

— Да что ты, ма! — заметно натужно развеселился Олег, оглянувшись на Сашу. — Это мы с Турецким бутылочку легкого тяпнули, ма. За его отпуск. Не виделись ведь Бог знает сколько, ма... Все, ма, уже завязываю, а с утра — на зарядку ста-но-вись! Пока, ма, завтра, если хочешь, заеду! — И, не дождавшись ответа, положил трубку, после чего стал объяснять то, что и без всяких слов было ясно: — Это она, Саш, о Кире все беспокоилась. Давно известий не было, он же на секретной, помнишь, я говорил, работе, все по загранкам под чужой фамилией болтается. Как же не волноваться? Вот теперь дождалась весточки, через управление, естественно, как положено, и рада новостью поделиться. Понять ее можно...

Что-то Олег становился излишне говорливым. И протрезвел окончательно. Бывают же чудеса! А вот Сашу, наоборот, чуть ли не в сон теперь потянуло. И Олег проницательным своим умом наконец сообразил:

— Ну, ладно, Саш, отдыхай давай, а я все-таки сам поеду. Как считаешь, нормально выгляжу? Или шофера высвистать? Гаишник засечет?

— Будешь нормально ехать — не засечет. В правый ряд не жмись и в левом не наглей. Пристройся за каким-нибудь «мерсом» и держи дистанцию.

Не известно, каков сегодня водитель Олег, думал Турецкий, но вот Кирка бы подобных вопросов не задавал. Вот уж кто водила, что называется, от Бога. Хоть и на пяток всего лет старше он Олега, но в жизни успел хлебнуть трудового пота. Может, поэтому и ценит его бывший, так сказать, отчим, в свою контору перетащил из института экономики, где, защитив диплом с отличием, подвизался Кирилл. Впрочем, это только теперь профессия экономиста — едва ли не главная в постсоветской горькой действительности. А десяток-полтора годков назад — что? Бухгалтерия? Фи! Вообще-то, наверное, какова экономика, таковы и требования к кадрам. Но генерал Марчук явно не был дураком, ибо до пенсии занимался в Комитете кадровыми вопросами. А на них, на вопросы эти, кого ни попадя не сажали.

— Ну так я поехал, Саш! — Олег легонько потряс в воздухе ладонью, подхватил со спинки стула свой длинный светлый плащ со спущенным ниже задницы поясом, как ходят нынче богатые пижоны, хлопнул Сашу по плечу: — Давай не забывай, звони, визитку я тебе оставил, — он ткнул пальцем на противоположный край стола, — а я отбыл. Дела, Саш...

Удалился в прихожую он вполне трезво — высокий, красивый, черт его дери! Турецкий улыбнулся ему вслед и хмыкнул: «Мы хоть и сами с усами и ростом не обижены, однако далеко нам до этого, молодого поколения, ох как далеко! Хотя я им все равно не завидую, нет».

Саша не слышал, как захлопнулась дверь, потому что с удовольствием вытянул ноги на диване, на котором сидел, и откинул голову к высокой и мягкой спинке — обволакивающей и утихомиривающей, утоляющей эту... как ее, а, все равно хорошо...

Сон ли, слишком отчетливое воспоминание — не понятно, что это было на самом деле. Турецкий вдруг оказался на футбольном поле в Тарасовке. Он провел мяч по самой кромке и аккуратненько этак передал его Кирке. А тот в грязной майке, растрепанный, потный, но ловкий, крепенький, точнейшим ударом послал его в ворота. Гол! А вот и фигушки! Олег, даром, что каланча здоровенная, вынимает удалой мячик ну прямо из-под самой планки! И хоть жалко незабитого красивого мяча, внутренне Саша обрадовался за Альку-Олежку. Ведь сегодня утром он прочитал свое имя в списке абитуриентов, принятых на юрфак. И в том же МГУ, откуда вышел в самостоятельное плавание его друг, покровитель и в чем-то даже учитель, к примеру в самбо. А кто же этот уважаемый человек, которому готов подражать Олежка? А это, да будет всем известно, Александр Борисович Турецкий собственной персоной... Однако судья свистит, и значит, Олежка сейчас пробьет от ворот. Снова свистит этот зануда судья, местный старожил, у которого семейство Марчуков-Романовых снимает который уже год подряд дачу на все лето. «Кончай свистеть!» — крикнул Турецкий и... проснулся.

«Будь ты неладен, Грязнов, со своим дурацким секретным аппаратом!»

— Саша, срочно — слышишь? — срочно приезжай в прокуратуру!..

Голос принадлежал Косте Меркулову. Уж его-то тембр ни с чьим другим не спутать.

— Ну что еще случилось? — забормотал Турецкий. — Не дождались, значит, и убили-таки генерального? А теперь не знают, на кого вину свалить? Так меня же там не было! Есть свидетели... тот же Олежка. Ему поверят, он в «Белом доме» живет...

Однако смех смехом, а в таком неприглядном виде в прокуратуре ему сегодня делать совсем нечего. Он же себе не враг. Он друг себе, но от этого не легче. Надо что-то сочинять, причем быстро. Вот если бы уже в отпуске числиться, тогда другое дело. Но пока было только заявление и Костин автограф, разрешающий Александру Борисовичу Турецкому долгожданный загранотдых.

Он задумался: ехать или сочинить подходящую «версию»? Вообще-то в данный момент, как он тут же понял, нужно было для начала залезть под прохладный душ, благо лишь он и имелся в квартире Грязнова. Октябрь, а эти марамои из жилконторы отключили горячую воду. Так себе, сочится что-то тепленькое. Вода, конечно, хорошо, но этого было мало. Саша долго рылся в Славкином письменном столе в поисках шариков «антиполицая», но таковых не обнаружилось. А ведь были, он точно помнил... Зато нашел «алку-зельтер» и дорогой аспирин «упса». Не долго размышляя, он кинул в стакан с водой пару «алок» и таблетку аспирина. Все в стакане зафырчало, заклубилось, и Саша не без отвращения выпил эту кисловатую газированную дрянь. После этого он смог уже не только четко соображать, но и спокойно прибрать со стола остатки пиршества, иными словами, выкинуть в мусоропровод пустую бутылку, банки и окурки из пепельницы. Завершилась операция по наведению порядка в организме и вокруг него тем, что он старательно изжевал полпачки цейлонского чая.

Впрочем, почему это надо мчаться куда-то по какому-то звонку? Совсем нетрудно притвориться, что никто ничего не знал, ничего не слышал, да и вообще никого не было в эти часы дома. А когда приехали, было уже поздно вообще куда-то мчаться, тем более звонить. Теоретически, конечно, все так, согласился со своими доводами Турецкий, если бы звонил, скажем, генеральный прокурор. Или Президент. Черт Иванович в конце концов! Да, так бы он и поступил.

Но зачем позвонил Грязнову не Черт Иванович?!

3

За рулем он сконцентрировал свое внимание до предела. Нет, конечно, советы не наглеть в левом ряду, не жаться трусливо в правый, не обгонять на встречной полосе и тому подобное — давать нетрудно. Сложнее все это выполнить самому, особенно на такой машине, как этот «жигуленок», который предпочитает больше стоять, показывая свой норов, нежели ездить. Так и жди от него в любой момент какой-нибудь пакости. Но в этот раз, похоже, обошлось. Либо машина сама почувствовала необычное состояние водителя и решила не нарываться на неприятности. Словом, до родной Прокуратуры Российской Федерации Турецкий домчал довольно бодренько. Поднялся к себе в кабинет, успокоился, сосредоточился, сделал умное выражение лица и после этого отправился к Меркулову.

Был самый конец рабочего дня. С минуты на минуту потекут по лестнице к выходу озабоченные сотрудники. Но имелся особый шик заниматься делами именно тогда, когда никакой суровой в том необходимости не было. Причем во всех присутственных местах дорогого отечества. «Сам не спит, видишь, его окно светится — даже стихи об этом писали, — вот и ты спать не должен!»

Меркулов был, как обычно, крайне озабочен. Но Турецкий не дал ему первому слова. Независимой походкой войдя в кабинет, он деловито и сухо осведомился:

— Есть вопросы по делу? Недоработки? Но какое все это, в сущности, имеет значение? Оставим право выносить приговор суду. Свою работу, полагаю, мы выполнили, сроки не завалили... Исходя из вышеизложенного, считаю свою миссию завершенной и потому, с вашего благословения и по прямому указанию, сматываюсь в отпуск.

Витиевато сказал, возможно, даже многословно, но зато вложил в несколько фраз всю необходимую информацию и явно намекнул, чтоб от него наконец отцепились.

— В какой отпуск?! — Костя Меркулов был в буквальном смысле ошарашен.

— Ну, знаешь! Это уже... — Турецкий не мог подобрать подходящие моменту слова. — Вы что на своем олимпе — совсем уже все с ума посходили?! — Он запоздало сообразил, что перебирает в тоне и стилистике речи, что надо бы маленько сбавить, все же Костя, хотя для него он так Костей и останется, тем не менее является заместителем генерального прокурора, и разговор происходит в его рабочем кабинете, а не в пивнушке, той знаменитой, что была на Сухаревке и которой давно уже не существует.

Запоздало разглядел Саша выражение Костиного лица — удрученное, кислое. И сказал уже другим тоном:

— Ты же сам, вспомни, говорил мне, когда перетаскивал сюда, в это здание, с Благовещенского: закончишь с банкиром — и сразу в отпуск, обещаю твердо. Ведь обещал?

— Обещал, — покорно кивнул Костя.

Говоря «сюда», Турецкий имел в виду центральную контору, распространяющую запах разлагающейся законности на всю территорию страны, то есть здание Российской прокуратуры. Дело в том, что следственная часть Генеральной прокуратуры расположена в Благовещенском переулке. Но когда Бог и суровая действительность подложили ему дело об убийстве депутата-банкира и потянулась цепочка, истинное значение которой поначалу никто оценить даже и не попытался, Меркулов сообразил первым. Объяснив срочное переселение Турецкого на Пушкинскую, 15 А, теснотой рабочих помещений в Благовещенском, Костя, разумеется, имел в виду совершенно иное обстоятельство: Сашино отлучение от благовещенской команды имело под собой железную основу — необходимо было даже чисто механически избавиться от любопытных носов коллег-следователей, сующихся в непростые перипетии мафиозно-банковско-правительственных разборок. Ну а кроме того, Турецкий льстил себя надеждой, что без его присутствия рядом, как в добрые былые времена, Костя просто не мог бы обходиться. Недаром же окрестили Турецкого в свое время «мастером версий». Мастер там или не мастер, а талант ведь не спрячешь. Саша терпеть не мог самоуничижения, без острой необходимости, разумеется. Ну так вот, переехал он сюда, под «ласковое» Костино крылышко, а теперь и сам был не рад: весь на виду. И с отпуском опять очередная чехарда начинается!.. Турецкий распалял себя в поисках нужных аргументов, но Костя спокойно, с грустной интонацией в голосе взял да и вылил ему на голову ушат ледяной воды.

— Да, Саша, помню, обещал. Но... с отпуском тебе придется снова повременить, как мне ни жаль...

Голос-то был виноватым, а глаза Кости оставались непроницаемо серыми, холодными, под цвет стен этого кабинета. Неприятный такой цвет. Равнодушный.

— Но что случилось? — Турецкому необходимо было отстоять свое гражданское право на временную хотя бы свободу.

Костя молча ткнул пальцем, указывая старшему следователю сесть, и тот опустился на ближайший стул, но так, чтобы между ними все-таки оставалось достаточно безопасное расстояние для дыхания. Кроме того, Саша пока никак не собирался отказываться от тактики поведения человека, оскорбленного в своих верноподданнических чувствах до самой глубины души. Потому что если без трепа, то он всерьез рассчитывал на эту поездку. Хотелось отдохнуть не только от следствия, которое он гнал в безумном темпе, но, главным образом, от осточертевшей неустроенности, разобщенности с семьей, бездарности ситуации, в которой он постоянно находился, словом, от всей окружающей совковой реальности. Была и вторая причина, возможно, даже более серьезная. Знакомые ребята из недавно организованной достаточно острой газеты «Новая Россия», с которой он имел честь сотрудничать, — сделал для них, как ему казалось, несколько неплохих криминальных «размышлизмов», по выражению «Литературной газеты», заработав куда как приличные бабки, — пару раз предложили Турецкому, причем вполне серьезно, стать у них постоянным обозревателем по юридической тематике, с тем чтобы в дальнейшем, если появится неутолимое желание сменить крышу и профессию, вообще перейти к ним на штатную работу. Господи, да это ж была Сашина голубая, зыбкая, неисполнимая мечта детства — стать профессиональным журналистом! Все равно к виду трупов в морге он так и не привык. Да и возраст уже вполне приличный — к сорока подбирался. А как это там у Твардовского? Коль в двадцать лет силенки нет, а умишка — в тридцать, а в сорок — богатства, то, как говорится, не будет, и не жди. Что ж, силенки ему вроде бы пока не занимать. С умишком — тоже вроде жаловаться грех, хотя, будь он поумней, был бы сейчас как Славка Грязнов — и с новой квартирой, и при хороших деньгах. Последнего же — богатства — в его реальном воплощении уже, пожалуй, никогда не добиться. Но нищенство осточертело. Вот почему и хотел он, может впервые в жизни, человеком себя почувствовать. Семью по заграницам покатать, а заодно и парочку-другую материалов для «Новой России» подготовить: Толя Равич — фигура в бизнесе сегодня заметная, и беседы с ним могли бы представить интерес для читателей. Так он считал.

О том же, что он уже несколько месяцев с семьей только по служебному телефону украдкой общался, и говорить нечего. А ведь это скорее всего самый главный аргумент: послать все к черту и воссоединиться с Иркой и Нинкой маленькой...

— Что случилось такое, что могло бы поставить все с ног на голову, Костя? — повторил он свой вопрос, видя, что Меркулов не торопится отвечать. — Хотя прошу прощения, все у нас и без всякого к тому повода давно стало на голову.

— Вероятно, так. Зоркое наблюдение. Но... понимаешь ли... это, собственно, личная просьба... — забубнил невнятно Костя, и Турецкий понял, что врать Меркулову ужасно не хочется, хотя именно такую миссию на него навесили. Кто — конечно, не загадка, просто Косте неудобно назвать его достойным именем.

И, словно угадав эти мысли, Костя заговорил сердито и быстро:

— Все я знаю и про твою Германию, и что своих ты не видел несколько месяцев, и скитания твои по разным углам — тоже не загадка, хотя, если помнишь, я первым предложил тебе перебраться к нам с Лелей, но ты сам категорически отказался. Словом, все я про тебя и твои планы знаю, как и подпись под твоим заявлением поставил без всяких задних мыслей, но... В общем, Саша, придется тебе временно отложить отпуск и впрячься в новое дело. Потому что больше некому.

— Что значит — некому, Костя? И кто это решился вдруг обратиться ко мне с личной просьбой? Может, это твоя личная инициатива?

Меркулов уставился в потолок, как будто именно там и был написан ответ на все вопросы. Он-то молчал, но Саша уже окончательно понял, что все рухнуло, даже и не начавшись: никуда он не едет, никакая светлая журналистика ему не светит, а девочек своих он не сможет теперь увидеть если не вечность, то около того. Ему даже показалось, что он протрезвел. Ну... до такой степени, чтобы мыслить более реально и не устраивать скандала, результат которого предопределен заранее.

— Какое дело, Костя? — Турецкий был почти спокоен.

4

Через пять минут они сидели в кабинете Генерального прокурора России. Господи, сколько их тут за короткое время сменилось! И Саша не мог бы припомнить, чтобы хоть на одном из них глаз отдохнул. О последнем же и говорить не хотелось. Вот бывает так: не пришелся человек ко двору! И ты хоть золотом окружающих осыпь, в щедрость твою не поверят, но сочтут за подлость. Бывает, к сожалению, что ни делает человек, все плохо. Вот таким и оказался Анатолий Иванович, провинциальный прокурор, однажды в жизни выказавший твердость, хотя этот его шаг пришелся на черные дни октября девяносто третьего года. Тем самым он заслужил сколь безраздельное, столь же и непонятное благоволение Президента. Или все-таки его окружения? Интересно, какую опору нашло первое лицо в этом самодовольном, самовлюбленном и, как теперь выясняется, нечистом на руку человеке? Но тех, кто его не знал или знаком был понаслышке, мог в первые минуты даже и расположить к себе Анатолий Иванович слегка развязной простотой манер, так сказать, простецкостью, ленивой, этакой барской вальяжностью, широкой улыбкой. Но подчиненные уже знали, что за всем этим стоит наглый хищник, откровенно плюющий на общественное мнение. И кстати, на своего хозяина тоже.

В настоящий момент Анатолий Иванович, будто развлекаясь, отдыхая от трудов праведных, со смехом рассказывал другому своему заместителю о совершенно роскошной, на его взгляд, драке в Госдуме, коей сам был свидетелем, во время которой отбившийся от рук депутат волочил за волосы женщину-депутатку и попутно дал в ухо и сорвал крест с другого депутата, известного попа-расстриги. В пересказе генерального и сам эпизод, и его действующие лица выглядели в высшей степени комично и анекдотично. Турецкий же, зная об этом из ночных теленовостей, ничего, кроме отвращения, не испытывал. Нет, не понимал он людей типа Анатолия Ивановича. Видно, «жирным» новым русским, дорвавшимся до власти, свойственны совершенно неадекватные эмоции, и вдохновляет, и веселит их то, что нормальному человеку кажется противоестественным.

С сожалением оторвавшись от увлекательных воспоминаний, генеральный наконец милостиво отпустил собеседника и обернулся к вошедшим. При этом лицо его приобрело скучное и унылое выражение. Совсем не хотелось генеральному заниматься делами насущными, но...

— А вот наконец и вы! — кисловато констатировал он при их появлении, хотя Меркулов с Турецким минут пять, безучастно сидя в креслах, вынуждены были слушать его рассказ. — Давно вас жду. У меня к вам весьма срочное и ответственное задание, Александр Борисович.

Турецкий старался по возможности не дышать в сторону генерального. Хотя, вероятно, делал это зря: даже не очень тренированный его нюх, к тому же подпорченный дневной выпивкой, скоро различил коньячный душок, витавший над столом хозяина кабинета. Костя, тот сразу это учуял и помрачнел.

— Полагаю, Александр Борисович, вы не откажете, — странно игриво вдруг продолжил генеральный, — в личной просьбе... э-э, своему шефу и покровителю Константину Дмитриевичу?

Саша увидел, как окаменели скулы Кости, и понял, что тут затевается неладное.

— С сожалением вынужден вас перебить, Анатолий Иванович, — стараясь быть учтивым, заметил Турецкий, — но Константин Дмитриевич уведомил меня, что есть приказ: мой отпуск отменить и взяться за новое дело. О какой же личной просьбе, собственно, идет речь?

Генеральный повернулся всем телом к Меркулову, и от ласковых интонаций в его голосе на осталось и следа.

— Зачем же так, Константин Дмитриевич? Я ведь достаточно ясно дал вам поручение и сообщил, откуда оно исходит. К тому же мы с вами четко договорились ничего не скрывать от следователя... э-э, старшего следователя.

— Я помню о вашем поручении, — сухо парировал Костя, — но посчитал, что будет лучше, да и для общей атмосферы дела полезнее, если вы расскажете сами. Позволю себе напомнить вам, что мы ломаем личные планы Александру Борисовичу, только что успешно завершившему срочное расследование. Ему был обещан отпуск, и мною лично подписано заявление. Кажется, даже билеты куплены...

— А куда, если не секрет? — более равнодушно, чем следовало бы, лениво поинтересовался генеральный, переводя взгляд с Меркулова на Сашу и обратно и полагая, возможно, что этого вполне достаточно для проявления заинтересованности в личных делах своих подчиненных.

— К другу. В Мюнхен.

— О-о! — будто проснулся генеральный, явно осведомленный лишь о наиболее массовой продукции Баварии. И точно: — Попьете в охотку отменного баварского пивка! Во делают мужики! — он показал большой палец. — Вообще-то те банки, что у нас продают во всех этих коммерческих киосках и магазинах, ни в какое сравнение, скажу я вам, не идут с настоящим баварским, которое они в своих погребках подают прямо из бочек... Да, ребята, это нечто!.. — Генеральный был настолько захвачен собственными впечатлениями, что, похоже, забыл, зачем мы здесь сидим. Он бы действительно говорил долго, но вдруг заметил скучающий взгляд Меркулова и, недовольно поморщившись, выдал заключительную сентенцию: — Я всегда считал, что ездить за рубеж нам следует при первой же возможности. Набираться, понимаешь... — «Ого, — восхитился Турецкий, — да мы, кажется, начинаем копировать Самого?..» — впечатлений там, опыта. И главное, чтоб на адекватном уровне. Скажем, наш инженер должен посмотреть, как живет ихний инженер. Агроному, наверно, неплохо погостить у агронома...

«Боже, какой густопсовый провинциализм! Но — апломб! Просто спасу нет...»

— А следователю — у следователя? — без тени юмора подхватил Костя.

— Резонно, — согласился генеральный и неожиданно поморщился: неужели подвох учуял? Надо же! — Так вот, Александр Борисович, — после короткой непонятной паузы продолжил он. — Мне, конечно, чрезвычайно жаль, что вам придется отменить столь важную для себя даже в профессиональном смысле поездку, не говоря об остальных... ее аспектах, но я должен объяснить откровенно, почему вынужден отозвать вас из отпуска. Президент — о чем, собственно, он сказал мне лично во время нашей вчерашней встречи, которую столь произвольно истолковали некоторые средства массовой информации, — лично, понимаешь, озабочен и, более того, встревожен серией заказных убийств в Москве. Особенно убийств крупных банкиров. Сколько их произошло только за последнее время, Константин Дмитриевич?

— Можно считать уже десятками, — буркнул Костя. — Для верности, за полугодие — двадцать шесть. С последним. Раскрыто, по сути, одно. То, что завершил расследованием Александр Борисович. Остальные — висяки, если вам не противен этот сленг. Лично мне, позволю заметить, противно.

— Пахнет бесперспективностью, — неожиданно и покорно согласился генеральный. — Но вы же не возразили, когда я заявил Президенту, что у нас имеются и настоящие профессионалы? О вас, собственно, речь шла, Александр Борисович, — сказал он вдруг с такой любезностью, что Саша понял самое главное на сегодняшний день, как, впрочем, и на всю оставшуюся жизнь: чем лучше — тем хуже. И наоборот. Завали он, скажем, дело депутата-банкира — и снял бы подозрение с коллег в их неумении работать по заказным убийствам. Иными словами: ехал бы в фирменном вагоне к своим в Ригу, а после на самолет — и только и видело бы его золотое родное правосудие! Увы...

Вошла независимой и наглой походкой длинноногая и некрасивая секретарша, считавшая себя с некоторых пор эталоном дамской привлекательности — худая, угловатая, похожая на детский конструктор, — и подала генеральному тарелку со стаканом, в котором был налит слабоватый чай. Правда, это Турецкий по себе мерил. А может, он и в самом деле с наслаждением пьет именно мочу, а не настоящий мужской напиток? Его проблемы. Достаточно того, что у генерального, к счастью, не возникло мысли угостить и их подобной жидкостью. Секретарша удалилась, изгибаясь на высоких каблуках, а они без тени улыбки продолжали ждать высочайших указаний.

Генеральный, не пригубливая, отставил чай в сторону и мрачно заговорил, глядя в стол:

— Я вынужден вас поправить, Константин Дмитриевич. Я сегодня приказал дать мне официальную справку. Убито не двадцать шесть, нет, уважаемый мой заместитель, и вам это следовало бы знать, делаю вам устное замечание. Сергей Егорович Алмазов теперь считается двадцать седьмым...

Турецкий искоса взглянул на Меркулова и пожалел — и его, и себя, но больше себя. Костина выслуга лет дает ему право послать всех и вся, Сашина же — не дает ничего вообще. Умному человеку все-таки не следует выказывать в открытую свое понимание чужих трудностей. Могут не понять и счесть тебя умнее себя любимого. Правда, это еще куда ни шло, хуже, что, как правило, подобных высказываний и не прощают. Турецкий был уверен в Косте настолько, насколько можно быть уверенным в самом себе. Но, к сожалению, в жизни нередки и моменты полного отрезвления, когда, казалось бы, абсолютно ясные и даже банальные истины вдруг становятся ложными и твое доброе, доброжелательное отношение к людям и делу неожиданно превращается в изнурительное и обидное донорство, от которого тебе надо немедленно и навсегда избавиться и стать оголтелым эгоистом, послав весь видимый мир в иные, невидимые измерения. Со всеми его проблемами.

На Костином лице многого не прочтешь, но на Сашу в высшей степени отрицательно подействовало беспричинное и хамское «устное замечание» генерального. Он открыл было рот, но, встретив жесткий взгляд Кости, покорно закрыл его. Не понял, зачем надо было останавливать его?..

Как все твердолобые, генеральный не заметил игры взглядов подчиненных и продолжал знакомить с ситуацией.

— Как выясняется, Алмазова подорвали в машине прямо возле Красной площади вместе с шофером-телохранителем. То, что удалось собрать оперативно-следственной группе на месте взрыва, находится у экспертов-криминалистов. Они еще не высказали своих суждений. Пока же известно лишь то, что машина принадлежала Сергею Егоровичу. Раньше, то есть еще при советской власти, он был председателем правления Российского республиканского банка. В наши дни он стал президентом-учредителем банка «Золотой век», а недавно, то есть после гибели вашего, — генеральный ткнул пальцем в Турецкого, будто именно он был виноват в смерти банкира-депутата, — как его? Ах, ну да, Киргизова... Ассоциация российских коммерческих банков избрала его, то бишь Алмазова, своим руководителем. Вот так. А теперь я, — генеральный зачем-то обернулся: — раскрою вам маленький государственный секрет... Президент, по его словам, собирается... собирался назначить Алмазова председателем Центрального банка России. Вы же знаете, какая катавасия нынче происходит в этом вопросе. Бесконечные назначения и. о., врио, впрочем, то же самое, что и в нашей системе... — Это он намекал на то, что и сам являлся до сих пор исполняющим обязанности, ибо Дума его утверждать не собирается, а теперь уж окончательно скинет со счетов. — Все эти временные главные банкиры страны, на мой личный взгляд, прошу это особо иметь в виду, вероятно, талантливые бюрократы, прошедшие старую советскую банковскую школу, но абсолютно бездарные экономисты. У Алмазова же, по имевшимся у Президента сведениям, была разработана своя приоритетная программа, и к ней он относился с симпатией. Не вдаваясь в подробности, да вам, вероятно, это и не надо, могу сказать, что Сергей Егорович предлагал вместо Центрального банка создать нечто подобное Международному валютному фонду. Собственно, все это уже не имеет смысла, хотя... полагаю, вам, Александр Борисович, это надо тоже иметь в виду. В расследовании данного дела ничего нельзя исключать полностью.

Зазвонил телефон. Генеральный, словно бы с удовольствием, жестом показал присутствующим, насколько ему тяжело с этими звонками, и мгновенно переключился на телефонный разговор, реагируя междометиями и хмыканьем.

— Саша, мне это дело не нравится, — тихо, чтобы не мешать хозяину кабинета, сказал Меркулов.

— Вообще-то я тоже не люблю, когда убивают... взрывают там... — так же тихо ответил Турецкий, стараясь, чтобы в его интонации стали заметны саркастические нотки, а заодно не дохнуть на Костю лишний раз перегаром, хватит ему и без того порхающих по кабинету коньячных флюидов.

Тем не менее Меркулов наклонился через стол, потянул носом и сказал с грустью:

— Не притворяйся обалдуем.

Саша пожал плечами, удивленно поднял и опустил брови, развел наконец руками, как бы сдаваясь, но, конечно, прекрасно понимая, что имел в виду Меркулов.

— Значит, это, по-твоему, — очередное неправильное дело?

— Вот-вот, — повеселел Костя. — Именно так.

— А ты, разумеется, как всегда в неправильных случаях, засунул меня?

Меркулов поднял руки вверх, изобразив на лице не то чтобы виноватость, а скорее сочувствие человеку, оказавшемуся не в лучшей ситуации.

Генеральный между тем вернул телефонную трубку на место, оглядел Меркулова с Турецким и насторожился, услышав вопрос следователя, обращенный к своему заместителю:

— Только я так и не понял, уважаемый Константин Дмитриевич, о чьей же все-таки личной просьбе идет речь? — Саша был наивен, как дитя.

Но вместо Кости ответил генеральный:

— Президент сказал мне, получив трагическое известие о гибели своей креатуры: «Я хотел бы, чтобы этим делом занялся один из ваших сотрудников, тот, которому, вопреки сложившейся порочной практике оставлять дела об убийствах нераскрытыми, удалось найти убийцу господина Киргизова». Он сказал еще: «Подскажите фамилию следователя», — на что я назвал ваше имя, Александр Борисович. «Вот и поручите немедленно ему это дело. А ты, — это он мне, — скажи ему, то есть вам, что это, понимаешь, моя личная просьба». Кажется, после этого у нас не должно быть сомнений, кому поручить дело Алмазова? Не так ли, Константин Дмитриевич?

У них-то сомнений не было... Вот так, понимаешь.

5

Старинные напольные часы фирмы Павла Буре в углу кабинета, сравнительно недавно принадлежавшего крупной, но перезрелой шишке союзной прокуратуры, которую новая демократическая власть походя стряхнула не то на пенсию, не то вообще в мир иной, так вот эти часы постоянно показывали самое точное время. Два раза в сутки. Остановились они, вероятно, в последний день работы предшественника Турецкого. Но очень может быть, что и в один из холодных, как, скажем, сегодня, дней октября семнадцатого года.

На дворе первое резкое похолодание, с неба сеется мелкая снежная мука. В прокурорском доме только собираются включить отопление, ибо родная столица, как всегда, подготовилась к зиме, обнажив подземные коммуникации, требующие срочной замены. Говорят, через день-другой все-таки дадут тепло. Пока же Саша закуривал и включал настольную лампу — так ему казалось, что в кабинете теплее.

Глаза его опять остановились на тяжелом, вероятно, красного дерева футляре часов, красивом, но абсолютно бесполезном. Хотя, если подумать, то в нем можно устроить небольшой, но впечатляющий склад пустых бутылок, которых у Саши, увы, нет, как нет и полных. А сейчас самое бы время. Холодно, черт его дери...

Покончив с беспочвенными сожалениями, он без всякого энтузиазма листал тонкую папочку — какие-то жалкие два десятка страниц. И вся жизнь, у кого-то уже перестроенная, а у другого — вовсе наоборот, представлялась ему тусклой и пустой тратой времени, которое обрывается даже и не по твоему собственному желанию, а по воле случая или, точнее, по желанию очередного сукина сына, уверенного, что он может диктовать тебе свою волю. А твое дело лопать что дают, стараясь при этом не плеваться и не чавкать, чтобы не раздражать хозяина. Абсурд, бред! Полнейшая бессмыслица. Как тот лозунг, что в недавнем прошлом украшал фасады зданий и заборы: «Победа коммунизма неизбежна!» Знали ведь, что чушь и бредятина, тихо посмеивались, а сами повторяли, словно упреждая того, кому могла бы вдруг прийти в голову идиотская мысль: как бы избежать? Господи, спаси и помилуй! В каком мире живем?!

Итак, позавчера, то есть во вторник, в районе Ильинки — прелестное старое название бывшей правительственной улицы Куйбышева, в непосредственной близости от Красной площади, взорвалась машина марки «мерседес». От автомобиля остался остов с колесами без покрышек и одна боковая дверца. Обуглившиеся части тел двоих пассажиров оперативники собирали по частям буквально по всей округе.

Криминалисты определили безо всякой экспертизы, что машину подорвали с помощью взрывного устройства, обладающего большой разрушительной силой и образующего пламя сверхвысокой температуры, что затрудняет обнаружение материальных доказательств, как-то: отпечатков пальцев, микрочастиц и тому подобного.

По стечению обстоятельств на месте происшествия не оказалось ни души — и, следовательно, ни одного свидетеля-очевидца. Почему? А вот на этот вопрос ответить проще простого. Турецкий давно, относительно конечно, не был в том районе столицы, но на память, особенно зрительную, пожаловаться не мог. Это типичный старомосковский торговый квартал между Ильинкой и Варваркой. Соединяют их Хрустальный и Рыбный переулки, сдавленные с обеих сторон мощными колоннадами и пилястрами домов, напоминающих больше лабазы, с арочными низкими подворотнями, перекрытыми железными воротами с калитками, за которыми постоянно бдят вооруженные охранники. Арки подъездов, арки больших окон, вывески здесь встречаются нечасто, хотя в последнее время въехали сюда парочка банков, меняльные конторы, в смысле — обменные пункты валюты, совершенно непонятные акционерные общества по сотрудничеству, ни о чем не говорящие конторы, обозначенные замысловатыми аббревиатурами, и, наконец, магазинчики, точнее, лавчонки, какие при царе Горохе размещались в закутках гостиных дворов. Проезды, расположенные ближе к Старой площади, то есть к недавнему еще ЦК партии, Никольский и Ипатьевский, вообще перекрыты железными воротами, напоминающими те, что в известных фильмах штурмовали в Питере революционно-кинематографические матросы.

Но за бастионами стен постоянно ремонтируемых строений течет совершенно иная, секретная жизнь, поскольку ни президентские, ни совминовские структуры, ни разведки со всяческими контрразведками, в обилии населяющие данный квартал, как известно, огласки не любят и вывесками себя не афишируют.

Здесь и в дневное-то время не шибко прохлаждается народу. Шлепают себе потихоньку от гостиницы «Россия» к ГУМу, поскольку половина Ильинки, выходящая к Красной площади, вскрыта в глубину, на все восемь с половиной веков, и малейшая небесная мокрота затягивает тесные тротуары слоем жидкой глины. А вечерами, когда разъезжаются стоящие вдоль домов впритык легковые машины с «серьезными» номерами, тут вообще становится тихо и пустынно.

«Ну и что же мы имеем?» — вопрошал Турецкий. Который час был? 18.30 с несколькими, вероятно, минутами в ту или другую сторону. Значит, трудящийся в поте лица своего народ уже покинул офисы, у кого таковые имеются, или служебные кабинеты. Но зачем же тогда сюда заехал «мерседес»? К кому? Или за кем? Вопросы, однако...

Поехали дальше. Как явствует из материалов дела, дежурные сотрудники, охранники, засевшие в своих суперсекретных помещениях на многочасовые дежурства, услыхав грохот взрыва, сперва осторожно приближались к окнам и калиткам ворот и несколько минут могли наблюдать за бушующим пламенем, но, оставив свои посты, вышли на улицу лишь тогда, когда огонь, по существу, завершил гибельное дело.

И это тоже, к сожалению, легко объяснимо. Осенние трагические события двухлетней давности внушили служивому люду четкую мысль: не высовывай носа на площади и прочие стриты, когда там пальба и гремят взрывы. Даже если пошла не политическая, а всего лишь традиционная бандитская разборка, могут и тебе за компанию башку оторвать. А уж шальную пулю схлопотать — вообще проще пареной репы. Поэтому сиди себе и не вякай. Не возникай. Вот никто и не возник.

И потому добыты оперативниками весьма однообразные и лаконичные сведения, укладывающиеся в краткую формулу: «Бум! Гляжу — горит. Подошел — уже сгорело». Прямо скажем, негусто.

Еще есть в деле справка-характеристика на Алмазова Сергея Егоровича, 1944 года рождения, уроженца Москвы, проживающего по адресу... выданная по месту жительства.

Интересно, кто ее писал? Хотел бы Саша посмотреть на этого человека с фамилией Крайнев И.Г. Никто не станет сомневаться, что у нас не перевелись монстры, что они могут встретиться везде, но все-таки... Человек сгорел в машине, ведется следствие, никто не может предсказать результатов... Нет, оказывается, еще как можно. Чем же сумел так крепко насолить погибший банкир, если какой-то мелкий чиновник буквально брызжет справедливым «совецким» гневом! Или это общее отношение широких народных масс к проходимцам бизнесменам, причем всем без исключения, лишившим нас, обобранных обывателей, заслуженной старости?

«...не имел желания честно трудиться... Был неразборчив в связях и средствах достижения своей цели... — А ведь очень знакомо излагает служака-бюрократ! — А цель он имел, как и остальные новые бизнесмены, — разбогатеть. Следовательно, имел устойчивую склонность к жульничеству...» Да, тут все свалено в кучу, и в качестве образца взят фельетонный тип жулика-продавца из замызганного привокзального ларька. Не хватает только «лица кавказской национальности» — ну, чтоб уж для полноты картины... Разумеется, честно заработать миллионное состояние, как считает сегодня подавляющее большинство, оставшееся не у дел и, что страшнее, не у жизни, сегодня у нас нельзя. Значит? Получается, был ты жулик и проходимец, Сергей Егорович, прими, Господи, твою душу.

А вот и другая характеристика. Из банка «Золотой век». Эти, понятное дело, обязаны своих выгораживать, а как же!

«Скромный, трудолюбивый, эрудированный; не жалел личного времени во имя работы; последние годы жизни посвятил коренному улучшению банковского дела в России, чем активно способствовал развитию рыночных отношений в нашем обществе...» И так далее. Следователь должен быть предельно объективен и ничему, даже печатью гербовой скрепленному не верить. А он, вопреки здравому смыслу, почему-то не верил гражданину Крайневу, а верил банку. Такие вот дела...

Показания жены Алмазова. Взрослая дочь, разведена. Маленький внук, три года, почти ровесник Нинке... Никаких завещаний не было. Во всяком случае, об этом никому не известно. Вот, пожалуй, и все. Ни тебе доказательств, ни зацепок. И на вопрос: с чего начинать? — тоненькая папочка ничего внятного ответить не может.

Турецкий не смог бы дать ответ на вопрос: кто убил? — пока не получил бы вразумительного ответа на другой вопрос: почему, по какой причине был убит очередной без пяти минут главный банкир России? Какие силы не захотели поставить его на ключевую позицию в государстве? Кому он мешал и чем? А может быть, все гораздо проще? Ищите женщину? Или других наследников? Но что бы там ни было, а работенка — это он уже вполне трезвым умом мог оценить — предстояла длительная, кропотливая и вряд ли благодарная. О своем отпуске, так заманчиво разворачивающем роскошные картинки не нашей жизни, он как-то уже и забыл. Закрыв папочку, попробовал сопоставить убийство Алмазова с тем делом, которое только что передал в суд. Аналогий напрашивалось немало. И тот, и другой — крупнейшие банкиры. Оба в самых лучших мафиозных традициях ликвидированы в тот момент, когда их кандидатуры направлялись Президентом в Государственную Думу для обсуждения и утверждения на посту директора Центробанка. Или же, как это чаще случалось в последние годы, для очередного им отказа. Но Ивана Киргизова Турецкий смог узнать, а потому и вывод сделал предельно объективный: эта смерть — результат банковско-мафиозной разборки. Киргизов сам подвел своих недругов к необходимости решительной и кровавой развязки. Собственно, роль следователя свелась к выяснению этой достаточно примитивной истины. И вот результат: основной заказчик убийства, который теперь хорошо известен суду, находится, естественно, за рубежом, иначе сидел бы в ожидании приговора вместе с исполнителем. Прочие его коллеги оказались непричастны. Так заявил сам генеральный прокурор. Его право. Случай, как только что изволил заметить он сам, редкий, почти исключительный. Но Турецкий не возгордился, нет. А чтобы сделать аналогичные или иные выводы по поводу Алмазова, он обязан тоже очень хорошо узнать и его. И опять задним числом. Другого пути не было...

6

Саша просидел еще десять минут в здании прокуратуры, используя самым наглым образом свое служебное положение: набирал номер рижской квартиры Иркиной тетки, где жили его девочки. Он очень скучал без них. Знал же, что будет скучать, когда отправлял их в гости — ненадолго, ну месяц-другой, но даже и предположить не мог, как плохо ему будет без них.

Наконец, пробились родные голоса.

— Саша!.. Нина, не хватай трубку грязными руками!

— Папа-а! У меня глязные лучки!

— Саша, она уже говорит букву «р». Ну, Нина, скажи папе как следует.

— Папа-а, у меня гррязные ррручки! Мама не рразрешает бррать тррубку...

— Ты слышишь, Сашуля? Она еще и по-латышски болтает! Я совсем забыла латышский, и Нинка работает у меня переводчиком в

ко пригубили, и то едва не отравились. Держать, понимаешь, для
ей крысиный яд в холодильнике — это ж надо такое придумать!
Славка раскатисто захохотал. Он, наконец, понял причину Са-
ой несдержанности. Но, чтобы снять обиду до конца, Турецкий
таки добавил:

— Если необходимо, то я, конечно, готов принести хозяину-ба-
у свои глубочайшие извинения.

— И сколько вы положили себе на грудь этого «Абсолюта», если
екрет?

— Всего был литр. С томатом.

— Грамотно, — с уважением отметил Грязнов. — Тогда больше
просов не имею.

— А чего, у меня, что ли, язык заплетается?

— Язык-то работает нормально. Если ты и со своим генераль-
м так беседовал, то высочайшего гнева не накликал.

— От него самого коньячищем разило. Я видел, какие гримасы
стя строил. А в чем все-таки дело, в чем вопрос?

— Мыслишь, друг мой, непоследовательно. И тут есть два выхо-
лечь спать или выйти на свежий воздух. Что тебя больше устраи-
ет?

— Думаю, прогуляться — идея стоящая.

— Вот и отлично, — Слава легко поднялся из кресла. — Если не
зражаешь, давай-ка прокатимся в центр? Денис доложил мне, что
дел в Елисеевском магазине какого-то совершенно о-фи-ге-нитель-
го леща. И если это именно то, что я предполагаю, тогда к лещу
требуется наша, кристалловская особая, с красным уголком. «Крем-
вка», тут я с тобой согласен, продукт несерьезный — ни по очист-
, ни по вкусу.

— А я где-то рядом, в ларьке, видел твою особую.

— Не, ларькам я не доверяю, запросто могут отраву всучить.

Грязновское предложение прогуляться подняло Сашино настрое-
ие. Он вообще любил этого рыжего крепкого мужика, и, кстати,
овсе не за то, что тот пригрел его на своей жилплощади. Еще когда
рязнов был муровским сыщиком, а Турецкий следователем всех по-
черёдно прокуратур, начиная с районной, они вместе не один пуд
оли слопали, не одно дело провели совместно — и рисковать баш-
ой приходилось, и в смертельные переделки попадать, но ведь вы-
кили, значит, победили. Что в постоянной совместной работе факт
немаловажный. И не только для мемуаров.

Саша провел ладонью по своей щеке и услышал противный скрип.
Как же это он в таком-то виде перед генеральные очи предстал? Только сугубой пьянкой подобный прокол объяснить можно — это если
самоотчет потребуется. То-то Костя все приглядывался как-то странно, а он не понимал и старался дышать себе под мышку.

магазине... Саша, ты здесь? Саша, что-то, наверно, случилось, да? И мы уже никуда не едем? Ни в какую Германию, и вообще... никуда, да?.. А что у тебя с твоей газетой?

Если бы ему захотелось что-нибудь соврать Ирине, то лучше и не пытаться: наверно, уже по одному дыханию, даже за тысячу верст, она слышит в телефонной трубке, как и о чем муж собирается ей соврать. Причем эти ее экстрасенсорные способности возникли после рождения Нинки, во всяком случае, раньше подобного за ней как-то не наблюдалось.

— Ириша, виза действует полгода, я уточнял. Поэтому я постараюсь побыстрей завершить новое муторное дело, и мы тут же поедем всем нашим развеселым семейством... И вообще, я должен сказать, что погода на всем Европейском континенте начала портиться. А в Германии это время года сырое, не дай Бог, Нинка простудится, понимаешь? Вот через месяц-другой и погода установится, и слякоть снежком припорошит, а?

— Понятно... Значит, тебе уже новое дело вручили? — усталым голосом откликнулась Ирина. — Ой, Саша, Сашуля... Ну что ж, ты, конечно, его скоро закончишь, и мы все-таки поедем вместе, да? А пока, так и быть, здесь еще поживем, здесь, правда, неплохо, только мы соскучились... Я соскучилась...

После этого Ирка с пулеметной скоростью выпаливает на оптимистичной ноте кучу новостей про Нинку. И голос у нее мужественный, ни тени горечи от очередной семейной неудачи. Но, Саша знает, сейчас она положит трубку, и станет плакать, и будет говорить Нинке, что слезки у мамы от ветра, и Нинка снова ей поверит, потому что мама будет смеяться через силу и играть с девочкой... Во что они теперь играют? В каравай или «баба сеяла горох»? Вот этого Турецкий не знал...

Азбучная истина: получая в производство дело, следователь должен составить план расследования. И от этого никуда не уйти. Но, исходя из собственных задач, что самым категорическим образом поставил перед собой Турецкий, он сформулировал свою цель однозначно. Найти преступника? Раскрыть преступление? Нет, он обязан как можно скорее от этого дела отделаться. А потом готов глядеть, кто первым захочет кинуть в него камень.

Итак, что для этого необходимо? Есть несколько путей. Во-первых, надо закрыть кабинет и быстренько покинуть это здание, поскольку оно сегодня почему-то слишком сильно давит на психику.

Следующий этап: сесть в автомобиль, в разнесчастный, дребезжащий «жигуленок», который почему-то заводится с первого раза, но это он фокусничает либо готовит водителю какой-нибудь подленький сюрпризец.

Как странно, всего лишь два часа отделяли Турецкого от чуть не ставших явью грез о превосходном отпуске. А сейчас ему казалось, что гнал он на свидание с Костей Меркуловым если не целую эпоху назад, то, как минимум, вчера. И вот едет снова, но на этот раз домой, то есть к Грязнову, на его Енисейскую улицу, иными словами, к черту на кулички. По своей дурацкой привычке ездить однажды выбранным, постоянным маршрутом, он пренебрег нормальным путем и, свернув за Выставкой налево, покатил мимо останкинских гостиниц, Ботанического сада, чтобы через Свиблово по Снежной улице без препятствий выскочить на Енисейскую. Но, как оказалось, промахнулся: еще утром, точнее днем, свободная и чистая Снежная оказалась перегороженной в нескольких местах. Ну конечно, пора же научиться соображать: ведь зима наступает, значит, пора вскрывать асфальт и начинать чинить подземные коммуникации. Проклиная все на свете, он стал выкручивать обратно к проспекту Мира.

Но злость, как Саша скоро сообразил, пошла ему на пользу, поскольку она заставила работать мозги с невиданной доселе скоростью. И вот какие возникли варианты. Похоже, они стоили отдельного разговора.

«Вариант первый, — так начал Турецкий диалог с самим собой. — Я напрягаюсь, собираюсь в кулак, как перед выходом на татами, то есть самбистский коврик моей далекой юности, и играю блиц. При этом, опираясь на некоторый опыт только что законченного дела Киргизова, в считанные дни отыскиваю виновного и тут же загоняю дело в суд. Можно ли назвать этот ход идеальным? Да. Но, как все идеальное, он практически невыполним. Стоп! Красный свет. Кому: мне или варианту? Ах, перекресток! Значит, стоим оба.

Другой вариант. То, что муровцы под руководством Юры Федорова сумели, с моей, разумеется, помощью, вычислить и взять киллера, расправившегося с Киргизовым, говорит не только об умении сыскарей, но и об определенном и, кстати, немалом проценте удачи. Дел, чтоб одно к одному, — не бывает. Поэтому в данной конкретной ситуации надо иметь в виду, что киллера, возможно, уже устранили. В криминальной среде это скорее порядок, нежели исключение. Но если обвиняемого уже нет среди нас, дело, по существующим правилам, прекращается довольно быстро. Без особых проволочек. Загвоздка состоит лишь в том, что убийцу-то мне все равно надо установить. Дело, как говорится, за малым: я должен прежде всего определить круг лиц, составляющих противоборствующую сторону. Иначе говоря, всех тех, кому назначение Алмазова на пост председателя Центрального банка Российской Федерации было как вострый нож в задницу. Причем покойный ныне Киргизов был по-своему уникальной личностью, обладающей поразительным умением заводить врагов. Образ же Сергея Алмазова мне абсолютно не ясен. А потому и круг противостоящих ему может оказаться совсем иным.

Так, идем, вернее едем, дальше. Предположим
ступника устанавливается, и он оказывается жив-з
поскольку, естественно, находится в бегах, и ско
из прозрачных или полунаших границ, его розыс
чальство по дипломатическим каналам и согласно
высоких лиц поручает братским органам госбез
ренних дел. И пока оперята шустрят и, высунув
необъятным просторам бывшей общей родины, про
приостанавливается. А следователь, то бишь аз
койно и с чистыми руками и отмытой совестью о
женный заграничный отдых. Вот такой вариант,
бы меня в наибольшей степени...»

Но у этой «правовой» мозаики, что сложилась
грешной голове следователя Турецкого, был один х
но, увы, весьма существенный недостаток: дело в т
рианта принадлежал не ему. И он как-то об этом до

С этой мыслью он и открыл дверь грязновско
ванного апартамента...

7

— Вся беда в том, Слава, что выбор варианта прин
Ибо не в моих силах ни убить преступника, ни услать
чит, остается самый ненадежный, но решительный х
Другого выхода у меня попросту нет. Конечно, еще не
сейчас-то именно вечер, но я другое имел в виду... Ты

Это он вводил своего закадычного друга, отстегну
приютному, угол в своей квартире, бывшего подпол
ции, бесстрашного в недавнем прошлом муровца Сла
курс дела, которое Турецкому сегодня всучили в прои

Грязнов с несвойственным ему некоторым высок
бил вполне зрелую мысль друга:

— А что это вы, позвольте спросить, за дрянь лака
дым, но подающим большие надежды романовским м

«Ах, вон в чем дело! — понял Саша. — Оказывает
не высокомерие и не обнаружившее вдруг лазейку, тщ
ваемое высокородное джентльменство, а самая обычн
зяина к жильцам, распивавшим без спроса хозяйское д
мой долгий рассказ о потерянном рае его не взволнова
души, и думал он лишь о раскупоренной бутылке вшив
са»? Ладно, запомним...»

— Ну, во-первых, никакую не дрянь, — назидательн
рецкий, — а вполне пристойный «Абсолют» шведского,
баюсь, происхождения, а во-вторых, твой дерьмовый «

Пока Турецкий наскоро брился в ванной, до него доносились монотонные звуки немецкой речи, из которой понятными были лишь отдельные слова самого расхожего типа, вроде «арбайтен», «шлафен» и «тринкен». «Шнапс» еще — известное слово. Во всем же остальном — он был полным профаном.

— Слава! Что это за странное у тебя немецкое радио? Кто его слушает?

— Да какой хрен радио! — громко отозвался из кухни Грязнов. — Это же Денис упражняется, такая нынче молодежь пошла, Саня, не нам с тобой чета.

Грязнов открыл дверь в ванную и продолжил нормальным голосом:

— Ты вот питюкаешь на инглише, а я ведь как тот генерал, который на вопрос: какими языками владеете? — отвечает: трумями — командным, матерным и русским. Со словарем.

И хотя этому анекдоту сто лет в обед и оба они его еще со времен стажерства помнили, тем не менее расхохотались. Почти беспричинно. А кроме того, Турецкий поймал себя на ощущении, что с его плеч вроде бы спал давящий груз несправедливости.

8

Для въезда на территорию засекреченных заведений в районе Ильинки требуется специальный автомобильный пропуск. Поскольку ни у Турецкого, ни у Грязнова такового не имелось, они не сели ни в шикарную грязновскую «ауди», ни в раздолбанный «жигуленок», а, преодолев быстрым шагом несколько сот метров до метро «Бабушкинская», нырнули под землю, влетели в вагон и без пересадок помчались в «Китай-город». Ветка прямая, удобная.

Идея посетить место преступления пришла Турецкому в голову сразу, едва Грязнов предложил сделать выбор: сон или прогулка. И хотя сейчас уже поздно, что-то около восьми, Саша надеялся осмотреть место происшествия и, если повезет, воспользоваться, как всегда, Славкиным острым глазом сыщика. Уж что-что, а пища для раздумий там наверняка найдется. Грязнов поддержал, заметив при этом, что на место преступления тянет не только убийц, как утверждают писатели-детективщики. «А вообще, действительно, чем черт не шутит?» — решили они.

Перекресток внутри квартала, где взорвался и сгорел «мерседес» Алмазова, сейчас, в подступающей темноте и при неприятном каком-то мертвенно-спящем свете фонарей, представился заброшенным военным объектом, где еще недавно цвела жизнь, но теперь воинская часть съехала и пришло запустение. Словом, все здесь производило впечатление бывшего, покинутого, бесхозного.

Грязнов, знающий Москву как свои пять пальцев, с ходу доложил, что вот это серое здание с многочисленными полуколоннами по второму этажу фасада, возле которого, кстати, и взорвали машину, принадлежит контрразведке, а соседнее, зеленоватое, — президентской администрации. Возле парадной двери желтого дома напротив косо висела вывеска какой-то фирмы.

Грязнов остался на улице, мотивируя свой поступок брезгливым отношением к любым правительственным учреждениям, особенно связанным со спецслужбами — нашими вечными антиподами, опыт общения с которыми, как постоянно говорил Слава, никогда не доставлял ему удовольствия. Поэтому Турецкий один вошел в полутемный вестибюль первого корпуса, предъявил удостоверение старшему по охране — привлекательному стройному брюнету, этакому Тихонову — Штирлицу, и начал расспрашивать его о недавнем происшествии прямо возле двери его ведомства.

Штирлиц долго разглядывал Сашу с вежливой полуулыбкой на губах, а затем так же спокойно сообщил, что никакими сведениями не располагает. А если бы даже и располагал, то без разрешения начальства, вернее специального указания на этот счет, продолжать разговор не имеет ни права, ни желания. И все — предельно точно и до упоения вежливо.

Действительно, чего это старший следователь по особо важным вдруг полез не в свое дело? Ведь охрана наверняка имеет железный приказ: никого и ни под каким видом не допускать во вверенное им хозяйство. А тут, видите ли, ничего не значащая организация под названием Генеральная прокуратура! Бред, да и только. Несерьезный ты, Турецкий, человек, если без всякого на то разрешения суешь свой нос куда не следует. Штирлиц же ясно продемонстрировал, что в ведомстве Федеральной службы безопасности, о чем, по его мнению, странный посетитель, естественно, не догадывается, все без исключения сотрудники, даже стоящие на самой нижней ступеньке служебной иерархии, свято чтут основной закон — умение держать язык за зубами.

Зеленоватый соседний билдинг, оснащенный не менее обязательной службой охраны, тоже не хранит в себе нужных следствию сведений. Здесь тоже никто ничего не знает, ни о чем подобном не слышал, ничего не видел, а если даже кто и видел, то найти того человека невозможно: рабочий день давно кончился, служащие разъехались по домам.

Весь этот никому не нужный, даже никчемный вояж Турецкого занял в общей сложности не более получаса. Раздосадованный, он вышел на улицу и увидел возле углового дома с косо висящей вывеской Грязнова, разгуливающего едва ли не под руку с блондинкой в кокетливом беретике и коротком плаще, демонстрирующей ножки совершенно отменной формы. Ну, то, что Славка умеет мгновенно находить контакт со слабым полом, ни для кого из профессиональных сыщиков не являлось секретом. «Но ведь сейчас-то, — поморщился Турецкий, — мы же прибыли совершенно с иными задачами, в которые подобного рода дамы никак не входят. Или я сильно ошибаюсь?» Увидев решительную походку Турецкого, его серьезный и даже насупленный вид, блондинка вдруг широко улыбнулась и заявила, будто давнему приятелю:

— Здравствуйте, Александр Борисович!

Саша оторопел. Хотя должен был признаться себе, что вблизи девушка выглядела еще более соблазнительно. Возможно, она была несколько крупновата для своего плащика-юбочки, туго перетянутого широким поясом, но именно это кажущееся несоответствие делало еще более притягательной ту силу, которую вовсю излучала женщина, упакованная с расчетливым легкомыслием. И еще Турецкий подумал, что беседы с подобными женщинами должны быть тягостны сами по себе, так как произносимые слова здесь не имеют ни малейшего смысла, в то время как мозги заняты совершенно иным: изысканием подходящего обеим заинтересованным сторонам любовного варианта. Если не сказать грубее. Но, подходя ближе, Саша почувствовал уже нешуточный укол ревности и рассердился — и на себя, и на дурацкую ситуацию. Вот же зараза этот Грязнов! И что в нем бабы видят, в этом рыжем?

— Привет! — суше, чем следовало бы, кивнул Турецкий, понимая, что он не в силах оторвать взгляд от нахально выставленных на всеобщее обозрение великолепных коленок. И неохотно обернулся к Грязнову: — Извини, Вячеслав Иванович, но мы же договорились не задерживаться по всяким пустякам, не так ли?

Однако Грязнов полностью игнорировал явное недовольство своего друга.

— А ты не торопись, Александр Борисович, ты лучше познакомься. Девушку зовут Таней. А фамилия ее — Грибова. И является она именно тем человеком, который тебе сейчас больше всего нужен. Я неясно говорю?

Таня радостно кивала, раскрывая губы в широкой улыбке, и Турецкий заметил на ее ослепительных зубах следы помады морковного цвета. Видя, что он по-прежнему молчал, а значит, ничего пока не понял, Грязнов продолжил:

— Танечка наша заканчивает заочный юрфак и мечтает стать следователем. Но пока работает вот в этом здании с кривой вывеской. Танечка — помощник управляющего своей фирмы и проживает в собственном кабинете. Что еще? Ах да, Танечка очень любит Москву и обожает смотреть в окно. — Грязнов говорил тоном доброго воспитателя детского сада. — Кстати, и в тот вечер, когда на углу взорвалась машина, Танечка любовалась видом Красной площади и панорамой крыш и узких переулков этого квартала. Правильно я говорю?

Таня в очередной раз радостно кивнула, и Турецкий наконец все понял. «Ай да умница ты, Славка! Вот что значит ас-сыскарь! Да он же буквально за несколько минут сумел зацепить настоящего свидетеля! И пока я тщетно пытался втянуть в разговор твердокаменную охрану, Грязнов сделал нужное дело». С физиономии Турецкого тут же смыло маску неприязненной суровости.

Грибова рассказывала на удивление четко и грамотно, что по нынешним временам, когда в беседе преобладает в лучшем случае «феня», явление нечастое. Похоже, что занятия на юридическом пошли ей на пользу.

— Все было примерно так, как вам только что рассказал Вячеслав Иванович. Наши все сотрудники разошлись по домам. Было это, как сейчас помню, во вторник, в шесть тридцать два, когда грохнуло за окном. Я как раз стояла возле окна нашего офиса, вон там, на шестом этаже. Дело в том, что мой шеф все обещает снять мне нормальную квартиру, но вы же знаете сами, какая сегодня дороговизна с жильем. Я сперва сама думала купить себе однокомнатную квартирку где-нибудь поближе к центру, но когда с меня запросили полторы тысячи долларов за один квадратный метр, желание, как вы можете понять, сразу пропало...

Таня вдруг остановилась и, испытующе поглядев на Турецкого, сказала без тени улыбки:

— Вы меня должны извинить, Александр Борисович, но мне хотелось бы, чтобы и вы показали мне свои документы. Вячеслав Иванович уже предъявил мне свое удостоверение сотрудника милиции.

«Ну и Славка! Всучил-таки девке давно просроченную свою ксиву. А ведь, похоже, баба не дура». Саша достал из кармана удостоверение и протянул Татьяне. Та сосредоточенно, шевеля серьезно сдвинутыми бровками, прочла, что перед ней действительно старший следователь Генпрокуратуры, и это ее успокоило окончательно.

— Все так, как и сказал Вячеслав Иванович, — сказала Таня, возвращая Турецкому документ, — спасибо, Александр Борисович. Мне очень приятно вот так, попросту, познакомиться со старшим следователем по особо важным делам...

«Пустячок ведь, а как приятны внимание и тонкая лесть красивой женщины, — подумал Саша. — Нет, Грязнов совсем не дурак, дело делом, а Танечка и в самом деле очень стоящий объект для дальнейшего детального изучения...» И пока в голове Турецкого прокручивались весьма фривольные варианты этого изучения, он едва не пропустил того, ради чего они со Славкой, собственно, и приехали сюда, на Ильинку.

— Смотрю я в окно: от нас виден краешек ГУМа, Красная площадь за ним, ну и так далее. И вдруг замечаю большую не то черную, не то темно-синюю машину, явно заграничную, которая почему-то очень медленно едет. Обычно в этот аппендикс машины не заезжают. Сюда ведь особый пропуск нужен — для въезда и выезда. А затем машина прижалась к тротуару, однако из нее никто не вышел.

— Вы в этом твердо уверены? — уточнил Турецкий, пряча свой слишком настырный взгляд.

— Абсолютно. На зрение я вообще не жалуюсь... Ну вот, а минуты через две и произошел этот кошмарный взрыв... Что еще? Ах да, мне показалось почему-то, что сидящие в машине кого-то ждали.

— Почему вы так решили? — Турецкий снова попытался сосредоточиться на деле.

— Потому что водитель приоткрыл окно и закурил. Из окна машины тянулась достаточно заметная струйка дыма. Если вы спросите, не разглядела ли я тех, кто сидел в машине, отвечу отрицательно. Стекла у этой машины были затемненные, да и вечер к тому же. Что-нибудь различить было попросту невозможно... А потом как будто огромный бенгальский огонь разлетелся во все стороны, а следом раздался страшный... нет, не грохот, а скорее — треск. Я машинально отпрянула от окна, и в этот миг раздался взрыв. Все покрылось оранжевым пламенем и черным дымом. Я очень растерялась... Я просто не знала, что делать, потому что на всей улице не было ни души. Тогда я схватила телефонную трубку и стала звонить в милицию. Но в это время увидела, что к месту взрыва, где все так страшно горело, бегут люди в форме... А вот пожарная машина долго не ехала...

— Оперативники, которые разбирались тут, на месте происшествия, разговаривали с вами, Таня? Из милиции, из органов безопасности?

Последовал мгновенный ответ:

— Первые два дня тут побывала уйма всяких сотрудников. Я имею в виду вторник и среду. Сегодня же вы — первые. Так вот, те без конца бегали, суетились, шептались о чем-то, вызывали моего шефа и из других фирм из нашего дома. Потом уже Алексей Николаевич, мой президент, сказал, что о моем присутствии здесь он не сказал им ни слова. Никто же не должен знать, что я здесь проживаю, а то у него могут быть неприятности... Ой, зачем же я вам-то говорю! А вы не станете?..

Турецкий поспешил успокоить ее, что не станет ни под каким видом. И сам вдруг сообразил, насколько двусмысленно прозвучали его обещания. А ведь если честно, то стал бы, да еще как! Но... Танечка в данном контексте — совсем не его, а Славкина добыча. Грубо говоря. И перехватить ее у друга — чрезвычайно плохой тон. Иное дело, если у Грязнова произойдет сбой, тут, как говорится, извини, дорогой, сам виноват...

Грязнов между тем сделал вежливый жест рукой, и Танечка более чем охотно своим ключом открыла дверь подъезда, после чего все поднялись лифтом на шестой этаж.

Офис «Мостранслеса» занимал четыре небольшие комнаты, заставленные вполне стандартной мебелью. Были здесь и компьютеры — как же сегодня без них. Но ни роскошных кресел, ни стеклянных столов, ни модных икебан из искусственных растений Турецкий не увидел. Все было без претензий и без вызывающего шика. В одной из комнат, с «тем самым» окном, показавшейся Турецкому уютнее остальных, стоял широкий кожаный диван. Ну конечно, ведь тут и проживала Танечка, так следовало понимать. Хороший диван, отметил походя Турецкий, а минуту спустя добавил про себя: «Очень хороший...»

Обзор из окна был действительно широким: можно любоваться видом столицы. Неплохо просматривался и переулок, откуда выехал «мерседес». Следы разрушения были тоже хорошо заметны, хотя дворники поработали старательно. Но фонарь высвечивал выщербленный угол дома, темные пятна гари на стене и незаделанный асфальт проезжей части возле тротуара.

Перед уходом Турецкий попросил Таню предъявить ему свой паспорт: бдительность, так сказать, за бдительность. После чего они обменялись телефонами, а Саша назначил ей официальную встречу в стенах прокуратуры. Все было проделано как положено, и это не вызвало у нее никакого протеста. Или неудовольствия. Но последнего Сашина совесть не позволила отнести на собственный счет, хотя и очень хотелось бы...

Долгие в этом году и теплые лето и осень уступили место дождям, слякоти и неприятному, пробирающему своей сыростью холоду. Не лучшее время для прогулок. Но они не вернулись к бывшей Дзержинке, а пошли в сторону Красной площади. Потом мимо приземистого храма Казанской Божьей матери, вольготно разлегшегося на месте памятного летнего кафе, нырнули под арку Иверской часовни и вышли на Манежную стройку. Всю Москву перевернули! Ну конечно, каждый градоначальник, начиная еще со щедринских, лелеял мечту облагодетельствовать город своим личным участием. Денег нет ни гроша, да хоть бы на ту же борьбу с преступностью, а населению доказывают, что все беды проистекают от порушенных храмов. Дескать, когда снова построим, все само собой и образуется. Перестроим Москву до основания, глядишь, убивать перестанут. А народ доверчивый, всему, что ни услышит, верит...

Славка в ответ на занудные излияния Турецкого усмехался со сдержанным чувством оптимизма. Но он же не бюджетник, как некоторые, чья зарплата зависит от государства, и ни от кого другого. Он — капиталист, ибо имеет свое дело и гребет на нем немалые деньги.

Ему чужая злость представляется, вероятно, обычным непониманием новых проблем нового времени.

Обойдя величественную стройку капитализма, они поднялись по Тверской. Здесь, словно в дни их веселой молодости, было шумно и светло от ярких витрин, празднично от массы красивых модных девиц, да на таких ногах, что на грязновской физиономии окончательно застыла глуповатая счастливая улыбка.

Турецкий тут же вернул его на землю.

— Ты мне можешь, наконец, объяснить, каким образом обнаружил Татьяну? Или это секрет твоей фирмы?

Ответ Грязнова, как всегда, покорил своей простотой:

— Сашок, если человек, а в данном случае красивая женщина, в неурочное время входит в служебное помещение с двумя продуктовыми сумками, то что это должно означать?..

У Елисеева они приобрели поистине великолепного, цвета драгоценной коринфской бронзы леща, килограммов эдак на пяток, там же отоварились впрок необходимыми деликатесными продуктами, в основном закусочного свойства, и на всякий случай взяли две... нет, три «Особых» с красным уголком, олицетворяющим экспортный вариант завода «Кристалл». Платил Грязнов. Нет, не потому, что Турецкому денег было жалко. Их не жалко, просто их еще не было. Отпускные, как уже отмечалось, он так и не получил. И когда теперь получит, одному Богу известно. Ну а ко всему прочему, Грязнов был капиталистом. Он сам себе зарплату платил.

ПЯТНИЦА, 6 октября

1

Этот день Турецкий себе не планировал, поскольку последовательность его действий зависела от каких угодно факторов, даже тех, которые по идее могли и не иметь к нему никакого отношения. Единственное, что он должен был сделать обязательно, это рано проснуться. А вот уж это испытание было таким же ненавистным, как стояние в очередях и массовые экскурсии по местам боевой и особенно трудовой славы. Но, слава Богу, экскурсии теперь уже не грозили, а очереди отпали сами собой, в Москве по крайней мере. Что же касается раннего вставания, то это испытание было для него из разряда тех еще! В принципе легче вообще не ложиться спать, чем вскакивать при первом крике петуха. Но задача сыграть по возможности блиц, поставленная им перед самим собой, требовала не терять драгоценных минут.

Итак, рев грязновского будильника, ледяная вода из-под крана, чашка растворимого кофе, сигарета в зубы — и он был готов к свершениям.

«Телега» забарахлила и завелась только с десятого раза. Кажется, именно с этой стороны теперь и следовало ожидать в ближайшее время основной каверзы. Следовательно, надо внести в отсутствующий пока план действий обязательное посещение Юрия Мефодьевича, знакомого мастера по ремонту любого изделия, имеющего четыре колеса. Но... пока машина-то едет, а времени оставалось не так уж и много. Словом, не прошло и двадцати минут, как перед носом «жигуленка» выросли величественные очертания бывшей ВДНХ.

Следователь обязан знать предмет своего расследования. В данном случае — это были финансы и банковская система. В какой-то части Турецкий здесь успел поднатореть. Но если говорить совершенно честно, а самому себе врать ему никак не хотелось, в деле Киргизова ему попросту повезло. Там превалировали не столько банковские, сколько чисто человеческие факторы. Деньги — это само собой. Как, впрочем, и пост председателя Центробанка. Политика остается политикой, но решающей оказалась все-таки уголовщина. В том и повезло следователю, что не пошел он длинным, извилистым и неблагодарным путем расследования политических пристрастий убитого банкира, а выбрал короткий и, как оказалось, вполне результативный путь.

Но постоянно опираться на сходство мотивов тоже опасно. Вот поэтому Турецкому и требовался профессиональный совет опытного человека, который ко всему прочему умел бы держать язык за зубами.

Конечно, Алмазова могли убить и из ревности или из-за наследства, могут оказаться десятки разных причин, совсем не связанных с его банковской деятельностью. Однако перед глазами следователя стояли цифры, а это самый неумолимый фактор. За короткое время убиты двадцать семь банкиров. Налицо тенденция. Ну, что касается криминалистических там и медицинских экспертиз, то с этим разобраться несложно и самому. Но в банковской системе, если говорить по крупному счету, тут он, конечно, был олухом царя небесного, и любой бухгалтер мог бы при желании обвести его вокруг пальца.

Итак, требовался специалист. Такой человек имелся. И если его не мучило похмелье, то ровно в семь утра он, согласно давно заведенному обычаю, делал основательную пробежку возле Останкинского парка, вокруг пруда. Что ж, он прав, спортивную форму нужно сохранять, тем более, если ты шибко ответственный чиновник...

Турецкий припарковался при въезде к Шереметьевскому дворцу и еще издалека сумел разглядеть знакомую долговязую фигуру. Человек в ярко-красном спортивном костюме неспешной пробежкой удалялся в противоположную сторону. Саша немного понаблюдал: нет слов, нелегко сейчас тому, хоть и моложе он, и спортивнее.

— Олег! — крикнул на всякий случай. Но он не услышал, хотя эхо далеко разнесло призыв по глади Останкинского пруда.

Впрочем, Турецкому тоже не вредно было бы пробежаться поутру. Так решив, он и побежал по кромке пруда в другую сторону, то есть навстречу Олегу, Альке, как зовет его Шурочка Романова.

Не прошло и пяти минут, как бегуны начали сближаться. Олег двигался довольно легко, не глядя перед собой. Поэтому, когда до столкновения оставалось не более трех шагов, Саша снова окликнул его. Олег дернулся, резко остановился, но, увидев Турецкого, вопросительно вскинул брови и продолжил бег на месте. Саша остановился и, тяжело дыша, сделал несколько широких движений руками, устанавливая дыхание. «Черт возьми, — подумал мельком, — все-таки надо заботиться о здоровье. Никуда не годится такая дыхалка...»

— Ты чего это, Саш? — Было похоже, что Олег немного растерялся. С чего бы это? Турецкий внимательно посмотрел на него, отметив, что лицо Альки изменилось со вчерашнего дня. И еще не понимая, в чем дело, сказал:

— Ты мне сейчас очень нужен. И по весьма серьезному делу. Считай, даже секретному. Ответь мне, пожалуйста, на такой вопрос: почему у нас в стране идет постоянный и, я бы сказал, целенаправленный отстрел банкиров? В чем тут, по-твоему, дело?

У Олега от неожиданности — или идиотизма постановки такого вопроса в семь утра? — отвисла челюсть. Он даже топтаться на месте перестал.

— Ты-ы... что, серьезно? Что с тобой случилось, Саша?

— Погоди, — остановил его Турецкий жестом ладони, — не торопись удивляться, даже если сказано и по-дурацки. Я понимаю, и время не самое подходящее, и обстановка, но я очень спешу, понимаешь? Если ты еще не добегал свое, давай я к тебе пристроюсь, и поговорим на бегу, хочешь? — И тут он вдруг понял, отчего изменилось лицо Олега: — Слушай-ка, а зачем же ты свою гордость-то уничтожил? Усы сбрил...

— Какие усы? А-а, ну да, а что, нельзя? — Он хмыкнул. — Надоели, и сбрил. Как говорят, портрет лица для лежания в гробу создавать вроде еще рано, поэтому можно экспериментировать... Но зачем бегать? Давай сядем, да хоть на то вон бревно, и рассказывай, в чем дело. А ты сам что же, ночь не спал, размышляя, почему их убивают?

— Положим, ночь-то я спал... Вопрос же вот с чем связан. Мне вместо обещанного отпуска вчера перед сном новое дело подсунули. И чтобы хоть как-то успеть прихватить солнышка, я обязан раскрутить его в минимальные сроки, понимаешь? А финансовая сторона, банковские разборки— для меня темный лес, поскольку все мои познания в лучшем случае укладываются в несколько страничек бухучета и статистики. Новое же дело, насколько я понимаю, касается финансовых взаимоотношений, а не уголовных разборок. И последнее. Ты, как я знаю, воюешь с мафией, которая по всем прогнозам превращается в гидру мирового терроризма...

Олег засмеялся:

— Вон как крепко усвоил доперестроечную науку!

— Да как же, забудешь ее!

— Ну ладно, с тобой все понятно. Постараюсь буквально за пятнадцать минут, это все, что могу предложить тебе на сей раз, изложить, впрочем, опять-таки весьма тезисно, некоторые аспекты интересующей тебя проблемы. Садись и слушай, а я буду приседать и прыгать, не обращай внимания. Устраивает такой вариант?

— Вполне. Для начала. Но потом...

— Понял, О'кей. Так вот. Убивают не только банкиров. Убивают тех, у кого много денег. Сегодня у нас в стране нет полностью чистой экономики. Произошла ее тотальная криминализация. Более девяноста процентов частного бизнеса так или иначе связано с миром бандитов. Вот и в банковской среде сейчас много людей, замешанных в делах, которые мы называем нелегитимными, или преступными. Но виновны в этом не отдельные чиновники, как вещает наша демократическая пресса, а сама структура государства... Я уверен, что не открываю тебе Америку, поскольку истины широко известные и даже в какой-то степени банальные. Как, впрочем, и причины убийств банкиров...

Олег дважды резко присел, распрямился и устроился рядом с Турецким на бревне. Ладонями пригладил волосы на висках, стряхнул с адидасовской куртки невидимые пылинки. Турецкий позавидовал его свежему внешнему виду: никаких следов вчерашней попойки. А ведь помнил, как его штормило, когда он выходил. А вот у самого после короткой пробежки вдоль пруда никак не могло успокоиться сердце, да и во рту шуршало от сухости. Надо... в конце концов и за собой последить, а то все одно кофе с сигаретой...

— Что же касается последнего, тут, главным образом, две причины, которые также можно разбить на подпричины, так сказать. Это нежелание делиться капиталом и передел сфер влияния. Видишь ли, Саша, первоначальное накопление капитала в банковской сфере в нашей стране происходило быстрее, чем в других отраслях. Отсюда, как ты понимаешь, у раннего богатства имеется своя криминальная сторона. Банкиры слишком много знают. Они играют с мафией в шальные игры. Поэтому и поводов может быть много. Скажем, не совпали интересы по перекачке, как это нынче стало модным, воздуха. То есть несуществующих товаров. Или всевозможные темные махинации с госкредитами, целевыми финансовыми вливаниями и так далее. Это наиболее распространенный вариант: банкиров выводят из игры их теневые партнеры. Документация оформляется на отбывающего в мир иной учредителя, а с его счета снимается поистине космическая сумма. Вообще говоря, государство наше малоподвижно при решении многих экстренных вопросов. Криминальные же структуры решают их, словно орешки щелкают, быстро и результативно. Я уж не говорю о таких вещах, как возврат долгов, тут ты лучше меня информирован. Одним словом, возник, понимаешь ли, некий симбиоз государственного аппарата, бизнеса и мафии. При этом новая структура расставляет своих людей на наиболее важные позиции. Стремится к этому, во всяком случае. Но ведь и мы тоже не ушами хлопаем, многих из них знаем. Однако ничего не можем сделать... Думаю, поэтому тебе не стоит проводить резкой границы между чисто финансовыми отношениями партнеров и бандитскими разборками. Лично я бы, во всяком случае, этого не делал.

— А как ты думаешь, вот в свете всего тобой сказанного, этого Алмазова взорвали тоже по одной из указанных тобой причин? Или тут может быть более сложная комбинация?

— Алмазова?! — словно бы вздрогнул Олег. — А при чем здесь Алмазов?! Я не понимаю, Саша...

Он достал из кармана куртки щеточку-расческу и собрался уже было провести ею по несуществующим усам, но, ткнув в губу, опомнился и растерянно сунул ее обратно в карман. Нет, убедился Турецкий, вчерашняя пьянка не прошла бесследно. Неважно чувствует себя Алька, вон и оттенок лица нездоровый, и капельки пота на верхней, уже безусой губе. Он даже пожалел, что пристал со своими вопросами. Решил хоть как-то оправдаться.

— Да понимаешь, ведь это и есть то самое подлое дело, которое мне вчера успели всучить. Кабы не оно, не стал бы тебя беспокоить... А ты что же, не слышал? В прошлый вторник, под вечер, взорвали этого Алмазова в «мерседесе». Я думал, тебе известно. Потому, экономя твое время, не стал растекаться мыслью по древу.

— Да знаю я об этом, — помрачнев, отмахнулся Олег. — Просто мне в голову не могло прийти, что его поручат именно тебе. Но я не знаю, на кой хрен оно тебе? Ну еще один висяк будет, а у тебя снова отпуск сгорит... Не понимаю, почему ты не отказался? Есть же в конце концов у каждого человека право на заслуженный отдых! Откажись, Саша, плюнь на Алмазова!

«Чего-то Олег так разнервничался? — удивился Турецкий. — Впрочем, не исключено, что его возбуждение продиктовано в первую очередь заботой обо мне. Не совсем же я ему чужой человек...»

—Увы, Олег, не смогу отказаться, — вздохнул Саша с глубоким и искренним сожалением. — Не могу отказать Косте. Он почему-то настаивает, чтобы именно я вел его. Он полагает, что дело неправильное. Ты, надеюсь, помнишь этот его термин? Неправильное. И он всегда так говорит, когда событие, по его пониманию, не укладывается в привычные рамки...

— А что в этом убийстве такого уж... необычного? — с явным раздражением заметил Олег. — Или у следствия уже появились какие-нибудь зацепки, ключики, факты?

— Да никаких. То есть почти никаких.

О свидетельнице Татьяне Грибовой Турецкий не стал распространяться. Может быть, оттого, что нашел ее Грязнов, а на Славку Олег почему-то вчера окрысился. Впрочем, и у Грязнова по отношению к Шурочкину младшенькому тоже, бывает, проскальзывает этакая не слишком доброжелательная нотка.

— Тогда тебе тем более надо любыми способами отмотаться от этого дела, — убежденно сказал Олег, поднимаясь. — Не вижу серьезных причин, по которым именно тебе следует влезать в эти мафиозные заморочки. Нельзя исключить, что там могла иметь место обычная разводка. Тебе ведь известно, что это такое?

— Вопросик детский. Хотя и из области новейших открытий, — усмехнулся Турецкий. — Об этом наслышаны.

Вообще-то «разводка» — это не карточно-уголовный термин, а вполне закономерное для нашего государства, как сейчас сказал бы Олег, явление общественной жизни. Это даже некий процесс, включающий в себя несколько последовательно проводимых действий. Сперва следует финансовый обман, затем криминальная структура включает, скажем, в банковскую организацию своего человека, потом берет эту организацию под собственную охрану, а в конце следует расплата, то есть убирают бывшего хозяина, или владельца, или президента, как его ни называй, ибо финал одинаков. Сведения подобного рода публикуются в газетных материалах. Впрочем, и то, что успел рассказать Олег в подаренные им пятнадцать минут, тоже сведений особой важности не представляло. Или он с самого начала, чувствуя тяжесть в организме, решил отделаться общими фразами?..

— Понимаешь ли, Олег, — Турецкий сосредоточенно почесал макушку, — а вдруг вовсе и не мафиозные, а какие-нибудь иные, а? Я ведь потому и примчался сюда пораньше, чтобы застать тебя и попросить помочь разобраться...

То ли Олег успокоился, то ли смирился с решением Саши не отказываться от нового дела, но он активно продолжил свои упражнения: стал скакать козлом, высоко вскидывая ноги. Забавное со стороны зрелище.

— Видишь ли... если Алмазова... прикончили по одной из причин... о которых я сказал тебе... а может, и в комбинациях... вряд ли тебе удастся... это дело раскрыть...

— К сожалению, не могу возразить, ибо абсолютное большинство дел об убийствах банкиров до сих пор не раскрыто.

— И не будет, — заявил Олег. — Не хочу тебя расстраивать, Саша, но ведь не секрет, что государство сильнее любой мафии. Возьми хоть ту же пресловутую Колумбию с ее медельинцами. Если власть хочет, она может раскрыть любое заказное убийство. Ведь государству известны все «крыши» и все преступные группировки. И сотрудники внутренних дел туда давно уже внедрены. То есть, я хочу тебе сказать, нет нерешаемых вопросов, а есть определенная политика, которая все сама и решает. Понял? Не лез бы ты в это заранее обреченное дело.

— Все ты говоришь правильно, Олежка. — Турецкий удрученно покачал головой. — У меня и самого нет ни малейшей уверенности в успехе. Только для меня это будет не просто профессиональный провал, но и довольно драматическая потеря драгоценного времени... Может быть, и для выпрямления линии жизненной судьбы.

Олег резко остановился и снова уселся на бревне. Дыхание его вроде бы вошло в норму.

— Я тебе открою один секрет, Саша. И, как мне представляется, твои усилия должны быть направлены именно по этому пути. Алмазова должны были вот-вот назначить председателем Центрального банка. Наверху этот вопрос был уже решен. Оставалась только Госдума. Но с нею на этот раз справиться нетрудно: выборы на носу. Считали, что думцы безропотно проглотят эту наживку. Кое-кто на Алмазове выстроил свои определенные расчеты. Были и противники. — Олег выразительно поджал губы, наблюдая за реакцией собеседника, но Саша никак не прореагировал, поскольку все это ему было известно еще вчера от самого Генерального прокурора России.

— До тебя, Саш, что, не доходит? — озаботился Олег. Турецкий спохватился и немедленно сделал вид, что это сообщение его чрезвычайно удивило:

— Ах, вон оно что-о!..

—То-то,— многозначительно подтвердил Олег.— А нынешний исполняющий обязанности многих устраивает. Я думаю, именно эти люди и не пожелали смены власти. Зачем это им? Вовсе не с руки... Самые богатые люди страны, Саш, с Центробанком в одной упряжке. И если убийство Алмазова — дело их воли, не рук, разумеется, палец, чтоб на курок нажать, всегда найдется в запасе, то твое положение незавидное. Ты ведь уже некоторым образом обжегся на Киргизове. Неужели не научился? Впрочем... Понимаешь, Саш, я все-таки не готов к разговору. — Олег жалобно усмехнулся. — Голова еще тухлая после вчерашнего, и как я ни креплюсь, сам видишь... — Он огорченно махнул рукой. — А знаешь что, приезжай-ка лучше ко мне сегодня вечером, в любое время, а я тебе попробую подобрать соответствующий материал и на самого Алмазова, и на его ближайшее окружение. Не общие слова, а конкретику. Если удастся, конечно.

— Вот спасибо, — улыбнулся Турецкий. — А я как хотел просить тебя быть моим экспертом по этому делу. Не официально, конечно, а в смысле помощи советами, подборкой необходимой информации, знакомством со специалистами и все такое в том же роде. Как? Я еще не до конца обнаглел, а?

— Ну разве что тайным! А то знаешь... Вчера мы... ну не я, конечно, взяли шефа управления по борьбе с организованной преступностью. А с ним еще пятерых генералов. Эти мерзавцы действовали в контакте с различными мафиозными группировками и получали на лапу приличные башли. Знаешь, за что? Всего лишь за информацию о готовящихся операциях. Так что пока давай-ка и ты молчи о нашем с тобой договоре. Идет?

— Еще как идет!

Провожая Турецкого до автостоянки, Олег говорил с легкой иронией:

— Ты, Саша, не забывай, что возраст твой вполне критический, к сорока подбираешься. По статистике где-то в этом районе наблюдается максимум летальных исходов. Я, конечно, не пугаю, но предостерегаю: за здоровьем надо следить сейчас в оба. При нашем подлючем образе жизни, при отсутствии у тебя всякого режима, при жизненной неустроенности, все это накладывается одно на другое, отчего и возникает аварийная ситуация. Поэтому мой тебе совет: ты Меркулову и иже с ним ничего не должен. А если и был когда-то должен, то давно и с лихвой все отработал, понял? Поэтому хоть один раз в жизни поставь на своем: плюнь и откажись от этого муторного дела, за которое в любом случае благодарности не получишь. Плюнь и езжай себе в Мюнхен. Доброго баварского пивка попей, оно, говорят, неплохо почки прочищает...

«Ну вот, и этот друг тоже! — подумал Турецкий. — Как же они все пивка попить мечтают! Неужто в Германии ничего другого и нет?..»

— В общем, Саша, не перенапрягайся и не принимай казенные дела близко к сердцу. От этого инфаркты бывают, и ничего другого. Впрочем, что я тебе рассказываю?.. Ты ж и сам знаешь...

«Еще как знаю! — мысленно согласился Турецкий. — У нас именно следователи прокуратуры мрут как мухи. И чаще всего именно от разрыва сердца. За последний пяток лет я схоронил уже больше десятка друзей-приятелей и однокашников. И все ушли в пределах сорока лет. Грустная статистика, прав Олег!»

Они подошли к машине. Олег посмотрел на раздолбанный «жигуленок», принадлежащий по праву личной собственности «важняку» Турецкому, укоризненно покачал головой и сказал одно только короткое слово, но сколько в него было вложено сарказма:

— Да-а!..

В Турецком немедленно взыграло чувство патриота и собственника.

— Чем он тебе не нравится? Не «мерседес», конечно, зато его и взрывать незачем...

— Ой, Саша, не зарекайся! — странно усмехнулся Олег. — Если мне не изменяет память, не то в прошлом, не то в позапрошлом году однажды ночью уже отправился на небо один знакомый зеленый «жигуленочек». Или не так?

Турецкому оставалось лишь смиренно согласиться, действительно, было: взорвали бандиты его машину. Да вот и вчера был уже звоночек...

— Готов биться о любой заклад, что заводишь ты его не раньше, чем с пятого раза.

— Сегодня даже с десятого, — вздохнул Саша.

— Вот тебе и лишнее подтверждение моей правоты, — назидательно заметил Олег. — Вся эта, извини, хреномация и сокращает нам и без того короткую жизнь. Плюнь и хоть однажды выполни собственное желание. Собственное, понимаешь?

У Турецкого же было сейчас только одно желание: съесть яичницу. Но как-то неприятно, и если бы не из уст Олежки, то, пожалуй, и зловеще, прозвучало напоминание о деле Киргизова. Почему?..

2

Когда старшего следователя по особо важным делам Генпрокуратуры России Александра Борисовича Турецкого выгонят из вышеозначенной прокуратуры, а также в том случае, если он не сумеет воплотить хрупкую мечту своего детства и стать журналистом, ему останется, пожалуй, единственная возможность существовать: открыть кафе под вывеской, ну, скажем, «Золотые яйца». Нет, не то. Назвать «Роковые...» — это чистый плагиат и вообще опасно для клиентуры: неправильно поймут. «Курочка Ряба» — заманчиво, но больше подходит для детишек. А детишкам много яиц вредно— от этого диатез бывает и прочие гадости. Во всяком случае, так Турецкому докладывала по телефону Ирина. Но почему свое будущее, — может возникнуть такой вопрос, — он связывал обязательно с проблемой яиц? А потому, что он умел делать из этого природного продукта по крайней мере два десятка разнообразных блюд.

Следствием этой же причины являлось также и то обстоятельство, что он, вне зависимости от своего местонахождения, обречен был ежедневно готовить завтраки. Размышляя подобным образом, Саша понимал, что это у него срабатывает стереотип бумаготворческой стороны следственной работы. Но как бы там ни было, он никогда не протестовал, ибо иногда, в порыве вдохновения, у него рождались поистине неслыханные варианты. И он знал: это — талант! Куда же от него денешься?..

Сегодняшнее позднее утро он посвятил яичнице под названием «скрэмбл», по-нашему— болтунья. Наполнителем послужили мелко наструганные остатки вчерашней, уже основательно затвердевшей колбасы. Съев свою порцию, Саша стал бездумно смотреть на экран телевизора, где ребятки с наполовину выбритыми головами, окрашенными в изумрудный цвет, сдавленными голосами весьма невнятно упражнялись в воспроизведении американской поп-музыки. Глупо и наивно.

— А чегой-то ты эту хреновину слушаешь? — оторвал его от бездарного времяпрепровождения хриплый голос Грязнова.

Сам вышел из своей комнаты в накинутом на плечи красно-черном халате до колен, этакий сонный Боксер Иваныч, пробирающийся к рингу. Вот только ноги его уже заметно потеряли прежнюю силу и мускулистость. Тощенькими стали ноги недавнего богатыря, да и рыжий пух не слишком украшал их. По утрам, когда глаза еще спят, а рыжие волосы стоят дыбом и походка у Славки плавная, замедленная, особенно заметно становилось Турецкому, как уходит упругая молодость. Понимал он, что в такие минуты и его собственный видик вряд ли интеллигентнее. Вот уже и виски седые, и вокруг глаз сетка морщин — зеркало-то не обманешь...

— Санька, — обеспокоенно продолжил Грязнов, — ну чего ты на меня уставился? Первый раз видишь, что ли? Да выключи ты их!..

— Это я не на тебя, это я на себя смотрю, — ответил Турецкий и послушно нажал кнопку дистанционного управления. По другой программе шла очередная серия дебильного мексикано-венесуэльского фильма. Он вообще выключил телевизор.

— Спасибо большое, — раскланялся Грязнов и удалился в туалет.

На кухне снова вскипел чайник. Сейчас Славка заварит себе поллитра кофе, выкурит пару сигарет, и тогда с ним можно будет нормально побеседовать. У него свой твердый порядок.

Сперва, отдуваясь и чертыхаясь, он лакал кофе из музыкальной баварской кружки для пива, затем отрешенно выкурил сигарету — одну! — и принялся за свою долю яичницы. Наконец, фыркнул и отодвинул пустую сковороду.

— Спасибо за омлет, Саня... не помню, как ты его обзываешь... — сказал, наконец, нормальным голосом. — Ах да, скрэмбл! Ну что ж, пусть так всегда и будет. А ты уже, значит, с рассвета расставлял сети российской мафии?

Не теряя времени, Турецкий выложил Грязнову свой план проведения так называемого блиц-расследования.

— Ну и трепач же ты, Саня, — усмехнулся Грязнов. — Да ведь не сегодня завтра тебе подвалят экспертизы, и твой банкир окажется вовсе и не банкиром, а Мао Цзэдуном или, чего хуже, Иосифом Виссарионовичем. И тогда ты не только забудешь о своем отпуске, но превратишься в ищейку... Значит, говоришь, все было проделано, как полагается при организации безупречного террористического акта?

—Так, во всяком случае, следует из протокола осмотра места происшествия. Заключения криминалистов по бомбе у меня пока нет. Между прочим, подложена она была под сиденье водителя, он же телохранитель банкира Алмазова. Похоже, что террорист сидел на заднем сиденье за спиной шофера, от которого осталась только кожаная куртка с зажигалкой в кармане. Куртка обгорела немного, видно, валялась на заднем сиденье либо в багажнике и вылетела при взрыве. Единственное более-менее целое вещественное доказательство.

— А может, он и хотел подорвать этого самого телохранителя? Кстати, как его звали-то?

— Ты про террориста? — наивно спросил Турецкий.

Славка хмыкнул:

— Полагаешь, что это очень остроумно?

— Кому как, а мне нравится. Кочерга́ его звали. Такая вот неожиданная фамилия.

— Ах вот это кто!.. Только у него ударение на «е»: Коче́рга он. Сам себя так называл, помню его.

— А откуда ты его знаешь?

— Так он же из бывших боксеров. Нынче многие из них, из бывших, в охране, в телохранителях... Есть и крутые ребятишки. Вроде Каратаева. Помнишь, писали? В Нью-Йорке его шлепнули, на Брайтон-Бич. Но твой Кочерга, насколько я знаю, с мафией не знался.

— Все-то тебе известно, старик!

— Что ж тут удивительного? — томно потупил очи Грязнов.— Если одним из аспектов деятельности моей фирмы является охрана банкиров. И давай не улыбайся зловредно, ишь ты, моду взяли подзуживать!.. Кстати, да будет тебе известно, пока еще не убрали ни одного из моих подопечных, вот так! Там, в бюро, есть список охраны банкиров, можно проверить, ху из ху.

Я ошеломленно покачал головой:

— А ты заявлял, что иностранных языков не знаешь!

— Ха! Какой же это иностранный? Это ж наш, родной и близкий! На нем даже президенты разговаривают с народом. Помнишь Горбачева? То-то. Но это все, Саня, пустое. Ты лучше выкладывай, какие конкретные мысли родились в твоей остроумной башке? Что-то пока дельных идей не наблюдаю.

— Да какие, к черту, мысли? Идеи — скажешь тоже... Я чую, что и за сто лет не расхлебать это дело... Ну что, прочесать весь тот подъезд, где остановился «мерседес»? Может, случайно догадаемся, кто входил или должен был выйти... А если никто и не собирался выходить?.. Твоя эта Татьяна Грибова что сказала? Машина ехала очень медленно, как будто сидевшие в ней искали номер дома или подъезда, так? А может, номер-то им дали просто для отвода глаз...

— Не исключено...

— Дальше. Если у «мерседеса» имелся пропуск для проезда по всем этим секретным переулкам, то значит, его кто-то выдал? А из протоколов не видно, чтоб кто-нибудь из сыскарей поинтересовался этим фактом.

— Надо поинтересоваться...

— Конечно, надо.

Вот так примерно еще с полчаса продолжалась вялая и бесплодная беседа, которая, так ничего и не родив, в конце концов тихо и бесполезно скончалась. Вступал в права новый рабочий день, и Турецкому пришла пора отчалить в направлении собственной конторы.

3

Мечтать, разумеется, не грех, мечтать может позволить себе каждый без особого ущерба для дела. Итак, Александр Борисович решил разыграть блиц: в кратчайшие сроки отыскать преступника и загнать дело в суд. Иными словами, продолжая размышления того же Грязнова, сделать невыполнимое выполнимым. Впрочем, если он все же собирался отправиться в Германию, если хотел сменить профессию, если... и так далее, то иного варианта попросту и не существовало.

На Пушкинскую он приехал не в девять, как обычно, а в десять, поскольку совесть его была чиста, и свой личный рабочий день он начал задолго до, скажем, генерального прокурора.

Как однажды рассказывал Саше один весьма отдаленный знакомый, поскольку занимался он совершенно иным делом — испытывал новые модели самолетов, так вот однажды во время полета вдруг отказал двигатель, а до падения на землю оставалось ну где-то с полминуты. Вот тут он успокоился, сел и подумал, что предпринять дальше. Турецкий спросил, ухмыляясь: а много ли он себе оставил времени на этот процесс — подумать? Ас ответил: так... секунды три-четыре, не больше. Подобным же образом сел в своем кабинете и Александр Борисович, чтобы быстро подумать, какие необходимо предпринять действия для намеченного им блица.

Но не прошло и трех минут, как его план оказался нарушенным. Пожаловали визитеры: один из МВД, другой — из ФСБ. Сообщили, что прибыли поделиться своими соображениями насчет взрыва. Оба они были полковники. Выглядели солидно, без излишней торопливости. Не пережимали в своем усердии. Но уже через десять минут общения цель их визита стала ясна до изумления: они оказались обыкновенными, банальными лазутчиками. Из их туманных и многозначительных монологов Турецкий сумел уловить-таки основополагающую мысль: шефов Министерства внутренних дел и Федеральной службы безопасности волнует вовсе не раскрытие данного преступления. Шефов беспокоит другое: что прокуратура собирается писать об этом теракте в своем спецсообщении на имя Президента, который вдруг проявил личную заинтересованность и выдал поручение генеральному прокурору. Вот почему Турецкий, откинувшись на спинку своего кресла, с наслаждением покуривал сигарету и с нескрываемым для гостей интересом рассматривал товарищей по оружию, которое, как оказалось, основательно притупилось за годы славной перестройки, демократизации общества, приватизации и прочая, и прочая. При этом он машинально отсчитывал минуты, раз и навсегда вычеркнутые из жизни, как пустые и никчемные.

Но чтобы время действительно не было совсем уже потрачено зря, он в конце концов выдал полковникам четкое задание. В течение суток они должны кровь из носа выяснить по линии своих ведомств и доложить лично ему следующее: какие организации дислоцируются в прилегающих к месту взрыва домах? Кто, когда и кому конкретно выдал спецпропуск на въезд «мерседеса» в закрытый квартал в районе Ильинки? К кому направлялся в тот день Алмазов? И кроме того, им следовало взять в агентурную разработку все, что связано с личностью погибших — их детальные характеристики, интимные связи и индивидуальные привычки и интересы. Это для начала. Затем задание может быть усложнено и расширено.

Ход был сделан в высшей степени правильный: не дожидаясь дальнейших «высоких» указаний, доброхоты-разведчики выкатились из кабинета. Одиннадцать часов, значит, из биографии выпал целый час. И Турецкий, чтобы заглушить нарастающее раздражение, начал в десятый, наверное, раз рассматривать фотографии, приложенные к протоколу осмотра места происшествия. Вдоволь налюбовавшись, позвонил доктору Борису Львовичу Градусу, знаменитому судебно-медицинскому эксперту, которому поручено медико-криминалистическое исследование обгоревших трупов. Впрочем, то, что было ему представлено для экспертизы, вряд ли можно назвать трупами. За годы работы следователем Турецкий так и не привык хладнокровно рассматривать картинки, с которыми не может сравниться ни один фильм ужасов.

С Градусом у него вполне дружеские отношения, хотя язычок у доктора зловредный, да к тому же он еще пьянчуга и матерщинник, каких мало, несмотря на преклонный возраст. Но все его видимые недостатки напрочь перечеркивались профессиональными достоинствами. Представляться Градусу не нужно, слух у него, как у филина. Поэтому Саша сразу перешел к делу.

— Что слышно, Борис Львович?

Он прекрасно знает, о чем вопрос, и непонимания, уместного в другой ситуации, не разыгрывает, отвечает сразу:

— Есть результаты, Александр Борисович.

— И что мы с вами имеем?

— Идентифицировать трупы пока не представляется возможным.

— И это вы называете результатами?! — Турецкий сдержал свои эмоции, чтобы без нужды не раздражать эксперта.

— А ты, Александр, видел снимки? Я могу сейчас говорить лишь об идентификации сопутствующих признаков.

«Нет, этот проклятый дед добьет-таки кого угодно!»

—Я их и сам знаю, Борис Львович, — последовал сухой ответ.

— Так называй!

— Чего называть-то?

— Какие сопутствующие признаки ты знаешь?

— «Мерседес» Алмазова. Куртка и зажигалка Кочерги. Жена Алмазова признала кусок костюма, в котором он утром выехал на работу. Металлические пряжки от ботинок. Часы.

— Все?

— Вроде...

— Ну вот, я так и думал, что ни хрена ты не знаешь, Александр. А на меня, старого и мудрого филина, голос поднимаешь... А я в это время из кожи лезу, чтобы угодить тебе. И заключение твое готовлю вне всякой очереди, стараюсь. А ты в бутылку лезешь... В общем, теперь так: заключение будет готово ровно через две недели. Как положено по закону и не раньше!

— Две недели?! — Турецкого словно током ударило.

— А ты что же, мать твою, вчера на свет появился? С луны свалился? Не нравится? Тогда подумай, как я должен поступать, да еще при таком скудном материале! То-то... Мальчишки, раскомандовались...— Явно наигранный гнев Градуса пошел на убыль. Возможно, его вспышка продиктована действительно нагловатым нажимом. После короткой паузы Борис Львович продолжил: — Ладно, так и быть, записывай. И учти, что речь я сейчас веду только о втором человеке. С первым — полная ясность, это твой замечательный банкир Алмазов. Тут я все проверил. Мне его историю болезни доставили, вместе с рентгеновскими снимками. Из Герценовского института и из Боткинской. По его поводу двух мнений быть не может. У него легкие с ребрами сохранились, потому что торс выбросило через ветровое стекло, и он не успел сгореть полностью. Полное тождество двух петрификатов... Знаешь, хоть что это такое?

— Не знаю и знать не хочу, — машинально отпарировал Саша.

— Ну и катись тогда к едрене фене!.. Оставайся неучем. Что же касается второго, этого... как его фамилия?.. Да, склероз подкрался незаметно, Александр. А все эти твои дерьмовые перестройки, Горбачевы-Ельцины, старость, одним словом, Александр...

«Так, пошла вторая волна — причитания. Надо менять тон».

— Борис Львович, — взмолился Саша, — Кочерга его фамилия. И пожалуйста, не притворяйтесь, что забыли. Ничего вы не забываете и память у вас похлеще моей. Так что не надо заговаривать зубы и делать вид, что вы горько сострадаете, поскольку я вас не первый год знаю и глубоко уважаю, как крупнейшего специалиста, да и просто хорошего человека. Вот вы сказали мне про Алмазова, — и я же не сомневаюсь. А почему? Потому что верю вам безоговорочно. Ну кому, назовите фамилию, может так верить следователь, а? Молчите? Говорите о шофере-телохранителе, и тут верю, но вы же сами знаете, что мою уверенность я к делу не подошью...

— Точно, Кочерга! — радостно прозвучало на том конце телефонного провода. — Как же, вот и вспомнил!

«Надо же, какой фраер! Нет, с Градусом не соскучишься...»

— Ну так вот, Александр, с этим вторым надо еще повозиться. Пока могу предложить тебе только групповое тождество. Постарайся узнать у его бабы или других родственников насчет его зубов. У моего клиента пломбы сварганены в Германии. Уточняю: не в бывшей ГДР, а в ФРГ. Только там такие делают. А вообще-то от него, клиента имею в виду, только замки-молнии сохранились, но в таком виде, что к новому костюму их уже не пришьешь. И все-таки перелом у этого человека был, небольшой такой перелом, понимаешь, Александр?

— Перелом чего? — опешил Турецкий.

— Не перебивай! — рявкнул Градус. — Слушать не научился. Перелом одного из позвонков, старый очень. При неправильной нагрузке мог давать о себе знать. От скелета ведь только позвоночник уцелел, и то наполовину... Остальное все разлетелось к хренам собачьим...

«И все-таки Градус наш — истинный гений. Из ничего собрать...»

— Вот пытаюсь теперь хоть что-нибудь наскрести на ДНК-пробу. Это-то ты хоть знаешь, что такое?

— Знаю. Код его генетический записать хотите.

— Ну вот... А то кричит, понимаешь ли!.. Из вещдоков у меня имеется уже известная тебе куртка. Кожаная, спортивная. Она тоже из ФРГ, затем зажигалка японская, инкрустированная под серебро, часы — «Сейко». По всей видимости, принадлежали Алмазову, поскольку дорогие. Других часов не обнаружено. Может быть, у шофера не было часов, хотя это странно, уж ему-то следовало бы иметь... Да, крестик вот еще православный, порядком деформированный. Его извлекли из пепла. Алмазов — не знаешь? — поди, некрещеный был, иначе... ну да, конечно, чего бы он тогда при коммуняках в республиканском банке делал...

Не обращая внимания на сопутствующие основным сведениям излияния, а точнее, брюзжание Бориса Львовича, Турецкий записал всю выданную ему информацию. Негусто, конечно, но работенки, пожалуй, на целый день. Взять одно групповое тождество. Сколько их, протезов и пломб, сделанных в Западной Германии, что носят сегодня наши люди? Или человек со сломанным когда-то позвонком. Да с этим делом можно всю жизнь прожить и к врачу не сунуться...

— Я тебе прямо сейчас все это отправлю с курьером. Забирай свою матату и делай с ней что хочешь. Рентгеновский снимок позвонка, в чем ты, конечно, ни уха, ни рыла, крестик этот ваш православный, зажигалку и часы. Все. Да, еще молний этих дерьмовых тут целая куча. Восемь штук только с тела водителя. И еще две длинные, совсем другого качества. Эти, вероятно, от какой-нибудь сумки, которая сгорела полностью потому, что скорее всего была с химпропиткой. Две длинные молнии, что с сумки, в расстегнутом виде. Хотя, может быть, и от пламени. Во всяком случае, эти две я себе пока оставлю, надо покумекать над ними. И куртка мне тоже будет нужна для сравнения размеров одежды и туловища. Слышь, Александр, а я ведь, как ты знаешь, не только врач, но и этот, как его, изобретатель. На днях такую конструкцию сварганил для идентификации частей тела, просто закачаешься. Да, жаль, прошли наши времена, и сталинские премии больше не выдают. А то имел бы как штык! Да еще первую премию, на все десять тыщ... Не нынешнего дерьма, а тех, когда деньги еще настоящими были...

— Все, понял вас, Борис Львович. Спасибо большое.

— Это ты за изобретение, что ли?

— Держите карман шире! Сейчас отвалю вам заветные тыщи... Пока спасибо за информацию по моему делу. Между прочим, вчера, уже перед сном слышал, как по радио «Свобода» передавали, а может, то была «Немецкая волна»... Неважно. Медицинская программа шла. Так вот, ихняя профессура категорически не советует нашей интеллигенции употреблять спиртягу. Ни в чистом, ни в разбавленном виде. От этого, утверждает статистика, напрочь мозги размягчаются, и память стирается... со скоростью звука.

— Фи-и, Александр! Какой грубый и неостроумный намек! А я к вам всей душой, ай-я-я! Клянусь могилой моего незабвенного папы, очень неостроумно... О, кстати! Я тебе еще подошлю заключение взрывников. Это была пластиковая бомба с фугасным и напалмовым действием. Это ж надо такое сочинить, чтоб убивать человеков, а? Что такое фугаски, уж я-то знаю. В сорок первом, Александр, я сам таскал их с чердака нашего дома и запихивал в бочки с песком... И было мне тогда без малого шестнадцать... Послушай, а может, то были не фугаски, а зажигательные? А, ну да, конечно, зажигалки, мы их так и называли. Искры, помню, во все стороны... К сожалению, ты прав, Александр, — шумно вздохнул в трубку Градус, — стирается... Все стирается, хотя и не со скоростью звука. Уж это ты брось...

4

Нина Васильевна, бывшая жена Виктора Антоновича Кочерги, шофера и телохранителя банкира Алмазова, была довольно молодой дамочкой, которая старалась выглядеть интеллигентной и ко всему происходящему безразличной, но это у нее не получалось. Ее удрученный вид можно было бы отнести, пожалуй, даже не столько к смерти супруга, сколько ко всей маете, обрушившейся на нее, — Турецкий ведь был далеко не первым, кто вызывал ее на допрос. А в общем, трудно ее не понять: жила сама по себе, своей отдельной жизнью, и вдруг, как с горы покатилось — кто, да что, да где бывал, что делал, и пуще того, во что был одет. Действительно, озвереть можно. Но Нина Васильевна, старательно сохраняя свой имидж, все-таки пыталась отвечать достойно, хотя и с заметной долей безразличия.

— Я уже говорила и готова, можно сказать, повторить вам, что и куртка, и зажигалка принадлежали ему. Его это вещи. А вот часы у него имелись швейцарские, которыми он, можно сказать, даже гордился, поскольку они старинные. Так говорил. И других, заявлял, покупать не будет, пока эти ходят. Я его, правда, уже больше года не видела. Как тогда развелись с ним в суде, так и расстались. Без всяких там скандалов, понимаете, интеллигентно, можно сказать.

— Простите за личный вопрос. А по какой причине вы разошлись с мужем? Он что же, изменял вам? Пил?

Женщина помялась, подумала. Сказала неохотно:

— Да так как-то, знаете ли... У него, можно сказать, другие интересы в жизни появились... Нет, не пьянство... хотя...

— Какие же?

Она вдруг зло передернула плечами:

— Карты! Понимаете? Такое вот хобби! Доигрался, чтоб ему!..

— Вы полагаете, что его смерть может быть связана с картежной игрой?

— Да ничего я не полагаю, — нервно и сердито отмахнулась женщина. — Это я вам так, фигурально, можно сказать, выражаюсь. Нет, не знаю, кому нужно было его убивать. Ну, Алмазов — тот, конечно, шишка, денежный мешок, он кому угодно мог мешать, вон, газеты почитайте, каждый день про них сообщают... А Виктор? Он же, в принципе, можно сказать, безобидный был. И образование так себе: ленинградский институт Лесгафта, да вы и сами можете понять, что с таким образованием, извините... Ну да, только что охранять когонибудь... — Нина Васильевна выразительно посмотрела на следователя, призывая как бы в свидетели ее мысли, что бывшие спортсмены — люди, в сущности, второго сорта. — И попал в конце концов, как я, можно сказать, и предполагала, будто кур в ощип. Жалко его, конечно, — ничего ж от человека не осталось...

— А с кем он играл в карты?

— Как это — с кем? — изумилась женщина моей наивности. — Да в казино же! Наоткрывали их, вот теперь и разрушаются семьи...

— В казино, говорите... — с уважением к ее знаниям протянул Турецкий. — А в каком, не помните?

— Говорил, в подпольном, — она пожала плечами. — Только я не знаю, какая в том была нужда. Ведь я же говорила, что их понаоткрывали сколько угодно, и теперь все разрешено, ну... то, что не запрещено. Я правильно понимаю?

— И давно он так?

— Мы еще вместе жили... Он как недели на две завалится играть, так дома и не появляется, не ночует, потом заявится и хвалится, что выиграл. Немецкие марки, можно сказать, показывал.

— Марки?

—Ну да, он их дойчемарки называл. Но мне ни разу не дал. Вот, говорит... говорил, в следующий раз выиграю побольше, и тогда, мол...

— А каких-нибудь его партнеров по картежной игре вы не видели? Не знаете?

— Да вы что! Он ни разу на этот счет и во сне не обмолвился. Только заявлял: «Не жди меня раньше следующего воскресенья».

— Скажите, а за границей он бывал?

— Ну а как же! Он потому и пошел к этому банкиру, можно сказать, работать, к Алмазову, чтоб чаще за границу ездить. У него же открытая виза была, так он говорил. Он и зубы себе там сделал. Мне в милиции показывали... ну... челюсть. Да разве я что-нибудь в этом деле понимаю? Разве увидишь чего? И в рот, извините, я не заглядывала.

— А в Бога он верил?

— Ну, вы тоже скажете!.. Суеверный был, как у них, у спортсменов или шоферов, положено. Бывало, крестился. Даже крестик золотой хотел себе когда-нибудь купить, но при мне дело не доходило, нет.

— Но однако же, получается, что купил?

— Я же говорю, при мне не было, ну а без меня... нет, не знаю.

— Скажите, Нина Васильевна, а ваш бывший муж не страдал от каких-нибудь застарелых, хронических заболеваний?

— Да ну что вы! Здоровый был, как бык, можно сказать... Разве что уж опять без меня чего... Год ведь прошел... Ой, что ж это я в самом-то деле! Был у него! Точно! Этот... остеохондроз был. Он же и из-за него бокс этот свой бросил. Я его даже однажды, помню, уговаривала к доктору обратиться. Да разве ж его заставишь? Так и не пошел. Но это его иногда беспокоило, особенно когда чего тяжелое поднимет...

Итак, один из первых кроссвордов почти разгадал. Пока все сходилось по Градусу: второй труп мог принадлежать шоферу и телохранителю банкира Алмазова Виктору Кочерге.

5

Грязнов оказался в своем офисе.

— Слава, ты чем сейчас занят? Срочное что-нибудь?

— В данный момент разговариваю с тобой.

— Ну-ну. А других, не менее важных занятий у тебя нет?

— Почему же? Есть. Сижу на стуле и жду факс. Устраивает?

— Вполне. Вопрос первый: у тебя имеются какие-нибудь данные на подпольные казино?

— То есть? Говори конкретнее.

— Мне надо знать, кто туда ходит и прочее.

— Ах, вон ты о чем!.. Погоди, я сейчас факса дождусь... Нет, давай-ка лучше ты подваливай ко мне в офис, и мы, возможно, что-нибудь похожее сумеем найти.

— Отлично. Но сейчас ко мне придет один свидетель, я думаю, свидание больше часа не займет, и тогда я...

— Устраивает.

Во второй вопрос Турецкий не стал посвящать Грязнова. Дело в том, что в настоящий момент он ожидал свидетеля женского пола. Того самого, которого вчера, в наступающей темноте, так лихо вычислил Славка.

Татьяна Грибова оказалась точна и прибыла минута в минуту. А когда вошла, Александр Борисович не мог не залюбоваться ею. При дневном свете она выглядела гораздо моложе и выигрышнее. Нет, конечно, вынимать у Грязнова изо рта такую роскошную мозговую косточку может решиться только самоубийца. Это в том случае, если Славка уже положил на нее свой глаз. А ну как нет? Однако лучше пока не рисковать...

Здороваясь и протягивая повестку, Танюша не могла удержаться от кокетства. Но Саша понял его лишь как желание избавиться от смущения: все же не каждый день девушка-заочница в столь высокое учреждение попадает.

Как будущий юрист, Танечка, конечно, понимала всю ответственность этой вполне официальной встречи, и поэтому что-то в ее облике неуловимо изменилось, и она вмиг посерьезнела. Затем слово в слово повторила то, о чем рассказывала вчера, потом охотно приняла предложение собственноручно записать свои показания.

— Александр Борисович, — сказала Татьяна и так проникновенно поглядела на него, что у Турецкого перехватило дыхание, — а ведь мне придется как-то объяснять, почему я не вызвалась в свидетельницы сразу же, едва примчались оперативные работники. Но мне совсем не хочется подводить своего шефа, который мне помогает и разрешает, ну, я ведь вам уже рассказывала... Может быть, мне стоит написать, что я думала... ну, что не только я одна видела взрыв, поскольку там ведь десятки окон... И люди бегали. Вы меня понимаете?

— Воля ваша, Татьяна Павловна, — почти севшим голосом отозвался Турецкий. Ну а что на самом деле он мог бы ей присоветовать? Заложить своего шефа? И чтоб тот ее сразу же уволил?

Грибова, вздыхая и обдумывая каждое слово, вписала еще несколько строк.

— Можно еще, Александр Борисович? Только не для протокола...

— Вообще-то, как вам должно быть известно, следователь обязан вносить в протокол допроса свидетеля все, что тот скажет. Неужели я должен объяснять столь элементарные вещи вам, будущему юристу?

— Да, это я знаю... Но то, о чем я хотела вам сказать, может быть, даже и не свидетельство, а... Ну как сказать? Мое воображение? Как будто во сне видела. И поэтому я, честно говоря, не уверена, что вообще следует об этом говорить... Знаете, а мне сегодня Вячеслав Иванович звонил, — неожиданно переключилась она на проблему, которая, похоже, волновала ее теперь больше воспоминаний о взрыве.

— Это все хорошо, Татьяна Павловна, — поморщился Турецкий и постарался вернуть девушку в нужное русло. — Давайте договоримся так; если ваш, как вы уверяете, сон может представить интерес для следствия, тогда...

— Я поняла, правда, поняла! Александр Борисович, знаете, мне кажется, что та машина уже останавливалась раньше, то есть за углом. Вспомните, какая панорама видна из моего окна... Мне кажется, что все происходящее я как будто увидела боковым зрением... но вспомнила только потом, позже. Я же говорю, что это как сон.

— Ну, попробуйте все еще раз себе представить и расскажите мне, что вы там увидите. А я готов вас слушать.

Он и сам не знал, зачем ему нужен этот совершенно идиотский эксперимент. Но привычка обращать внимание на всякий, даже незначительный, фактик сработала помимо желания.

Грибова прикрыла глаза и откинула голову.

— Вот... черный предмет выскочил из-за угла и замер, — заговорила она, будто кем-то загипнотизированная. Это у нее получилось настолько натурально, что Турецкий невольно оглянулся, но никого, естественно, за своей спиной не обнаружил. — Я вижу только часть его. И не уверена, что это машина. Пауза. Наконец, предмет начинает двигаться и поворачивает в наш переулок... — Она открыла глаза. — А здесь, Александр Борисович, я уже точно знаю, что выехал большой темный автомобиль, я его вижу в упор, потому что он теперь единственный предмет, который движется, а все остальное замерло. Или просто вымерло. А потом... дальше вы сами уже все знаете...

Бог ты мой! Да ведь это показание может стать ключевым в деле! Ведь если все это — не досужая выдумка, а действительно божественное наитие, то тогда действия сидевших в машине приобретают четкую логику... которая до сих пор никак не просматривалась Турецким.

—Танюша! Золото вы мое! Вам говорили, что вы чудо?! — Турецкий не мог сдержать себя, и его понесло. Еще миг — и он бы ринулся целовать свою свидетельницу, но та готовность, которую он мгновенно прочел в ее вспыхнувших глазах, немедленно остудила его. И, с трудом переведя дыхание, он продолжил, стараясь, чтобы его волнение не было ею истолковано превратно: — Самое поразительное, Танюша, что ваш сон, или видение, как хотите назовите, может обернуться явью, которая многое поможет решить и понять. Но вы знаете... Словом, давайте я пока не стану вносить эти ваши наблюдения — так? — в протокол. Пусть это до поры останется вашей фантазией. Но у меня к вам будет огромная просьба: при первой же нужде, то есть когда мне это позарез понадобится, вы повторите свой рассказ?

— Да ну что вы, Александр Борисович! Конечно! И когда вам будет угодно. И — где угодно...

«Вот же зараза какая!» — ворохнулось у него в груди.

Нет, конечно, он ей верил, хотя, пока идет следствие, по идее не должен верить никому. Он обязан лишь оценивать показания. Но ведь следователь — тоже человек, хоть и звучит это по-дурацки. А раз так, то и он обладает все тем же стандартным набором достоинств и недостатков, присущих остальным смертным. Разница, пожалуй, лишь в том, что в данный момент перед следователем сидит вызывающе броская женщина, и щеки ее алеют от его похвалы. Или от других, ведомых только ей одной желаний. А Турецкому, разумеется, неведомых.

— А что, Александр Борисович, — спросила она, и глаза ее снова заискрились, — у вас тут не курят?

Турецкий несколько суетливо подался к ней через стол с пачкой сигарет и зажигалкой. Закурив и выпустив тонкую струйку дыма в потолок, Татьяна откинулась на стуле и с явным вызовом закинула ногу на ногу. Модный плащик ее висел на крючке у двери, а узкая короткая юбка и такая же кремовая кофточка не столько одевали ее, сколько продуманно и ловко оголяли. Турецкий, как ни старался, не мог отвести глаз от ее коленей, чувствуя, что и Татьяна не хочет отступать с занятых ею позиций. Видимо, поэтому и последовал «неожиданный» вопрос:

— А вы женаты, Александр Борисович?

Он понял, что смысл вопроса заключался не в сказанной фразе, а в ее подтексте, как тест на вшивость: «Ну, чего ты ждешь?» Потому и любой его ответ уже ничего бы не значил. Для окончательного решения ему оставался миг, а что он сумел бы ей немедленно предложить? Славкину квартиру, если там никого нет, или свой раздолбанный автомобиль с выездом куда-нибудь в ближайшие кусты? Она бы, вероятно, сейчас не стала возражать, но ведь даже и не представишь себе масштаба этакой срамотищи! И Александр собрал в кулак свою волю.

— То, что я женат, Танюша, это бесспорно, — с веселой назидательностью сказал он.— А вот Вячеслав Иванович в настоящий момент абсолютно холост. Говорю это вам как его ближайший друг.

Татьяна кивнула и улыбнулась с некоторой растерянностью. Потом поднялась, взяла со стола свою повестку, подошла к вешалке и остановилась в ожидании, когда Турецкий поухаживает за ней — подаст плащ. Ну а уж это он сделал с превеликим желанием, не отказав себе, впрочем, в удовольствии разгладить складки на крепеньких Татьяниных плечиках и задержать ладони на ее талии. При этом полные ее губы, находившиеся в непосредственной близости от его лица, изобразили нечто напоминающее воздушный поцелуй. Итак, она наконец ушла, покачивая бедрами, а Турецкий сел за стол и сжал щеки руками. Это ж надо влипнуть в такую игру! Мелькнула совсем уже шальная мысль, что, если бы он вдруг сделал решительный шаг, она бы, не ломаясь, отдалась ему да вот хоть на этом столе. Гениально! Прокурорскому дому наверняка только этого и не хватало.

Турецкий восхищенно покачал головой и придвинул к себе чистый лист бумаги.

«Что конкретно дает мне фантазия Грибовой? — начал записывать он. — Следуя ее логике, машина останавливалась за углом. Зачем? А затем, что из нее вышел некто третий, сидевший на заднем сиденье. Этот некто, по всей вероятности, вошел в один из сверхсекретных подъездов, иначе зачем было вылезать из машины. После этого водитель тронул «мерседес» и, проехав несколько метров, свернул за угол дома, вероятно, чтобы не отсвечивать в ненужном месте, и снова остановился. Но теперь уже в ожидании того, кто должен был явиться. Либо это был тот самый некто, либо кто-то вообще неизвестный. Но сидящие в машине шофер и его хозяин ждали этого человека. Водитель приспустил боковое стекло и закурил — из салона потянулась струйка дыма. Значит, Алмазов не курил. Ну а далее известно: сработала бомба — треск, фейерверк, взрыв, пламя! Фугас с напалмом, как сказал Градус. Но кто же вышел из машины? Ясно пока только одно: он был человеком, знакомым Алмазову, иначе банкир не стал бы его подвозить и ждать...»

Турецкий задумался. Не надо быть пророком, чтобы сделать конкретный вывод: если преступник скрылся за дверью одного из непонятных учреждений, шансов найти этого террориста у Турецкого практически не было. Но тогда на кой дьявол все эти полковники-лазутчики из заинтересованных смежных ведомств? Он снял трубку.

Выдав Татьянины сновидения за вполне достоверные свидетельства, добытые оперативным путем, Турецкий дал им уточненное задание на этот счет. Но когда закончил переговоры и положил трубку, раздался звонок, который мог стать поворотной вехой в этом деле.

— Господин Турецкий? С вами говорит старший нотариус Центральной нотариальной конторы Орловский Дмитрий Михайлович. Я только что беседовал с господином Меркуловым, и он мне сообщил, что дело об убийстве Алмазова находится в производстве у вас. Я располагаю некоторой информацией, которая может быть вам полезна.

Нотариус выдержал паузу в ожидании реакции собеседника, но ее не последовало.

— Сергей Егорович, э-э... оставил завещание в пользу некоего, э-э... гражданина по фамилии Боуза, Бо-у-за, Эмилио Фернандес, Э-ми-ли-о Фер-нан-дес. Тысяча девятьсот семьдесят четвертого года рождения. Адрес проживания не указан. В случае смерти наследователя почтовые отправления следует посылать на абонементский ящик Главного почтамта города Москвы.

Теперь, чтобы вникнуть в свалившуюся с потолка на голову информацию, паузу пришлось выдержать Турецкому.

—Э-э...— невольно копируя нотариуса и чертыхаясь про себя, наконец, подал он голос, — Дмитрий Михайлович, могу я просить вас дать мне факс с текстом завещания Алмазова?

— Собственно, для этого я, э-э... господин Турецкий, и звоню вам. Я, э-э... записываю ваш номер, и через пять минут факс будет в вашем учреждении... Прошу.

Турецкий продиктовал номер своего телефакса, не личного, разумеется, которого у него отродясь не было и быть не могло, а того, что находился под бдительной охраной Клавочки, вечного секретаря Меркулова.

— Для вашего сведения, э-э... господин Турецкий, — сообщил, записав номер, Орловский, — как часть наследственной массы Боуза получает в наследство от Алмазова дом по адресу... Вы записываете, господин Турецкий?..

6

Как гласит забытая русская пословица, «стриженая девка косы не заплетет», с такой вот быстротой получил Александр обнадеживающее его сведение о том, что в адресной книге Москвы человек с таким странным для России именем не числится. Поэтому он тут же перезвонил в МУР Юре Федорову и дал задание на розыск Эмилио Фернандеса Боузы. И, наконец, набирал домашний номер Алмазова. Трубку взяла супруга покойного... нет, теперь уже вдова. Она молча выслушала вопрос и ответила без раздумий:

— Никогда этого имени не слыхала... Боуза, говорите? Нет. Эмилио Фернандес?.. Странно. А почему вы спрашиваете меня, Александр Борисович? Может быть, это имя каким-то образом связано с банковской деятельностью... мужа?

Она еще не научилась считать его покойным. Раскрывать сейчас перед ней свой неожиданный источник информации Турецкий конечно же не собирался и ответил уклончиво:

— Да, видите ли, это имя, в общем, случайно появилось в наших документах. Но у нас не принято оставлять без внимания любые мелочи, так сказать... Еще, если позволите, вопрос. У вас имеется... в смысле, у Сергея Егоровича был дом где-нибудь под Москвой?

— Дом?! Да что вы, Александр Борисович, какой может быть дом, когда мы и квартиру-то эту с трудом купили...

— Извините за беспокойство. До скорого свидания.

— Да-да, Александр Борисович, — как-то потерянно ответила женщина, — до скорого... У меня ведь повестка, и я должна сегодня явиться в вашу прокуратуру, да? А завтра похороны Сережи... Сергея Егоровича.

Он начал говорить ей соответствующие ситуации слова соболезнования, но она неожиданно перебила:

— Подождите, Александр Борисович... Понимаете, у меня все прокручивается в голове этот ваш Боуза. Его зовут Эмилио Фернандес, да? Похоже, это испанское имя... Или — кубинское, правда?

Турецкий молчал в ожидании сведений, которые могли родиться в голове, занятой совершенно иными заботами.

— Так вот, я таки вспомнила. У моего мужа были кубинские студенты, но очень давно.

— Студенты? Он что, был и преподавателем?

— А как же! Читал политэкономию. В заочном юридическом. Но это, как я уже сказала, было много лет назад. Он тогда в аспирантуре учился.

— Вы не можете сказать мне поточнее, когда это было, хотя бы в каком году?

— Подождите, дайте сообразить, вспомнить... Значит, познакомились мы с Сережей в шестьдесят четвертом, а на следующий год поженились... Выходит, было это где-то с шестьдесят шестого по шестьдесят девятый...

«Вот уж действительно триллер какой-то! Бывший студент — кубинский террорист? Но ведь это абсурд! Боуза тогда еще и не родился... Стоп, господин Турецкий! Кажется, ты едва не потерял нужную мысль... Не родился?! Ну конечно, вот оно!»

И Саша снова набрал номер Юры Федорова, а начальник МУРа терпеливо зафиксировал новую информацию. Юрины ребятки, конечно, найдут этого Боузу, поскольку нет в России второго человека с таким именем.

7

От конторы на Пушкинской до офиса Грязнова на Неглинке не более пяти минут ходьбы в густой толпе всевозможных торговцев всевозможным нелицензионным товаром, юных бизнесменов и «челноков» с огромными полосатыми сумками. Нормальных людей на этом пути встретить невозможно. Что ж, такая теперь жизнь пошла: успей украсть, успей продать, успей спекульнуть... Раньше, бывало, статьей пахло, а теперь — бизнес, как же! Не надо? — отвали в сторонку, не мешай развиваться частному капиталу!

В Славкиной резиденции Александр бывал несколько раз, но еще в те времена, когда «великий сыщик» только въехал в это довольно отвратное помещение, напоминавшее не то бывшие склады со сводчатыми потолками, не то переделанную под склад конюшню. Что можно из этого «офиса» сделать, гость даже не догадывался. Здание было старым, дореволюционной постройки, а может, и прошлого века. Снаружи вроде капитальное, а внутри, говорят, перестраивалось десяток раз, и все неудачно.

То, что он увидел теперь, не въезжало ни в какие ворота. Его представления об офисах разумеется. Хотя Саша повидал их немало, особенно в последнее время. Первое впечатление: Грязнов широко размахнулся. Шик! — иного слова не подберешь. За год с мелочью он сумел со своей наемной, но весьма профессиональной армией, которую сам и сформировал, подобно классической швейцарской гвардии, из лучших представителей некогда почетной профессии — уставших от объяснительных записок сыщиков, молодых пенсионных, но весьма способных и вовсе не растративших сил и возможностей следователей и прочих «чернорабочих» розыскной службы сделать невозможное. Молодец Славка! Он как-то рассказывал, что «раскрутился» и не пожалел денег на дизайн, а потому выиграл в главном: «Клиент должен благоговеть, и только в этом случае он охотно выкладывает крупные башли...» Неплохой девиз для частного сыскного бюро, работа которого обеспечена многими лицензиями. К нему, что ль, податься?.. «Я ж не так и стар, чтобы бояться быстрых передвижений. А послужить под Славкой — не трагедия. Правда, есть люди, с которыми легче дружить, чем вместе работать, но с Грязновым мы прошли все традиционные трубы, огни, воды и что там еще?.. С ним можно. Кабы не детская мечта...»

Впрочем, он действительно молодец. Детище у него — что надо.

— Ну ладно, Саня, хватит изумляться, — сообщил Славка тоном удовлетворенной красавицы. — Давай-ка лучше займемся твоим делом, а то сейчас мои гвардейцы подвалят с отчетами о проделанной работе, и я полностью вырубаюсь из текучки. Как вождь говорил? «Учет и еще раз учет»?

Интересно, конечно, знать, что это будут за отчеты, о каком виде деятельности и так далее. Но Славка не горит желанием распространяться о деятельности своего бюро «Слава», и его не следует допрашивать, и вообще надо относиться максимально спокойно к его новому «бизнесу». Может, поэтому Славка охотно помогал Турецкому в его трудностях. И денег за это не брал. Хотя Саша прекрасно знал, что грязновские советы и консультации, не говоря о более серьезных акциях, стоят недешево.

— Так что тебя интересует все-таки? — солидно спросил он, и в интонации его голоса явно прозвучало откровенное удовлетворение от Сашиной реакции после беглого осмотра нескольких комнат отлично оборудованного офиса. Я примерно представляю то, что тебе требуется. Но ты уж, пожалуйста, проясни мне свои задачи.

— Жена Кочерги этого, ну, ты знаешь, о ком я говорю, так вот, она вполне ответственно заявила, что бывший боксер, а ныне покойный шофер-телохранитель нашего банкира, постоянно играл в карты в каком-то подпольном казино, из-за чего они, собственно, и разошлись. Не потому, конечно, что оно подпольное, и не потому даже, что он довольно регулярно выигрывал крупные суммы в дойчемарках, а ей не отдавал ни пфеннига, и все обещал осчастливить ее после следующего выигрыша. А потому, что ей вообще не нравился этот его интерес и, возможно, нечто большее по отношению к картам. Так вот, я подумал, что если она не врет и у него действительно время от времени появлялись некие крупные суммы валюты, его партнеры, так сказать, по совместному игорному бизнесу могли заиметь свой собственный интерес. Интересы же партнеров, как ты не хуже меня знаешь, особенно в таких делах, редко совпадают.

Турецкий понял, что говорил наверное слишком долго, и замолчал, когда увидел в глазах Грязнова почти незаметное нетерпение. Слава не уважал многословие.

— Все, можешь не продолжать.

— Да я, в общем, сказал все. Просто, думаю, было бы неправильно отбрасывать и такую версию. Как ты считаешь сам?

Вместо ответа Слава открыл большой сейф, где хранил дискеты — свой драгоценный архив, достал пакет, посмотрел с обеих сторон и, удовлетворенно кивнув, сунул дискету в компьютер, стоящий на его столе. Поманил Турецкого к себе пальцем, и тот пересел к экрану. Пошел текст: «Подпольные казино Московского региона». Ничего себе!

— Слушай, Славка, откуда у тебя такие данные? — изумился Саша.

— Позаимствовал в МУРе. Когда решил уйти в частный бизнес. К тому же я сам и составлял эти списки. Я ж, кажется, рассказывал тебе, что нам удалось все до единого игорные дома вытащить на свет Божий. Забыл, что ли?

— То есть как это — позаимствовал? Тиснул дискетку-то, а?

— Ты чего? — Грязнов недвусмысленно покрутил указательным пальцем у виска. — Совсем малограмотный? Зачем чего-то «тискать», когда можно просто переписать нужные файлы. А с этими материалами я больше пользы принесу, чем вся моя милиция, которая больше уже никого не бережет... Нет, похоже, твоего Кочерги нема ни в одном казино Москвы и области.

Вот новость! Можно подумать, что в карты играют только в столице и ее пригородах!

— А если, к примеру, в Туле?

— А на фига мне твоя Тула? Ты что, забыл, где я служил? Напомню: в Московском уголовном розыске. В Московском! Городском.

Саша вздохнул:

— Понимаешь, жена сказала, что наш картежник пропадал надолго, случалось, до двух недель... Значит, тупой здесь конец...

— Пока тупой, Саня.

В кабинет Грязнова ворвался его племянник Денис — рослая этакая детинушка, весь в дядю, даже с заметной рыжиной в волосах, чем он наверняка и снискал особое к себе расположение старшего родственника. Иначе так и сидел бы в своем Барнауле.

— Дядя Слава!.. Ой!..— Это Денис увидел Турецкого и растерялся: давно, видите ли, расстались, дня не прошло.

— Быстро выкладывай, что у тебя! — сурово приказал Грязнов и, покосившись на Сашу, недовольно добавил: — И этого своего «дядю» забудь! Сколько раз повторять нужно? Здесь у нас что?

— Слушаюсь! — охотно подчинился Денис. — Докладываю, Вячеслав Иванович! Группа Чекмарева сегодня собирается подломить банк на Комсомольской площади, у трех вокзалов. А мне нужно срочно двадцать восемь тысяч — за такси заплатить.

Грязнов снова открыл сейф, вытащил несколько пачек денег.

— Сколько их будет?

— Семь.

— На, держи. Семь, говоришь? Ладно, тогда я сам сбегаю на Петровку, пусть они своих отряжают. Саня, извиняй, как видишь, время не терпит.

А чего было объяснять-то? Турецкий и сам уже понял, что в этой серьезной фирме делать ему больше нечего. Да и вообще, куда да хоть бы и «важняку» со своим кабинетом и даже напольными часами красного дерева, остановившимися, скорее всего, в день отречения от престола последнего русского царя, против таких апартаментов!

8

К пяти часам Турецкому стало окончательно ясно, что сегодня блицмейстер из него прямо-таки хреновый. Он потратил несколько часов на бессмысленные, хотя и необходимые по закону, допросы жены покойного банкира Алмазова... да нет, конечно же вдовы, затем одного из его заместителей, начальника охраны банка «Золотой век», а также ответственного секретаря Ассоциации коммерческих банков. Собрал протоколы в папку и с довольно объемистым теперь «делом» отправился к Меркулову, имея намерение прямо от него отвалить домой. То есть опять-таки к Грязнову, ибо другого дома у него пока не было. Переодеться.

Вообще-то сегодня у него была запланирована еще одна встреча. Но касалась она не данного конкретного дела, а той неизбывной детской мечты, с которой он жил в последние месяцы. В Центральном доме журналиста сегодня вечером должна была состояться встреча писательско-журналистской общественности с некоторыми оказавшимися по разным причинам в Москве представителями российской эмиграции. Программа вечера была известна лишь в общих чертах, то есть лишь в пределах того, что сообщил Турецкому заместитель ответственного секретаря «Новой России», газеты, в которой он время от времени сотрудничал, и при этом предложил ему сделать об этих эмигрантах небольшой репортаж-интервью, тем более что среди них, как было сказано, есть несколько довольно известных юристов.

Итак, Саша взял в руки дело и решительно направился к двери. Но его тут же остановил телефонный звонок, который был абсолютно неуместен. Более того, он мог поломать все дальнейшие планы. Сработал стереотип поведения: «важняк» вернулся к столу и снял трубку. Но уж волю чувствам дал:

— Следователь Турецкий! — Ох, не завидовал он звонившему...

— Дорогой мой следователь, — услышал Саша знакомый глуховатый и негромкий говорок.

Ну конечно, это Олег! Характерный его тон! Однажды, когда Турецкий, недовольный его манерой вести диалог — как-то безразлично к партнеру и очень тихо, будто ему в высшей степени наплевать, слышит его собеседник или нет, — сделал Олегу замечание по этому поводу, тот весело рассмеялся. «Дорогой мой следователь, — сказал примерно так же, как и сейчас, — громкость моего голоса и манера, как ты говоришь, вести разговор, рассчитаны на то, чтобы мой визави был вынужден ко мне прислушиваться. Понимаешь? Чем тише я говорю, тем больше он — внимание! И сразу повышается, как теперь любят говорить, мой рейтинг. Усек? Но я не жадный, пользуйся. И тебя сразу все зауважают. А уж о том, чтобы голос повысить — ни-ни!»

Но все-таки Турецкий не государственный чиновник, приближенный ко двору или к чему-то там подобному, и ему подобострастно склоненные головы совершенно ни к чему. Хотя совет Олега был вовсе неплох. Парочку раз в иной обстановке Саша проверил и — получилось. Правда, и ощущение чего-то искусственного осталось тоже.

— Значит, вот что, Саша, бросай-ка ты свои особо важные дела и срочно приезжай ко мне. Имею сообщить тебе нечто весьма исключительное. Ты меня понял?

— Олежек, вообще-то у меня... Ну ладно, это надолго?

— Туда-сюда, думаю, не больше часа. А что, у тебя имеются более экстренные дела?

— Вообще-то есть. Но твои сведения наверняка важнее. Поэтому давай диктуй адрес, и я выезжаю.

— Ты чего, Саш? Какой адрес?! «Белый дом» — мой адрес. И — в бюро пропусков, а там все уже написано: и этаж, и номер апартамента. Ты на своей телеге или муниципальным транспортом?

— На своей.

— Ага, значит, минут пятнадцати— двадцати должно хватить. Ладно, сам спущусь, встречу тебя.

9

Есть такая присказка: «Не повезет, так на собственной жене триппер подхватишь». Грубо звучит, хамски, но не так уж и абсурдно, как может показаться на первый взгляд. Это себя таким вот изысканным образом пробовал успокоить Турецкий, поднимаясь с грязного асфальта и тщетно отряхивая колени. А ведь еще несколько минут назад ничто не предвещало беды.

Предупредив меркуловскую секретаршу Клавдию, что должен отлучиться по неотложному делу на час с небольшим— это на случай, если вдруг у Кости проснется совесть, — Турецкий спустился во двор прокуратуры, сел в машину и прикинул: на Тверскую, потом бульварами до Калининского проспекта и по прямой на Краснопресненскую набережную. Так до «Белого дома» ближе всего. И разве могло ему прийти в голову, что суждено вляпаться в историю в самом центре Москвы, в наиболее людном ее месте, напротив кинотеатра «Октябрь»?..

Автомобильный поток двигался довольно плотно. Саша держал небольшую дистанцию за сверкающим лаком синим «мерседесом», когда боковым зрением увидел, как на него справа сзади начал быстро надвигаться здоровенный «джип». Ситуация показалась чрезвычайно знакомой— практически точным повторением вчерашнего случая. Кинуться вправо или уйти влево никакой возможности не было, и Саша понял, что его взяли «в коробочку». Это идиотское чувство полной твоей беспомощности, когда жить тебе или нет, решают другие и до катастрофы остаются считанные мгновенья, после чего последует контрольный выстрел в голову... нет, так нельзя, надо что-то делать! Что?!

Впереди неожиданно образовался странный затор, машины, визжа тормозами, заюзили по мокрому асфальту, едва не наваливаясь друг на дружку. Кажется, это было спасением: Турецкий, следя за «джипом», уже приготовился рывком выскочить из машины. Но черный «джип», проскочив вперед и едва не отшвырнув в сторону «жигуленок», вдруг затормозил рядом с «мерседесом». Из окон машины немедленно высунулись два ствола, и по «мерседесу» дружно ударили автоматные очереди. Это произошло настолько неожиданно, что водители всех окружающих машин опешили, а через миг, придя в себя, ринулись в разные стороны — кто куда. Турецкий почувствовал внушительный удар в свой задний бампер, дернулся и вывалился из распахнувшейся двери. Удар об асфальт был весьма ощутимым. Но больше его поразила абсолютная тишина — такая, будто уши заложило ватой. Он медленно поднялся, потряс головой, словно сбрасывая с нее тяжелый груз, и огляделся. Посреди проспекта, скособочась, застыла расстрелянная синяя большая машина, и почти впритык к ней, сзади стоял его «жигуленок». Других автомобилей рядом не было. К Турецкому же с противоположных тротуаров бежали люди. Вот тут и обратил Саша внимание на свои испорченные брюки и подумал о везении.

Через несколько минут примчались гаишники, оперативники, оцепили место очередной бандитской разборки, о чем тут же заявил один из милиционеров и попросил Турецкого, как теперь уже единственного свидетеля убийства троих пассажиров «мерседеса», дать свои показания. Вдвойне обрадовало его то обстоятельство, что он имеет дело с «важняком» Генпрокуратуры. Турецкого же все это абсолютно не радовало, поскольку помимо всякого рода моральных и физических потрясений у него ломались все планы. Просто отмахнуться он не мог, а растекаться мыслью не было времени. Поэтому он кратко изложил ситуацию в том виде, в каком ее наблюдал, и, пожелав коллегам удачи, в которую и сам не верил, отбыл в направлении уже близкого «Белого дома», напутствуемый вздохом милиционера, стоявшего в оцеплении:

— Это ж надо такое... Все — против всех! Жить невозможно...

10

Встретив Турецкого в вестибюле, Олег недовольно пробурчал:

— Сказал же — пятнадцать минут!.. А я уж тут полпачки сигарет успел выдымить. Заезжал, что ли, куда?

— Ну а как же! Конечно! То на полосу встречного движения, то на тротуар, А в центре без мигалки вообще не проедешь. — Турецкий не счел нужным распространяться о той передряге, из которой только что едва выбрался. — А моя телега и без этих неприятностей на ладан дышит. Еще раз стукнут — и ей кранты. Это точно...

— А это ничего! — хмыкнул Олег. — Его «Лада» дышала на ладан!.. За тобой, старик, можно уже записывать — и в какую-нибудь газетку... Ах да, у тебя ведь «жигуль». Хрен редьки не слаще. Ну ладно, поехали ко мне.

Путь в кабинет начальника Межведомственной комиссии по борьбе с преступностью и коррупцией Совета безопасности Российской Федерации был недолог. Собственно, так он должен был бы именоваться, если бы была вывеска. На самом же деле на двери просторного кабинета с небольшой приемной, в которой никого в данный момент не было, просто стоял четырехзначный номер. Все остальное подразумевалось.

— А ты здесь неплохо устроился, — заметил Саша без всякой зависти.

Олег отнесся к его словам тоже как к должному. Просто кивнул, достал из мини-бара, встроенного в стенку, занимавшую своими лакированными панелями весь торец внушительного кабинета, бутылку коньяка и потряс ею в воздухе.

— Хочешь рюмашку? Ты ж, поди, как и я, вынужден был весь день мучиться? Э-э, друг, а что у тебя с брюками?

— Честно говоря, Олежка, не отказался бы... Но, понимаешь, я толком и не поел сегодня. А на голодный желудок хороший коньячок подобен взрыву бомбы... — Турецкий почему-то вспомнил о «мерседесе», похоронившем Алмазова, потом о только что расстрелянном рядом, на проспекте, и добавил: — А брюки... Я ж говорю: машина такая.

Умница Олег сразу усек Сашины аналогии, хоть и ничего особенно сказано не было, и сам немного посмурнел. Но лишь на миг.

— Не вопрос, — откликнулся он. — Было бы желание, как говорят. Тебе чего-нибудь горячего? Или устроят бутерброды?

— Ой, да что ты! — замахал Саша руками. — Не заводись, ради Бога. Конечно, бутербродик, если таковой отыщется...

— Отыщется!

Олег вышел в приемную и открыл холодильник. «Господи, — мысленно возопил Турецкий, — помилуй мя грешного! Куда попал! Достоин ли?!..» Через минуту он вернулся в кабинет, неся на большущей тарелке бутерброды. Парочку из них— с осетриной, вкус которой стал почему-то забываться, — Саша срубал сразу. И пока Олег резал от большого куска розовое, аппетитно выглядевшее мясо, нечто вроде не менее забытого, но такого распространенного в Сашины студенческие годы ростбифа, который в любом кафе подавали почему-то всегда с зеленым горошком, а теперь вовсе не подают, Турецкий обошел кабинет, разглядывая корешки многочисленных книг на полках — все в основном законы, всякие акты, труды по юриспруденции, и понял, что в таком заведении действительно о пустяках думать не должны. Да и времени нет.

— Между прочим, если бы ты согласился перейти в наше ведомство,— будто между прочим сказал негромко Олег,—и у тебя давно был бы подобный кабинет. Ну, может, чуть-чуть поменьше. Но ведь мы же гордые!..

Саша удивился. Это когда же его приглашали идти служить в «Белый дом»? А может, он был настолько пьян вчера, что пропустил мимо ушей заманчивое предложение? Странно... Не помнил он такого приглашения... Но, с другой стороны, и отрицать сейчас — значит указывать, что он вообще ничего не помнил. Допился, значит... Уж во всяком случае, перед Олегом-то особой нужды выпендриваться нет, но... как раньше учили: у советских собственная гордость, на буржуев смотрим свысока... Поэтому, надо полагать, что такое предложение было сделано и гордо отвергнуто. А если следователь Турецкий кому-то сильно нужен, пусть повторят попытку. Вот тогда и подумаем...

На письменном столе Олега — огромном и практически пустом— стояли в одинаковых позолоченных рамках несколько фотографий. Это Турецкий уже наблюдал. Когда летал в прошлом году в Америку, на курсы повышения квалификации и обмена опытом, их несколько раз вывозили из полицейской академии, что в штате Виргиния, в различные представительства и крупные фирмы. Там, в скромно-шикарных кабинетах боссов проклятого американского империализма, он и видел подобные штучки. Фотографии родных и близких в рамках на столах — это как бы моя близость к семье, ячейке общества, а следовательно, и к простому избирателю... Чудно тогда показалось: все-таки семейное — для семьи, а не на всеобщее обозрение. Но тут Саша подумал, что наверняка в кабинете у Олега нередки высокие гости из близ- или далее лежащего окружения, а им, возможно, этакая семейная приязнь хозяина кабинета как раз и должна бы импонировать.

Он снова взглянул на расставленные фотики и подумал, как причудливы повороты судьбы. Вот — Кирилл, старший брат Олега, — верхом на мотоцикле, босой, в грязной майке, взъерошенный... Он будто вышел из того, вчерашнего похмельного полусна— неслух и заядлый автогонщик, который, если бы захотел, мог достичь многих высоких ступеней в этом совершенно диком для Турецкого виде спорта. Или жизни? Ну, может, не Сенна или Шумахер, но все-таки! А он закончил экономический факультет МГУ и занимается финансами, представляющими, по мнению Саши, наиболее скучную сферу человеческой деятельности. Правда, Олег более нежели намекнул, что Кира теперь тайный агент в ведомстве господина академика, как они иногда называют Службу внешней разведки.

А на другом снимке они оба — братцы. И Турецкий с ними. Это их Шура «щелкнула», когда они в Тарасовке в футбол играли... Сон, что ли, в руку?

— Олежка, сколько вам здесь?

— А? — он подошел с ножом в руке, исподлобья взглянул на фотографию, прищурился и хмыкнул: — Мне — семнадцать, значит, Кире — двадцать два... Ну а ты у нас — старикашка... Это мамуля нас, помнишь?

Саша кивнул:

— Ну да, и я, старый болван, гонял с вами мяч, словно мальчишка! Смотри-ка! — Это он обнаружил еще одну «историческую» фотографию, где они, то есть он сам и Кирилл, сняты на фоне уникальной находки — белого гриба весом не то полтора, не то два килограмма, который нашел все-таки не Турецкий, а Кира. Но как было не примазаться к чужой славе!..

— Ага, — быстро отреагировал Олег. — Это ваш с Кирой знаменитый трофей, который так никто и не попробовал. Потому что пока его демонстрировали соседям и всем заинтересованным лицам, бедняга гриб зачервивел и насквозь провонял. Вот единственное свидетельство и осталось... Ну ладно, Саш, осмотр Третьяковской семейной галереи откладывается на потом, а вот тебе еще легкая закусь, — он придвинул тарелку с тонко нарезанным розовым мясом, — давай по рюмочке, и — к делу. У меня сегодня тоже на вечер кое-что намечено важное. Идет? Ты не обидишься?

— Да Боже мой, о чем ты говоришь! Я тебе и так благодарен, Олежка!

Они тут же тяпнули по рюмке хорошего коньяка, и Саша, сунув в рот трубочку нежного мяса, полез в карман за блокнотом и авторучкой.

Олег отошел к окну, закурил и, обернувшись, вдруг сказал с нарочитой будто бы серьезностью:

— Магнитофон прошу не включать и записей в блокноте не делать. Даю тебе, Саш, честное слово, что и своих устройств, которых, как ты понимаешь, тут хватает, я тоже не включаю.

Он улыбнулся. А Турецкий убрал ручку с блокнотом.

— Впрочем, на память тоже не жалуюсь, — заметил он как бы между прочим.

— Ты, возможно, не совсем правильно понял меня, — спокойно, хотя и с легкой назидательностью, сказал Олег. — Сведения, которые от меня получишь, — сугубо конфиденциальные. Усек? И я почерпнул их из неофициальных источников. Один из которых занимает слишком высокое положение в государстве, чтобы мы его засветили. Даже нечаянно. Не обижайся, но и фамилию — и его, и других, на кого буду ссылаться, я тебе назвать не смогу. Они мне нужны больше, чем тебе, Саш... Да ты закусывай, не стесняйся.

А он и не стеснялся: когда еще на халяву этакая закусь перепадет!.. Но это все так, разумеется, для бравады. На самом же деле Саша был уверен, что по пустякам Олег не стал бы устраивать для него спектакль. Значит, есть нечто такое, чем пользоваться придется, но с великой осторожностью. Нет, все-таки не любил он этих условий!

— Значит, сперва, Саш, обрисую общую картину. Начну с того, что сегодня, то есть в реально сложившейся исторической обстановке нашего государства, работа банковских структур в основе своей идет под патронажем тех или иных бандитских группировок. Как это ни клеветнически звучит, ты меня понимаешь?.. На этот счет действительно не стоит заблуждаться: дескать, мафия — все же не коммунисты, и уж они-то никак возврата к старому не допустят. К сожалению, все далеко не так. Для преступников сегодня настал поистине «золотой век». Деньги гребут уже даже не миллиардами, а триллионами рублей. Кстати, просто для сведения, хотя ты, возможно, уже знаешь эту цифру: в прошлом году они поимели лишь на теневых операциях полтора триллиона рублей. Цифра, как говорится, самая последняя. Так вот, рубли, как ты понимаешь, нынче уже не цель. В дело пошли, причем в гигантских суммах, и доллары, и марки, и франки, и фунты. И если в мафиозных структурах провести сегодня социологический опрос, как это любят делать вот тут, рядом, на нашем бывшем Калининском проспекте, то основная масса заявила бы, что прямо-таки мечтает возвратиться к командно-распределительной экономике. Знаешь почему? А так им проще действовать. Не будет той конкуренции, что давит сейчас. Но если ты приглядишься к этим людям, Саш, а ты их, конечно, не раз видел, встречал, даже руку пожимал, что мне приходится делать ежедневно и порой ежечасно, — в силу сложившихся в нашем государстве обстоятельств, как ты понимаешь, —

словом, ты увидишь, что под твидовыми пиджаками и французскими сорочками от какого-нибудь де Ниро или Кардена светятся все те же пресловутые наколки: «Не забуду мать родную!» И во рту у большинства еще сияют золотые фиксы, поскольку они не успели понавставлять себе фарфоровых челюстей. И в этих рядах одно из видных мест занимал, Саш, твой Сергей Егорович Алмазов. Как это ни противно будет тебе услышать. Вот так, дорогой. Он сумел раскрутить гигантское финансовое дело — создал целую банковскую империю. А результат — вот он... В гробу. Так что я, из самых, поверь, лучших побуждений, готов только повторить тебе уже сказанное сегодня утром там, в Останкине: Саш, это невероятно трудная и вовсе не следственная проблема. Постарался бы ты не лезть в эту тухлятину, ей-богу, Саш...

Турецкий усмехнулся по поводу той необычной горячности, которая вдруг обнаружилась и в тоне, и насыщенности искренними чувствами к нему, грешному, в речи Олега Марчука-Романова, младшенького сына двух глубоко уважаемых им людей. Вообще-то стоило бы, наверное, подумать. Но...

— Олежка, дорогой, — с грустью только и смог констатировать он, — если бы ты только знал, как я понимаю и тебя и твои доводы... Я бы с превеликим удовольствием не лез. Говорил уже и могу повторить. Не получилось... Понимаешь, Олег? — И махнул рукой: — Давай дальше. Не береди душу...

— Ладно, — как-то отстраненно сказал он, — тогда перейдем к конкретным фактам. Тут я имею для тебя два варианта: один, как я считаю, достоин большего доверия, другой — основан на сопоставлениях, на предположениях, которые я бы назвал весьма достойными внимания, но все-таки в некотором роде эфемерными, что ли. Словом, я рассказываю, а ты решай сам, что больше отвечает имеющейся у тебя информации. Впрочем, давай начнем со второго. Несмотря на отсутствие у меня конкретной документации на этот счет и тщательно проверенной информации, что-то все-таки тут есть. Не знаю что, но каким-то внутренним чувством ощущаю. Итак, представь себе такую картину: несколько крупных фирм учредили банк. Ну, как это нынче делается, ты знаешь, это обычная практика. Выстраивается пирамида с помощью довольно разнузданной и необязательной рекламы, идиоты клюют на дармовые доходы, а далее, как говорится, везде, то бишь со всеми остановками. Учредители банка, реально ничего в него не вложившие, «жируют» на банковских дивидендах, строят себе виллы, покупают недвижимость где-нибудь даже не на Канарах, а уже в центре города Лондона, как мне тут недавно доложили про одного нашего о-очень высокого государственного деятеля, да, Саш, да... И вот в этой «золотой» ситуации вдруг появляется некий очень известный банкир, да еще представленный высшими должностными лицами государства на пост главного банкира страны, — ты понимаешь, каков вес данной кандидатуры, какова его финансовая котировка!.. И этот известный, повторяю, банкир предлагает, причем весьма настойчиво, поскольку сам является одним из учредителей, резко увеличить доли уставного фонда. То есть за этим должно последовать автоматически увеличение учредительских взносов. У тебя есть в чемодане под кроватью лишний невостребованный миллиард? У них тоже нет. Значит, рыбья мелочь должна немедленно отказаться от жирной и практически дармовой жратвы и выйти из игры, понимаешь? После чего вышеупомянутый банк в самых лучших традициях постсоветской финансовой системы должен перейти под опеку опять-таки вышеупомянутого банкира. Эрго: компаньоны, узнав об этом, решили вопрос по-своему. То есть предупредили дальнейшие события.

Олег явно ждал ответной реакции. Саша же изобразил на лице понимание, но не больше. Насчет версий он и сам мог бы без особого напряга, как говорится, потягаться с ним. Пока же были слова, словам же он привык верить меньше, чем фактам. А что это за факты? Один банк, некие учредители...

— Ну хорошо, — сказал наконец Олег, не дождавшись ожидаемого восторга и наливая снова по рюмочке. — Поехали дальше. То, о чем я тебе рассказал, основано, повторяю, на предположениях источника, который назвать тебе, Саш, я, увы, не имею возможности. Впрочем, если ты хочешь услышать мое мнение, то именно так и по этому образцу совершаются основные, если не большинство, убийства банкиров в нашей благословенной державе, ни одно из которых, ты сам знаешь, за редчайшим исключением, по сей день не раскрыто. И раскрыто не будет. Потому что это никому не нужно... И прежде всего тем, кто контролирует положение в стране. Теперь перейдем к более конкретным вещам, касающимся нашего с тобой сегодняшнего героя дня. Источник опять-таки закрыт, но фактура проверена. Постараюсь покороче... В общем, образовался некий треугольник, любовный, можно сказать. Среди действующих лиц — Алмазов, затем его ближайший друг и компаньон, вице-президент «Золотого века» Отари Санишвили, и женщина. Фигура последней требует пояснений. Зовут ее Натальей, фамилия по нонешним предвыборным временам, громкая — Максимова-Сильвинская, ты слышал. Наверняка и видел в телеящике — эффектная, но скромная. Кто она по национальности, поди, и сама не знает. В узком кругу, мужском, разумеется, где она в недавнем прошлом фигурировала в качестве совершенно восхитительной постельной партнерши, ее прозвали Кармен. Чья рука вывела эту?.. Ну ладно, все они, в сущности, одинаковые, хотя уже древние греки звали их по-разному: кого — гетеры, а всех остальных — поллаки, кажется, так. Иными словами — одни для услаждения интеллекта и похоти Александра Великого, другие — для его верных легионеров. Все в мире справедливо. Ладно.

Так вот, эта самая новая российская Пассионария... давай еще по маленькой?

— Кто бы возражал! — Турецкий видел, что ехать домой, чтобы переодеться для Дома журналиста (попросту — ДЖ), времени у него уже не остается. Грязь на коленях подсохла, так что, если потереть и не лезть на трибуну, оно вроде и не очень заметно, сойдет. А тающее на устах мясо способно поглотить любые коньячные испарения — это если разнузданный гаишник снова тормознет старшего следователя по особо важным делам. Поэтому можно позволить себе еще одну рюмку, имея в виду, что отсюда до ДЖ на Суворовском бульваре — три минуты езды. Если, конечно, снова не влипнешь в опасную для жизни бандитскую разборку...

— Как нам эта великолепная троица делала потрясающие дела? Во-первых, часть денег «Золотого века» шла на финансирование партии русских прогрессистов, лидером которой, как ты правильно догадываешься, была именно Кармен, иначе хрен бы она связалась с женатыми банкирами, прямо скажу, не обладающими внешностью этих... ну, Джеймса Белуши или Ричарда Гира. Нужна ли им была ее партия— вопрос второй. И сейчас не самый главный. Но тут другой альянс возникает. В прошлом году Отари несколько раз летал в Швейцарию к некоему Марку Штерну. Бывший советский, ныне крупный магнат, по моим личным сведениям, торгует оружием. Главным образом, с арабским миром и, главным образом, «калашниковыми». С чем летал Отари, мы уже знаем твердо. Возил золотой песок, которым, как тебе, Саш, должно быть известно, до последнего времени указом Президента разрешено было торговать, точнее вывозить за рубеж, лишь Роскомдрагмету и Центробанку. Только вот днями принято наконец постановление правительства разрешить еще пяти специально уполномоченным коммерческим банкам вывозить за кордон драгметалл и камешки с целью привлечения иностранных кредитов. Ну а Отари с подачи своего друга и босса, то бишь Сергея Егорыча, уже давно, и без особого зазрения совести, таскал в Швейцарию к этому Марику то, что вывозить запрещалось. Тем не менее... Марик, он же Марк Абович Штернбух, давний житель второй столицы — Санкт-Петербурга, эмигрировавший в начале семидесятых и быстро нашедший свое истинное счастье — родственники там и прочее — на одном из своих заводиков очищал песочек до принятой во всем мире высшей пробы. Далее. Золото Алмазова и Санишвили накапливалось в течение года. В феврале Алмазов летал в Цюрих и, согласно нашим сведениям, положил в банк около полутора тонн золота. На так называемый металлический счет. Сам понимаешь, газеты мира об этом факте не сообщали...

Турецкому показалось, что он начал слегка обалдевать от этой истории, которой, как подозревал, конца не предвиделось. А может, это от выпитого коньяка, который лег, в сущности, на старые дрожжи? Но Олег, словно почувствовав себя детективом, вошел в новую роль и, придвинув к Саше свой стул вплотную, продолжал в негромкой своей манере, отчего приходилось напрягаться буквально всем организмом, будь от неладен...

— Но и это, Саш, далеко не все...

Турецкий это знал.

— Между Алмазовым и Санишвили возник конфликт. В марте, то есть буквально следом за Сергеем Егорычем, в Цюрихе замечен и Санишвили. Он, естественно, узнал, что с их общего счета снято четыре миллиона долларов, два из которых ушло на покупку дома в районе Альп, это недалеко от Мюнхена, а два другие потрачены на организацию школы молодых менеджеров. Это уже у нас. На стипендии, оборудование и прочее. Итак, крупная недостача, возникшая по вине одного из партнеров, — и между недавними друзьями и единомышленниками возникла драка...

Нет, сидеть истуканом на стуле Турецкий больше не мог. Он встал и подошел к широкому окну, выходящему на набережную. Достал сигарету, закурил, пустив струйку дыма в открытую фрамугу. Почему-то вдруг представилась живописная панорама Москвы, но не та, что разворачивалась перед ним сейчас, а та, другая, из октября девяносто третьего, когда кто-то наверняка стоял на этом же месте, глядел на это гигантское открытое пространство, еще не огороженное металлической оградой, и ждал, когда ударят снаряды танковых пушек по сидящим рядом защитникам «Белого дома»... И вдруг Саша почувствовал какое-то странное раздвоение: то есть он был сейчас здесь, в кабинете Олега, и слушал его рассказ, и понимал, — странное дело! — что когда-то с ним уже происходило нечто подобное, и этот рассказ он слышал, и финал его трагический знал наперед, и, больше того, даже видел некий выход из данной ситуации, причем выход совершенно потрясающий, но... Какой-то затык в мозгах... не вспоминалось никак...

А с другой стороны, эта площадь. Костины страдания... Да при чем здесь Меркулов?! Их всех тогда бросили на бесчисленные «дела» белодомовцев, которые— все до единого! — кончились пшиком, а одного генерала даже оправдали... Кому нужен был этот безобразный, дешевый спектакль?! И почему всех их превратили тогда в соучастников дерьмовой игры политиков?

— Разборка, если ты меня слышишь, Саш, — и он обернулся к Олегу, — продолжается по сей день. Мой источник уверяет, что в данной ситуации недалеко и до пули в лоб. Начнем с того, что возникли серьезные проблемы предвыборного финансирования партии прогрессистов, возглавляемой, как я сказал, мадам Кармен, или в миру Максимовой-Сильвинской. Во-вторых, что особенно важно, зафиксирован телефонный разговор, хотя разговором в прямом, обывательском смысле слова его назвать никак нельзя, это скорее крик, скандал, что угодно... Надежда, жена Санишвили, как мне сообщили, «криком кричала», что им надо немедленно убираться отсюда, из Москвы, либо в Тбилиси, либо на край земли, хоть в Америку, потому что их обязательно «достанут» грязные лапы сообщников Алмазова... Ну как тебе это? Если после всего, что я тебе рассказал, ты хочешь знать мое мнение, пожалуйста: я не исключаю, к примеру, что, собираясь удрать куда-нибудь за границу, в Европу или в Штаты, сам Отари нанес упреждающий удар и организовал бывшему другу и партнеру похороны по первому разряду. Разумеется, для твоего следствия все мною сказанное лишь слова, слова, слова... Их к делу не пришьешь. И тем не менее, Саш, чтобы в этой ситуации самому ни за что ни про что не схлопотать пулю, я настоятельно советую тебе любым образом откреститься от этого дела.

Турецкий уже забыл, в который по счету раз Олежка настоятельно советует ему отказаться от расследования. Что это у него, мания такая? А дальше как быть, передать дело более свободному коллеге? И что добавить при этом? Боюсь, мол, пулю схлопотать? А ты, значит, не бойся, с тобой ничего не должно случиться... Странная какая-то ситуация... — Ну хорошо, Олег, я тебя понимаю, как и твое опасение за мою жизнь. Спасибо. Кому ж еще меня и пожалеть-то, как не тебе! Но сам же ты не боишься воевать с мафией? Или у тебя с ней имеются определенные договоренности?

Сказал вот, вернее ляпнул, не сильно подумавши, а зря: Олег сразу как-то посмурнел. Стал даже внешне суше и строже. Унес бутылку в бар, а пустую тарелку поставил на холодильник. Словом, походя навел некий порядок. Неожиданно обернулся и невесело заметил:

— Я, Саш, совсем другое дело, тут ты правильно понял, хотя и не совсем то. На меня работает целый аппарат гвардейцев...

Несколько запоздало Турецкий сообразил, что рандеву закончено. Сказать Олегу спасибо и удалиться? Или пообещать послушаться его совета? Смутное какое-то ощущение сложилось у Саши от доверительного разговора с Олегом. Несомненно одно: знает он гораздо больше, чем говорит. Но... его же невозможно вызвать в прокуратуру на допрос и начать «раскалывать». Значит, надо изобразить на лице, что ты все понял, сделать дяде ручкой — и адью!

Что Турецкий тут же и продемонстрировал.

11

Меркулов выслушал сообщение, не прерывая.

Саша нашел удобный телефон-автомат возле овощного магазина, напротив храма Вознесения у Никитских ворот.

— Мне не нравятся эти твои мистические источники, Саша, — высказал, наконец, свое резюме Костя, когда Турецкий поставил в своем не совсем логичном рассказе точку. — У нас все-таки не частный сыск, и то, что годится, скажем, для твоего Грязнова, не проходит в прокуратуре. И еще, ты меня, конечно, извини, но все это какие-то детские игры: Кармен, Хозе, черт знает что такое...

— Костя, я своему источнику доверяю, понимаешь? И никакого Хозе нет, не выдумывай.

— Тем не менее я попрошу тебя обойтись без художественной самодеятельности. Никто не сомневается, что твоего Алмазова окружали мафиозные личности, что его соучредители могут быть жуликами. Но нам, Саша, нужен конкретный преступник, убийца. Если мы всю эту компанию возьмем в разработку через уголовный розыск, мы же их немедленно вспугнем, неужели неясно? Ни для кого не секрет, что половина нашей доблестной милиции состоит на службе у подпольных бизнесменов. Ну ладно, и ты, и я, может быть, скажем, уверены в молодцах Юры Федорова, да и то по выбору. А вот уже о Главном управлении угрозыска министерства я даже заикаться боюсь...

— Костя, слушай, а ведь это идея! А что, если нам подключить Грязнова с его командой, а?

— М-да... — задумчиво протянул Костя. — Только честно, ты сегодня еще не успел... того? Закусить?

— Ну, Костя...

— Странно. А то твои предложения навевают некоторые мысли.

«Вот же зараза какая! Ну то, что Ирка меня на расстоянии вычисляет, еще как-то понять можно: жена все же. А Костя? Он-то с какого родственного бока взялся? Тоже мне Вольф Мессинг!..»

— Во-первых, подключать, как ты предлагаешь, частную контору к этому уголовному делу мы не имеем права. А во-вторых, позволь поинтересоваться, ты что, миллионером стал? Состояние из Америки получил? Ты чем собираешься расплачиваться?

— Все, Костя, можешь не продолжать, ты прав. Про деньги я совсем запамятовал... А что касается моего источника, то уж, так и быть, скажу, а то ведь ты всю ночь размышлять будешь. Это Олежка, небезызвестный тебе младшенький нашей Александры Ивановны Романовой. Знаешь такую?

— Ах, вон кто! Шурин сын... Ну что ж, тогда... — Костя выдержал паузу, соответствующую его прокурорскому рангу. — Тогда совсем другое дело. Я-то решил, что сведения от каких-нибудь фирмачей, самих по уши завязанных да замазанных... У тебя имеются какие-нибудь данные на этого... Санишвили?

— Зовут Отари, есть жена, вот пока и все.

— Ладно, им я сам займусь. А вот партийную бабенку, Карменситу эту, ты уж возьми на себя, кхе-кхе...

— Не понял сарказма, Константин Дмитриевич, — сухо отпарировал Турецкий.

— Да полно тебе!..— снова хмыкнул Костя. — А я как раз считаю, что перед такими нахалами, как ты, да еще Грязнов твой, вообще ни одна шлюха не устоит, вне зависимости от ее партийной принадлежности. Разве не так?

«Что-то наш Костя нынче не туда потянулся, раздухарился, так сказать, тьфу-тьфу-тьфу...»

— А вообще-то, — добавил Костя, — если честно, то я, Саша, не знаю, к кому из этих двух путь легче. Однако посмотрим. Так, а теперь доложи, чего от тебя нотариусу потребовалось? Мне он довольно смутно начал было про какое-то завещание, но я его сразу переключил на тебя. Чтоб не играть в испорченный телефон. Так что там?

— Вообще-то из суеверия не хотелось бы распространяться, тем более что история, по-моему, более чем странная. В любом случае, от надежд я бы не отказывался. У покойного совершенно неожиданно — во всяком случае, вдова о том ни сном ни духом — появился наследник по имени Эмилио Фернандес Боуза. Как тебе — ничего? В общем, чтоб не затягивать, попроси Клавдию принести тебе факс, он должен был поступить на мое имя. Из него станет все ясно. Кстати, Федорову я уже дал соответствующие рекомендации на этот счет...

12

В Дом журналиста Турецкий, естественно, опоздал. С трудом нашел едва ли не у самых Никитских ворот дырку, куда и втиснул свой несчастный, имеющий нищенский вид «жигуль», дотопал до чугунной решетки ворот и тут вспомнил, что временное удостоверение, выданное редакцией «Новой России», он оставил в бардачке машины. Впрочем, и нужно-то оно было больше для понта, чем для дела. Хотя, с другой стороны, с тобой разговаривают гораздо охотнее, если ты предъявляешь удостоверение газетчика, а не старшего следователя по особо важным. Ну ничего, решил он, на этот раз обойдется.

Мраморный зал был забит народом, и еще люди стояли возле открытых дверей. Давно не наблюдалось подобного столпотворения. Понимая, что просьбами и уговорами тут не обойтись. Турецкий довольно напористо, работая локтями, ввинтился в проход между рядами кресел и быстро нашел свободное место у противоположной стены. Были при этом и недовольные, ну и что! Главное, что он успел увидеть и от чего едва не остолбенел, это был выступающий с трибуны великий Маркуша! Бывший Сашин университетский преподаватель уголовного права Феликс Евгеньевич Марковский собственной персоной делал основополагающий, надо понимать, доклад о проблемах перехода России к правовому государству, о солидаристическом подходе к различным сторонам общественной жизни, а также о том, какой вклад внесла в это дело старая русская эмигрантская организация, базирующаяся во Франкфурте-на-Майне.

Все, о чем говорил Маркуша, было, безусловно, интересно, и у Саши возникла идея после доклада встретиться с ним, поговорить, вспомнить старое, может быть, заодно попросить дать тезисы доклада, а из них сделать для «Новой России» короткую выжимку основных идей Маркуши, добавив для антуража собственные воспоминания о студенческих днях...

Это случилось с Марковским наверное лет пятнадцать назад или чуть больше. За участие в каких-то, теперь и не вспомнить, диссидентских делах его «попросили» покинуть стены университета. Студенты тогда организовали группу в его защиту, подписывали петиции и прочее, потому что не без основания считали Феликса Евгеньевича одним из самых грамотных юристов в стране — не только теоретиков, но и практиков, — ведь до университета он долго работал в Московской прокуратуре. Где, кстати, позже работал и сам Турецкий и где память о Марковском, несмотря ни на какие фигуры умолчания, была свежа. Студенческие петиции никакого положительного эффекта не имели, и Марковский через некоторое время, как Саше сообщили на ушко, отвалил из благословенной державы. А в каком направлении, никто толком не знал.

И вот он снова на трибуне — порядком поседевший, прибавивший в весе килограммов этак двадцать. Но лицо осталось прежним — молодым и веселым, таким, как его все помнили на семинарах.

Наконец раздались аплодисменты, и все хлынули вниз — кто в ресторан, кто в буфет, а кто в подвал, к пиву. Через четверть часа поисков Турецкий отыскал Марковского в компании благородных старцев, весьма активно пьющих водку и хохочущих над вечными остротами неутомимого Маркуши. Саша в нерешительности остановился поодаль, не зная, что предпринять для привлечения высокого внимания к своей персоне, но Феликс Евгеньевич то ли почувствовал спиной настойчивый взгляд, то ли еще по какому поводу, резко обернулся, уставился на Турецкого в упор и знаменитым своим жестом лукаво погрозил мизинцем:

— Молодой человек, а я вас знаю, не отрекайтесь!

— Конечно, Феликс Евгеньевич! Помните, вы однажды меня срезали: «Объективное вменение, Турецкий, это чушь собачья, не оправдываемая ни временем, ни ситуацией...»?

— Ха, Турецкий! Александр! Господа, прошу минутку внимания, вот один из славных моих студентов! Ах, Саша, да что ж вы стоите в сторонке? Садитесь с нами! Друзья, позвольте познакомить! А это, Саша, мои коллеги по работе в известном вам журнале «Всходы». Ну да, те самые — «ядовитые»! — захохотал он. — Как тогда писали, а по-моему, кое-кто и по сей день так считает в вашей просоветской прессе. Позвольте представить вам и Валентина Дионисьевича Пушкарского. Льщу себя надеждой, что вы наслышаны о нем...

Еще бы не слышать о Пушкарском! «Враг народа» номер один. Многолетний руководитель зарубежной российской эмигрантской организации солидаристов, находившейся в Германии. Пушкарский поднялся из-за стола и церемонно раскланялся. Было ему уже хорошо за восемьдесят, сам худущий, ростом под потолок и глаза — широко открытые, смеющиеся.

— Здравствуйте, очень приятно. Полагаю, господа, поелику господин Турецкий, хо-хо, простите, Саша, еще совершенно трезв, поднести ему для начала вот этот стаканчик, хо-хо! По-русски, по-простому, по-нашему, господа!

Похохатывая, Пушкарский протянул полный граненый стакан и бутерброд с селедкой. Маркуша между тем называл фамилии остальных, а Турецкий все никак не мог отвести глаз от Пушкарского. И тот заметил, и тоже вопросительно, со смехом, брызжущим из глаз, уставился на Сашу.

— Так вы тот самый Пушкарский, которого приговорили к смерти? — вопрос был, конечно, не из самых вежливых.

— Именно, Саша! Именно приговорили, поелику сделали это сообща, хотя и, хо-хо, не сговаривались. А вполне возможно, что и сговорились! Смертные приговоры мне подписали и товарищ Иосиф Сталин, и фюрер Адольф Гитлер.

Видно было, что Пушкарский даже гордится столь высокой честью — считаться личным врагом одновременно двух кровавых диктаторов.

— Все эти люди, Саша, — сказал Марковский, расслабленно положив руку на плечо Турецкому, — все, кого ты видишь в этом узком кругу, сидели в гитлеровских лагерях и тюрьмах. А вот Валентина Дионисьевича от смерти спасла чистая случайность. Англичане разбомбили здание тюрьмы в Берлине.

— Ну, Феликс Евгеньевич, — вмешался крепенький старичок по фамилии, кажется, Арсеньев, — куда нам всем до Вэ Дэ Пэ! Он-то сидел в привилегированной камере для смертников.

— Не скажите, — тут же парировал Пушкарский, — никаких привилегий я не заметил, нам почему-то по субботам не давали, хо-хо, ни шампанского, ни жареных фазанов!

Пушкарский остался доволен своей шуткой, а Марковский сказал:

— Саша, вы посмотрите на этих людей! Все они закончили кто Сорбонну, кто Оксфорд. Вон Валентин Дионисьевич — доктор философии, химии, политических наук, профессор филологии. Доктор Рерих, напротив тебя, основатель целой философской школы! Господин Арсеньев — профессор права. Всю свою жизнь отдали они борьбе с коммунизмом и советской властью. Но — не диверсиями или шпионажем, как всегда клеветали на них партийные борзописцы, а словом и собственным пером. Я уже десять лет работаю с ними во Франкфурте-на-Майне и многому научился. А сейчас мы с господином Арсеньевым преподаем основы публичного, частного и координационного права в вашем Новом московском гуманитарном университете. Слышали о таком?

— Разумеется. Хотя их сейчас понаоткрывали, где ни попадя. Все институты переименовали в университеты, а некоторые даже удостоились чести быть названными академиями. И знаете зачем?

— Любопытно!

— Другой уровень зарплаты — всего-то. Ну и звучит вроде посолиднее... А что Валентин Дионисьевич, он тоже у нас преподает?

— Нет, мой друг, — откликнулся живо Пушкарский, вот же слух у старика! — я теперь не у дел, хо-хо! Вышел на пенсию и разъезжаю себе по белу свету. С дорогими сердцу людьми встречаюсь. Вот сейчас навестил эту компанию, — он окинул радостным взглядом застолье, — и мотаю в Париж. Там у меня раут с одним нобелевским лауреатом. Потом махну в Люксембург, к приятелю. Он писатель с мировым именем, умница, замечательный человек, грех не навестить. А затем домой. Будете во Франкфурте, милости прошу в гости. Вот вам моя визитная карточка... А что, не доводилось бывать в наших местах?

— Да я-то собирался, дела, к сожалению, не пускают. Приятель у меня школьный обосновался в Мюнхене, приглашал с семьей. Но, вот видите, не удается пока.

— Стоит, стоит! — поощрил Александра Борисовича Пушкарский. — Побывайте, уверяю вас, понравится. Я ведь тоже к дому привык, знаете ли, хо-хо! День-другой погостишь — и домой тянет. Так что не исключено, что можем встретиться...

Они просидели в ДЖ почти до закрытия. Турецкий между делом нашел возможность рассказать Маркуше о цели своего визита сюда, и тот даже обрадовался. Поскольку сейчас он будет жить в Москве как минимум до рождественских каникул, то устроить встречу и серьезный разговор для газеты никакого труда не представляет. И материалы будут соответствующие, и компания не самая худшая... В общем, с этим делом, кажется, у Саши сложилось неплохо. А все остальное время он с удовольствием просидел в их такой необычной компании, слушал прекрасный русский язык, не засоренный новомодными оборотами и прочей феней, хотя от крепких выражений Пушкарского не раз все сидящие в застолье покатывались, словно дети. И еще он слушал их истории, полные горя, тяжкого труда, нищенского существования, и не уставал поражаться их знаниям, глубокой любви к России. Они ее чувствовали так, как могут чувствовать и переживать за родную мать ее дети — ласково и в то же время требовательно. Ибо для выздоровления всегда потребны большие усилия. Странно, за столько лет, за столько верст — и не потерять ни знаний, ни ощущений своей родины...

А вообще-то Турецкий даже и представить себе не мог, какую роль в его судьбе еще предстоит сыграть Валентину Дионисьевичу Пушкарскому...

СУББОТА, 7 октября

1

Хотя проснулся он рано, заметил, что Грязновы уже отбыли в неизвестном направлении. Саша привел себя в более-менее надлежащий порядок, бесцельно побродил по квартире и допил остатки уже холодного грязновского кофе. Затем закурил сигарету и стал ждать восьми часов. Это был тот позволительный минимум, когда уже можно беспокоить клиентов по служебным делам. Хотя, если иметь в виду субботу, им можно было бы дать время и выспаться. Но ничего, Бог простит.

Стукнуло восемь, и он тут же принялся набирать номер телефона штаб-квартиры русских прогрессистов, правильно полагая, что во время активной подготовки к выборам в Государственную Думу, куда все эти сумасшедшие партийки и движения через день-другой кинутся толпой, тесня и отталкивая друг друга, им поздно вставать вовсе не резон. А потому и интерес, проявленный к ним со стороны «четвертой власти», то бишь прессы, должен быть им, как елей.

— Ага, — лениво ответил бесполый голос и замолчал.

Черт-те что! И они еще именуют себя партией? И на что-то смеют надеяться? Больших нахалов Турецкий еще не встречал.

— С вами говорит, — без всякого почтения начал он, — корреспондент газеты «Новая Россия». — Тут он не лукавил, а что внештатный — какая разница? — Я бы хотел встретиться с депутатом Госдумы и, насколько я понимаю, кандидатом в новый состав, госпожой Максимовой-Сильвинской. Наша газета может предложить одну из своих полос для выступления председателя вашей партии. Коммерческая сторона этого дела пусть вас пока не волнует.

Ответом было глухое молчание, как будто трубку плотно зажали ладонью. Снова заговорил совершенно другой голос, вежливый:

— Извините, как ваша фамилия?

— Александров. Борис Александров, — назвался Саша своим газетным псевдонимом. — Если вы видели наше издание, яркое такое, красочное, оно, кстати, выгодно отличается от других, грешащих, между нами говоря, серятинкой, то вам несомненно должна быть известна моя фамилия. Мой профиль — законы, право и так далее.

В трубке снова образовалась пустота, причем, как Саше подсказывала интуиция, некоторым образом от растерянности. Впрочем, уже через минуту он понял, что оказался прав. Трубку взял уже третий человек, который не отличался ни вежливостью, ни хотя бы элементарным чувством такта.

— Говорите номер вашего телефона, — безапелляционно заявил грубый голос. — А товарищ, — он подчеркнул это слово — Максимова сама вам перезвонит, если сочтет для себя нужным.

Ничего другого не оставалось, как назвать номер Грязнова, по которому все равно будет беседовать автоответчик и которому наплевать с высокого дерева на грубость или хамство абонента. Но вот корреспондент уважаемой газеты не счел для себя возможным слопать бестактность партийного окружения мадам Сильвинской.

— Я буду весьма благодарен, — с сарказмом начал Турецкий,— если госпожа Максимова...— но безразличные короткие гудки были ему ответом. Все-таки они порядочные скоты, эти депутаты и их окружение...

Он позвонил в спецсправочное по коду прокуратуры и попросил дать адрес и номер телефона этой партийной деятельницы. Но ответ был краток и однозначен: «Таковой не значится». Вот те на, хотя, честно говоря, другого он и не ожидал. Ведь если разобраться, большинство этих депутатов — не москвичи. Съехались, точнее сбежались, со всей России, втиснулись в парламент, тут же утвердив для себя максимум возможных благ, начиная от личной неприкосновенности и вооруженной охраны, вырвали для себя квартиры, коттеджи, дачи, автомобили, однако афишировать все нахапанное вовсе не собираются. А телефоны-то у них у всех, конечно, есть, и не по одному номеру, хотя это тоже никого не касается. Но ведь где-то же имеются нужные сведения? А впрочем, разве у Турецкого нет начальника и разве он уже не зам Генерального прокурора России? Кто это осмелится отказать ему?

Домашний телефон Кости отозвался почти сразу. Саша усмехнулся: не спит, значит, старость подходит, и сон короче, и ночи длиннее и мучительнее... У кого-то читал, а вот у кого — не мог вспомнить. Да, впрочем, и неважно.

Долго объяснять ситуацию не надо было, шеф «усе усек», как говорил артист Папанов в «Бриллиантовой руке».

— Боюсь, Саша, что твоя партдеятельница может оказаться за пределами нашей досягаемости. По моим данным, небезынтересный нам с тобой Отари Санишвили вчера ночным самолетом отбыл в Германию, почему-то столь желанную и тебе...

«Вот ведь какой у меня шеф! Никак не может удержаться от шпильки...»

— Место его назначения — город Франкфурт, Саша, что стоит на реке Майн. На первый взгляд, полет Санишвили выглядит вполне оправданным и легальным. Он ведь является совладельцем совместного русско-германского банка «Золотой век», президентом которого, как ты помнишь, был наш покойник. А во Франкфурте, точнее в небольшом городке под ним, у них имеется филиал. Следовательно, могли возникнуть и необходимые дела, связанные со смертью президента. А что кроме этого — мы пока и предположить не можем.

— Но ведь, Костя, что тут предполагать?! Неужели до сих пор не ясно?..

— Лично мне — не ясно, — отрубил Костя. — И вообще, послушай-ка меня. Ты заварил эту кашу, сам ее и расхлебывай! А у меня своих забот невпроворот. Знаешь, что является единственной радостью в работе папы римского? Не знаешь? Так я тебе скажу: он каждый день видит своего начальника распятым на кресте! Понял?

Турецкий захохотал, поскольку поиметь от Кости, да еще в восемь утра да в субботу— анекдот, это значит, его проняло уже до самой печенки!

— Ты вот ржешь, как молодой жеребчик, а у меня на горбу сидит мой генеральный! И ты знаешь, что я по его поводу думаю...

«Все, Костя пошел на спад, не стоит его больше дразнить...»

— Хорошо, я понял. Больше ты мне ничего не скажешь?

— Нет, скажу. Я очень прошу тебя приберечь для будущих умозаключений все то, что тебе наговорил Шурин младшенький. И жду, когда ты займешься делом на законных основаниях... Кстати, а где ее старший, Кирилл?

«Ну вот уже и совсем мирный тон...»

— Кирилл, как мне по очень большому секрету сообщил все тот же Олег, находится сейчас за границей, его же из экономического перевели к академику, ты меня понимаешь?

— Ах, к этому?.. Тогда ясно.

— А помнишь, мы ездили с Шурой и ее ребятами за грибами? На милицейском «газике».

— Еще бы! И вы с Кириллом нашли тогда здоровущий белый гриб — килограммов на пять.

— Ну уж, Костя, на пять!

— Но я же хорошо помню — огромный был гриб, никак не меньше пяти!

«Понятно, этим грибом Меркулов объявлял если не мир, то временное прекращение огня...»

— Так я все-таки буду дальше расхлебывать свою кашу, Костя. Кстати, информация Олега довольно точно укладывается в нашу выкройку. И еще... Если, как ты считаешь, мадам Сильвинская тоже отвалила... Одним словом, надо срочно разыскать ее домашний телефон и адрес.

— Не надо разыскивать. Записывай.

— Но она же нигде не числится! Каким образом тебе удалось?..

— У меня тоже имеются свои источники. В парламентских кругах, — побряцал-таки оружием Меркулов. — Ладно, не спрашивай, а записывай. А что слышно о наследнике покойного?

— Вчера, кроме номера абонентского ящика на Главпочтамте, не было ничего. Сегодня Федоров обещал добыть какую-нибудь информацию.

2

Дом, в котором, как выяснилось, снимала квартиру Наталья Максимова-Сильвинская, находился в одном из ненавистных Турецкому спальных районов столицы. Но он имел перед Франкфуртом лишь одно преимущество: располагался на несколько тысяч километров ближе к грязновскому обиталищу.

Саша надел старую, давно потерявшую свой первоначальный охристый цвет, болоньевую куртку, неизвестно для какой цели хранимую Грязновым, а также его видавшую виды знаменитую кепочку, в свое время наводившую страх на уголовный мир Москвы, и в таком «сильно замаскированном» виде отправился по адресу Кармен.

Собственно, район был ненавистен не из-за своей удаленности от центра или каких-либо иных неудобств. Саша просто терпеть не мог пейзажа, состоящего из одинаковых бесцветных и скучных коробок. Дворовая зелень, которая летом хоть как-то окрашивает тусклое однообразие, пожухла и только подчеркивала уныние человеческого бытия. Ко всему прочему, дома стояли так близко друг к другу, что жильцы одного вполне отчетливо могли наблюдать все происходящее в квартире напротив. Тоскливая все-таки жизнь...

Он вошел в будку телефона-автомата рядом с домом Кармен и стал настойчиво, как, впрочем, и безрезультатно, накручивать диск. Один гудок, два, три... десять... Повторял свои попытки, но трубку в квартире Сильвинской не поднимали. У Саши даже появилось какое-то странное чувство, что за ним наблюдают сквозь тюль занавесок, ждут, какие действия он предпримет дальше. Но кто же там мог затаиться и почему не хочет отвечать на настойчивые звонки?..

Оставив машину на улице, Турецкий направился к единственному подъезду девятиэтажки. Первая дверь тамбура была открыта и заботливо подперта камушком. Понятное дело, для удобства жильцов, входящих с тяжелыми сумками. А вот вторая — с домофоном — была закрыта. Редчайший случай, неужели действительно исправно служит? Саша нажимал кнопки, вызывая квартиру Сильвинской, но дверь оставалась безучастной к его усилиям. Он немного потолкался в тамбуре, надеясь, что кто-нибудь войдет или выйдет из подъезда, однако все было тщетно. Только противно, как во всех помнящих первый квартирный бум хрущевской оттепели домах... воняло кошками и еще чем-то гнилостным. Не выдержав первого же испытания, старший следователь отступил.

Во дворе между «близко посаженными» домами ребята играли в футбол. Старшему из них, в вязаной красной шапочке, было не больше десяти. Отбитый мяч покатился к Турецкому. Эх, была не была! Он ловко подхватил его, повел к воротам, сооруженным из двух палок, несильно пробил и... промазал. «Красная шапочка» захохотал во все горло, тыча в мазилу пальцем. Обе команды подхватили нечаянную радость.

Когда отсмеялись, Саша подмигнул парнишке:

— Послушай, друг, ты не знаешь, на каком этаже в том доме живет тетя Наташа? Ее фамилия Максимова-Сильвинская.

— Это такая? — мальчишка выставил руки перед грудью, будто нес два хороших арбуза.

— Во-во! — уверенно подтвердил Турецкий. — Именно такая!

— На седьмом. В тридцать четвертой квартире. Вон ее окна, — он указал пальцем. — Спальня, столовка, ванная и кухня — все как у нас. Только мы на девятом, последнем. А вон ее японец поносного цвета, — он снова ткнул пальцем в желтую «тоету», одиноко застывшую на разлинованном белыми полосами асфальте дворовой автостоянки. — Как твоя куртка! — крикнул, убегая, и обернувшись, уязвил окончательно: — А ты кто, квартирный жулик?..

Вот же мелочь пузатая! От таких только и жди неприятностей. Однако теперь Саше следовало быстро действовать и никак больше не «светиться» в этом дворе.

В доме же напротив все оказалось как надо: и дверь была открыта, и домофон не работал. На лифте он быстренько поднялся на восьмой этаж, подошел к окну на пыльной лестнице, поскреб пальцем жирное, покрытое непонятной коричневой копотью стекло и всмотрелся в открывшуюся панораму. Видимость была, конечно, ниже средней, но серая стена дома напротив виделась четко. Как и окна квартиры на седьмом этаже. Значит, спальня, столовка... Эти две комнаты были закрыты для наблюдения, поскольку окна плотно затягивали темные гардины. Кухонное окно прикрывала тюлевая занавеска. Тоже не разгуляешься. Еще ванная. Ее верхнее окошко в таких квартирах выходит на кухню. Что такое?.. Показалось?

Он всмотрелся внимательнее и увидел светящийся желтый квадрат в верхней части кухонной стены.

В ванной горел свет...

Надо было как можно скорее войти в квартиру партийной дамы. Увидеть, что там происходит. Или уже произошло.

Но для этого существуют три способа.

Первый. Немедленно обратиться в прокуратуру и получить санкцию на обыск. Турецкий не был уверен, что это сделать легко, поскольку оснований он не имел никаких. Кроме свербящей ему сейчас душу интуиции. Не следовало и забывать, что Максимова-Сильвинская — не только лидер своей партии, но и вполне действующий депутат Государственной Думы, а в наше время это значит совсем немало. Прокурорское же начальство как огня боится конфликтов с партийными лидерами и депутатами парламента. От одних запросов с ума сойдешь... Но, пожалуй, самое главное: этим законным путем Турецкий резко усложнял себе жизнь, прибавляя ненужной лишней работы.

Путь второй. Искать помощи у оперативных служб. Ее могли бы немедленно предоставить в Московском уголовном розыске или в службе контрразведки и безопасности. Иначе к чему знакомство с лазутчиком-полковником?.. Хуже другое: эти действия Турецкого сразу же вовлекут в следствие нежелательных лиц, что приведет в конечном счете к огласке сведений.

Кроме того, оба варианта осложнялись и тем обстоятельством, что они потребовали бы от Саши нарушить обещание, данное Олегу.

Третий путь был самым безболезненным, но вел к нарушению закона. Для этого требовался лишь человек, ловко орудующий отверткой и умеющий с помощью подбора ключей открыть любую дверь. Такой человек был. Чтобы долго не размышлять и тем самым не вводить себя в искушение, Турецкий быстренько спустился во двор и, стараясь не привлекать к себе внимание дворовых обитателей, выскочил на улицу, где была припаркована машина. Еще через мгновенье он уже катил к центру Москвы.

3

В начале десятого он вошел в офис детективного бюро «Слава».

— Вячеслав Иванович, — начал вполне официально, — мне нужна твоя помощь, но денег у меня нет, вот и понимай как хочешь. Я знаю, что это свинство с моей стороны. Но, возможно, когда-нибудь я смогу тебе отдать...

Спонтанно родившийся спич не мог не озадачить Грязнова. Он внимательно посмотрел на приятеля, не подвохом ли пахнет, но, увидев достаточно серьезное лицо Турецкого, удивленно поднял брови.

— Не понял. Тебе что, Саня, деньги нужны? Так и скажи. Сколько?

— Да какие там деньги!.. — надо было найти верный тон, чтобы объяснить Грязнову неотложную нужду. — Тут, понимаешь... — Да, трудно найти деликатное объяснение для довольно наглой просьбы. — В общем, чтоб не тянуть резину, так: мне, Слава, нужно проникнуть в одну квартиру. Не мне лично, то есть по собственной нужде, а для дела. Но... неофициально. Иначе говоря, незаконно. Какой у тебя тариф на этот счет?

—Что за хреновину ты несешь?! Ты что, Саня, решил стать моим клиентом, что ли? — Грязнов пошло расхохотался. Потом, вытерев ладонью глаза, покачал головой. — Если б я тебя мало знал, решил бы, что ты только что удрал с Канатчиковой дачи... Надо же! Тариф ему, видите ли, нужен! Ладно, — он уже успокоился, — давай выкладывай человеческим языком, что там у тебя опять случилось?

Как мог покороче, Саша выложил Грязнову свои соображения насчет квартиры Максимовой-Сильвинской и всего, что было связано с ее фамилией и внезапным отъездом Санишвили в Германию.

— Ясно, — констатировал Грязнов. — На звонки не отвечает, дверь не открывает, партайгеноссе хамят, хахаль удрал за границу... Однако! Во дворе народу много толчется?

— Мальчишки-футболисты, несколько старушек... немного.

— Ну, хоть это хорошо. Денис! Але, дежурный!

Вошел, позевывая, Денис.

— Дрых?

— Маленько вздремнул, дя... Вячеслав Иванович. Нет же никого.

— А я разве сделал тебе замечание? Денис как-то неопределенно повел широкими плечами — не отрицая, но и не утверждая. Грязнов хмыкнул:

— Ну, раз выспался, слушай команду. Иди умойся, потом сделай нам кофе. Можешь себе тоже. Возьми банку растворимого, нормальный кончился, напомни, чтоб купить... Это первое. Далее, готовь чемодан номер два. На троих. Возьмешь машину для Саши... Александра Борисовича, понял? — строго посмотрел Грязнов на племянника, у которого мелькнула было на губах ухмылка. — И вали по адресу, что он тебе продиктует. Задание там: проверить замки. Срисовывать всех, кто войдет в подъезд. Если что, звони из автомата.

— Там на улице, возле торца дома, есть будка. Час назад телефон еще работал, — сказал Турецкий и стал набрасывать на листе бумаги схему расположения объектов по указанному адресу.

— Запаркуйся вот здесь, — ткнул Слава пальцем в чертеж, — а мы скоро подъедем. Саня, отдай ему свои ключи.

Денис принес нам по чашке кофе и сделал дяде Саше ручкой, незаметно для Грязнова разумеется, ему бы он не посмел. Турецкий лишь подмигнул вдогонку. Когда же дверь за Денисом закрылась, он повернулся к Грязнову:

— Слава, я, конечно, все понимаю и очень благодарен тебе, но чувствую себя дискомфортно.

— А ты не чувствуй, — отмахнулся Грязнов, потягивая кофе. — Сегодня ж у всех нормальных людей выходной. И у нас особых дел не предвиделось. Вот приму одного важного клиента, и тогда вообще — гуляй не хочу... Больше для порядка дежурим. Дениса к дисциплине приучаю. И на всякий случай. Мало ли у кого какая нужда возникнет... Вот как у тебя, к примеру...

— А что у тебя за клиент? Я не помешаю?

— Видишь вон тот аппаратик? Знаешь, что это такое? То-то, и не дотумкаешь без подсказки. Это мои «слависты» создали первый отечественный цифровой полиграф, а попросту — детектор лжи. Бывшее родное МВД безуспешно, я знаю, занимается этой проблемой уже несколько лет. А мои хлопцы взяли да и решили задачку. Вот теперь жду клиента, который приедет проверить аппарат в действии, после чего мы, возможно, договоримся о купле-продаже. Причем не этого опытного образца, а целой серии. Неплохо?

Турецкий лишь покрутил головой в восхищении от грязновской предприимчивости и встал, чтобы вынуть из куртки сигареты. Но Слава понял иначе.

— Да погоди ты, не уходи. Я сейчас вас познакомлю. А потом в соседней комнате можешь поиграть с полчасика в шахматы с компьютером. Там еще Сережа должен быть, он тебе покажет как и что...

Тут раздался звонок в дверь, и Грязнов отправился лично встречать своего важного клиента.

Саша услышал в соседней комнате женский голос, затем открылась дверь, и в комнату вошла, нет, вплыла... Шура Романова.

— Ой, мальчики! — воскликнула она, увидев Турецкого и оборачиваясь к идущему следом Грязнову. — До чего ж погодка-то нынче хороша! И чего вы тут, в дыму, сидите-то? Шли б прогуляться! Осень-то какая славная, а!

Шура протянула к Саше руки, и он с радостью обнял ее. Да, нелегко узнать еще недавно грозного начальника МУРа, полковника милиции Александру Ивановну Романову в этой красивой, модно одетой и даже чуть подкрашенной крупной даме. Значит, не всех пенсион портит и старит. Хотя что ж это он, ведь Шура продолжает служить...

— Ну, тезка, быстренько докладывай, как твоя Иришка? А девчонка, девчонка-то как? Говорит уже?.. Да быть того, Санька, не может! Сколько ж ей теперь?

— Четвертый!

— Ой, Господи! Ну да, конечно... Хлопчики, родненькие мои, ох, как я внучат хочу!.. А мои деятели все никак не женятся, совсем заработались. А то без них вшивая эта демократия, гляди-ка, и не выживет, как же! Ну а ты, Санек, что скажешь по поводу моего младшенького? Вы ж с ним давно не видались?

— Не далее как вчера вечером бутылку раздавили и некоторые мои проблемы обсуждали, — ответил Турецкий, решив не затруднять народ подробностями.

— Ну и как он тебе? В новом-то качестве...

—Да я уж забыл, как он и в старом-то выглядел. Совсем верста коломенская... А Кирка, мне Олег сказал, — Саша перешел на таинственный шепот, — в шпионы подался, да?

— Ой, лышенько ж мое! — всплеснула руками Шура. — Я ж старшого сама уже Бог знает сколько в глаза не видела! Как ушел он туда, — она мотнула подбородком к потолку, — так все по загранкам и мотается. Месяцами, хлопцы, ни слуху о нем, ни духу. Иной раз и не знаешь, чего подумать. Мы ж в другом теперь мире живем, и дури, вроде, поменьше стало, а все из чепухи тайны лепим... Но это я так, по-бабьи, хлопчики, не обращайте на старую внимания... — Шура явно напрашивалась на комплимент.

И они с Грязновым не преминули возразить, мол, ты, наша родная, такая-сякая, еще молодым сто очков вперед дашь и тому подобное. Расцвела Шура: кому про себя хорошее неприятно слышать?

— Да вот же, поначалу не выдержала, позвонила в его управление, представилась, все чин-чинарем, а какой-то там полковник ответил, ну в том смысле, что никакими сведениями на этот счет не располагает. Сказал, понимаете, как к черту послал. Но вы ж меня знаете! Короче, нашла я ход к помощнику нашего академика, а тот выслушал меня, старую дуру, посмеялся и успокоил, все, мол, мамаша в порядке, не волнуйтесь и прочее в том же роде. А если где чего случится, то вы, я то есть, в первую очередь о том и узнаю. Ну а уж если снова какая необходимость появится, то прямо, мол, к нему обращаться. Да я ж, сами понимаете, нахалкой быть не хочу, а Кира такой же охламон, навроде Альки: мать у них всегда на последнем месте! Хоть бы одно слово: жив-здоров, и все, и большего мне не надо! Так даже на такую простую вещь сынов не хватает, ах, чтоб их, бисов!..

— Так я слышал... — Турецкий не стал открывать ей, что сам оказался невольным свидетелем ее телефонного разговора с младшим сыном. — Олежка мне сегодня говорил, что Кирка, кажется, оттуда весточку прислал? И все у него в порядке?

— Прислал... Вот то самое «жив-здоров» и прислал... Не знаю, непонятные они нынче какие-то, эти молодые наши. Холодные, что ли?.. И друг с дружкой, гляжу, не сильно ладят. Как кошка какая пробежала. Ну, Бог с ними, он им и судья. Внуков вот только, боюсь, хлопцы, мне не дождаться... И ты, Санька, погоди, вырастет твоя дочь, сразу меня поймешь. Ну а уж этому босяку, — вздохнув, она кивнула на Грязнова, — похоже, никогда уже продолжения рода своего не видать... Промотался по бабам, будет еще кулак-то грызть...

— У него Дениска, племянник, — подмигнул я Грязнову. — На троих их сыновей, да с избытком!

— Так-то оно так, да не свое... Свое-то дороже. А что ж это ты про Альку так ничего мне не ответил?

— По-моему, отличный у тебя парень, Александра Ивановна, мамаша ты наша ненаглядная. А что особенно важно для меня, он действительно разбирается во всех нынешних банковских премудростях... Ну, не стану вам мешать...

Шура по-матерински ласково потрепала Турецкого по макушке.

4

— Давай все по порядку, Денис.

— Значит, так, Вячеслав Иванович, — с готовностью начал племянник и лукаво покосился на дядю Сашу, вот, мол, служба! — Замок у них в парадной, тот что от домофона, совсем вшивый, я его отверткой открыл без всякого труда. На седьмой этаж за все время поднялся только мальчишка, но вошел в другую квартиру.

— Но ведь ты мог и пропустить кого-то?

— Мог. Я сам знаю, что слежение было несовершенным. Но думаю, что не пропустил. Одну девчонку срисовал. Она нажимала в домофоне номер вашего... Александр Борисович, флэта. Это модерновая такая система: ты нажимаешь нужные цифры, тебе оттуда: кто там? — отвечаешь: это я! — з-з-з, и дверь открывается.

— Хрен с ней, с системой, Дениска, что за девчонка?

— Черная такая. В джинсах. Она минут десять толклась в тамбуре, а потом понеслась звонить из автомата, что на улице. Я тоже сделал вид, что мне тоже надо позвонить, и стал в очередь. Вот номер телефона, который она набирала.

Денис протянул бумажку, где были записаны знакомые Турецкому цифры телефона штаб-квартиры партии русских прогрессистов.

— Замки в квартире сложные, дя... Вячеслав Иванович, — продолжал между тем Денис. — Но нам они известны. Средний замок — обычный, для ключа с большой бородкой. Верхний — номер девять, нижний — номер четыре с внутренней щеколдой. Я их открыть не мог, конечно.

Грязнов достал из своего «следственного» чемодана отмычки длиной не более трех сантиметров.

— А это в твое задание и не входило. Однако, молодец, на четверку справился.

— Ну вы всегда так, дядя Слава, — заканючил Денис совсем по-детски, но Грязнов пресек попытку воздействия на него с помощью жалостных интонаций:

— Разборка дома, все. Иди открывай дверь в парадном, поднимись на седьмой, позвони в квартиру несколько раз, если откроют, наври что хочешь. Понял?

— Что я — дурак?

—Умный, умный. Потому и задание — соответственное. Сколько квартир — квартир, слышишь, Дениска? — а не флэтов на этаже?

— Четыре. Да знаю я, дядя Слава, что делать. В двух никого нет, это точно.

Грязнов посмотрел на Турецкого и усмехнулся. И тот понял его взгляд в том смысле, что растут кадры.

Через несколько минут они с Грязновым поднялись на седьмой этаж. Слава приготовился к работе, а Саша с Денисом стали на шухере. На спецзапор у Грязнова ушло минут десять. Затем они напялили на ноги нечто напоминающее пластиковые боты, на руки — такие же перчатки и, как воры, тихо вошли в прихожую.

Грязнов приказал Саше и Денису замереть у двери, а сам с пистолетом в поднятой руке пошел вдоль стены. Слышно было, как тикают часы, по-видимому, в столовке, и льется вода в неисправном туалетном бачке.

Слава исчез за поворотом и тут же снова появился в коридоре, запихивая пистолет за пояс брюк.

— Имеем крупную проблему, — сказал он тихо.

Турецкий вошел в спальню.

На кровати, занимающей больше половины комнаты, лежала женщина, единственной одеждой которой были прозрачные черные чулки с кружевным узором. Их в последнее время часто по телику показывают. Полные груди женщины с темно-вишневыми сосками тяжело свисали по правую сторону тела. Левая рука была закинута за голову. Длинные черные волосы закрывали лицо, и поэтому видны были лишь ярко накрашенные полуоткрытые губы. Словом, та еще позочка. Дорого бы заплатил какой-нибудь «Плейбой» за подобную картинку! В такой экстаз, похоже, вогнали дамочку, что душа ее не выдержала, отлетела голубкой. И она действительно отлетела, но совсем по иной причине. На подушке у правого виска женщины коричневым пятном запеклась кровь, а в руке, свисавшей на пол, был зажат пистолет. Что же это — самоубийство?..

— Знаешь что, Саня, — сказал Грязнов, — ты бы мотал отсюда по-быстрому. А я еще поползаю по квартире... Сдается мне, госпожа прогрессистка отдала Богу душу много часов назад. А? Ну чего ты стоишь, как столб? Хочешь на себя еще и это дело повесить?

Турецкий отрицательно помотал головой.

— Вот и я о том же. Денис, верни ему ключи от машины и иди, позвони на Петровку, пусть высылают дежурную группу. Да не с этого телефона звони, из автомата! Инкогнито! Ты меня понял?

Денис сунул Турецкому его ключи и рысью умчался из квартиры. А Саша все никак не мог сдвинуться с места. Грязнов с проворством опытного домушника рыскал по шкафам и ящикам.

— Между прочим, Саня, ты заметил, что квартиру-то закрыли с той стороны. На все замки. Значит, кто-то, уходя после всего этого спектакля, прихватил с собой и ключи. Или свои имел. Но тогда хозяйских не нахожу... Ты-то ведь, надеюсь, не считаешь, что это самоубийство?

Турецкий снова отрицательно помотал головой, потому что все слова, которые знал, сконцентрировались в одной дурацкой строчке, которая совершенно не к месту так и лезла в голову: «Но толстая Кармен достала первой свой кольт...» Бред какой-то...

Наконец, он сдвинулся с места, пожал зачем-то руку Грязнову и спросил:

— А ты как же? Неужели светиться будешь?

— Зачем? Они сами приедут и все сделают как должно... У каждого своя работа. Пусть еще спасибо скажут неизвестному благожелателю, а ты давай-ка поживей отваливай...

Турецкий был уверен в высоком профессионализме Славы и знал, что тот не допустит ошибки, непростительной сыщику его класса. Поэтому он неторопливо снова ехал к центру, не обращая внимания на обходившие его машины. Некоторые водители, обгоняя, приспускали боковые стекла и выразительно крутили пальцем возле виска, демонстрируя тем самым свое неудовольствие от наплевательского к ним отношения. А в самом деле, зачем зря злить дураков? Турецкий отошел правее и поехал себе дальше. В башке по-прежнему вертелось это идиотство: «Но толстая Кармен...»

«Господи, ну как же там дальше-то? Ну же, Розенбаум, напомни, что дальше!.. Нет, я все равно никогда не привыкну к трупам. Остается только позавидовать тем книжным или киношным бравым следователям, которые входят в морг, как к себе домой. Да, теперь ее ждет морг... «И над столами в морге свет включили...» Ну вот, только этого мне и не хватало!...»

Он и не догадывался, сколько еще трупов предстояло ему увидеть в этом деле на пути к истине? Такая публика — то гульба, то пальба... перестройка, перестрелка, перекличка, а дальше что? Сплошная малина. Мафия.

5

— Извини, Олежка, что вынужден оторвать тебя от забот праведных, но... Эту самую Кармен — Сильвинскую тоже замочили. Случай, как я понимаю, не совсем ясный, не исключена и вероятность самоубийства, хотя... проделано все топорно. А Отари Санишвили благополучно слинял вчера вечером за бугор.

Турецкий, конечно, не собирался рассказывать Олегу о совместном с Грязновыми рейде на квартиру партийной дамы, потому что не считал нужным афишировать деятельность Славкиной фирмы. А то одно за другим, и клубок покатится. А кому это нужно?..

Реакция Олега как-то немного не понравилась. Показалось, что эта новость — совсем не открытие для него. Или он догадывался о чем-то подобном. Или даже предвидел. Спокойно, возможно, и со скрытой улыбкой — это ж в интонации не скроешь — ответил:

— Быстро у них, однако. Получается, Саш, что я у тебя кем-то вроде оракула теперь могу поработать? Нет, я не смеюсь, что ты! Я совершенно серьезно.

— Да в общем-то мне тоже не до смеха. Я все-таки предпочитаю иметь дело с живыми людьми, а не с трупами на столах моргов. Но ты действительно мне напророчил...

— Брось ты, Саш, какое тут, к черту, пророчество! Просто вот тебе лишнее свидетельство того, что в нашем бандитском мире практически большинство криминальных ситуаций предсказуемо. Хотя и нераскрываемо, как ты и без меня знаешь... А в общем... что ж, я бы сказал: информация, полученная в нужное время и в нужном месте, не больше. Покрутись на моем месте, не так заговоришь. Ну и что, теперь и это дело на тебя повесили?

— Нет, Олежка, пока нет. Сейчас Петровка им занимается. А дальше видно будет.

— Вот и хорошо, Саш. Я, конечно, понимаю, что уже надоел тебе своими весьма однообразными советами, но хочу повторить: Саш, родной ты мой, сделай ты нам всем, кто тебя знает и любит, такое одолжение, подарок, если хочешь: держись подальше от этой разборки. Видишь же, как вопрос ставится: вчера жив, сегодня — нет. Неужели ты горишь желанием сам оказаться на цинковом столе в морге?..

«Намек, однако... — немного скис Турецкий. — Сказать, что он припахивает угрозой, значит ничего не сказать. Ибо предостережение следует как бы сразу за пророчеством. Поневоле задумаешься. И о своем будущем, и о судьбе тех людей, кто тебя любит... А много ли их, столь близких мне и родных?..»

Да вот, кстати, вспомнился недавний разговор с Шурой.

— Слышь, Олежка, я так наверное тебя и не понял: что это за сложности такие с Кириллом? Прости, тебе вообще-то удобно говорить со мной на эту тему?

— А что, собственно, тебя-то волнует? — помолчав, несколько прохладно поинтересовался Олег.

— А мы сегодня утром с Александрой Ивановной поболтали маленько. О жизни, о детях — о вас то есть. Просто выпала случайная встреча. Жалуется мать на вас. Черствые вы, говорит, какие-то выросли. Ты извини, конечно, я понимаю, что в ваши личные и семейные дела мне... ну, словом, ты же сам только что сказал, что есть такие, которые меня, стало быть, знают и любят... Поэтому я и счел возможным...

— Выдумывает все мать, — недовольно ответил Олег. — И то ей постоянно не так, и это... Наверно, возрастное. А Кира, ты же должен помнить, не сильно уважал... ну, в смысле, с детства терпеть не может все эти телячьи нежности.

Уж это точно! Чего с малолетства не уважал Кирилл, так это соплей, слез и прочих ласковых сю-сю. Крепким мужиком рос, с характером. Оттого наверняка и гонщиком стал, чтоб себя испытать, пройти, так сказать, по самой грани...

— А при его работе нынешней, — продолжил Олег, — тем более. Вообще-то он, конечно, зря туда пошел. Но это я так думаю. Считаю, не его это дело — детективы всякие и прочее. Он человек одной линии— и правильная она или неправильная, зато своя... А? Что? Одну минуту. Саш, извини, у меня тут...

— Все, понял. Пока, Олег.

— Да, — бросил он торопливо, — будь здоров. Звони...

Турецкому показалось, что Олег заметно почувствовал некоторое облегчение от того, что появилась причина прервать разговор. Впрочем, это его дело. А Шуру, увы, можно понять...

6

Он вышел из телефонной будки, огляделся, непонятным еще самому себе, новым взглядом окинул мельтешащую толпу, бесконечные киоски, ряды торгующих стариков и старух, продающих все что угодно — от пирожков с подозрительной начинкой до дамского нижнего белья. И отчего-то ему стало очень грустно.

Саша медленно прошелся вдоль шеренги этих вынужденных «бизнесменов», отыскал лоток, с которого торговала толстая и ленивая тетка кавказской наружности, и не без опаски купил у нее за три тысячи два здоровых, капающих жиром, чебурека. Бумага, в которую она завернула свое изделие, сразу промаслилась и обжигала пальцы. Вот уж истинно, за вкус не берусь, но горячим сделаю. Так еще его мать говорила, когда он маленьким был. Не шибко увлекалась она приготовлением пищи.

Он сел в свою разболтанную «телегу» и устроил себе довольно неплохой ленч, запивая не такие уж невкусные чебуреки крепким чаем из термоса, который постоянно заваривал дома еще с вечера. Вышвырнув в близстоящую урну жирную бумагу и вытерев ладони, наконец, расслабился и закурил. И вместе со струйкой дыма, вытекающей в приспущенное боковое стекло, стали улетучиваться серьезные и обидные мысли о бренности всего сущего, о том, что красота и отвратительное безобразие почему-то всегда идут чуть ли не в обнимку, и о том, наконец, что случай в нашей жизни никогда не бывает случайным... Он размечтался о тишине и покое до такой степени, что едва ли не въявь почувствовал на своей щеке нежный, как прикосновение лепестка, поцелуй и услышал сладкий шепот: «Па-а-паа, а у меня глязные лучки...»

Турецкий вздрогнул, настолько реально услышал голосок дочери. Но вокруг шумела, базарила, билась в истерике и стреляла друг в друга толпа, город, страна, а он, волею судьбы оказавшийся в центре этой все ускоряющей свое вращение гигантской воронки, вдруг до горькой обиды почувствовал собственную униженную зависимость буквально от всего, что его окружало, и от каждого — начиная с Дениса Грязнова и кончая Президентом так называемой державы.

Посмотрел на часы и удивился: день, казалось, начался еще вчера, столько событий, даже труп в придачу, а часовая стрелка на циферблате только перевалила за полдень. Менее чем через час состоятся похороны Сергея Егоровича Алмазова в Никольском крематории. Свое присутствие там Саша счел обязательным, хотя знал твердо: убийцы не будут стоять возле гроба с заколоченной крышкой, под которой находится лишь то, что сумел индентифицировать судмедэксперт Борис Львович Градус.

7

В крематории он ожидал увидеть гораздо больше народу. Все же в мир иной ушел один из крупнейших российских финансовых деятелей, а не какой-нибудь рядовой маклер или дилер. Хотя, возможно, именно это обстоятельство, — человек-то действительно ушел, и теперь происходит лишь никому ненужная и, в сущности, пустая церемония, — и ограничило круг лиц, пришедших почтить родственника или коллегу.

Турецкий насчитал не более пятнадцати человек, среди них — вдова, одетая во все черное и оттого кажущаяся гораздо ниже своего роста; дочь Алмазова, очень похожая на фотографию своего молодого отца, тоже курносая, круглолицая, с пухлыми щеками, красными от слез; сослуживцы покойного банкира, большинство из которых были незнакомы, но их легко определить — по тому, как люди стоят, как перекидываются короткими фразами, как подходят к гробу, соблюдая определенную очередность, и все такое прочее, что становится совершенно ясным постороннему и, естественно, заинтересованному зрителю, вроде следователя.

Короче, чужих здесь не было. Даже некий молодой человек, сидящий в модерновой инвалидной коляске, и женщина — серая, бесцветная, лет, видимо, сорока, — находящиеся отдельно от провожающих и тем не менее не привлекающие к себе внимания самых близких покойного банкира, тоже не отрывались от однородной и довольно жидкой массы похоронной поцессии.

Когда-то, Турецкий не мог вспомнить, то ли читал где-то, то ли слышал, неважно теперь, словом, запомнилась такая фраза, глубинную суть которой понимаешь лишь стоя на самом краю жизни или при подобных, скажем прямо, безвременных похоронах. Афористичность фразы может быть и спорной, но смысл, как говорится, извините: «Каждый свою похоронную процессию создает при жизни...» А что, думал он сейчас, не так уж и тривиально... Человек, понимаешь, претендовал на третий стул в государстве — после Президента и Премьера, — а его, эта-а... Нет, пародист из него никогда не получится, и не надо. Это ведь смешно бывает до поры до времени, а потом становится политической близорукостью. Все подобное мы уже проходили. Вчерашний Маркуша, человек самых серьезных намерений, но остряк и насмешник, великий правовед и правдолюб, оказался же в конце концов вынужденным искать «другую родину»? А куда со своими способностями до него? Или до его блистательных коллег!..

Но как же все-таки получилось, что ни одного должностного лица не явилось сюда, в Никольское? Парадоксы переходного исторического периода, во время которого каждый сам за себя? А что Бог за всех, — не надо, пожалуйста, охолонитесь, господа...

В Донском, помните, играл оркестр слепых, один вид которых вызывал соответствующие эмоции «провожающих». Здесь, в Никольском, Саша так и не понял — оркестр или фонограмма? И поскольку последние официальные слова полногрудой дамы, безумно скучающей от вынужденного траура и сообщающей, что Отечество прощается со своим гражданином, прозвучали настолько деревянно и бесчувственно, он не стал ожидать, когда провалится в черный прогал мраморного пьедестала обтянутый красной материей гроб уже однажды кремированного банкира, и потихоньку ретировался.

Неизвестно зачем он обошел здание крематория, на автомобильной стоянке нашел, как ему показалось, нужную группу машин — есть же и в этих вещах своя специфика, — на всякий случай записал их номера. Причем действия были почти механическими. А кого он собирался увидеть? Убийц со спрятанными под длиннополыми пальто автоматами или помповыми ружьями? Автомобили, начиненные взрывчаткой? Или самого крестного отца российской «Коза ностры»?

Странно, что его даже и не обрадовало, а просто успокоило лишь одно обстоятельство: те, кто провожал Алмазова, сели именно в те машины, на которые он обратил свое «пристальное» внимание. Значит, не все еще потеряно. «И глаз у нашего орла — пытлив и остр». Но зачем все это ему, в конце концов?..

Вот в таком раздрызганном состоянии он и сел в машину и включил радио, которое, ввиду того, что у него еще весной выдрали антенну, работало только на одной волне. Московское время, объявили, четырнадцать часов. Начало передачи он как-то упустил из внимания, но текст ведущей, явно не соответствующий существу обсуждаемой проблемы, насторожил. Речь шла об очередном, как он понял, летальном исходе «в период рыночных отношений». И пошли фразочки одна другой достойнее: «По данным милиции, насильственная смерть стала в Москве элементом экономики... Москвичи и гости столицы с прошлого года уверенно приступили к ведению американского образа — только не жизни, а смерти...» Словом, преступность продолжает распоясываться, в чем, по утверждению игривой корреспондентки, был твердо убежден и начальник Московского уголовного розыска, небезызвестный Юрий Федоров. Вот те на! А он-то тут с какого боку припека? Это вместо того, чтобы выполнять поручения Турецкого, а кроме того выяснять, почему красавица Кармен, изготовившись к изысканной и продолжительной любви, завершила свои трогательные приготовления выстрелом в висок... Или поискать того, кто красиво помог ей.

«По количеству убийств наша родимая столица в минувшем году, — продолжала амикошонствовать корреспондентка, — опередила город Нью-Йорк. Нынче в городе Москве каждый день убивают в среднем по восемь целых и две десятых человека...»

«Ах, чтоб тебя! — чертыхнулся Турецкий. — Да, свобода слова в России воспринимается каждым на свой лад...»

«У нас в студии находится полковник Федоров...» То есть как это? Пока Саша соображал, корреспондентка все тем же игривым тоном попросила Юрия Ивановича прокомментировать два последних трагических события, последовавших буквально одно за другим: наглое убийство среди бела дня известнейшего в недавнем прошлом спортсмена, неоднократного чемпиона мира Николая Назарова и факт смерти председателя партии русских прогрессистов Натальи Максимовой-Сильвинской. Действительно ли она покончила жизнь самоубийством или здесь налицо тоже факт насильственной смерти?

Оперативно, значит, сработал Дениска. Достал их своей информацией «инкогнито». И тут зарокотал красивый, бархатный баритон первого муровца, словно специально отпущенный ему природой для выступлений на радио. Куда там Левитану!..

Минутку, сказал себе Турецкий, а откуда же взялся этот бывший спортсмен?

«Я бы хотел начать нашу краткую беседу со второго факта, — говорил Юра. — Но сперва разрешите мне преподнести вам небольшой урок уголовного права. Самоубийство — это ведь тоже вид насильственной смерти. Что же касается данного случая, то пока еще ничего не могу сказать с достоверностью. Мы проводим следствие, а это, знаете ли, кропотливая работа, работа многодневная, работа десятков людей, профессионалов. Хотя по этому делу уже есть некоторые признаки умышленного убийства, можно даже очертить круг подозреваемых...»

Ишь ты, он успел и круг очертить. Но как же быстро известие проникло на радио... Наверняка примчавшаяся оперативно-следственная группа тут же связалась с Госдумой — и вот результат. Вся Москва знает. И теперь Юра вынужден делать хорошую мину при плохой игре, чтобы хоть как-то объяснить широкой публике свою немочь. Впрочем, возможно, именно с этим убийством ему повезет больше. А то, что думские деятели теперь уже и вовсе не дадут ему житья, так это вне всякого сомнения. «Караул! Банкиры — хрен с ними, все они гады и мафиози, но с какой стати за депутатов взялись?! То, понимаешь, в Чите где-нибудь хлопнут депутата, а по пьянке или нет, неизвестно... То в Подольске, под боком, можно сказать. А теперь уже и в столице, понимаешь!..»

— Что же касается трагической гибели Назарова, знаменитого боксера, — продолжал Юра ласкать микрофон, — то здесь эпизод для нас вполне очевидный. По имеющимся сведениям, в последние годы, отойдя от большого спорта, бывший чемпион мира переключился на охранную деятельность и из своих коллег по спорту сколотил фирму в подмосковных Мытищах, предоставляющую богатой клиентуре охранные услуги. Но это была внешняя сторона дела, закрепленная уставом. Имела фирма и свой довольно значительный подпольный бизнес: брала подряды у частных фирм на возвращение долгов, иными словами, их выколачивание из несостоятельных должников, и занималась другими видами преступной деятельности. Поэтому убийство Назарова и двух его помощников вчера днем на Калининском проспекте мы склонны рассматривать как очередную бандитскую разборку. К сожалению, оперативный план «Сирена», введенный в городе, результата пока не принес, и обнаружить убийц, которые, по свидетельству единственного толкового очевидца события, ехали в черном «джипе», нам не удалось.

От неожиданности услышанного Турецкий едва не врезался в тормозящую впереди «Волгу». Это что же происходит-то?! Значит, единственный толковый свидетель, по словам начальника МУРа, — это он, Александр Борисович собственной персоной? Ну, оперативнички! Да там же два десятка машин было! Под сотню народа сбежалось! Ну, орлы! Конечно, какая уж тут «Сирена» поможет... Хоть бы не позорились, честное слово...

А ведь странное дело, подумал Турецкий, по стечению обстоятельств вышло так, что эти два дела случайно оказались названными вместе. Уж не знамение ли это свыше?.. Может, пора действительно повнимательнее приглядеться к тем, кто заседает в Госдуме? И сделать неспешные выводы... А потом зарядить «орудию», да как дать шрапнелью! Только не кинематографической, а самой доподлинной, всамделишной. Он усмехнулся: чего это на пафос-то потянуло? Неужто Юрин баритон сподобил?..

И пока этот славный и, главное, способный ученик Романовой и Грязнова, вместе с которыми Турецкий Бог знает сколько лет назад вытаскивал из петли в парке «Сокольники» заместителя министра внешней торговли, а потом раскручивал длиннющее дело[1], так вот пока он жаловался на тяготы и сложности своей работы и милицейской жизни вообще, Саша гнал свою верную тачку к центру. И минут через сорок поднялся в лифте и степенно вошел в кабинет заместителя Генерального прокурора России по следствию Константина Дмитриевича Меркулова.

8

Ему показалось, что он попал не туда. Это был не Костин рабочий кабинет, а волшебное царство чистоты и уюта. И стол блестел, как лысина великого доктора Градуса. Когда он, пардон, под легким градусом. Конечно, понимал Турецкий, не очень остроумно, но что поделаешь — истина дороже. Даже с заваленных папками и газетами подоконников исчезли горы этого хлама. А тем более на столе, где в грудах своих бумаг мог разобраться только сам Костя. Можно было представить, чем все это пахло. Вероятнее всего, своим демаршем Меркулов обозначил, насколько он озабочен свалившимся на голову делом. Он всегда в моменты наивысшей озабоченности наводил временный порядок.

Саша постоял в дверях, оценил произведенные действия своего начальника, снял с себя непрезентабельную курточку и грязновскую кепку, которые повесил в шкаф. Меркулов тем временем деловито переговаривался по телефону. Впрочем, слышались лишь одни его выразительные междометия. Из чего было ясно, что главную тему вел сам генеральный. Тот все всегда знал наперед, давал леденящие душу советы, требовал беспрекословного исполнения его указаний, ну и все такое прочее. Не позавидуешь Косте...

Когда трубка, наконец, была положена на аппарат, Турецкий, вместо здравствуй и остального, положенного интеллигентному человеку, нагло спросил:

— А он что, с тобой теперь по телефону общается? Новая форма?

— Вероятно, он не один в кабинете. Впрочем... Ему звонил помощник Президента, интересовался твоим делом. Генеральный толь-

---

[1] См. роман Ф. Незнанского «Ярмарка в Сокольниках» (М.: Дрофа, 1994).

ко что вернулся из Совета Федераций, и, кажется, не один. Там ему, видно, бока намяли, теперь сюда звонки... В Кремле уже известно, что твою кралю из треугольника Кармен — джигит — Алмазов убили. Ну а уж Дума, та и вовсе бурлит. Депутаты грозятся убрать с постов всю верхушку правоохранительных органов. Тут выборы, что называется, на носу, а по «народным избранникам», оказывается, прицельная стрельба ведется! А того понять, что политики и коммерсанты относятся в нашей благословенной державе, да, впрочем, и во всем мире, к первой группе риска, — этого наши гаврики понять не желают. Во всяком случае, могу тебя обрадовать — дело Сильвинской тоже поставлено на контроль. Только теперь вместо Политбюро эту роль выполняет президентская администрация. Тех же щей, как говорится.

А Костя молодец: походя сформулировал то, о чем Саша размышлял в машине. Только его оценки мягче.

Вообще-то Турецкий занимался расследованием дел вовсе не потому, что они взяты на контроль Политбюро, Президентом или самим Господом Богом. Это была его работа. А все «контроли», как показывала многолетняя практика, лишь создают атмосферу нервозности и конкретной работе только мешают. И поэтому личный девиз Турецкого: «Не мешайте работать!» перекочевал из скверного прошлого в неопределенное настоящее, именуемое «переходным периодом», и виделось ему неизменным и в светлом будущем капитализма. Но Меркулов — другое дело. Ему по рангу положено «озабочиваться», а то ведь он и в самом деле может вылететь из своего кресла. Исходя из вышеизложенного, Саша придал лицу выражение искренней заинтересованности:

—Вот как!

— Именно так...

Ясно, сейчас он начнет брюзжать.

— Демократию от тоталитаризма отделяет период авторитаризма. Русь без царя жить не может. И нам повезло: нами правит добрый царь-батюшка... Учись, брат, теории государства и права, пока я жив... — Костя вздохнул и успокоился. Слишком быстро. — Вот что. Скоро сюда прибудет начальник МУРа. Я хочу, чтоб мы потолковали втроем. А где ты пропадал, кстати?

— Ты не рассерчаешь на меня, Костя, если я расскажу тебе всю правду?

—Уже рассерчал. Ну, что ты там натворил на этот раз? Давай выкладывай!

Извинившись за незаконную операцию с отмычкой, проникновение в чужое жилище без соответствующей санкции, наконец, несвоевременную информацию о смерти депутатши, он ввел Меркулова в курс тех событий, которые были тому еще неизвестны. Костя слушал, не мигая, и был максимально внимателен, но Турецкий интуитивно уже чувствовал, что надвигается гроза. В принципе оно, конечно так, какому начальнику понравится подобная самодеятельность подчиненного! Еще не вдаваясь в подробности обсуждения, он с ходу влепил Александру устный выговор с последним, как водится, предупреждением. Невозможно назвать точное число предыдущих, но что их накопилось за совместные годы работы хорошо за сотню и каждый был, естественно, последним — это будет правдой.

Закончили «разбор полетов» как раз вовремя. Потому что без стука открылась дверь, и в проеме появилась долговязая фигура начальника МУРа Федорова. Понятно, что Меркулов охотно переключился теперь на Юру.

— Здравия желаю, — сказал старый товарищ, он был в форме и потому поначалу, как обычно, официален. — Разрешите приземлиться, Константин Дмитриевич?

— Приземляйся, Юра. — И Меркулов энергичным жестом указал на кресло напротив себя. — Разговор предвидится долгий.

Характер и соответствующие моменту действия Кости были известны не одному Турецкому. Поэтому, усевшись, Юра пытливо окинул взглядом меркуловский кабинет, едва слышно хмыкнул и посмотрел на Сашу. Вероятно, чтобы удостовериться в том, что ситуацию с идеальным порядком он оценил верно. Саша чуть заметно кивнул, пряча от Кости улыбку. Юра все понял и успокоился. Значит, все попрежнему, ничего нового и замгенерального крепко всем недоволен.

Меркулов между тем особо подчеркнул, что Генпрокуратура в лице Меркулова и Турецкого приняла к своему производству дело об убийстве банкира Алмазова исключительно по личной просьбе Президента. В противном случае над ним корячились бы сейчас МУР и городская прокуратура...

«Ага, засек, значит, наш краткий мимический диалог!..»

Но ведь и Федоров тоже был не лыком шит, и ему приходилось работать в этой компании. А помимо прочего, он обладал прямотаки врожденным качеством располагать к себе людей. С первых же минут общения. И здесь, видимо, была главная причина его успеха на милицейском поприще. Между прочим, в органы они с Турецким пришли одновременно: Саша из университета, а Юра из Высшей школы милиции. У Турецкого сейчас полковничий чин, если переводить на армейские ранги. Федоров тоже полковник, но по должности занимает генеральское кресло... И для него это далеко не вечер. Саша часто говорил ему, что не будет удивлен, если в результате очередной министерской перетряски Юра вдруг окажется в кресле заместителя министра внутренних дел. И это была не зависть, просто есть люди, созданные для должностей. Плохого тут ничего нет, главное, чтоб только они потом не портачили, сидя у себя на олимпе. Не мешали!

А другое качество, которое уже дало отчасти свои плоды, а в будущем должно развиться в подлинный талант и двинуть Юру дальше по службе, заключалось в том, что он был прирожденным оратором. Без всякой шпаргалки умел гладко и в то же время по делу проговорить часа два, не меньше. Вот и теперь, выслушав Меркулова, Юра — Турецкий нарочно засек время — проболтал без остановки ровно тридцать одну минуту. Не рекорд, но все же.

— ...Ни власти, ни общественность пока не замечают, или не желают замечать, феномена под названием политический террор. Совершено не три, как они там у себя кричат, а около десятка нападений на депутатов Госдумы. В трех случаях, правда, со смертельным исходом. Вы об этом знаете, да и газеты расстарались вовсю, чтоб донести до своих читателей эти кровавые истории во всей красе. Но понимаю, кому от этого польза. Но прослеживается некая закономерность: ведь интересно, что до своего депутатства эти люди руководили либо банками, либо крупными коммерческими структурами! Каково! В лидера монархического центра князя Мстиславского в его собственном подъезде всадили четыре пули из «Макарова». Обстреляли из автомата кабинет министра печати. Совершено нападение на дом лидера парламентской фракции промышленников, обстреляна машина главы экономической партии. Мы успели обезвредить мину большой взрывной мощности, заложенную в ресторане «Закарпатские узоры» — за восемь минут до взрыва — и спасли жизнь лидеру думских либералов...

На тридцать второй минуте резкий жест Меркулова остановил Юру, и Федоров так же решительно перешел к делу Максимовой-Сильвинской.

— В предполагаемый день убийства, то есть в пятницу, более точное время сообщит экспертиза, я имею в виду смерть Сильвинской, она приехала на своей «тоете» где-то в районе двух часов дня. Вместе с нею, по показаниям соседок, был здоровенный, духметрового роста грузин в черном кожаном пальто. Его там не раз видели, и свидетели в один голос заявили: «Грузин, который ходит к ней постоянно». Это несомненно Отар Санишвили. Приметы совпадают. Были еще свидетели, мальчишки, которые сегодня утром играли во дворе в футбол. Они заявили, что там, в районе примерно десяти часов утра, ошивался странный тип в куртке цвета детского поноса, в замызганной кепчонке и на правой щеке — шрам. Был он под балдой и расспрашивал, на каком этаже проживает интересующее нас лицо.

Турецкий едва не задохнулся от возмущения. Он хотел немедленно возразить, что ни под какой балдой не был, что он очень обижен на десятилетнего сопляка, который обозвал его квартирным жуликом, да еще и «балду» приписал. Стоило бы, вероятно, сказать также, что не будь его, в смысле — их с Грязновыми рейда, то преступление, совершенное по известному адресу, может, еще неделю оставалось бы неизвестным для муровских сыщиков. Но Федоров делал такое загадочное лицо и при этом так косил на Меркулова, что Саша не выдержал и заявил:

— И вы что же, какого-то несчастного бомжа отыскать не можете? И с убийцами Назарова, я слышал, тоже облажались. За что только вам зарплату выдают?..

И он демонстративно повернулся к начальнику МУРа той самой правой щекой, на которой красовался шрам-след, оставшийся от одной из встреч с фигурантами по давно забытому делу. Меркулов от такой наглости Турецкого обомлел и полез в ящик стола за ненужными бумагами, которые достал, повертел и сунул на старое место.

— Это у тебя все? — спросил, не глядя на Федорова.

— Не-ет, — усмехнулся тот. — Самого главного я вам еще не доложил. Мои оперативники устроили повальный шмон прилегающей местности и всех окружающих помоек и в одном из бачков обнаружили кремовую рубашку фээргэшного производства, практически новую. Она сейчас на экспертизе, поскольку имеет несколько пятнышек, напоминающих следы крови. Ну, одним словом, чтобы не затягивать подробностей, сообщаю: рубашка в результате ряда оперативно-розыскных мероприятий была опознана. Принадлежит Санишвили. Обыск, который мои сотрудники закончили час назад на его даче в Абрамцеве, дал дополнительные любопытные документы, из которых можно судить, что начались серьезные разборки между Санишвили и Алмазовым. Бумажки эти я вам скоро подошлю.

Федоров выкладывал под занавес доказательство за доказательством, припасенные им для придания особой значимости своим деяниям. Впору было действительно удивиться, как это муровцы успели раскрутить буквально за несколько часов такое дело? И вещдоки обнаружить на помойке, и обыск учинить, и принадлежность рубашки установить, и даже предоставить своему начальнику возможность выступить с речью на радио. Впрочем, причина-то ясна: покойница — депутат Госдумы, вот в чем все дело. Так прижали, бедных, что поневоле забегали. А когда человек бегает, у него мозги хорошо прочищаются. Тем не менее они, конечно, молодцы.

— Наконец, последнее, — видимо, Юра приберег для эффектного финала самое главное. — Нащупали мотив убийства. Максимова нагрела Санишвили с Алмазовым и, соответственно, их банк «Золотой век». На свою предвыборную кампанию она взяла кредит сто миллионов рублей, но до сих пор не вернула ни копейки и, кажется, даже не собиралась. Поскольку счет прогрессистов— пуст, а партия— практически банкрот. В банке же имеется личное обязательство Максимовой вернуть деньги еще месяц назад. Тут не совсем ясно, зачем она их брала и собиралась вернуть задолго до конца избирательной кампании. Что-то, в общем, не клеится, но факт раздора налицо. Или обмана. А у криминальных структур, не мне вам объяснять, куда, возможно, входит и «Золотой век», свои жесткие законы: включили счетчик, и ты хоть разбейся, а вынь да положь. Кстати, — Юра повернулся к Турецкому, — ты зря ехидничаешь. Подноготную-то Назарова мы сумели раскрутить меньше чем за сутки. А вот с убийцами, верно, не повезло. Но можно догадаться, чьих рук дело. Короче, я предлагаю начать поиск Санишвили. Его надо брать, поскольку, я не исключаю, он мог расправиться не только со своей бывшей любовницей, но и с компаньоном.

Легко сказать: брать. А где он? В Германии? В Штатах? На Южном полюсе? С Интерполом наши, точнее эсэнговские, отношения складываются пока более чем прохладно. Если же говорить откровенно, хотя все доложенное Юрой, как подсказывала Турецкому его проклятая интуиция, в немалой степени писано на воде вилами, такой поворот дела лично его устроил бы максимально. Ведь, по сути, это был вариант номер два личного «плана» психотехники: преступник изобличен, но находится в бегах. Разыскивать его положено не следователю, а славному уголовному розыску. Дело повисает, следователь свободен для новых свершений на почве личного благоустройства и прочего, к чему бы ни лежала душа. Все бы так, да вот проклятое серое мозговое вещество никак не желало согласиться с этой версией.

Пока Турецкий размышлял о себе, Меркулов сделал короткое предложение Юре, от которого в Сашиных мозгах все сразу стало на место.

— Ты там скажи своему эксперту-медику, чтоб он поточнее определил время смерти депутатши...

— Ну а как же! — немедленно отреагировал Федоров, даже с некоторой долей обиды за свой профессионализм.

Но Костя ж недаром сказал об этом, видимо, что-то знал недоступное пока остальным. Или в чем-то сильно сомневался. Впрочем, если поднапрячь все свое серое вещество, можно сообразить: если Санишвили с Максимовой приехали к ней домой днем, а вечером того же дня грузин улетел во Франкфурт, где у него филиал банка, то время убийства определяет все остальное. Правда, есть еще и рубашка со следами, напоминающими капли крови, и даже установлена ее принадлежность... И все-таки назвать эти доказательства решающими в деле нельзя. Пока нельзя. Но время еще есть.

Вся дедукция-индукция сыщика — ничто без рутинной работы, которая составляет девяносто семь процентов следственной массы, то есть времени, средств и сил. И только три процента — работа серого вещества следственного гения. Турецкий смело утверждал это. И вовсе не потому, что все учебники мира, вся отечественная и зарубежная практика тоже указывают на это обстоятельство. Всем все давно известно, но каждый проходит свой тяжкий путь в одиночку.

И хочет он того или нет, сей закон будет торжествовать. А тот, кто в него не поверит и станет поступать по-своему, что ж, он просто никогда не станет настоящим... следователем.

Иначе говоря, все свое серое вещество в ближайшие дни Турецкому предстояло занять отработкой следственных версий. Недаром же едва ли не с первых лет работы в прокуратуре его называли «мастером версий». Случалось, что и с легкой иронией.

Следственная версия — это возможное объяснение накопленных фактов, индуктивное умозаключение следователя в форме предположения, основанное на фактах и подлежащее проверке по правилам дедукции. Внешне сказанное может выглядеть и сложновато, но по глубине мысли — тут уж извините! Вот почему вся троица, то есть Меркулов, Федоров и Турецкий, занялись составлением плана мероприятий, куда внесли ряд следственных версий, подлежащих проверке.

Под номером один значилась версия, предложенная начальником МУРа: умышленное убийство Алмазова и Максимовой-Сильвинской совершено Отаром Санишвили и (или) нанятыми им профессиональными убийцами по личным корыстным мотивам.

Номером два Меркулов обозначил версию: убийство Алмазова совершено по политическим мотивам лицами, не желающими, чтобы он занял пост руководителя Центрального банка.

Одной из версий, на включение которой в список согласились все трое, была: убийство совершено наследником Алмазова, неким Эмилио Фернандесом Боузой, чье местонахождение пока не установлено.

Под дальнейшими номерами фигурировали следующие версии: цепочка убийств московских банкиров, в том числе и Алмазова, совершается по причинам, следствием еще не установленным; устранение банкиров диктуется мафиозными структурами в связи с аферами и незаконными банковскими операциями. И так далее, и так далее.

Последней, под девятым номером, значилась еще одна версия, на которой Саша настоял вопреки возражениям Федорова: убийство было направлено вовсе не на известного банкира Алмазова, а на водителя его автомобиля. Костя посмотрел на Турецкого с искренним изумлением, потом подумал, кивая при этом, будто китайский болванчик. Это он так переживал неразборчивое упрямство и явную дурь младшего коллеги, спровоцированные наверняка обществом единоличника Грязнова. Наконец, неохотно, морщась, как от зубной боли, он согласился включить и эту «версию» (!) в список, брюзгливо заметив при этом, что бомбы, предназначенные для хозяев, как правило, убивают и их шоферов. «Спасибо, барин!» — хотел сказать, но не сказал Турецкий, поскольку эта последняя версия родилась сама по себе, как-то неожиданно, и была, как он понял позже, всего лишь результатом длительных размышлений над совершенно примитивным вопросом: если в машине сидят два человека, то ведь оба же они и могут быть искомыми жертвами. Чем Алмазов лучше Кочерги? А может, именно Кочерга кому-то крепко насолил, а его хозяина убрали за компанию... Или по ошибке. Почему бы нет?

Ну ладно, приняли — и приняли. Записали. После этого они наметили проверку состояния денежной массы и бухгалтерского учета в банке «Золотой век», а также личного алмазовского счета, имеющегося в коммерческом банке «Национальный кредит». При этом оперативная работа должна была лечь целиком на плечи Юры Федорова и его доблестных архаровцев. Вот это, последнее, Турецкого очень устраивало, поскольку все его глубокие знания на этот счет, как уже было сказано, могли уложиться в две странички руководства для вкладчика.

Оставалась последняя проблема: следовало каким-то образом уладить взаимоотношения по поводу случившихся трагических происшествий с двумя противоположными силами — президентскими «ястребами» и госдумовскими «соколами-сапсанами». Но часовая стрелка все ближе подходила к той отметке на циферблате, которая позволяла любому гражданину когда-то шестой части суши, а следовательно, и Турецкому тоже, встать и во всеуслышание объявить: слушайте, ребята, ну вас всех с вашими заботами! Я устал, и вообще, мой рабочий день кончился. Оставьте меня в покое. Сегодня, между прочим, суббота, потому общий привет! Следователь по важнейшим делам Турецкий больше не собирается обременять свое серое вещество всяческой дребеденью. Вы — начальники, вот вы и занимайтесь... А лично я пошел в свой собственный кабинет, чтобы...

И снова ничего не сказал Александр Борисович, но сделал такое кислое лицо, что Костю даже передернуло. Он отвернулся и резко махнул рукой: уйди, мол, с глаз долой. Уже взявшись за дверную ручку, Турецкий, возможно, просто так, из шалопайства, возьми да и ляпни:

— Слышь, начальник! — И подмигнул Федорову. — А ты хоть протокол допроса того единственного «толкового свидетеля», — передразнил он, — читал? По Назарову-то...

— А в чем дело? — сдвинул брови Юра.

— Да я ж этот твой единственный свидетель-то! Сыскари вы хреновы.

Пауза была до неприличия долгой. И весьма многозначительной. Наконец Меркулов, будто очнувшись, ткнул пальцем в Сашу, а потом в его стул, приказывая вернуться и занять свое место, теперь, по всему видать, подсудимого.

— Рассказывай, — приказал коротко.

Пришлось все рассказать. Но воображаемая «коробочка» принудила рассказчика вспомнить и день позавчерашний с происшествием на Трубной площади. В общем, кругом оказался виноватым Турецкий.

Костя возмущенно сопел, уставившись в свой полированный стол.

— Кому они хоть задницу-то раздолбали, не знаешь? — спросил у Федорова напоследок Турецкий.

И Юра вдруг захохотал. Отсмеявшись, объяснил оторопевшему Меркулову:

— Ну, слава Богу, груз с души да и со спины тоже снял! А этот деятель, ну, Игорь Борко, президент «Интеркомбанка» на меня чуть не с кулаками: покушение! Куда смотрите! Вот же поросенок... Верно говорят, что пуганая ворона и куста боится. Вон, значит, в чем дело! Постой, а почему же этот хрен-гаишник все иначе представил?

— А ты не понял? — удивился Турецкий. — Это ж он тебе версию банкира изложил. Словом, можешь прекращать дело о покушении. А я все-таки удаляюсь. С вашего разрешения.

— Нет, уважаемый, легко хочешь отделаться, — снова насупился Меркулов. — Ты почему ездишь без оружия?

— Костя, но я же не на операцию... Когда необходимо, другое дело. Да ты и сам...

— Я не занимаюсь оперативной работой, не веду следствия и не удираю от бандитов. Поэтому приказываю...

— Понял. Разрешите идти, господин замгенерального?

— Юра, хоть ты объясни этому балбесу, который словно нарочно так и лезет под пули, под разборки, черт знает куда. Ну почему на меня никто не нападает, не покушается? А на него — постоянно.

— Действительно, — пожал печами Федоров, видимо, все еще переживая, — у тебя же есть такое право. Иногда это как обязанность. Если «Макаров» для тебя тяжелый, давай скажу ребятам, они тебе что-нибудь поудобнее подберут, покомпактнее.

— Спасибо. Понял. — И Саша вопросительно уставился на Костю.

Тот снова резко отмахнулся от него. На этот раз Турецкий молча и беспрекословно выполнил команду босса.

А в кабинет свой он зашел с единой целью: позвонить девочкам в Ригу. Неавторизованное поведение по этой части уже вошло у него в привычку.

9

За Турецким кто-то шел. Он спиной почувствовал это еще во дворе прокуратуры и сперва подумал — случайность. Но шагов через двадцать уже твердо знал, что за ним кто-то следует по пятам. Саша миновал свою машину, вышел из ворот и резко обернулся: ни одного знакомого лица, но и ни одного подозрительного. Московский люд спешил по своим вечерним делам, никто на него не обращал внимания. Тогда он дошел до угла Столешникова переулка и снова резко обернулся: нет, никого, на ком можно было бы остановить свой взгляд. Но ведь и сам он давно не новичок, и чувство преследования у него выработалось с годами, и стало как бы второй натурой, существуя уже независимо. Что же это, синдром преследования? Но ведь прежде ему как-то не приходилось замечать за собой подобное. А что, может, действительно вернуться и вынуть из сейфа «Макаров». Чем, в конце концов, черт не шутит?

Он знал в Столешниковом несколько палаток, которые торгуют всякой всячиной, включая даже горячий хлеб. В одной купил свежий батон белого, немного покрутился возле второй, торгующей сыром. Вообще-то никакого сыра ему не было нужно, да и очередь, правда небольшая, имелась. Потоптавшись и делая вид, что раздумывает — встать в очередь или не стоит, он еще раз внимательно огляделся и, не заметив никого подозрительного, решительно направился к своей машине. Выезжая уже за ворота прокуратуры, еще раз прислушался к внутреннему голосу и понял, что его надо холить и лелеять, поскольку до сих пор, кажется, он ни разу не подводил своего хозяина.

Преследователя Турецкий, конечно, увидел, но не в центре, где беспорядочное мельтешение автомобилей сбивает с толку и не дает возможности сосредоточиться ни на одной следующей за тобой машине. Но едва выбрался на Ярославку, как обнаружил его: он шел на приличном расстоянии, между ними было три-четыре машины. Когда Саша снижал скорость, тот делал то же самое. Турецкий прижимал акселератор к полу, и преследователь тут же взвивал все паруса. Уйти от него, судя по всему, опытного водителя, на Сашиной развалюхе было, конечно, невозможно: на первом же светофоре тот легко достал бы. И тогда Турецкий спросил себя: а зачем нужно от него уходить? Тем более что номер его вишневой «девятки» он уже «срисовал». Заметная машина не самый лучший вариант для преследователя... Но кто он и что ему нужно? Что за лицо скрывается за притемненными стеклами вишневой «Лады».

Левой рукой Саша вытащил из кармана сигарету, прикурил, поглядывая в зеркальце заднего обзора, приспустил боковое стекло, чтобы дым вытекал из машины, и перестроился в правую сторону. Теперь он ехал спокойно, тщательно соблюдая все правила движения. На Енисейской улице преследователь неожиданно потерялся. А может, и не было никакого преследователя-то? Может, это просто от усталости?

Но припарковался Турецкий все-таки из осторожности за квартал от дома и быстрым шагом направился через несколько дворов к своему подъезду. С некоторых пор перестали ему нравиться проходные дворы в вечернее время. Осень, темнеет рано, холодно, на улице и с собакой человека не выгонишь. Хотя, разве что собачек только и прогуливают зябко кутающиеся в свои демисезонные плащи пожилые собаковладельцы. И потом, очень бывает неприятно, когда ты идешь как бы в пустоте, а твоим шагам вторят другие, где-то у тебя за спиной, и не поймешь, просто человек идет по своим делам или догоняет тебя короткими перебежками.

Саша рванул на себя дверь подъезда и тут же извернулся в позе готовности к удару — чтобы резко схватить преследователя за руку, которая, возможно, уже приготовила против тебя пистолет или нож. Не прошло и минуты, как взвизгнула дверь подъезда, и Саша увидел его. Человек был явно испуган. Нет, он испугался не Турецкого, сообразив, что его маневры разгаданы. Он, видимо, испугался много раньше, уже давно, и на лице его застыла маска с эпическим названием «Страх». Причем, страх подлинный, а не наигранный.

Поняв это, Саша слегка растерялся и сам:

— Что... с вами?

— Товарищ Турецкий... — почти прошептал преследователь. — Они меня хотят убить...

— Кто — они?

— Я от них оторвался, — заторопился незнакомец. — Они и не знают, что я к вам... Я вас целый день выглядывал возле прокуратуры, мне сказали на вахте, что вы, кажется, приходили, но сегодня же суббота. В общем, я проторчал на Пушкинской... а они рыщут возле моего дома. И тут вы. А я за вами... Скажите, что мне теперь делать?

Первая мысль была— сумасшедший. И физиономия никак не тянет на нормального.

— Да кто вы такой? — Турецкий, наконец, нашелся с вопросом. — И почему именно ко мне? Я-то вам зачем сдался?

— Как это — кто? — искренне удивился он. — Они ж Егорыча моего пришили, а теперь, значит, охотятся за мной. Вот поэтому я к вам и кинулся. Мне жена сказала, ну, Нина Васильевна... Вы ж с ней разговаривали. Это еще повезло, что я сразу, как вернулся, тут же к ней поехал, денег ей дать, я их много привез... А они, значит, возле моего дома дежурили, зевнули, другими словами.

Какая-то неясная мыслишка вроде бы мелькнула в голове, но Турецкий не успел с ней разобраться, потому что его странный преследователь говорил почти без остановки испуганно-бубнящим голосом.

— Егорыч-то, понимаете, отпустил меня на недельку, давай, говорит, вали, отдыхай, ты мне пока не понадобишься. Я и махнул в Висбаден, это в Германии, в картишки там играю. Так они меня и там, и здесь обложили, словно волка...

Увидев, наконец, выражение недоумения на Сашином лице, мужик вдруг запнулся и стукнул себя по лбу:

— Ну да, я все рассказываю, а вы... Так ведь Кочерга я, товарищ Турецкий. Вспомнили теперь?

Вот так: живой и невредимый, но трясущийся от страха, перед ним в настоящий момент находился личный шофер и телохранитель банкира Сергея Егоровича Алмазова со странной фамилией Кочерга, которого почти неделю все почитали за покойного. Между прочим, телохранитель мог бы быть и покрупнее, помассивнее. А, он же боксер, вспомнил Турецкий. А боксеру габариты не совсем обязательны, хотя и желательны. Или это его действительно от страха так скорчило?..

— Так вот вы кто... — с некоторым опозданием протянул Саша. — Простите, я забыл ваше имя-отчество...

И не забыл вовсе, а никогда не интересовался. И фотографию его в деле — старую, пожелтевшую от времени — внимательно не рассматривал. А зачем, если было известно, что от него ничего, кроме куртки с часами, не осталось. И еще крестика православного, оплавленного.

— Виктор я, Виктор, товарищ Турецкий. Виктор Антонович вообще-то. Но лучше Виктор...

— Так, может быть, мы все-таки поднимемся в квартиру, и вы мне расскажете подробно... Не в подъезде же нам...

— Конечно, поднимемся, товарищ Турецкий, — заторопился Виктор, оглядываясь, теперь уже, видно, по новой привычке. — Я ж вас для этого целый день ловил...

Ну вот вам, пожалуйста! Оказывается, уже третий день Турецкий занимался черт-те чем. Нарушал закон и обманывал начальство в лице Меркулова. Взламывал — и вовсе не в фигуральном смысле — чужие замки. Базарил с судмедэкспертом по поводу идентификации трупов. Разрабатывал версии — одну другой завлекательней. И все это было никому не нужно, поскольку появление живого Виктора Антоновича Кочерги все перевернуло вверх ногами. Впрочем, если быть точным, то как раз поставило все с головы на ноги. «Окажется твой банкир каким-нибудь Мао Цзэдуном, вот тогда ты забудешь об отпуске и забегаешь ищейкой...» — так, или что-то в этом роде, говорил Грязнов. Нет, о потерянном отпуске Саша не забыл, но ему уже и не хотелось «отматываться» от свалившегося так некстати на голову дела. Значит, следовало копать его до самого конца, как он это делал всегда, и до тех пор, пока хватит сил и умения.

10

— Ну вот, сижу я, значит, в «мерседесе» (Кочерга произносил: в «мерсе́десе») и жду Егорыча. Как обычно сижу. Он никуда особо не собирался, сказал, что, как дела закончит в конторе, так домой и поедем. Он мужик нормальный, добрый даже. Взял и, никому ни слова не говоря, отпустил меня в отпуск, причем по секрету, чтоб, значит, на зарплате моей не отразилось: я ж лицо все-таки ответственное, он мне не из своего кармана платит, все чин-чинарем. Ну я и подумал тогда: а чего бы мне не смотаться за бугор? Виза у меня открытая, поскольку я всегда с Егорычем езжу. У него, конечно, свои дела, я знаю, крупные, но мне в них лезть не резон. Мое дело какое? Жить по своим понятиям, крутить баранку и охранять хозяина, а то ведь, вы же знаете, поди, получше моего, нынче мафия совсем уже в разнос пошла, того и гляди...

Кочерга вдруг запнулся и передернул плечами, как от озноба.

— Ладно... Сижу я, значит, когда же это было? Ага, во вторник. И жду. Времени до конца еще навалом. Вдруг он выбегает, не идет, нет, а прямо-таки бежит... Это при его-то крупной комплекции, так сказать. Да... Толстый-толстый, а в машину ну прямо сиганул, даже удивил меня. И с ходу говорит: давай, Витек, жми на Ленинградский проспект, к аэровокзалу. Мне, говорит, надо срочно с одним хорошим человеком встретиться. Гляжу я, ну прямо волнуется Егорыч, что не похоже на него, поскольку всегда степенный и это... медлительный такой. А тут так разволновался, что стало мне непонятно. Но мое-то дело какое? Я ж говорю: мое дело — баранку крутить и лишних вопросов не задавать, товарищ Турецкий...

— Называйте меня просто Александр Борисович.

— Ага, во-во, это хорошо, Сан Борисыч. Значит, рванули мы, а я про себя думаю, что вроде как не совсем с руки дело-то выходит. Поскольку лично Егорыч авто не водит, руля, как я понимаю, боится это... панически, можно сказать...

— Точно, Нины Васильевны интонация, — вспомнил Турецкий. А как же иначе? Муж да жена — одна сатана.

— Вы про чего? — встрепенулся Кочерга и непонимающе уставился на него.

— Супругу вашу вспомнил, — подмигнул Саша, считая, что для установления более тесного контакта со свидетелем, большей, так сказать, доверительности, подобный шаг не помешает. — Словечки из ее лексикона. — Но, не увидев понимания, добавил: — Она, насколько я уловил, любит вставлять в свою речь это «можно сказать».

— А-а... — слабо улыбнулся Кочерга и, грустно поджав губы, покивал. — Верно, любит она...

И он ее еще не разлюбил, понял Турецкий. Дурная какая-то жизнь. Чего, спрашивается, людям не хватает? Чего они собачатся? Ведь наверняка по пустякам, не стоящим внимания. Расходятся, кивают вот так, грустно, карты им, видишь ли, мешают жить нормально! Ну а сколько можно проиграть в карты? Что это за страсть такая? Нет, этого он никак не мог понять.

— Да, так о чем я? — будто спохватился Кочерга. — Ага, значит, соображаю себе, что такой, извините, вояж мне, можно сказать, не с руки. А почему? Ну сам-то Егорыч за руль не сядет. Выходит, надо мне его после этой деловой встречи все равно домой доставлять. А это, считай, другой конец города. Да по такой погоде, да еще, не забывайте, — конец рабочего дня, значит, все машины на трассе. Пробки и прочие гадости. А потом еще и наш «мерседес» в гараж ставить, а он тоже у черта на куличках. И только потом катить домой на Бронную за своей «девяткой». А ведь я хотел прямо вечером, можно сказать, и рвануть за кордон. Обожаю ночью ездить...

— Извините, — перебил Турецкий. — Не совсем понятно, каким образом вы собирались пересечь границу?

— А прямо на собственной «девятке». Мне до Франкфурта-на-Майне всего и делов-то — тридцать часов ходу. Я быстро докандехиваю, дороги ж там, знаете, не наши. И виза у меня, я говорил, открытая. Нет вопросов. А там у меня есть знакомые, особенно из этих, из еврейчиков, бывших наших. Многие там обосновались. Они, кстати говоря, тоже не дураки — кто в рулетку, кто в «блэк-джек», а кто больше однорукого бандита обожает. И всякого «хруста» у них навалом. Я, Сан Борисыч, тоже не жалуюсь, у меня небольшой гешефтик, как они говорят, тоже имеется. Но это я потом расскажу, если вам интересно будет. Поэтому я езжу туда не только поиграть, но и для пользы дела, можно сказать. А она все не понимала...

Она, понял Турецкий, это Нина Васильевна, у которой при слове «карты» глаза загорались, будто у дикой кошки, и шерсть, наверно, дыбом...

— Да, так про что я? Ага, вот, значит, поди заметил Егорыч некоторое мое смятение по этому поводу, а он на всякие такие психологии был мужик чуткий... Вот он мне и говорит: ты, значит, Витек, меня сейчас к аэровокзалу доставишь и можешь катить на все четыре... Я не понял: как же, говорю, могу оставить вас? Вы ж за рулем не того, а сменщик мой, Петренко — ну который, когда меня нет, возит Егорыча за наличные, так сказать, — только завтра заступит. Непорядок, говорю. Кто ж вас, стало быть, домой-то доставит?

— Вы говорите Петренко? Это какой же?

— А-а, так это ж дружок мой, с Кубани. Мы с ним оба со станицы Старо-Минской. И в боксе вместе были. Я его потом привел к Егорычу, познакомил, вот, говорю, может быть всегда моим сменщиком, ежели чего. Он понравился Егорычу, но деньги ему платили не по ведомости, а как бы частным образом. Говорю я, значит, Егорычу и вижу, что ему моя забота нравится. Ладно, отвечает, ты за меня, мол, не боись, доставишь, и отваливай себе, и никому не сообщай. А у меня сейчас будет классный водитель, можно сказать, профессионал, бывший гонщик.

— Так и сказал? Профессиональный гонщик?

— Ну да, вроде того...

— А почему не надо было никому сообщать?

— Так я ж сказал, классный мужик Егорыч-то... был. Ну... не хотел, чтоб я за свой счет брал, в зарплате терял, а так он меня вроде по делу какому отправил. И раньше бывало... Ладно, говорит, дуй, да побыстрее, а то опаздываем уже. И подъехали мы с ним почти к самому аэровокзалу...

— Вы можете показать вот здесь, на карте, в каком месте остановились? — Турецкий развернул перед Кочергой довольно подробную туристскую карту-схему Москвы.

— Конечно, могу, — обрадовался он, будто от этой его помощи следствию легче искать убийц. — Только лучше я вам на бумаге нарисую. — Он взял карандаш и быстренько начертил на листе бумаги свою собственную схему. — Вот вам Ленинградский проспект, сюда, значит, к Белорусскому вокзалу, а сюда — к Шереметьеву...

— При чем здесь Шереметьево? — не сразу сообразил Саша.

— Ну а как же! Ведь Егорыч, как сел в машину, сразу и сказал, что человек, которого он должен встретить, прилетел в Шереметьево. Самолет минут двадцать, можно сказать, назад приземлился.

— А сколько тогда времени было, вы не помните?

— Да как же не помнить! Точнее у меня и не бывает: семнадцать часов восемь минут. Я ж говорил, что Егорыч обычно раньше восемнадцати с минутами контору не покидает. Он деловой мужик. Ну а я, ожидая его, все на часы поглядывал, свое собственное время прикидывал. У меня ж свои планы были, я говорил, Сан Борисыч...

— А откуда тот человек прилетел? Не обмолвился Алмазов? Не помните?

— Погодите... Надо подумать... Не, не говорил! А нет, вру, сказал ведь. Из Германии!

— Значит, все-таки сказал?

— Да нет, — поморщился Кочерга, — не этими словами, это я сам сейчас...

— Вот я бы и хотел от вас услышать, как конкретно он вам это сказал.

— Ага, я понимаю... Сейчас вспомню точно... А! Вот как: я тебя, говорит, Витек, сейчас обменяю на другого водителя. Как Пауэрса на этого... На Абеля, да? Ты — туда... Егорыч знал ведь, что я в Германию намылился. А он — сюда. Ну, Сан Борисыч, знаете же, как шпионов меняют! И стало быть, он должен был прилететь из Германии...

Вот получается, какую логическую цепь выстроил Кочерга. Значит, самолет, судя по всему, прибыл из Германии где-то в районе шестнадцати сорока пяти. И прилетел профессиональный гонщик. Он же шпион-разведчик. Он же курьер... Все эти «записи» Турецкий делал у себя в памяти, отмечая отправные точки для дальнейших действий.

— Дальше продолжать? — прервал его размышления Кочерга. Саша кивнул, и тот стал рисовать. — Вот здесь арка в доме, вот тут — рыбный магазин. Я, значит, остановился, зажигание выключил и хотел закурить, а он — мне: Витек, ты мне больше не нужен. Свободен. У меня оч-чень конфиденциальная встреча, понимаешь? Ну я и кивнул.

— Он только об одном человеке говорил?

— Так вот в чем штука-то! Сказал-то он вроде бы как об одном. Я на это отвечаю: счастливо, значит, вам оставаться, Сергей Егорыч. А он мне тоже: и тебе, Витек, счастливо. Смотри только, играй, да не отыгрывайся. Это шутка у него была такая для меня: не за то, мол, батька драл, что сын в карты играл, а за то, что отыгрывался. Ну я после этих его слов выбрался из машины, ключи, само собой, оставил и двинул в сторону метро. Вот сюда, — Кочерга показал карандашом на своем плане.— Перебегаю через улицу, чтоб на троллейбус сесть, не пешком же, сами понимаете, почти четыре остановки, и вдруг соображаю, что выскочил-то я из «мерседеса», можно сказать, налегке. Как тот, знаете, что из анекдота: ушел, говорит, от любовницы налегке, в одном презервативе, гы!.. Куртка-то моя в багажнике осталась. Ну документы там всякие, гроши — это у меня всегда при себе, вот здесь, — Кочерга хлопнул себя ладонью по нагрудному карману рубашки. — И в куртке той у меня ничего не было, одна зажигалка. Но холодно, в одной же рубашке выскочил. Я тут же обратно к «мерседесу», а отбежал-то прилично, метров за сто. И тут вижу, что двое вроде меня тоже через шоссе дуют к «мерседесу». Вот если б тогда знать... А я, как дурак какой, вовсе и не смотрел на них, только сегодня все вспомнил: какие они, во что одеты и все такое прочее. Ну они много впереди меня были, в машину как ракеты влетели, и только вижу, мой «мерседес» — не мой, конечно, а Егорыча, — рванул, и общий мне привет. И еще понял я, что за руль действительно профессионал сел: с места сразу километров под сотню взял. Словом, стою я, можно сказать, как дурак и чувствую — прямо-таки замерзаю. Вот тут я свободную тачку подловил и говорю шефу: давай домой, а то дуба дам. Ну, посмеялись, конечно, и поехали.

— Виктор Антонович, пожалуйста, постарайтесь припомнить, как все-таки они выглядели? Это очень важно.

— Я понимаю... Один, значит, который повыше, вроде бы держал в руке портфель. Или чемоданчик такой, ну, кейс называется. А который пониже, он, наверно, будет с вас ростом, тоже, конечно, не маленький, тот за руль сел. А высокий — на заднее сиденье. Правда, я все это дело неаккуратно видел, издалека. А вот во что одеты были?.. Хоть убейте, Сан Борисыч...

— Что, прямо-таки ни одной характерной детали не запомнили?

— Как мне представляется, тот, что на заднее сиденье сел, был в плаще— длинном таком, какие сейчас в моде. Потому что когда они неслись через шоссе, плащ этот не застегнут был и болтался во все стороны, как белье, когда на веревке сушится.

— А какого он был цвета?

— Вот прямо совсем не помню, Сан Борисыч. — Кочерга поводил ладонью перед глазами. — Не могу даже сказать: темный он был или светлый. Но скорее темный... А вот второй... Он не то в спортивном костюме, не то в джинсе. Но фирма, это точно. И без шапок были оба. И волосы... Кажись, темные оба. Но не черные. И не старые, скорее совсем молодые. И ловкие. Это я потому, как все у них быстренько получилось.

«Двое молодых, темноволосых. Высокий — в длинном плаще. Другой — в джинсовом, возможно, спортивном костюме — сел за руль...»

— Да, и еще, Сан Борисыч. Только, может, мне это показалось...

«Нате вам, еще один свидетель с богатым воображением, Татьяна Павловна Грибова номер два...»

— Я так думаю, что они приехали из Шереметьева на тачке, которую я потом подловил. Такси не такси, да теперь и не разберешь, все калымят по возможности. В общем, там, у бровки, стоял один, с которым мы потом и посмеялись насчет холода. Он как раз напротив моего «мерседеса» стоял. Чего-то он мне, не помню, сказал. Вроде что из аэропорта приехал, но я все же не сильно уверен.

— Описать машину и водителя вы можете?

— Машина-то — «Волга», сероватая, а таксер — он такой брюнетистый и с усиками. И глазки у него так и зыркают во все стороны. Куртка черная, кожаная. На правой руке печатка, кольцо такое с буквой. А вот какая буква, не могу сказать, Сан Борисыч, я же специально не разглядывал. А может, то и не буква, а знак какой-нибудь... Во, еще вспомнил! Он говорил с акцентом, будто хохол. Своих-то, кубанцев, донцов-казачков, я сразу признаю.

В магнитофоне раздался щелчок: кончилась первая сторона пленки. Турецкий вытащил кассету, на которой ровно сорок пять минут назад еще был записан концерт Майкла Джексона, и перевернул другой стороной. Если об этом узнает Денис, то... Нет, лучше ему не знать. Эти меломаны — странные люди, а попса, как они называют подобную музыкальную хреновину, для них дороже собственных родителей. Впрочем, подумал Турецкий, возможно, это в нем уже старческий маразм пробуждается, пробует силы.

Они с Кочергой устроились на кухне, чтоб не мешать красиво жить славному семейству Грязновых, которые, судя по всему, в настоящий момент принимали гостей. Во всяком случае, из дальней комнаты доносился женский голос.

Денис пару раз тактично и молча заглянул на кухню, достал из холодильника бутылку какого-то заморского вина, поставил на плиту чайник и развязал коробку с тортом. Вот уж и вовсе новости! В этом же доме никто отродясь не любил сладкого! Господи, что может сделать с людьми женщина!..

Занимаясь сейчас Кочергой, Турецкий ни на минуту не забывал, что Костя ни за что не упустит возможности побрюзжать по поводу, мягко выражаясь, неавторизованных действий своего подчиненного. Ну уж на этот раз извините, Константин Дмитриевич! Все по форме, и никакой самодеятельности: свидетель Кочерга Виктор Антонович уже предупрежден об ответственности за дачу ложных показаний, у него же и спрошено разрешение на магнитофонную запись беседы. А уж потом, позже, каждое слово допроса свидетеля будет внесено в протокол, благо всевозможных бланков у Турецкого было навалом. Вот только чистой кассеты в доме не нашлось, и в этой связи Саша понимал, что не далее как завтра он будет иметь печальный вид, выслушивая от Дениса упреки: стерли, мол, любимую запись. Правда, на этакий демарш Денису еще надо решиться.

— Теперь, Виктор Антонович, такой вопрос: вы что-нибудь когда-нибудь слышали о человеке по фамилии Боуза? Его зовут Эмилио Фернандес.

— Теннисист, что ли, Сан Борисыч? Ой, да чего ж это я несу! Тот же Эмилио Санчес, ага. А этот ваш Фернандес, да? — не, не припомню, чтоб от кого слышал. Незнакомый он мне.

Вот как получается: была, значит, у банкира Алмазова такая тайна, о которой даже его личный телохранитель и шофер не догадывался.

— Ну хорошо, оставим это. Расскажите теперь о своей поездке в Висбаден. Почему вы выбрали именно этот город, который, по-моему, действительно находится где-то у черта на куличках? А разве в Москве больше в карты не играют?

— Да вы что, Сан Борисыч! — с глубоким укором развел руки в стороны Кочерга, будто в вопросе прозвучало абсолютное непонимание совершенно элементарных вещей. — Да разве ж можно сравнивать?! Там же культура! Понимаете? А с нашими, извините, отечественными каталами разве можно вообще связываться? Еще раз извините, но тут и говна нахлебаешься — во! — он чиркнул ладонью над своей макушкой.— А потом эти падлы еще и башку тебе оторвут. Чтоб не вякал. Не-ет!.. Там культура! Представляете, обстановка? Мужики в ливреях — это обслуга. Дринки всякие, кофеюшники, тишина, дамочки забавные, престарелые. Я с крупье выражаюсь исключительно по-английски: ну там «дабл-даун», мол, или — «сплит, плиз». А? Да для меня там рай земной! Жена моя Нина Васильевна никак не хотела понять. Можно сказать, терпеть не могла мои вояжи. Только если по чести, Сан Борисыч, то я ей и не говорил про свои поездки туда, в Германию. Потому что, как я понимаю, если б она про это дело узнала, то тогда мне и ее пришлось бы брать с собой. А какой же, извиняюсь, тогда кайф? Я, получается, за столом, а она — в вестибюле? Она ж карты на дух не подпускала. Поэтому и ушла от меня. А я посмотрел, поездил, пожил холостяком и понял, что мне и без нее тоже плохо. Я ведь знаю, как она ко мне всегда относилась, прежде-то... Так все враз не разрубишь. Ей без меня тоже, полагаю, несладко, Сан Борисыч. Вы ж видели ее, как?

Турецкий неопределенно пожал плечами, выражая этим движением все что угодно.

— Вот видите, — по-своему понял Кочерга и вздохнул. — И я то же самое думаю...

Работал магнитофон, наматывая на себя долгую исповедь Кочерги, и Саша внимательно слушал, как он в течение целой недели ездил из Хехста, то есть юго-западной оконечности города Франкфурта, где он жил в недорогом пансионате, к четырем часам в Висбаден, что расположен в тридцати километрах от финансовой столицы Германии, и затем просиживал за картами до двух ночи, иными словами, до закрытия. Кочерга сам загорелся от своих недавних впечатлений, глазами засверкал, руки как-то странно ожили: хорошо ему, оказывается, подфартило— то «блэк-джек» через раз идет, то на «сплит» сразу двести марей взял, и пошло, и поехало...

— Ну, как семь тысяч дэмэ сделал, решил судьбу не искушать.

— А что такое — дэмэ?

— Так дойчемарки же! — как ребенку, объяснил Кочерга.

«Действительно, странные люди, элементарных вещей не знают!..»

— Сижу я, значит, в баре на Цайле, улица там у них шикарная такая, пью черное пиво и думаю о том, что мне вообще-то пора бы двинуться к своему партнеру. И тут вижу: двое. Наши. Их за версту узнаешь, нюхом. Хотя никто из наших теперь золотых зубов не носит. Я вот тоже соорудил себе фарфоровые, — Кочерга оскалился в голливудской улыбке. — Ничего, Сан Борисыч?

Турецкий криво усмехнулся: вечная история с этими зубами: забыл же, успокоился вроде, так надо напомнить...

— Это у меня там доктор один есть, еврейчик, тоже из наших, — пояснил Кочерга. — Нема Финкель его зовут. Раньше жил где-то под Могилевом, а теперь довольно недорого и, главное, вполне добротно вставляет многим нашим фарфоровые коронки. По чужой, конечно, страховке. Вот он и мне тоже за сотню марей, ну, дэмэ, понимаете? — сработал. А вообще, я вам скажу, Сан Борисыч, выгодное это у него дело: там же не только эмигранты разные, но и наши совки пасутся. У Немы, как я знаю, клиентура богатая, он никому не отказывает.

— Где, вы говорите, он живет-то?

— А в Оффенбахе...

«Так, — «записал» Турецкий в своей памяти, — Нема Финкель, дантист из Оффенбаха, большая клиентура, практикует по чужим страховкам». Он еще не знал, пригодятся ли ему эти сведения, но пусть будут на всякий случай.

— Я вам скажу, Сан Борисыч, что эти шпанские замашки наших «доил» знаю на все сто, недаром же десять лет на охране граждан состою. И глаз у меня на ихнего брата так еще наметан. Заметил я, как они на меня, будто невзначай, поглядели, и сразу все усек. Глаза — это знаете? Бывает, человек иной только зыркнет, а я уже все про него вычислил. Это у меня еще от бокса, — хвастливо подмигнул Кочерга, — противника всегда глаза выдают. Поэтому умный человек свой взгляд прячет, ага. Ну вот я и говорю, засек я их... Вы разрешите еще?

— Да курите, ради Бога.

Кочерга вытащил из пачки пятую уже, наверно, сигарету, но не закурил, а стал ловко перекатывать ее из угла в угол рта.

— Вы ж понимаете, что у меня с собой семь тысяч этих самых дэмэ. Откуда ж, думаю, вы взялись на мою голову? Следили, что ли? Вполне возможно, хотя я, честно, не могу сказать, чтобы где-то раньше наколол их. Сижу, значит, пиво допиваю, а шарики-то мои вовсю уже крутятся. Рожи у них неприятные— мафиозные. Ростом оба некрупные, но сила, чувствую, есть. Подкачанные ребятки. Один такой рыжеватый, и морда у него — будто дверью прищемили, немного на еврейчика смахивает, а другой больше на черножопого похож, может, чеченец какой. Их там теперь тоже много. В общем, та еще парочка, так руки и чешутся вмазать им по сусалам.

И это описание Саша занес в память.

— Словом, Сан Борисыч, понял я, что самое лучшее, чем могу себе помочь, это взять ноги в руки. Но — я же в культурной стране, у них побеги такого рода не жалуются. Чего ж делать? И поступаю вот как. Я подзываю официанта и громко, чтоб эти засранцы слышали, говорю по-немецки, поскольку знаю, чего мне бывает надо: битте, говорю, нох айн бир. После этого кладу десятку под подсвечник. У них там, Сан Борисыч, в каждом культурном заведении обязательно на столах свечи горят, даже если нужды в них никакой. Для красоты, как я понимаю. Так вот, кладу я купюру и делаю вид, что мне приспичило в туалет. А сам через кухню — во двор, и переулками к своей машине. Обставил их, значит, и дунул к своему напарнику в Заксенхаузен, где, как я говорил, у меня небольшой гешефтик имеется. Ну вообще-то думал, что этим гадам только до моих тысяч дело, а напарник меня совсем расстроил: они, говорит, тебя уже давно стерегут, как только ты приехал. И описал их — этого, прищемленного, и чечню. Стволы, говорит, у них имеются, уже дважды наведывались, тобой интересовались. Я, говорит, им пока ничего определенного не сказал, мол, и сам не знаю, был, уехал, а куда? А хрен его знает, может, где в картишки балуется, он это дело уважает. Отстали. Потом снова появились. Ты меня, говорит, Витек, прости, но когда они мне в рыло пушку сунули, мне пришлось вспомнить, где ты играешь. Словом, давай-ка, кореш ты мой ненаглядный и партнер верный, уматывай отседова, пока жив. Он-то, конечно, покрепче выразился, Сан Борисыч, но мне просто неудобно вам повторять. Послушался я доброго совета, буквально на ходу просмотрел документацию по нашему гешефту, отстегнул мне партнер круглую сумму, и был я таков.

— А чем, если не секрет, занимается ваш напарник? И как его фамилия?

— Сан Борисыч, — почти взмолился Кочерга, — ну на кой вам его фамилия? Он же свой в доску, и никаких фокусов я за ним не замечал. А в городе живет нелегалом. Нет, я, конечно, понимаю, если уж, как говорится, жизнь или смерть, тогда... Но может, пока не будем, а?

Турецкий не стал препираться и отложил вопрос до лучших времен.

— Ну а дальше-то что?

— Дальше? Рванул я к границе. На польской, как назло, грузовики шмонали, так я на одиннадцать часов застрял. Прикатил сегодня — и сразу к жене, ну, к Нине Васильевне. А она — брык в обморок! Как же это так получилось, что я живой оказался? Пришла она в чувство и стала мне про Егорыча рассказывать, потом про вас, Сан Борисыч, как вы ее допрашивали, когда она у вас была. Но самое главное знаете что? Оказывается, пока я ехал, эти двое успели уже и у нее побывать. Наверно, самолетом летели, потому что как же иначе-то? Ну она им, конечно, про то, что я мертвый, сказала, потом, что я вообще в ее квартире не живу, давно уже развелись, еще когда живой был. И ничего, конечно, понять не может, зачем им я? А те не говорят. Узнали мой новый адрес и туда подались. Я сразу соседке своей, Лидке Зубовой, давай названивать. Как, мол, там в моей комнате, все ли в порядке? У нас же с Лидкой коммунальная квартира, у каждого по комнате, но зато и по собственному телефону. Звоню, значит, а Лидка страшным таким шепотом сообщает: «Витька, тебя тут двое дожидаются. Показывали удостоверения из милиции. Сейчас во дворе прячутся. И машинка у них маленькая такая, как букашка цвета апельсина, название только длинное, не могу запомнить». Я говорю: «Фольксваген»?» — «Ага, — отвечает, — он самый. А мне чего, про твой звонок не говорить, если снова придут удостоверениями своими перед носом трясти? И вообще, что это за милиция такая на букашках ездит?» А? Сан Борисыч, ничего баба? Во разведчик! «Молчи, — говорю, — не видала ты меня и не слыхала. Как, говоришь, выглядят-то?» Описала она мне их коротко, и понял я, что это те самые, сели на хвост. Посовещались мы с моей Ниной Васильевной, и я сразу к вам поехал. Она сказала, что вы и по субботам в своей конторе работаете. Ну да, конечно, когда каждый день когонибудь убивают... Нарисовала она мне ваш портрет, но меня к вам не пустили. Ждите, говорят, если хотите. Вот я и дождался. Очень Нина Васильевна точно мне вас описала, я сразу признал, как вы вышли.

— Ну вот видите, не было бы, как говорится, счастья, да несчастье помогло... Ладно, этот вопрос мы закрыли. Теперь скажите мне, что вам известно о взаимоотношениях Сергея Егоровича Алмазова и его компаньона, или как вы там его называете, Отара Санишвили? И еще мне необходимо узнать о роли Натальи Максимовой-Сильвинской, имея в виду то обстоятельство, что она была, по-видимому, близка и с тем, и с другим.

— Сан Борисыч, у меня железное правило: в дела своих клиентов я не лезу категорически. Вот и тут, охраняя Егорыча, я держал глаза открытыми, а уши— закрытыми. Про грузина могу сказать только одно: у них с Натальей этой вовсю любовь крутилась. Отарик ее звал «моя Кармен». Хотя он женат. А вот про Егорыча вы напрасно, он ни словом, ни делом ничего с ней не имел. И отношения у него с Отариком были вполне, можно сказать, хорошие, спорили, правда, бывало, не без этого, конечно, но только когда по делу. А вот жена Отарика, та скандалы закатывала! Как начнет вопить по-грузински, ни слова не понятно, а о чем вопит, даже дураку ясно. Я вам так скажу, Сан Борисыч, Кармен эта оторва — во! На большой палец. Отарик уж на что богатырь, а и тот от нее на карачках уползал, так она его выкачивала. А с другой стороны, такая, понимаете, сучара — и в самой Думе заседает! И в какой-то партии председательша! Какая сама, наверно, такая у нее и партия. Но вы лучше мне скажите, Сан Борисыч, я-то им на хрена сдался? Ну что Егорыча подорвали, тут ничего не поделаешь: за деньги да за власть они кому хошь глотку перегрызут. А меня-то за что?

Турецкий теперь знал за что. Кочергу им нужно было убрать сразу, чтоб и духу его не было, чтоб и концов никогда не нашли. Никто ведь, оказывается, не знал, что он отправился за границу. А «они», то есть те, что сели в алмазовский «мерседес» возле аэровокзала, прекрасно знали. Скорее всего, сам Алмазов и поделился с ними. Поди, спросили, а где водитель? «Картишками в Висбадене балуется мой верный телохранитель...» А как все было бы просто: взорвали банкира вместе с шофером, и точка. И никто не знает, что на месте водителя был в это время никакой вовсе не телохранитель. Но кто же? «А вот это уже твоя собственная забота, — Александр Борисович,— задавать себе вопросы». Пока же погибшего вместе с банкиром можно именовать «курьером». И что дальше? Дальше расклад таков: ускользнул, стало быть, шофер от тех, что за ним приходили, в Москве объявился, и теперь он очень опасный свидетель, поскольку наверняка видел тех, кто садился в «мерседес» возле аэровокзала. Впрочем, даже если и не видел или второпях не успел разглядеть, то все равно он теперь для «них» заноза, лишний, и от него, уже вспугнутого «ими», можно ожидать любой подлянки: либо его самого загребут менты, либо, что гораздо хуже, он сам к ним явится. Сказать все это едва пришедшему в себя Кочерге значит снова врезать ему под дых, а проще говоря, нокаутировать. Поэтому Турецкий решил, что важнее сейчас успокоить его, преуменьшить опасность, хотя делать этого, возможно, и не следовало.

— Не знаю, — тянул он, — может быть, они и не собирались вас убивать, а хотели сперва разузнать, что вам самому известно. Хотя, с другой стороны... В общем, так скажу, причем со всей ответственностью: вам, Виктор Антонович, надо сейчас быть предельно осторожным. Никуда не соваться, не появляться там, где вас знают, и прочее.

— Я тоже так думаю... Вот потому прямо от вас, ну как только вы со мной закончите, рвану к дружку своему, к Петренко. Одобряете?

Нет, этого Турецкий не одобрил. К тому же на дворе давно ночь, а кончать допрос он вовсе не собирался...

ВОСКРЕСЕНЬЕ, 8 октября

1

...Завершили они лишь под утро. Турецкий все задавал и задавал вопросы Кочерге. Потом, после неоднократных проверок и уточнений, стал излагать на бланке допроса свидетеля все свои вопросы заново и, подробно занося ответы, давал Кочерге подписывать каждый ответ и каждую страницу.

Светало. Оба устали как собаки. Кочерга был вялым и начал даже клевать носом: почти двенадцатичасовой разговор утомил его основательно. А ведь он еще собирался куда-то мчаться и прятаться. Чистое безумие. Хотя... как он сам говорил, за тридцать часов до своего любимого Висбадена?.. Или это речь шла о Франкфурте? Черт возьми, Турецкий чувствовал, что и у него самого все в башке перемешалось. Но отпускать сейчас мужика в любом случае было бы безумством. А если не отпускать, то что делать? Воскресенье же! Где и кого сейчас, на рассвете, искать?

— Виктор Антонович, — сказал Саша, пытаясь выглядеть бодрым, — знаете что, давайте-ка я вам вот тут, на кухне, постелю. Гости у нашего хозяина, как я понимаю, давно разошлись, все спокойно почивают. Давайте и мы с вами отдохнем, а утром, как сказано задолго до нас, все мудренее. Раскладушку я вам, во всяком случае, обещаю. И крепкий кофе утром.

— Да ведь и так уже утро, Сан Борисыч, — будто проснулся Кочерга и, увидев обеспокоенный взгляд следователя, как-то залихватски добавил: —Да вы за меня-то не бойтесь! Я знаете по сколько часов бодрствовать научился? Ого-го! А потом, я же к Петренко поеду, у него и отсижусь пока. У Петренко, Сан Борисыч, чистая Брестская крепость, ни из какой пушки не достанут, это я вам правду говорю.

«Ах, глупый ты человек, господин — или все-таки еще гражданин Кочерга!.. Кабы ты знал... Достанут, да еще так, что ты, дорогой, и крякнуть напоследок не успеешь...» Но говорить это человеку, который и так уже был основательно напуган. Турецкий посчитал не совсем уместным. Эх, ты, телохранитель без портфеля!..

— Я полагаю, будет самым правильным, если я вас лично доставлю к этому вашему другу Петренко.

—Да ну, зачем?! — бурно запротестовал Кочерга, и Саша его понял так, что ему, пожалуй, несмотря на весь свой страх, тем не менее не шибко хотелось выдавать следователю адрес друга и сменщика.

Впрочем, понять-то, конечно, можно: наверняка есть у них там свои дела, свой «гешефтик», как называет этот несомненно пахнущий криминалом бизнес Витек. А с другой стороны, какой бизнес сегодня в родном Отечестве не пахнет криминалом?..

— Ладно, — вынужден был во имя сохранения доверия согласиться Турецкий. — Валяйте, езжайте сами, но я вас все-таки провожу, принимается такой вариант? Вы— на своей вишневой, а я уж постариковски, на «жигуле». Или и этот вариант вас не устраивает? Впрочем, глядите, охоту ведь не на меня объявили. Я бы на вашем месте перестраховался... Тем более что сегодня я попрошу вас в обязательном порядке быть у меня в прокуратуре. И не волнуйтесь, вас не только пустят, но и проводят, чтоб, не дай Бог, чего не стряслось.

Сам же решил, что где-нибудь в районе девяти утра он произведет контрольный звонок Косте и сообщит, чем занимался всю нынешнюю ночь. Наверняка и тот захочет побеседовать со свидетелем. Значит, нужно встретиться в прокуратуре, а где же еще? Этот Кочерга верно заметил: убивают, сказал, ежедневно, когда ж следователям-то отдыхать? До того ли?

Но отпускать Кочергу одного Турецкий тоже не желал. Назначив время следующего свидания на одиннадцать утра, чтобы дать человеку поспать и прийти в себя, он пошел проводить его на улицу.

Вишневая «девятка» была запаркована в квартале от грязновского дома и в пятнадцати метрах от многострадального «жигуленка», Турецкий ободряюще улыбнулся Кочерге, по-приятельски махнул рукой и, когда его машина отъехала от бровки тротуара, пошел к своей. Оглянулся привычно, хвоста в столь ранний час не обнаружил, быстро сел за руль и... «Ну что?! Черт бы тебя побрал! Почему, когда надо именно позарез, зажигание отказывает?!»

Он крутил ключ и матерился вслух до тех пор, пока не посадил аккумулятор. Естественно, вишневая «девятка» не стала дожидаться и благополучно скрылась из виду.

Все, что можно было высказать в свой собственный адрес, не стесняясь ушей Всеслышащего, Турецкий немедленно и со страстью произнес. А между прочим, Всевидящий мог бы, наблюдая такого идиота перед собой, хоть намеком заметить: о мертвых-то обязательно позаботятся на небесах и как-нибудь без посторонней помощи, а вот тебе, Александр Борисович, следовало бы, прежде чем принимать решение, о живых подумать. А ты не взял ни адреса, ни даже телефона этого Петренко. И не спросил, как его зовут, будто этот Петренко в Москве один. Действительно, дурак! Впрочем, если сильно повезет, его координаты можно будет выяснить в банке (по Кочерге — в конторе) покойного Алмазова. Если, конечно, кто-нибудь слышал о шофере, которому банкир время от времени платил за работу наличными. Сомнительно, однако.

Да, Турецкий, дал ты маху... Что ж оставалось делать? Возвращаться домой и садиться плотно на телефон? А что, разве имелось другое, более разумное предложение?..

2

Так сколько же в Москве этих Петренко? Несколько лет назад, вспомнил Турецкий, по какому-то делу черт отправил его на Кубань, в одну станицу, где по следственным данным скрывался некий очень нехороший человек. Трудно было поверить, что на поселок, где проживает всего каких-то шестьсот пятьдесят человек, пришлось более двух сотен Петренко. В столице их, конечно, меньше, хотя, кто знает...

У Грязнова, естественно, имелась телефонная книга. Да не одна. И выпускает их уже не государство, как тому положено быть, а какие-то частные лавочки. Впрочем, наплевать, были бы Петренки... Они были: Петренко А.А., еще один Петренко, и тоже А.А., Петренко В.И., Петренко В.Г. и так далее. Страница, другая... «Сам виноват, вчера надо было думать. Или сегодня, но на рассвете...»

— Здравствуйте, — начал Александр торить свой собственный тернистый путь, — скажите, пожалуйста, к вам Виктор еще не приезжал? Виктор Антонович... Кочерга. Не знаете такого? Извините, значит, я ошибся... Доброе утро, здравствуйте, извините, что так рано беспокою, Виктор к вам не приехал? Кочерга... Простите... Извините, здравствуйте... Скажите, Виктор Антонович еще не появился? Простите... Доброе утро... А что, Кочерга не приехал?..

Его посылали на фиг, отвечали вежливо и не очень, коротко отсылали к черту... А кому, скажите, приятно вскакивать в воскресенье, да еще в восьмом часу утра, чтобы услышать ну совершенно идиотский вопрос про какого-то Кочергу с ударением на букве «е»?..

В ванную прошлепал Грязнов. На миг остановился и с философским равнодушием спросил:

— У тебя что, окончательно крыша поехала? Народ глаза еще не продрал, а ты его какой-то кочергóй (ударение на втором «о»)? Чего ты одно и то же бубнишь спозаранку? Лучше бы кофе сварил, раз делать не хрена...

Саша обреченно бросил трубку и побрел на кухню, которая ему порядком осточертела за прошедшую ночь. В шкафу он обнаружил пачку вполне «нормального» кофе, насыпал в турку, залил кипяченой водой и зажег газ. Чтобы не терять напрасно ставшего неожиданно дорогим времени, он, стараясь перекричать шум водяного потока в душе, начал не совсем внятно объяснять Грязнову причину возникшей заморочки. Вода продолжала литься, но Слава, видимо, слушал внимательно, потому что, когда Турецкий закончил и едва не опоздал поднять турку с газа, ответил:

— Не велика беда. Сейчас чего-нибудь придумаем. Для начала разбуди Дениса, хватит ему дрыхнуть, и посади на второй аппарат, дуйте в два голоса!.. А вообще-то совсем неплохо, что хороший человек жив остался, ничего— отыщем...

Дениса еще надо было разбудить. Он отворачивался, вертелся, полувставал и снова валился как подкошенный, наконец сел и стал тереть глаза. Но тер их, почему-то не открывая. Неожиданно спросил и своим вопросом застал Турецкого врасплох:

— А что, Татьяна Павловна уже ушла?

«Ну и дела! Ай да Славка!»

— Ты давай скорей просыпайся и получай очередное задание...

— Значит, у вас в гостях Грибова была?

— Ага, а что?

«Да в общем-то какое мне теперь дело? Просто она проходит у меня свидетелем... Однако...» И вспомнил ее круглые коленки...

Через четверть часа совместных стараний Турецкий услышал радостный голос Дениса:

— Дядь Саша, Виктор Антонович Кочерга на проводе!

«Значит, все-таки есть Бог!»

— Алло! Виктор Антонович! Это Турецкий. Срочно скажите ваш адрес и телефон! Вы мне очень нужны, и я за вами приеду сам... Нет-нет, ни в коем случае никуда не выходите, слышите меня? Ни-ку-да! Я как раз собираюсь в ваш район и заеду. Ждите!

Господи, а ведь какая тяжесть спала с души! Он доехал целым и невредимым, и это пока самое главное. Теперь надо срочно организовывать Кочерге защиту. Москва действительно превращается в Чикаго двадцатых годов.

— Куда идем, Денис, обратно в пещеры?

— Чего? — не понял Грязнов-племянник.

Турецкий уже хотел повесить трубку, но услышал голос Кочерги:

— Сан Борисыч, а я и сам хотел вам позвонить, только у вас почему-то был все время занят телефон. Вы мне написали его, а то бы я подумал, что ошибся. Так вот я про что. Я ведь припомнил для вас, ей-богу! Понимаете, я пока ехал сюда, все прикидывал, какая же буква была на пальце у того таксера. Ну на печатке-то его. И вот все время его руку на руле прикидывал. Так вот, Сан Борисыч, вспомнил-таки: не было у него никакой печатки, а была татуировка — синяя такая, выцветшая и не очень поэтому четкая. На каждом пальце по букве: «Гена» у него было, Геннадий, значит. Как раз четыре пальца на баранке, представляете?

Да, после всего пережитого за это раннее утро Турецкий теперь мог себе легко представить все что угодно...

На часах все еще не было восьми, и, следовательно, ни в одной конторе города Москвы, тем более в воскресенье, не было и не могло быть ни одного человека, к которому он мог бы обратиться за помощью. Нет, конечно, были дежурные бригады, следователи, оперативники, сам когда-то в таких ходил, но все они сейчас не по этой части. Начальник МУРа полковник Федоров наверняка еще видит последний сон и на службу рваться ни малейшего желания не имеет. Даже если его сейчас поднять и выслушать несколько незначительных упреков в свой адрес, он все равно прибудет в свой кабинет на Петровке никак не раньше десяти утра, надо же совесть-то иметь... Колес на сегодня, по всей видимости, также не появится: ремонт машины в наши дни, как, впрочем, и до наших дней тоже, все равно что починка Полярного круга или обратной стороны Луны. Клянчить машину у Грязнова Саша не решился бы ни за какие коврижки. Его «ауди» — это прежде всего его собственная (или собственный?), а, черт их всех разберет, «ауди». И если у нее, не дай Боже, что-нибудь испортится, что исключить невозможно, то тогда уж точно с хозяином не расплатиться и по гроб жизни. Нет, этот вариант сразу отпадает. Что же остается? Неужели — Мефодьич?..

Другого выхода не было, и тогда Турецкий решился звонить Юре Федорову. Пока полковник могуче зевал в трубку и никак не хотел понять, кому это он понадобился в такое время, когда на улице еще темно, Саша обрушил на его голову, словно шквал, да какой там шквал — торнадо! — сногсшибательную новость о явлении с того света покойного, естественно, шофера и телохранителя банкира Алмазова. Юра был потрясен, но не настолько, чтобы не задать глупый вопрос: ну явился и явился, а будить-то зачем, неужели нельзя было дать нормальному человеку хоть раз нормально выспаться. «Нет, дорогой, шалишь, у нас этот номер не пройдет!» И Турецкий снова обрушил на начальника МУРа уже целый комплекс оперативных действий по вновь открывшимся обстоятельствам, но самое главное — по охране Виктора Антоновича Кочерги. Заодно добавил ориентировку на таксера Гену, на двоих преследователей Кочерги, выдающих себя за работников милиции — узколицего рыжего и «чечена», вместе с их апельсиновым «фольксвагеном». Юра понял, наконец, всю бессмысленность своего сопротивления и стал послушно записывать информацию, зевая в трубку с такой силой, что Турецкого и самого потянуло в сон и он едва не клюнул носом в телефонный столик.

Ну вот, кажется, и все. Да не тут-то было.

— Ну а как же с твоей последней версией теперь будем? — ехидно спросил Федоров. Проснулся-таки, язва.

— Это с какой же? — удивился Саша. — Их там у нас, по-моему, что-то около десятка набралось... Так тебя-то какая, собственно, волнует?

— Последняя, последняя, — его голос становится язвительным до безобразия. — Та, на которой ты особенно настаивал. Помнишь, как ты нас с Меркуловым уверял, что убийство было направлено не на банкира Алмазова, а на его водителя Кочергу?

Юра, надо отметить, очень удачно умеет копировать чужие интонации. Но в данном случае он промахнулся.

— Ничего подобного, дорогой. Проснись и вспомни, о чем я говорил. Эта моя последняя версия не только остается в силе, но приобретает, как это ни прискорбно, еще большую достоверность. Я ведь не утверждал, что убийца охотился конкретно за Кочергой, я сказал: убийство было направлено на водителя Алмазова. А это далеко не одно и то же, поскольку за рулем мог находиться кто угодно, включая германского канцлера.

— Ну-ну...

На этом «ну-ну» Федоров ставит точку на своей язвительности и переходит на привычный деловой тон.

— Слушай, Александр, я распоряжусь, и думаю, что часа через два мы сможем организовать твоему Кочерге подходящий апартамент. Но быстрее никак не смогу, мне ж, сам чувствуешь, надо целую службу на ноги поднять. Давай, я записываю адрес и телефон этого твоего Петренки, а ты уж возьми на себя труд и предупреди молодца, чтоб он никому, ни единой живой душе дверь не отворял, кроме как на два длинных звонка и два коротких. И к телефону пусть больше не подходит с первого сигнала, а ждет повторного звонка.

3

В коммерческом гараже, где работает Мефодьич, телефон, конечно, есть, но звонить туда в это время может только ненормальный. Или «новый» русский. Турецкий не был ни тем, ни другим и к гаражу ни малейшего отношения не имел. Но зато он уже достаточное количество лет знал Мефодьича. Полностью его величают Юрий Мефодьевич Малинин, он механик золотые руки, но при этом непревзойденный фантазер. С машинами он может делать чудеса, но... только когда загорается. Что бывает с ним нечасто. В остальные дни Мефодьич толковый исполнитель — не более. Но ценит его гаражный народ именно за краткие минуты взлета духа.

Надо было видеть, как он работает. Ну вот, скажем, боковое стекло заедает. Мефодьич расстилает брезент, в мгновенье ока разбирает всю дверь, что-то урчит про себя — не то поет, не то стонет от презрения к автомобилестроителям, затем все собирает и ставит на место. И дверца, и стекло работают идеально, но на брезенте остается кучка мелких деталей, винтики какие-то, гаечки. Их он с презрением отпихивает носком ботинка: «Выкинь к такой-то фене!» И ты видишь, что детали действительно лишние, без ума поставлены, только мешают. Вот такой человек. И так во всем.

Мефодьич проживает в пятиэтажке, старой еще, хрущевской, из первых, и неподалеку от гаража. К нему можно, конечно, послать гонца и попросить приехать, объяснив ситуацию. Можно, но — непорядок. За ним следует ехать самому. Что Саша немедленно и сделал.

Дорога не слишком длинна: тридцать пять минут на метро— это хороший и здоровый сон, затем пересадка и пять минут ходьбы. Долго объяснять Мефодьичу нет необходимости. Он краток: не заводится, так. Батарею посадил, так. Ясно. Будем ехать.

В коммерческом гараже Мефодьич долго ходит между машинами, выбирает, на какой ехать, останавливается на роскошной малиновой «вольво». Затем идет куда-то в угол, гремит ключами, выносит на свет божий чемодан, где содержит все свое хозяйство, включая добротную кувалду, следом вытаскивает «свежий», надо понимать, аккумулятор, все укладывает во вместительный багажник, и они, наконец, тронулись.

Минут через двадцать Мефодьич уже приступает к «жигуленку», а его тупому хозяину велит не вертеться под ногами и идти по своим дела. Машинка, говорит он, скоро поедет. Ну, раз Мефодьич уверен в себе, а точнее, в этой старой тачке, можно спокойно отправляться домой: звонить на квартиру Петренко и планировать дальнейшее свое существование в зависимости от той суммы, которую, не торгуясь, назовет механик. Между прочим, когда он «в ударе», так сказать, он клиента не грабит. Вероятно, талант, точнее его спонтанные проявления постоянно соседствуют с совестью. Одно без другого никак — и Мефодьич тому живой пример. Турецкий подсчитал свои жалкие купюры, прикинул, что должно хватить, на худой конец, у Грязнова можно занять под отпускные, так что все в норме. И только после этого он дважды набрал номер Петренко. Все правильно. Кочерга взял трубку только после второго набора.

Он сообщил, что послушно сидит в ожидании своих телохранителей, только вот одна случилась незадача: курева нет. А, как на зло, курить припекло чуть не до смерти!

— Потерпите, Виктор Антонович, ведь уже десятый час. Они обещали быть к десяти. Я вас очень прошу, сидите и не рыпайтесь, для вашей же безопасности, неужели до сих пор не ясно?!

А между прочим, это Турецкий на Славкин будильник смотрел. На его собственных было уже десять, и с маленьким хвостиком. Что-то непонятно: задерживается славное утро...

Позвонил Федорову домой — долгие гудки. Ну конечно, он же выехал на работу. Телефон в его кабинете тоже молчит. Куда народ подевался?.. Косте сейчас звонить почему-то не хотелось. Турецкий решил сперва закончить с Кочергой, привезти его в прокуратуру, а уж тогда и предъявить водителя-телохранителя Меркулову. Лишние советы ему в настоящий момент тоже ни к чему. Он отправился в соседний двор, где Мефодьич возился с машиной.

— Будь он неладен, этот твой паршивец! — так он встретил появление хозяина.

— Что, Юрий Мефодьевич, совсем беда?

— Да какая беда! — недовольно буркнул он. — Мелкие неприятности. А ты, Александр, друг мой, давай-ка меняй по-быстрому машину. Негоже на подобной развалюхе ответственному человеку позориться.

— Так ведь новый транспорт больших денег стоит...

— А ты, значит, не играй в неподкупного, станешь вон на той кататься, — Мефодьич кивнул на малиновую «вольво».

— Не по чину мне такая.

— Вот и я о том говорю, — согласился неожиданно Мефодьич. — Ну, батарейку-то я тебе заменил. Эта хоть и не новая, но послужит, а твою в гараж заберу, там энтого дерьма не считают.

— Значит, теперь поедет?

— А чего ей не ехать?.. Говно, конечно, машинка-то, но еще побегает.

— И что же, на этот раз ни одной лишней детали? — вспомнил Саша его обычай всякие винтики-гаечки носком отпихивать.

— Дак откуда ж им тут быть, если я ее уже десяток раз перебирал? — Мефодьич выпрямился во весь свой рост, набычился и взглянул поверх очков.

— И то верно, Мефодьич. Сколько я тебе должен?

— По-божески... Полтинник приготовил? Ага? Ну еще десятку добавь, на бензин. На, держи ключи.

Что ж, по нынешним временам действительно по-божески. Мефодьич небрежно сунул купюры в карман куртки и обошел машину со всех сторон. Зная эту его привычку— вечно оставлять инструмент где ни попадя, Турецкий ходил за ним и подбирал с асфальта отвертку, ключ, почему-то зубило. Наконец все вроде собрано, старый аккумулятор небрежно засунут в багажник «вольво». Мефодьич знаком пальца показал, чтоб Саша завел движок. Мотор радостно зафырчал. Мефодьич, склонив голову, послушал урчание двигателя, резко высморкался в сторону с помощью двух пальцев и, уже не глядя на Турецкого, махнул рукой: ладно, мол, работает — и хрен с ней, поехал я...

4

К дому Петренко он подкатил к половине двенадцатого. Все правильно: улица Крупской, угловой. Теперь бегом на второй этаж. Что за чертовщина?! В двери торчит записка.

«А.Б.! Выбежал буквально на две минуты за сигаретами. Извините, никакой мочи нет! В.К.»

Стремглав, через несколько ступенек, планируя вдоль лестничных перил, он вылетел на улицу. Вишневой «девятки» не было. И вообще, во дворе пусто. Он что же, за сигаретами на машине поехал? А кто их знает, этих сумасшедших картежников! Саша обежал весь двор, заглядывая зачем-то за каждый помойный бак. Наконец, выскочил на улицу. Никого. То есть народу-то, конечно, полно: самый разгар дня. Но Виктора нигде не было видно. Тогда он снова вознесся на второй этаж петренковской «Брестской крепости» и нажал кнопку звонка соседней квартиры. После непродолжительной паузы, не спрашивая, кто, ему открыла дверь женщина средних лет. Она вопросительно посмотрела на Турецкого. Интересный какой здесь народ проживает — никого не боится!..

Сдерживая рвущееся из груди дыхание, стараясь говорить как можно спокойнее, он спросил:

— Извините, пожалуйста, вы не заметили, когда из этой квартиры вышел человек? Вот он записку мне оставил, — и протянул ей листок.

— А-а, это тот, который к Петренке приезжал? Да уж, думаю, не меньше часу прошло. Ну конечно, он же еще у меня карандаш просил, записку вот эту написать! Дверь-то захлопнул, а только после про записку сообразил.

— Около часу?!

— Близко к тому, — пожала плечами женщина. — А может, и маненько больше, я на часы-то не глядела. Не знаю, после не приходил, а чего и не погулять?..

Саша снова спланировал вдоль перил. Уже внизу мелькнула спасительная мыслишка, в которую почему-то никак не верилось: а вдруг его уже муровцы забрали? Но едва он выбежал из парадного, всякая надежда исчезла, потому что во двор как раз въезжал муровский «мерседес», и из него боком стал выбираться Володя Яковлев. Майор неторопливо поправил на себе серую тужурку, перетянутую портупеей, и удивленно поглядел на Турецкого.

— Александр Борисович? — И, подходя совсем вплотную, добавил по-свойски: — Саша, а ты чего тут делаешь? Нас что ли, встречаешь? А мы вот за твоим подопечным... — Потом добавил негромко: — А местечко мы ему приготовили! Оближешься, но нашу хату не отыщешь.

— Где у вас телефон? — кинулся к «мерседесу» Турецкий.

Схватив трубку радиотелефона, срываясь пальцем, он не без труда набрал номер телефона жены Кочерги. Нет, к ней он не приезжал. Звонил?

— А как же! — совершенно не удивилась вопросу жена, Нина Васильевна. — Он меня, можно сказать, официально предупредил, что находится у своего приятеля Петренко...

— Идиот... — бессильно пробормотал Турецкий, уже понимая, что случилось самое непредвиденное и самое худшее.

— Не поняла? — переспросила жена Кочерги.

— Извините, я не вам... Ну, и что же произошло дальше?

— Ничего особенного, — спокойно продолжила Нина Васильевна. — Предупредил еще, что милиция к нему охрану приставляет, поэтому он появится не скоро... А потом, Александр Борисович, позвонили эти самые, из милиции, ну, которые охранять его должны, и я им сказала, что он их ждет у Петренко. Адрес тоже назвала, Виктор же ничего по этому поводу мне не сообщал... А что? Чего-нибудь не так?

— Все не так, — сказал Турецкий уже не в трубку, а Володе, который не спускал с него напряженного взгляда. Тупо осмотрев зачем-то антенну радиотелефона, Саша протянул трубку Яковлеву.

— Похоже, мы крепко опоздали? — тихо сказал он.

Турецкий лишь кивнул.

— Вот что, Володя, давай быстренько по своим каналам узнавай по адресу Кочерги на Большой Бронной телефон его соседки Лидии Зубовой.

Уже через минуту Турецкий разговаривал с соседкой, и от ее первых же слов тоска клещами сжала ему виски.

— Да ведь он же дома!.. С приятелями, что ли какими приехал, я их голоса слышала. Да вы не вешайте трубку, я сейчас схожу к нему, кликну...

Он слышал, как застучали каблучки Зубовой по коридору, слышал стук по дереву и ее слова:

— Витя! Витя, тебя тут твой друг Александр Борисович спрашивает! Вить, ты что, спишь, что ли?

И следом:

— О-о-ой! О-о-ой! Ма-а-ма-а!

А они уже неслись под этот крик через всю Москву, к Садовому кольцу, потом — к Патриаршим прудам и вот, наконец, финиш — Большая Бронная. Конец пути. Конец жизни хорошего человека Виктора Антоновича со смешной фамилией Кочерга.

«Каюсь перед смертью. Это я по указке Санишвили подложил бомбу, убил С.Е. Алмазова и его приятеля, который мне незнаком. Не могу больше жить после этого. Прощайте. Мне нет прощения.

В. Кочерга».

Висел он очень аккуратно, по всем «правилам» самоповешения, описанным в учебниках криминалистики и судебной медицины. И подпись на предсмертной записке — точно такая же, как на страницах протокола допроса. И на столе у двери, где стояли сейчас Турецкий с майором Володей Яковлевым, как положено, початая бутылка водки и стакан, под которым прощальное письмо. Подложено аккуратно.

Но Саша ничему этому не верил. Ни на миг не верил картинке, так ловко и убедительно нарисованной убийцами Виктора Антоновича. Правда, вопрос, насколько убедительно, еще предстоит выяснить медикам и криминалистам.

Майор снял ботинки и в носках подошел к повешенному.

— Так... доктор нам уже не поможет, — мрачно сообщил он, словно обращаясь к покойному, и вернулся к двери.

— Вызывай дежурную группу, Володя. И еще личная просьба к тебе...

— Слушаю, Александр Борисович, — почему-то снова перешел на официальный тон Володя.

— Пока бригада не приехала, сделай милость, допроси соседку...

— Нет вопроса, а... А ты что?

Турецкий поморщился от того, что, к сожалению, в данный момент ничего не может объяснить толком этому славному парню. Можно было бы, конечно, сказать ему, что перед ними наверняка имитация самоубийства и надо бы подойти к месту осмотра происшествия именно с этой точки зрения, но... Рано. Вместо этого он попросил Володю сообщить о случившемся его начальнику, то есть Юре Федорову, с тем чтобы тот, если сочтет нужным, позвонил Меркулову. Впрочем, с последним можно и не торопиться: ничего ж теперь не изменишь, а нервы надо иногда жалеть, даже когда они не твои, а начальства. Показалось, что Володя все прекрасно понял: не надо никуда торопиться. Тем более что явный провал в общей операции. Значит, хвастаться сейчас нечем, а по шее схлопотать всегда успеешь...

С тем Турецкий отбыл в направлении аэропорта Шереметьево. Оставалась последняя зацепка, имя которой было Геннадий. Или Гена. Изображенное на пальцах правой руки.

5

Время для посещения Шереметьева он, конечно, выбрал не самое удобное, середина воскресного дня — не лучшие часы для таксистов в аэропорту. Главные «денежные» рейсы прибывают по утрам. В середине дня наблюдается затишье. Поэтому, отыскав себе с трудом место для стоянки, Турецкий немного покемарил за рулем: устал, да и весь сегодняшний сон уложился в тридцать пять минут поездки на метро к Мефодьичу.

Когда он проснулся, перед зданием порта уже выстроилась вполне приличная вереница «такси» без всяких опознавательных знаков. А сами «таксисты» кучковались у входа, возле раздвижных прозрачных дверей в ожидании подходящих клиентов. Пора было выбираться в народ.

Вразвалочку, руки в карманах, в грязновской кепочке, сдвинутой на затылок, Турецкий подошел наугад к одному из «извозчиков» — молодому белобрысому пареньку в синей бейсбольной шапочке с надписью «Калифорния».

— Подкинешь в центр?

Белобрысый смачно сплюнул, глядя на свое отражение в стеклянной двери, и после продолжительной паузы, во время которой он, надо думать, размышлял: стоит или нет принимать предложение, лениво процедил:

— Валюта есть?

— Дойчемарки, — небрежно хмыкнул Саша и тоже сплюнул. — Сколько?

Но тут к «бейсболисту» подвалил некто усатый, что-то шепнул на ухо, и белобрысый тут же слинял, не успел Турецкий и глазом моргнуть.

— У тебе марки? — с наглым кавказским акцентом спросил новый «таксист» и посмотрел в упор выпуклыми блестящими глазами. — Па-ка-жи!

— А куда торопиться? — возразил Саша. — Вот встречу приятеля из Германии, у него и будут марки. А потом мы с ним в центр махнем. На Фрунзенскую, понял, друг любезный? А тебя, кстати, случайно не Геннадий зовут? — спросил просто так, может, он знает.

— Ага, — равнодушно махнул тот ладонью, отходя, — Хрынадый!

— Ну и хрен с тобой, — буркнул Турецкий себе под нос. Этот «товарищ» явно для душевной беседы не подходил.

Погуляв вдоль фасада зала «прилета», он выбрал в ряду стоящих автомобилей один, за рулем которого сидел определенно таксист, и со стажем. Это был солидный дядька, который читал «Литературную газету». Подошел к его открытому окну.

— День добрый, отец.

— Привет, коли не шутишь, — ответил он и снял очки.

— Скажите, папаша, вы здесь не знаете такого Геннадия? Он небольшого роста, худенький и с усиками. В такси работает.

— А на кой он тебе сдался, сынок? — с иронической ухмылкой протянул «отец».

— Деньги я ему должен, — обрадовался Турецкий завязавшемуся разговору. — А адрес мужика потерял, пока в город ехал.

— Откуда ехал-то?

— Да из Смоленска, — сказал первое, что пришло в голову.

— Это что ж, специально чтоб долг отдать? Такой агромадный? — засмеялся он, и стало понятно, что туфте этой он ни чуточки не верит.

— Да не, что вы, батя, — продолжал разыгрывать простака Турецкий.— Нынче-то пришлось по делам. А меня золовка просила найти этого Геннадия.

Откуда-то, как черт из банки, снова возник белобрысый «бейсболист».

— Чего ему от тебя надо, Васильич?

— Да вот, приехал человек из Смоленска, ищет Геннадия-шофера, чтоб, значит, долг ему отдать. Ты про такого знаешь?

— А чего не знать? Конечно! Он толстый такой, на грузовике ездит.

— Не-е... — возразил Саша. — Геннадий — худой и с усиками. Вот такой, — показал он ладонью примерно на уровне своей груди.

— Такого не знаю, — покачал головой белобрысый. — Ну что ж, тогда пойду приятеля из Германии встрену, а потом посмотрим...

— Эй, смоленский! — крикнул «бейсболист» вслед. — А ты ему много денег-то задолжал? А то давай, я найду его и отдам, а?—И он заржал, очень довольный своей остроумной шуткой.

В туалете Саша снял куртку и кепку, намочил и пригладил волосы и направился в справочную «Аэрофлота». Очень симпатичная девица с изящной фигуркой и точеным личиком объяснила ему, что списков прилетающих пассажиров у них нет, но в Берлине представителем их фирмы работает ее хорошая знакомая, и предложила погулять, пока она с ней свяжется. Недолго, минут десять — пятнадцать.

Саша поболтался по залу, выпил в буфете стакан минералки, купил в ларьке смешного слоника для Нинки, снова подорвав свой из без того хилый бюджетец, основательно подчищенный Мефодьичем, хоть тот сегодня обошелся с клиентом очень даже по-человечески. Но... Он понимал, что мы лишь предполагаем, а Бог, как известно, располагает. Словом, подойдя через некоторое время к справочной, Саша увидел приятную улыбку милой девушки.

— Быстренько давайте мне ваш факс, — с ходу сказала она.

— Что?! — ничего не понял Турецкий.

— Мне нужен номер вашего телефакса, — стала объяснять она. — И на него моя подруга передаст вам список пассажиров рейса из Берлина. Понимаете?

— Ах, ну конечно! — Он так и рассыпался в благодарности. Потом продиктовал красотке номер факса Генеральной прокуратуры.

Но ведь сюда летят не только аэрофлотовские машины. Есть еще «Люфтганза», есть другие компании. Представителя «Люфтганзы» Турецкий отловил довольно скоро, увидев в одном из коридоров высокого беловолосого, явного немца, со значком фирмы на пиджаке. Убедившись, что он может понимать и даже говорить по-русски, Саша предъявил ему удостоверение прокуратуры и объяснил свои трудности.

Тот молча выслушал, не выдавая своих чувств ни словом, ни жестом, и заявил с несколько жестким акцентом:

— Извините, но этого я сделать для вас не могу, потому что это не входит в круг моих обязанностей. Если вам очень необходимы списки всех пассажиров, прилетевших из Франкфурта, будьте любезны, сами полетайте... да, полетите туда и предъявляйте там вашу красную книжку.

Он был, конечно, любезен, но от этой его любезности у Турецкого зачесались ладони. Усмехнувшись и тем самым демонстрируя свое полное понимание проблем этого паршивого немца, Саша тем не менее спросил:

— А где вы так хорошо изучили русский язык?

Улыбку любезности враз смыло с лица белобрысого. Ни слова не говоря, он двинулся по коридору. Но, пройдя три-четыре шага, все-таки обернулся:

— В школе, господин следователь, в школе! — услышал Саша сухой и чеканный ответ.

— Вот как... — В школе, значит. Другими словами, в ГДР. Достали этого немца, по всему видать, наши правоохранительные органы вкупе с его родным «Штази».

За прошедшие полчаса картина перед зданием аэропорта изменилась: новые знакомцы из водительского мира, по-видимому, наконец, дождались подходящих клиентов и покинули площадь. Это хорошо, ибо их внимание начинало Турецкого несколько тяготить. Особенно когда оно исходит от наших бывших южных братьев из Страны Советов.

Он снова обошел всю площадь, разглядывая толпу. Увидел двоих знакомых оперативников с Петровки. Те были в штатском и определенно работали, а не встречали кого-нибудь из пассажиров. Саша сдержанно кивнул им, они ответили тем же и отвернулись. Снова прошел вдоль новой уже цепочки такси, заглядывая в каждую «Волгу», в которой сидел водитель, и изучая таким образом контингент. И, наконец, угадал его.

6

Красивый хлопец с темным косым чубчиком надо лбом, небольшими усиками, с острыми глазками, которые так и шарили по сторонам в ожидании клиента, — он стоял, прислонившись к стене и ловко лузгал семечки, снайперски точно сплевывая шелуху в урну в метре от себя. Был он неширок в плечах и росточком — примерно так, как и предполагал Турецкий. В общем, субтильный такой парнишечка. Саша прошел мимо него небыстрым шагом, проследил за рукой, которая, подобно клюву, ловко поддевала подсолнухи с левой ладони и кидала в рот. И еще до того, как сумел-таки разглядеть на его пальцах синеватые буковки, уже знал, что это и был искомый «таксер Гена». Для страховки прошелся еще раз: парень стряхивал с кожаной куртки приставшую шелуху. Потом он достал из кармана брюк носовой платок, не спеша, тщательно вытер руки, и на пальцах, сжатых в кулак, Турецкий прочитал... «СЕНЯ». От неожиданности он прошел еще метров пятьдесят, обернулся и не нашел парня. Этого еще не хватало! Он ринулся обратно, стал озираться во все стороны и, наконец, увидел его: шофер шел между машинами к своей серо-бежевой «Волге». Нет, это все равно он, не важно, Гена или Сеня. Саша ведь тоже не сразу разглядел надпись, а ведь ему надо было. Ну а Кочерга, тот как бы между прочим смотрел, никакой особой цели не имея. Мог и ошибиться, благо, написание букв похоже.

От бровки отъехал красный «сорок первый» «Москвич», и Турецкий увидел номер «Волги». Ну все, слава Богу, теперь Сеня может отваливать в любую сторону: все равно он на крючке. Найти нетрудно... Постой, сказал тут же сам себе, а зачем же его искать, если он рядом? Бред какой-то. Это, видимо, от лавины неудач в мозгах такой затор получился. Никуда его отпускать не надо!..

Саша заметался по площади, но — все в порядке: оперативники никуда тоже не ушли. Договориться с ними о помощи было делом одной минуты...

Семен Иванович Червоненко ничего не мог понять. Он тряс головой, но в глазах светились абсолютные нулики. Турецкий в сотый, наверно, раз настойчиво пытался объяснить ему, что никаких претензий прокуратура конкретно к Семену Ивановичу не имеет, а просит о помощи. Наконец, кажется, до испуганного Сени дошло, и он подтвердил, правда, поначалу не очень уверенно, что работал во вторник шестого октября, и работал тут, в Шереметьеве. Его смена была от трех дня до одиннадцати вечера, по графику, это уж он твердо помнил. Но вот кого возил, куда и когда — этого никак не мог вспомнить. Он стрелял глазами в работников воздушной милиции, в кабинете которой учинялся допрос, будто те могли ему что-нибудь толковое подсказать. Господи, вот только такого еще дурака не хватало на грешную голову Турецкого!..

И он начал задавать наводящие вопросы:

— Семен Иванович, давайте попробуем вместе восстановить забытую вами картину рабочего дня в тот вторник. Значит, — вспоминаете? — около пяти вечера вы взяли двух пассажиров вот там, у выхода из зала прилета, и повезли их на Ленинградский проспект, к аэровокзалу, так? Когда они вышли из вашего такси, вас тут же перехватил другой человек, который попросил отвезти к себе домой на Большую Бронную. Припоминаете теперь?

Сеня долго рассматривал следователя из Генеральной прокуратуры, и в глазах его плавилось сомнение. Потом он переводил взгляд на милиционеров и разводил руками. Видимо, чувствовал в словах Турецкого какой-то подвох, очень для себя опасный, и не хотел ни в чем сознаваться. Нет — и все. Иди сам доказывай: не был, не видел, ничего не помню. Лучшая защита. Но в конце концов, совесть у него заговорила или он сам решил маленько сбавить пар.

— А гди ж вона та Большая Бронная вулыца? Шо-то я не знаю такой вулыцы.

— А вы давно работаете в такси?

— Та вже ж седьмий рок, а шо? Та ни, у Москви всего два мисяца. Мы украиньски переселенцы, с Таджикистану. Там такое деется, шо мы с жинкой руки в ноги та сюда сбегли. Ще гарно, шо жинкин братан туточки обосновався. Он мени к себе у таксопарк зараз и пристроив. Ну а цей таксопарк приказал долго жити, так мы с братаном жинкиным частным образом працюемо.

Ну и смесь! Турецкий уже начал сомневаться — он ли?

— Большая Бронная находится в центре города, недалеко от Пушкинской площади и Тверской улицы. Вот, посмотрите на карту, — Саша подошел к большой карте Москвы, висевшей на стене. — Следите, вот Шереметьево. Вы ехали по Ленинградскому шоссе, потом — проспекту. Вот тут аэровокзал. Вот едете дальше — улица Горького, теперь Тверская, Садовое кольцо. Вот тут Патриаршьи пруды...

— Во! — радостно воскликнул, наконец, Сеня. — Так воно и було. Вспомнил! Товарищу следователь, да нешто я вас обманываю? Забыв я, плохо ще Москву знаю. А насчет мужика вы говорите правильно, сюда его вез. До этой, как вона... на Бронную! Он же ще в одной рубашке був, ще казав, шо змерзну, дуба дам. А шо с ним? Я ж ничего такого не заметив. Нормальный мужик був. И заплатил гарно. А шо, може вин вбыв кого? А как же ж вы меня-то найшлы? О це работенка ж у вас!

— Семен Иванович, давайте теперь, раз вы уж этого, в рубашке, вспомнили, постарайтесь припомнить все сначала, если можно. До того, как вы поехали на Большую Бронную, кого вы брали в аэропорту, куда везли, что они вам говорили, словом, постарайтесь все вспомнить, даже, может, не существенные для вас детали. Вот это нам сейчас очень важно.

Червоненко снова виновато наморщил лоб.

— Ни... товарищу следователь. Хоть ножом режьте. Мужика, точно, вез! — В его голосе послышалось отчаянье. — А вот когда ж то було, хоть вбейте... Може, во вторник, а може, и нет...

— Я чувствую, нам с вами, Семен Иванович, придется спокойно и методично припомнить все, что вы делали во вторник до работы. И после. Когда закончили свой трудовой день, что делали в среду с утра, то есть выстроить цепочку конкретных дел, понимаете? А вслед за ними у нас выстроятся и детали, подробности. Это, между прочим, очень помогает. Не пробовали?

Червоненко несколько минут раздумывал, прикидывал что-то про себя, наконец вымолвил (именно так!):

— А вы, звыняюсь, случаем, уж не мэни ли подозреваете, товарищу важный следователь?

Ну и загнул! Так Турецкого еще не именовали, даже в высшем приступе подхалимажа...

—Та вы ж тады так прямо и кажите, а то — тэ да сэ... Я ж того змэрзлого тильки и видел, як вин мэни остановыв, сил с заду, тай и казав: «Змирз, гони, шеф, на Бронну». А я ему: «А дэ ж вона така вулыця? На шо вин верно казав, товарищу важный следователь, шо сперва по вулыци Гирького, шо е Тверьская, и до Пушкина...

— Вот чем хотите поклянусь, Семен Иванович, — Турецкий истово оглядел углы милицейской комнаты, словно в поисках модной ныне иконы в красном углу. — Не имеем мы к вам ни малейших претензий, ни в чем не подозреваем. Однако вы лично можете подсобить нам поймать очень важного уголовного преступника, точнее убийцу, понимаете? Все только от вас зависит, от того, вспомните вы или нет. Но мы в любом случае будем вам благодарны...

«Господи, — взмолился Турецкий, — неужели удалось проникнуть в душу этого трусливого — а между прочим, с чего бы быть ему храбрым, если он переселенец и бытует в столице на птичьих правах? — «таксера»? Но, с другой стороны, как всякий нормальный... ну да, именно советский человек, он должен помнить, что просто обязан в силу сложившихся (и не самых худших) стереотипов помогать правоохранительным органам. Это же у нас у всех в крови. В молоке материнском...»

Червоненко размышлял, а на лице его отражались не самые сложные мысли. Турецкий больше всего боялся, что он сейчас скажет: «А к аэровокзалу я приехал пустой».

— Та-ак, — Семен Иванович выставил пистолетом указательный палец. — Вторник... Жинка с утра велела ихать к Игорю... Да то не важно, бо я ей казав, шо не пойду. У мэнэ, звиняйте, «дворники» э-э... сперли... — Было понятно, что он хотел сказать, вместо слова «сперли». — Потому я с утра собрался на рынок. Два часа я мотався и найшол «дворники». Ось туточки я и подумав, шо два часа потеряны, а як их наверстать, не бачу. Рейшив ихать в аэропорт. Валюта, то да се...

Неприятная была эта исповедь Червоненко, это можно понять, но и следствию нужна была каждая минута его рабочего дня.

— Двух дамочек отвез. Одна такая худюща, а зла, як видьма.

— А сколько было тогда на часах, Семен Иванович?

— Та два, чи полтритього...

— Тогда про женщин не надо, давайте сразу следующих пассажиров.

— Так я ж снова вернулся в Шереметьево, а там вже уси места позанималы. Там же, ну... туточки. — Червоненко опасливо оглянулся и, понизив голос, добавил: — Усе ж схвачено, круговая порука, товарищу важный следователь. Тут же ж одна шайка-лейка...

Да, ему действительно есть чего бояться: заяви он парням из той же воздушной полиции об этом, вмиг лишился бы не только дневного заработка, но, возможно, и много большего. Уж Саше ли не знать?

— Ездю я, значит, вокруг, приткнуться негде, а тут бежит ко мне молодой парень, с виду иностранец, и рукой машет. Я притормозил, окно опустыв, а вин мэни нэмэцку бумажку суе, тай каже: «Вот тоби пятьдесят марок, та давай гони на Ленинградский проспект». А сам вже заднюю дверь открыл, тай сел.

— Во сколько это было?

— Та я думаю, шо у пять годын... часов, товарищу важный следователь.

— А что, разве он был один?

— Одын. Я усе гарно помню... Як вин выглядел? Ну, спортивный. Джинсовый весь. Волосы короткие, темные, як у вас. И ростом, кажу, с вас. Лет? Ни, нэ боле тридцати...

— Он был с багажом?

— Та ни. Баул такий, сумка, уся на молниях. И куртка уся на молниях, змейки таки...

— Вы о чем-нибудь с ним говорили по дороге?

— Ни, товарищу важный следователь. Он напряженный був. Я ж его в зеркале бачив: спешил вин, нервничал, шо на красном стоим, но и не гнал. Едем мы вже по Ленинградскому проспекту, а вин вдруг каже: «Стой, у рыбного магазину!» Ну а я пока расчухался, где вин, тот рыбный, вже проскочил малость. Он чуть не на ходу выскочил, но «спасибо» на забув. Так вот же ж, я тильки сигаретку закурыв, ну, хвилынка, чи две, от бровки отчалив, а тут и тот, шо в рубашке, змерзлый, мэни руками замахав...

— А вы не видели, куда пошел ваш пассажир? Может, его кто-то ожидал? Встречал кто-нибудь?

— Та шо я кажу, може, кто и ждав. Да вин же ж взад побежав.

— Когда вы останавливались или проезжали мимо этого рыбного магазина, вам никто в глаза не бросился?

— Так я ж тот рыбный выглядывал, а людей не бачив... Ай, нет же ж! Помню! Стоял. На самом углу. Высокий такий, в темном плаще. Я почему вспомнил-то, товарищу важный следователь, он же ж на самом углу стоял, я ще подумав, шо за дурень! Его ж сшибить — чистое дило! На самой бровке...

Турецкий подался всем телом к нему:

— Опишите его, пожалуйста, детальней, как только сможете!

— Так шо ж, уси и детали... Бильше я ничего не помню... Если б борода или усы... О, кажись, усы булы, таки махоньки... А може, ни...

— А плащ какой — длинный, короткий?

— Длинный, — уверенно сказал Червоненко. — Ось до сих, — он показал ладонью середину голени. — И темный. Не, не черный, но темный, да...

— Скажите, Семен Иванович, а если мы вас очень попросим, вы можете помочь нам составить фотороботы? На того, что стоял, и того, которого вы везли с баулом из аэропорта. А какой, кстати, баул-то был?

— Иностранный, — уверенно ответил Червоненко. — Из материи, вроде джинсы, и молний много, я вже говорил... А шо це за фоторобот?

— Ну портрет такой словесный составляется. Вы вспоминаете и рассказываете: какие волосы, какой длины, какие глаза...

— Так я же ж...

— Знаю. Но вам будут показывать, а вы сами скажете — похожи или нет. И так о каждой детали, понятно?

— Можно, конечно, — с сомнением произнес Червоненко. — Того, шо ихав, помню. А шо стояв...

— Но вы уверены, что ваш пассажир не был иностранцем?

— Не, ни як не иностранец. Може, эмигрант який, но из наших, точно. Ни украинец, ни еврей, ни... Москаль, точно кажу. Вин ще акал, як вы: «На-а Ленингра-адскае ша-ассе»... Вин так казав мэни. Тай ще вин материвси, ни, не в голос, а про сэбэ, когда мы застревалы...

Дальнейшая беседа с Червоненко не представляла интереса: Семен Иванович явно устал от небывалого для него умственного напряжения, стал путаться. Пора было прекращать его мучения. Тем более что он еще собирался сегодня поработать: волка ж ноги кормят, — сказал он с виноватой улыбкой и на чистом русском языке. Уж об этом-то можно было догадаться!

Договорились, что в понедельник с утра он подъедет на Петровку, поможет с фотороботами, а пока на эту тему говорить поостережется. Во избежание неприятностей. Если же знакомые таксеры станут приставать с расспросами, чего, мол, менты прицепились, надо ответить спокойно: ищут свидетеля дорожно-транспортного происшествия, но он к этому отношения не имеет. С тем Турецкий его и отпустил, взяв адреса его и братана жены Игоря.

Потом Саша отыскал Юру Федорова и подробно изложил ему печальные результаты первой половины дня и несколько обнадеживающие — последних двух часов.

Он все забывал, что сегодня воскресенье и нормальные люди занимаются делами семейными — отдыхают, ходят в гости, книжки, черт бы их побрал, читают. И конечно, никто специально не сидит сейчас в лаборатории в ожидании, когда Александр Борисович Турецкий, наконец, соизволит прислать свидетеля для составления двух фотороботов. Завтра, завтра, стал уверять Юра, все будет тип-топ, а сегодня, Саня, извини.

Обрадовал он лишь одним: отыскались следы Эмилио Фернандеса Боузы, правда, пока не физически, а только документально. Но и этого может оказаться вполне достаточно, чтобы найти потенциального «террориста». Юра не стал рассказывать, какой извилистый путь прошли его сыщики, но это можно было представить.

— Был, понимаешь, у Фиделя Кастро соратник и видный функционер кубинской компартии, некто Фернандес Ксавье Боуза, почивший в бозе в тысяча девятьсот семьдесят третьем году. Так вот, его сын Эмилио Фернандес жил у нас в стране, учился в нефтяном институте, год работал там же в химической лаборатории и вдруг исчез. Потерялись концы. И все-таки адрес у него был: тот твой абонентский ящик, о котором тебе известно из завещания Алмазова. Но ящик — он ящик и есть. Адреса на нем не написано. Это раньше, при обруганной совковой власти, порядок был, все фиксировалось, а теперь, э-э!.. И тем не менее удалось установить...

Вот это и есть самый главный результат, а все остальное — беллетристика. Юра сказал Саше: можешь записывать... Адрес установили лишь сегодня утром, но пока по нему никто отправлен Федоровым не был. Не хотел он торопиться, не посовещавшись со следователем, и Турецкий оценил его мужественный поступок. Ведь и спугнуть недолго, если подойти без ума...

Затем они посетовали по поводу грубой ошибки с Кочергой, Турецкого, разумеется, но Федоров был достаточно тактичным и часть вины, правда, совсем малую, взял на себя. И на том спасибо. С Меркуловым он еще не беседовал и, значит, правильно понял Сашины слова, переданные ему Володей Яковлевым: не надо в воскресенье поднимать волну. А вот удача с Боузой теперь как никогда на руку. Время еще не позднее, и в усадьбу Захарьино, что по Киевскому шоссе, можно успеть до темноты. Прикинул Турецкий: по кольцу и по Киевке — минут тридцать пять.

Молодец Юра, правильно вычислил, что дом, указанный в завещании Сергея Егоровича Алмазова и принадлежащий ему по праву личной собственности, о котором не знала даже его законная жена, мог иметь еще при жизни банкира непосредственное отношение к разыскиваемому Турецким Эмилио Фернандесу.

7

После тяжелого столичного смога, всей этой выхлопной дряни и гари, придавленных к земле низкой серой облачностью, подмосковный воздух показался живительным озоном. И даже предвечерняя голубизна в облачной серятине проклюнулась — крохотными такими лужицами. Собственно, сама усадьба, куда Турецкий въехал по вполне пристойной асфальтированной дороге, занимала максимум пять гектаров — вместе с парком и близко подступающим к нему лесом. Сейчас здесь размещался довольно известный туберкулезный санаторий, вернее, раньше был, а что ныне, одному Богу известно. Сразу за усадьбой, насколько Саша помнил, должен был находиться обширный песчаный карьер, окруженный со всех сторон веселым бронзовым сосняком. Знали ведь раньше господа, где свои усадьбы строить.

Здесь же, в Захарьине, с которым Турецкого связывало совсем невеселое воспоминание, он в последний раз виделся со своим школьным другом. Они гуляли по парку, вышли к карьеру, который, кажется, собирались закрывать, а землю — под рекультивацию. Потом Саша уехал, а товарищ через неделю умер, и хоронили его уже в Москве. И вот теперь — сколько же лет прошло? — пять? шесть? — а кажется, будто вчера проехал он мимо колоннады главной усадьбы и через хоздвор, по лесной дороге, выехал к карьеру.

Верно замечено: дуракам закон не писан. Самого карьера, вернее, того, что он помнил, не было и в помине. В неглубокой впадине, окруженный сосновым бором, раскинулся краснокирпичный городок. Или поселок, какие Саша видел в Прибалтике. Яркие, современные двух- и трехэтажные дома-коттеджи стояли не вплотную друг к другу, а на приличном расстоянии, окруженные невысокими плодовыми деревьями. Значит, поселку никак не меньше пяти лет. Но самое главное, к нему вела отличная асфальтированная дорога, и вот почему, увидев ее, Саша сразу дурака вспомнил. Теперь придется возвращаться к шоссе и делать внушительный круг.

Если издалека дома выглядели так, будто сошли с картинок рекламного проспекта, то вблизи ощущение праздничности, ухоженности, какого-то, не в обиду будь сказано, не очень российского порядка только усилилось. Стриженые газоны, аккуратные цветочные клумбы, невысокие оградки, составленные из сцементированного дикого камня и железных фигурных решеток, — словом, все было намеренно заграничным и, может быть, даже вызывающим. Саша понимал, что это подлое, конечно, чувство, но ведь мелькнула же мысль: эти ж заборчики — не препятствие, надо было крепостные стены вокруг возводить, а то вдруг мужичкам из соседней раздолбанной деревни придет в голову идея барина жечь. Или подобные желания больше не должны возникнуть?

Парень в спортивном костюме, бежавший трусцой по гравийной дорожке, на удивление быстро и внятно объяснил, как найти нужный дом, с какой стороны подъехать, посочувствовал по поводу безвременной кончины его хозяина. Значит, все тут известно.

Алмазов приобрел отличную собственность. Это был действительно огромный дом с открытым просторным двором с качелями, баскетбольными щитами и даже футбольными воротами. Складывалось впечатление, что это вообще не обычный жилой дом или шикарная подмосковная дача со всеми удобствами, а нечто вроде пионерского лагеря. Теперь их на западный манер называют бойскаутскими, а зачем?

Оставив машину у ворот, Турецкий толкнул незапертую низкую калиточку и пошел к дому. Прихрамывающий бородач в синем свитере с надписью «Virgin», что в переводе с английского вполне соответствовало понятию «девственница», открыл входную застекленную дверь. Саша представился, кратко объяснил цель своего визита необходимостью лично переговорить с хозяином или хозяйкой данного строения. Бородач представился в свою очередь. Оказывается, Турецкий в настоящий момент беседовал с комендантом, а вот хозяйка заведения очень занята с клиентами. Естественно, что в Сашиной испорченной башке немедленно мелькнуло: уж не в бордель ли он попал? Тем более что откуда-то из глубины дома до его слуха доносилось веселое бренчание пианино и несколько нестройных голосов выводили бравурную мелодию.

Но едва он вошел в дом, пакостная мысль испарилась. В просторной гостиной с широкими арочными окнами сидели в кружок полтора десятка парней и девушек, примерно от восемнадцати до двадцати пяти лет и хором разучивали песню. Аккомпанировала им женщина средних лет, на которую Саша обратил внимание еще в крематории.

Но сейчас она показалась моложе и привлекательнее. Также среди собравшихся его следственный глаз выделил и молодого человека, сидящего в инвалидной коляске, который тоже был на похоронах.

Бородатый «девственница» подошел к хозяйке и что-то шепнул ей на ухо. Она обернулась, поднялась из-за пианино и сделала властный взмах рукой, видимо означавший, что пора расходиться. Молодежь тут же дружно поднялась, точнее, тронулась с мест. И вот теперь до Турецкого, наконец, дошло, что все эти ребята — инвалиды. Кто прихрамывал, кто вообще был в коляске, иные передвигались с помощью костылей.

Спустя несколько минут гостиная опустела, и Турецкий с хозяйкой уселись за низким столиком друг напротив друга. Он раскрыл портфель и снова представился полным своим титулом. Марина Ковалева, так звали хозяйку, блондинка с сильной, красивой фигурой, длинными волосами и круглыми серыми глазами, ничего от следствия скрывать не собиралась. Саша сразу, можно сказать, интуитивно почувствовал, что говорит она правду, и только правду, — редкость в следственной работе. Поэтому никаких наводящих вопросов задавать ей не пришлось.

Итак, в тысяча девятьсот семьдесят втором году Марина по контракту поехала в числе других советских специалистов на Кубу, чтобы заработать денег, в чеках, разумеется.

Чеки тогда были в СССР самой доподлинной валютой — ни тебе долларов, ни дойчемарок. А профессия у нее была весьма нужная в те годы на Кубе — геолог. Поскольку остров Свободы остро нуждался буквально во всем, и это «все» возили через моря и океаны советские танкеры и сухогрузы, поиск полезных ископаемых становился на Кубе ведущей общегосударственной задачей. Никаких уникальных месторождений Марина не нашла, но ей повезло в другом: она вышла замуж за симпатичного и темпераментного кубинца из окружения самого Фиделя. В правительстве он занимался геологией. А звали его несколько сложновато для русского уха: Эмилио Фернандес Ксавье Боуза. Этот веселый и бесхитростный человек исповедовал правду и терпеть не мог недомолвок. Он честно и прямо высказывал людям то, что думал — и о себе самом, и о деле, и о них. Это его в конце концов и погубило. Пока он критиковал своих коллег, это считалось в порядке вещей. Но однажды, находясь в советском посольстве на приеме в честь очередного юбилея Великой Октябрьской социалистической революции, Боуза после пятого или шестого бокала, словно бы в шутку, заявил, что Фидель, хотя и политический гений, однако в геологии — полный профан, ну и дальше в том же духе. Фидель, которому тут же, естественно, донесли об этом вызывающем демарше соратника, лишь нахмурился, но никак не отреагировал. Неловкость замяли. Однако ночью Боуза был арестован. Его вынули прямо из постели, от молодой жены. Идиотизм же ситуации заключался в том, что это была их действительно первая брачная ночь. Так они условились — чтоб после Октябрьского праздника, и молодой муж терпеливо сносил необъяснимый никакой логикой каприз своей жены — истинной дочери Страны Советов. В общем, что бы там ни было, а осталась супруга девственно чистой — и перед людьми, и перед Богом. Но ведь как же рассказать-то об этом? Кто поверит? Ведь сотрут же с лица земли насмешками... Эту свою «жгучую» тайну Марина хранила свято. Ей было разрешено вернуться в Москву и даже взять себе прежнюю, девичью фамилию. Вот в то время она и познакомилась с Сергеем Алмазовым, никаким еще тогда не банкиром, и даже, как теперь говорят, не завлабом, а самым обычным научным сотрудником института экономики — симпатичным мужчиной тридцати лет, с перспективной башкой и определенными амбициями.

Именно Алмазову и привелось разгадать тайну Марины. Роман их был страстным и бурным, хотя и не очень продолжительным. Дело в том, что Сергей уже был женат и имел семилетнюю дочку. Но к жене он, по его словам, после восьми лет совместной жизни, никакой сексуальной тяги не испытывал, хотя и лишать дочь отца тоже не желал. Обоюдной страсти хватило на год, не больше. И кончился роман тем, что Марина родила сына, но назвала его не в честь амбициозного папаши, а именем своего законного супруга, сгинувшего за свою любовь к истине. Так почему же все-таки Эмилио Фернандес, а не, скажем, Сережа? А это для того, чтобы у Алмазова даже и надежды не оставалось когда-нибудь продолжить их связь после такой измены! Держать ее с маленьким сыном в любовницах?! «Катись ты на все четыре стороны! Чтоб ноги твоей больше в моем доме не было!» Горшок о горшок и — в разные стороны...

Но шли годы, страсти, как водится, улеглись. Эмилио закончил школу, поступил в нефтяной институт, одновременно работал в лаборатории при институте. Марина тоже успокоилась, жизнь возвратилась в свое первоначальное русло. Жили как все. Были у нее увлечения, встречались достойные люди, сходилась, расставалась без излишних эмоций. Заработка хватало на нормальную, без особых излишеств жизнь. Но беда обрушилась, как всегда, неожиданно. Эмилио попал в автокатастрофу, почти год пролежал в больнице, и хотя остался жив, но диагноз для молодого человека был убийственным: паралич обеих ног. Горю Марины, казалось, не было предела. И вот тут Сергей неожиданно показал себя с самой лучшей стороны. Надо сказать, что до девяносто третьего года они практически не общались, так, изредка, накануне Нового года или дня рождения Эмилио раздавался телефонный звонок с поздравлениями, с предложениями материальной помощи. Но последнее Марина категорически отвергала. Эмилио к своему родному отцу относился с откровенной прохладой и желание встретиться, посидеть, поговорить за жизнь никак не проявлял. Зная это, Алмазов и не настаивал, считая, возможно, что лишь времени дано разрешить подобные проблемы, и, как выяснилось, тщательно скрывал от собственной жены свой давний «грех».

Но когда случилась беда с сыном, Алмазов, являясь крупнейшим финансистом, лицом, обладающим солидным капиталом и большими возможностями, все же настоял на своей помощи. Впрочем, Марина, почти раздавленная горем, и не сопротивлялась. Алмазов купил вот этот огромный дом, построенный в Захарьинском карьере финансово-строительной группой для «очень» богатых «новых русских», и в короткое время переделал его в пансионат, своеобразный конечно. Всеми делами здесь заправляли Марина в качестве директора-распорядителя и ее помощник, отставной майор, прошедший Афган и понимающий толк в справедливости. Поселились же в доме полтора десятка товарищей Эмилио по несчастью, те, с кем он познакомился в больнице, в реабилитационном центре. Собрались молодые люди, финансовые возможности которых были на нуле, кому лечение было не по средствам, да и просто невозможно в нынешних условиях абсолютной демократии и платной медицины. Деньги на содержание дорогого пансионата Алмазов переводил на счет Эмилио. До самой последней минуты... И ни разу не потребовал встречи.

— О гибели Сергея Егоровича я узнала из газеты. И по телевидению передали: двадцать седьмой, что ли, по счету... Кто-то же считает, — тяжело вздохнула Марина, и голос у нее потускнел, как-то непонятно заскрипел, будто отзвук медленных шагов по солончаковой пустоши. — Я позвонила в банк, мне все рассказали, и мы с Эмилио поехали в крематорий. И там я, кажется, горько пожалела, что запрещала сыну хоть словом перемолвиться с отцом...

Марина подписала каждый лист протокола допроса свидетеля. Турецкий, конечно, понимал, как ей сейчас трудно, тем более что, скорее всего, о сути завещания Алмазова она еще не могла знать. Поэтому, не вдаваясь в подробности, он кратко изложил ей сведения о том, что такое завещание имеется, дал координаты старшего нотариуса Центральной нотариальной конторы Дмитрия Михайловича Орловского, к кому ей, а вернее ее сыну, следовало бы обратиться, и решил, что в этом доме его миссия закончилась. Он уже поднялся, чтобы уходить, но Марина жестом как бы остановила его, желая высказать, возможно, нечто сокровенное. И он не ошибся.

— За то, что вы сами приехали, — сказала она вдруг побледнев, — огромное вам спасибо. Этим вы оказали всем нам неоценимую услугу. Я понимала, что мне и самой просто необходимо было у вас объявиться, но не могла придумать, как все это получше организовать. Ведь от нас в Москву добраться непросто. Своего транспорта мы не имеем, а на перекладных... сами понимаете. Есть автобусы, но ребят боязно оставлять одних. Да и на общественном транспорте, особенно на этих вот, загородных автобусах, опасно стало ездить... А вообще-то, если честно, — выдохнула она, — мне трудно было на подобный разговор решиться. Не знаю, почему я вам все это рассказала...

8

Вопреки данному самому себе слову и, более того, против собственного желания, скорее повинуясь обреченному чувству двоечника, не выполнившего домашнее задание, поздно вечером, уже из дома, Турецкий все-таки позвонил Меркулову. Тоже домой, разумеется. А где бы тому еще находиться в воскресенье да в половине двенадцатого? Нет, все-таки, видимо, сработал синдром школяра, обреченного на порку.

— Есть успехи? — без всякой интонации спросил Костя, чем поставил Турецкого в двойственное положение. Как в том анекдоте: «Все бизоны, о вождь, сдохли, осталось от них одно дерьмо. Зато дерьма, о вождь, много!» Так с какой же вести начинать свой доклад? С плохой или хорошей? А Костя не торопил, давал ему самому подумать, вот же зараза какая...

— Не уверен, — сказал Турецкий, — можно ли это назвать успехами, но беда в том, что Кочерга...

— Уже знаю, — перебил Костя, чем избавил следователя от самоистязания.

— Ну, раз тебе Федоров об этом все-таки сообщил, то тогда о другом. Тот шофер звался Сеней, Семеном Ивановичем Червоненко. А вовсе не Геной, как утверждал Кочерга. Смешно? Я тоже сначала не разобрал татуировку у него на пальцах. Протокол у меня, Костя, с собой, завтра с утра пораньше Сеня этот поможет нам составить фотороботы. Между прочим, Костя, этот таксист дал интересные показания. Он действительно вез из аэропорта Шереметьево прилетевшего из Германии тридцатилетнего пассажира в фирменной джинсе, который позже, напротив аэровокзала на Ленинградском проспекте, пересел от него в «мерседес». Смог и отчасти описать этого «курьера», и таким образом мы теперь имеем некоторые приметы человека, который вел алмазовский автомобиль и погиб вместе с нашим банкиром. Вопрос лишь один: кто он и что? Есть кое-что и о втором пассажире, но... слабо, слабо, Костя. Тут надо копать.

— Что ж, — успокоил Меркулов, — полагаю, что и этого уже немало. Да, забыл сказать, тут тебе, вернее для тебя, факс пришел из «Аэрофлота». Список пассажиров. Но, не желая тебя обременять дополнительной канителью, я его передал Федорову, чтоб его «архаровцы» поживее включились в проверку. И в начале недели, то есть завтра, максимум послезавтра, у нас лежали на столе результаты... Ну ладно, что Сеню этого быстро отыскал, за то особой благодарности не жди, это твое нормальное дело. Страна тебя учила и я полтора десятка лет натаскивал. Нашел, и молодец. Но где был всю вторую половину дня? Небось воспользовался удачей, списал на нее кошмарный и непростительный свой промах и, как обычно, с приятелем под ручку отправился к какой-нибудь очередной следовательше или адвокатессе?

Нет, если бы Костя просто промолчал о проколе с Кочергой, это был бы не он, не Меркулов. И насчет следовательши тоже... Откуда узнал про новую грязновскую знакомую? Ну хитер! Конечно, на подобный выпад наиболее верной была бы байка про какую-нибудь жгучую особу либо новый анекдот про очередного вождя. Но, не успев даже до конца оформить в голове остроумный ответ, Турецкий понял, что у него сейчас ничего не получится.

За долгие годы их совместного с Костей служения подслеповатой и явно выжившей из ума российской богине правосудия они действительно как-то приучили себя отвлекаться от криминальных дел с помощью спиртного или свежих анекдотов про шизоидных вождей, коим, если разобраться, нет числа. Но к стыду своему, в последнее время лакали спиртягу каждый сам по себе, и уж тем более не хохмили по адресу президентов. Спирту нынче, да и вообще всего питейного, хоть залейся, а вот пить стало почему-то некогда. Раньше было время, а сейчас словно утратилось куда-то в неизвестном направлении. А что касается вождей, тут совсем беда: никаких новых анекдотов. И вот это уже нехороший признак — либо к войне, либо к гладу великому. А может, минует нас чаша сия?..

Ну что ж, раз не выходит ни с бабами, ни с вождями, пойдем, как говаривал один из них, другим путем.

— Костя, а ведь я нашел Эмилио Боузу. Он — незаконнорожденный сын Сергея Егоровича Алмазова. — И Турецкий сделал соответствующую паузу.

Меркулов обязан был оценить и факт, и небрежный, снисходительный тон, которым сей факт изложен. Но он не стал придерживаться условий игры, поскольку факт-то ведь был первостатейный.

— Ну! Так что ж ты молчишь?! Что с ним?

Саша подробно доложил о результатах своей поездки в усадьбу Захарьино.

— Странная история... — задумчиво сказал, наконец, Меркулов. — Хороший, получается, человек-то был этот Сергей Егорович... Но, к сожалению, все это никакого отношения к его убийству не имеет.

— Как знать, — возразил Турецкий скорее из чувства противоречия. Или от общей усталости.— В нашем деле, как известно, никогда ни в чем нельзя быть уверенным.

На другом конце провода послышалось многозначительное хмыканье. Философское откровение, изреченное им, было воспринято как элементарнейшая банальность. Да в общем-то Саша и сам хорошо понимал, что сморозил глупость: сомневающиеся пинкертоны хороши в другой компании, но никак не в общении с Костей.

Снова возникла пауза, однако родилась она не в ночной грязновской квартире, а там, на другом конце Москвы. Турецкий догадывался, что Костина голова, словно видеокамера, прокручивает сейчас фильм под названием «Частная жизнь банкира Алмазова». И возникшее молчание имело в основе не замешательство, а активную работу мысли.

— Получена информация из морга: признаков насилия на теле Кочерги не обнаружено. Асфиксия прижизненная. Это указывает на то, что он повесился сам. То есть его никто не подвешивал насильно. Интересно, не правда ли? Чего молчишь?

Саша считал, что Костя все это время обсасывал версию о причастности Марины Ковалевой и ее сына к криминальной развязке жизни банкира Алмазова и что он в конце концов должен будет вынести не подлежащий обжалованию вердикт: не виновны! И торжественно сообщить сейчас об этом. Но Меркулов поступил умнее, просто сменив тему, что и являлось конкретным доказательством его окончательного решения. Значит, он счел данную версию отработанной.

Турецкий же, в свою очередь, даже не стал и задумываться над последним его предположением, поскольку к своему решению также пришел окончательно.

— Конечно, интересно, Костя, но абсолютно не соответствует действительности. Этого не было, потому что не могло быть никогда. Я половину суток работал с Кочергой, знаю его мысли и намерения и начисто, с порога отвергаю версию о самоубийстве. Другое дело: нельзя спорить, что сюжет сработан гениально. Здесь рука высокого профессионала. Кроме того, не исключаю наличие новейших психотропных препаратов. Ну а откуда они берутся, ты, надеюсь, знаешь не хуже моего. Лет пять назад я сказал бы, что подобный препаратик вышел из стен лаборатории номер тринадцать ГБ. Теперь с такой же достоверностью можно заключить, что данный препарат используется и в мафиозной среде, где полным полно не только воров в законе, но и бывших, и сегодняшних гэбэшников.

— Послушай-ка, а вот в истории с этой твоей Кармен — совсем другой коленкор. Медики утверждают, что версия самоубийства сработана топорно. Что она состряпана умышленно с единой целью: заставить следствие сразу «угадать» — ага, здесь что-то не то, обман! Здесь не самоубийство, а умышленное убийство! После чего мы должны, как оголтелые, погнаться за этим грузинским Хозе. И будем бежать до посинения, а Санишвили станет преспокойно проживать в той же Германии. — И Меркулов неожиданно добавил без всякой связи с предыдущими умозаключениями: — А потом найдется тип, который скажет: «Учитесь у немцев!»

«Ага, — понял Турецкий, — обиделся-таки Костя на дурака генерального, который походя посоветовал мне лично хорошего баварского пивка попить на досуге, а Косте — устроить обмен специалистами для приобретения нами немецкого опыта...»

— Да вот, Костя, кстати о немцах. Мне это приснилось или Юрка Федоров действительно говорил, что у Алмазова с Санишвили имеется в Германии не то свой филиал, не то какое-то совместное предприятие?

— Это не Юрка, а я тебе говорил. И вообще, тебе надо бы знать, что сегодня нет практически ни одного предпринимателя, у которого не было бы тесных связей с инофирмами. Я имею в виду предпринимателей, как ты понимаешь, а не босяков. И многие просто днюют и ночуют на Западе, здесь отмывают грязные доллары, туда гонят валюту, сюда обещания и прочую липу под миллиардные кредиты, и так далее. А в общем, давай-ка, Саня, ложись спать и постарайся быстро и крепко заснуть. А то, не дай Бог, снова приснится тебе какая-нибудь несусветная чушь. Спокойной ночи... Эй, эй! Саня! Совсем забыл тебе напомнить: завтра Шура устраивает сабантуй по поводу получения генеральских погон.

— Какая Шура? — вопрос был, конечно, тот еще!

— М-да... Тебе, Александр Борисович, действительно пора не только в отпуск, но и на пенсию. Шура же! Наша! Романова!..

А может, ему и в самом деле уйти на пенсию? Или неудобно, прежде чем уйдут туда же этого генерального?.. Слухи такие подтверждены даже Олегом. А слухи в нашей державе всегда являлись источником самой точной информации.

Турецкий забрался под одеяло, но прежде чем закрыть глаза, велел себе запомнить: завтра с утра пораньше вызвать для секретных переговоров Дениса Грязнова, который хорошо знает немецкий язык, а в настоящий момент безмятежно посапывает в соседней комнате.

ПОНЕДЕЛЬНИК, 9 октября

1

Дел с утра было невпроворот. Разговор с полусонным Денисом не занял и десяти минут, тот проснулся, загорелся идеей и пошел к дяде отпрашиваться на целый день для работы в библиотеке. На восемь утра у Турецкого уже было назначено свидание с доктором Липкиным. По старой памяти он принимал следователя точно по расписанию, мог даже пожертвовать ради такого пациента выходным днем. Но сегодня этого не требовалось. Однако прежде, чем посетить зубоврачебное кресло Липкина, Саша должен был заехать к судебно-медицинскому эксперту Градусу, заступившему на дежурство в шесть утра, и выпросить во временное пользование один из вещдоков. Именно выпросить, несмотря на предоставленное ему законом право изымать все что нужно для проведения следственных действий. Но с Градусом нельзя как со всеми остальными, Градус, как говорится, особая статья. Затем, после Липкина, чья частная лавочка размещается на Большой Пироговской, надо подскочить по соседству, на Зубовскую площадь, в химико-фармацевтический институт имени Карпова. Затем... Стоп! Чуть не забыл самое главное. Ровно в восемь на Петровку должен прибыть Семен Иванович Червоненко — и это сейчас наиболее важное дело. Кому поручим?

Вопрос о том, кого посадить в кресло зубного врача вместо себя, даже не возникал: хоть и боязно, но стыдно ходить с полным ртом таких, как у него, зубов. К Градусу тоже, естественно, надо ехать самому, ибо кого другого он, в зависимости от настроения, может просто отматерить и выгнать к едрене фене. Это — мягко выражаясь. С Кимом Курзаевым мог договориться о помощи тоже, пожалуй, лишь сам Турецкий. В память их прежнего знакомства. Так что в Карповский институт тоже предстоит отправляться лично. Что же делать?

И он стал названивать дежурному по МУРу, чтобы тот отыскал начальника первого отделения второго отдела майора Яковлева и передал ему телефонограмму, касающуюся Семена Червоненко.

Чувствуя тем не менее некоторую неудовлетворенность от своих действий, Саша вышел на кухню и застал там Грязнова, уже успевшего выпить первую кружку кофе и выкурить утреннюю сигарету.

— Чегой-то у тебя нынче лицо такое, Саня? — поинтересовался Грязнов, окидывая друга философским взглядом.

— Какое? — Турецкому было вовсе не до его шуток.

— А смурное.

— Иду к зубному.

— А тогда почему же тон такой умирающий? Другой кто даже подумает, что ты испугался.

— Пусть думает. Я действительно боюсь. Каждый человек чего-нибудь должен бояться. Ты вот, например, трясешься от ужаса в самолете. Сам же рассказывал.

— Э-э, да мы, никак, обиделись? — изумился Грязнов. — Ты чего, Саня?! Я ведь и сам зубных врачей не обожаю, и даже не скажу, что может быть хуже — самолет или зубодер... Ладно, не боись, лучше скажи, как там у тебя развивается дело про богатеньких?

Славка знает: чтобы привести человека в чувство, надо выйти на профессиональную тему. Турецкий, как обычно, клюнул на приманку и, попивая уже остывший кофе, начал, схематично конечно, в общих чертах, рассказывать. Грязнов внимательно слушал, негромко поругиваясь и укоризненно покачивая головой. И завершил недлинный рассказ неожиданным предложением:

— Ты, Саня, вот чего, ежели потребуется еще что-нибудь сломать, взломать, вскрыть без санкции, ты только не стесняйся, тут мы с Дениской всегда пожалуйста, поможем, не сомневайся. А кстати, куда это ты его угнал спозаранку? Он на весь день отпросился.

— Да появилась, понимаешь, одна мыслишка... так, затея. Возможно, ни черта и не получится еще...

— Уж я-то твои затеи знаю, — многозначительно подмигнул Грязнов. — Из них всегда чего-нибудь получается. Ладно, темни, я ж не возражаю, пусть парень учится... Да, ты не забыл, что нас сегодня Шура в гости звала?

— Помню. Хотя смотреть на эту ее милицейскую кодлу никакого желания не испытываю.

— Какая там кодла! Все ж наши ребята, теплая компания, и не больше десятка человек. Ты что, Шуру не знаешь? Она ж сама чужих на дух не принимает...

2

«Неужели я сошел с черной полосы и ступил на белую? — спросил себя Турецкий. — А вдруг и правда, кончилась полоса неудач?»

...Борис Львович Градус, снисходительно склонив набок лысую голову, выслушал спокойно, без привычного мата, и выдал вещественное доказательство, аккуратно упакованное в целлофановый пакет. Саша расписался в получении и с поклоном удалился, провожаемый иронической ухмылкой судмедэксперта. Мама родная, что на земле деется-то! У Градуса совесть проснулась... Или эта его ирония относилась к тому профессору, которого Турецкий собирался привезти несколько позже сюда, в морг? Нет, Градус явно присмирел.

Будь это спектакль, можно было бы торжественно опустить занавес.

Следующим по расписанию был доктор Липкин. Он работал, как птичка клювиком клюет — размеренно, спокойно, с высоким чувством собственного достоинства и внимания к пациенту. Поэтому, готовя себя заранее к экзекуции, настраиваясь на самое ужасное, Саша, едва сел в его кресло, почему-то сразу избавился от всяких страхов.

— В следующий раз, Александр Борисович, — строго изрек Липкин, — я рекомендую вам прийти ровно через неделю. Нельзя так запускать свой организм.

— Благодарю, но имею к вам еще один серьезный вопрос, — невольно поддаваясь докторской интонации, сообщил Турецкий. — Если позволите...

Липкин лишь развел руками: мол, для вас, Александр Борисович!

И тогда Саша достал из портфеля упакованную в целлофан челюсть «курьера», погибшего при взрыве «мерседеса».

Доктор вынул ее из пакета, внимательно осмотрел и сказал, не то спрашивая, не то утверждая:

— Фээргэшная работа?

— По всей видимости, да, — Саша пожал плечами. — А что вы могли бы сказать мне о... бывшем владельце этой штуки?

— Я так понимаю, что он теперь умер? Или убит? Ах, Александр Борисович, что вы от меня хотите? Я ж всего только бедный зубной врач, а совсем не сыщик... Ну хорошо, хорошо... Давайте еще посмотрим... Только не надо на меня так смотреть... Ну что я могу сказать твердо? Этому человеку было лет тридцать, а курить он начал недавно. Ну не так чтоб очень, да. На двух зубах, вы видите, коронки, материал германский. А вот между коронками искусственный зуб — этот сработан по-советски, ну, вы меня понимаете... Что я вам еще скажу, странно, потому что все три зуба представляют собой единое целое. То есть все они изготавливались одновременно.

— Значит, есть вероятность, что работа сделана здесь?

— Нет, не думаю. У нас, Александр Борисович, нет таких полировочных аппаратов и такой подгонки цвета. Я вам уже говорил, у меня много знакомых зубных врачей выехали из Советского Союза в Германию.

— Это я слышал, но так и не понял, почему и вы к ним не присоединились? Вы ж лет десять уже все собираетесь?..

— Теперь уже вряд ли, — вздохнул Липкин. — Вы же не представляете, что такое в мои годы начинать. Ладно, больше не надо об этом. Но в Германии я два раза был. По приглашению. Знакомился с их методами. Ах, Александр Борисович, что я вам сейчас скажу: аппаратура, технология — высший класс! А исполнение — извините... Ну просто обидно. Мне бы, знаете, их оборудование!.. Хотя, скажу вам, есть и мастера. Вот в маленьком городке Бад-Содене живет мой хороший друг и просто изумительный человек Генрих Садовский. И между прочим, знаете, миллионер. А какая у него клиника! И как прекрасно работает! Нет, — поморщился Липкин, — это не его работа.

— Но мог кто-то из наших? Я имею в виду — бывших?

— Лично я не исключаю. Вы же сами должны отчетливо видеть — вот вам материал, а вот вам работа! — Липкин несколько раз ткнул пальцем в лежащую на столе челюсть и огорченно развел руки в стороны.

Он, конечно, не мог не видеть глубочайшей разницы, Турецкий ничего не видел. Каждому свое...

Далее по плану — химико-фармацевтический институт. Время самое подходящее — нет еще девяти. Но профессор должен быть на месте, он всегда отличался особой, даже несколько обидной пунктуальностью.

Несколько слов для полноты картины. Ким Шогенович Курзаев, доктор химических наук, профессор и прочая, и прочая, был великим алхимиком и в парочке особо запутанных дел, связанных с применением психотропных средств, куда его удалось привлечь в качестве эксперта, толково и быстро сумел помочь следствию. Турецкий с ним после этого не то чтобы как-то дружил, нет, просто изредка позванивал. Поскольку терять из виду эксперта такого высокого класса не имел привычки. Но однажды Ким прославился, причем в буквальном смысле слова. Он заявил журналистам во всеуслышание, что наше военное ведомство, вопреки мировым договоренностям, разрабатывает новое химическое оружие. Скандал разразился классный. Кима даже собирались привлечь к суду, но общественное мнение было полностью на его стороне, о нем даже документальный фильм отсняли на Би-Би-Си. В глубине души Саша, конечно, искренне разделял человеческую позицию Кима, хотя высказать это вслух мог разве что Косте Меркулову или Славке Грязнову, потому что иные вряд ли бы поняли его. Но ведь Турецкий и не представлял общественного мнения как такового, он слуга закона. Вопрос: какого? Тем не менее Саша полагал, что Ким не забыл его телефонного звонка, когда Турецкий, без всяких задних мыслей, поздравил его с окончанием длительной и неприятной эпопеи, развернутой в правительственных и военных кругах.

Именно он теперь и был нужен, поскольку даже и Костя подтвердил и поддержал тем самым предположения об убийстве Кочерги.

Турецкий поднялся на третий этаж и вошел в небольшой предбанник лаборатории Кима Курзаева. На него вопросительно взглянула молоденькая, но уже жеманная лаборанточка. Господи, неужели отблеск славы шефа распространяется и на таких мартышек?..

— Доктор Курзаев у себя?

— Да, он уже приехал, но в настоящий момент его на месте нет.

— Где его можно найти? — Саше некогда было заигрывать с ребенком.

Почувствовав полное отсутствие интереса к своей особе, мартышка лишь небрежно пожала плечами:

— Н-не знаю... Попробуйте пройти в приемную директора, может быть, там вам повезет... Правда, у них сейчас важное совещание.

Ах, ну да, конечно, как же можно забыть! Ведь понедельник — день летучек, пятиминуток, кратких совещаний, каждое из которых должно длиться не менее полутора-двух часов, иначе уважения к заседающим не будет. Старая песня... а как молода!

Он взглянул на часы: было без пяти девять, и если поторопиться, можно еще успеть. Бегом спустился на директорский этаж и без всякого приглашения, сознательно проигнорировав вопросительно-удивленное выражение лица секретарши директора института, проследовал прямо в его кабинет. Ура, Ким был здесь! Вместе с директором они что-то обсуждали, стоя у широкого окна.

Краткое изумление, мгновенный процесс узнавания, Ким представил Турецкого директору, и они чинно пожали друг другу руки. Саша тут же телеграфным стилем изложил свою нужду в профессоре Курзаеве, на что директор лишь развел руками. Странное дело! Сегодня каждый, с кем Турецкий вынужден беседовать, разводит руками.

Кабинет директора начал наполняться народом, а Саша с Кимом после снисходительного кивка директора удалились. Интересно, а что бы он мог предпринять против настойчивой просьбы, поддержанной таким аргументом, как сообщение о том, что расследуемое дело находится на личном контроле у Президента, и генеральный прокурор, или его заместитель, ежедневно докладывают лично о ходе следствия? Тот-то и оно.

— Скажите, доктор, — спросил Саша, входя вслед за Кимом в его лабораторию, — существуют ли препараты, парализующие волю и дающие возможность делать с человеком все что угодно?

— Конечно, — усмехнулся тот и длинным пальцем музыканта указал на большую колбу за своей спиной. В ней в настоящий момент пенилась какая-то мерзопакостная жидкость желто-фиолетового цвета. — Да вот, можете полюбоваться, Александр Борисович. Химичу новый эликсир. Глотнете из мензурки и станете зомби. Могу с вами делать все что заблагорассудится. Прикажу — и вы без раздумий и угрызений совести взорвете Кремль, Капитолий или Букингемский дворец.

— Нет, Ким, я серьезно.

— Я тоже, Саша, совершенно серьезно. Чтоб не мучить тебя, скажу, сегодня в мире, я имею в виду фармацевтический мир, производится столько этих твоих психотропных, что от количества одних названий свихнешься.

— Это понял. Следующий вопрос: есть ли такие анализы, с помощью которых можно установить, давали ли человеку перед смертью эти препараты?

— В принципе можно. Но при определенных условиях. Необходимо, чтобы с момента проникновения препарата в организм прошло не более сорока часов. Эти яды имеют дурную привычку побыстрому испаряться и не оставлять следа.

— Данное условие относится и к трупу?

— В первую очередь...

— Ким, это серьезно?

— Еще как, — усмехнулся он.

— Тогда собирайся, и мы немедленно едем. Бери все, что потребуется. Я на руках готов снести вниз всю твою лабораторию.

— Да подожди ты, — слегка растерялся от такого натиска Курзаев. — Во-первых, у меня там, внизу, — он показал пальцем в пол, имея в виду директорский кабинет, — очень ответственное совещание, и это без всякого трепа, Саша, пойми. А во-вторых, тут дел невпроворот.

— Тогда так, — Турецкий перешел на официальный тон. — Уважаемый Ким Шогенович, сообщаю вам, что назначаю, в силу вверенных мне полномочий, вас, профессора Курзаева, доктора наук и так далее, экспертом по делу об убийстве гражданина Кочерги, И напоминаю, профессор, что под угрозой привлечения к уголовной ответственности вы не имеете права отказаться от моего задания... Ким, послушай, я прошу тебя, просто умоляю, ведь труп находится в морге уже сутки. Время же на исходе. Проведи мне свою химическую экспертизу, и я от тебя отстану, клянусь. Но результат мне до зарезу нужно знать сегодня.

— Но ведь это же невозможно, Саша. Откуда у нас такие скорости? Нет, что ты, я, конечно, сейчас поеду, вопроса нет, раз такое положение. Сутки уже, говоришь? Это опасно. На грани... Но ведь и сам анализ занимает довольно длительное время, я заранее предупреждаю. И раньше чем завтра никаких результатов не ожидай. Если мы вообще сумеем что-нибудь определить... Ладно, ценю твою настойчивость. Давай собираться...

3

Как ни странно, Курзаев мгновенно нашел общий язык с Градусом. То есть они заговорили о том, в чем нормальный человек не понимал ни бельмеса. Профессионалы! Куда уж тут лапотным... Чтобы не мешать им заниматься своим в высшей степени ответственным делом, Турецкий вышел наружу, на относительно свежий воздух.

Ничего не мог с собой поделать: не выносил не только вида трупов, запаха формалина, но и самого помещения с его холодильными камерами и всего остального, связанного с обрядом смерти. Все-таки живым — живое. Столько уж лет прошло, а привыкнуть никак не мог. Оставалось лишь завидовать тому же Борису Львовичу, который с трупами — вась-вась. И еще — посещение морга у Саши надолго и напрочь отшибало всякий аппетит...

Конечно, зависть — нехорошее чувство, но ему завидно было наблюдать, как Ким с удовольствием уплетал толстенный сандвич в

«Макдональдсе», что на Пушкинской площади, куда он завез профессора по его просьбе. И это после почти часового ковыряния в трупе, брр! Сам Саша с великим трудом влил в себя стакан кока-колы и запихнул в рот несколько кусочков картофеля-фри. Аппетит у Курзаева был отменный. Съев одно, он пошел за следующим блюдом, словом, насытился и, разглядывая следователя с откровенным сарказмом, сообщил, что вот теперь готов возвращаться к себе на службу, куда его просто необходимо доставить. Турецкий понял, что обильная трапеза по-американски была своеобразной местью профессора. Ты, мол, меня заставил, а я тебя, дорогой мой, помучаю.

Странно, даже у сигареты был какой-то необъяснимо неприятный привкус.

Расставшись с Кимом, Саша условился о контрольном звонке и отправился в собственную контору...

4

На его столе лежала записка, сотворенная рукой верной секретарши Меркулова — щебетуньи Кладвии Сергеевны: «Александр Борисович! Срочно на совещание к генеральному прокурору». Ну конечно, именно сейчас, как было замечено, самое подходящее время для кратких многочасовых совещаний. Когда же они, наконец, кончатся?! А самому-то генеральному чего еще нужно? Ведь теперь только полному идиоту не ясно, что последние дни досиживает на своем стуле «наш решительный, понимаешь» Анатолий Иванович. И никому уже не нужен ни он, ни его совещания. Все возможные бочки на него тоже давно покатили, так чего ж рыпаться-то? Сидел бы досиживал, не вякал, в дела не вникал, не помогал дурными советами, а пенсия, глядишь, вот она, рядом, миленькая, повышенненькая... Тем более, как оказалось, и стаж, говорят, позволяет уволить по выслуге лет. Впервые, правда, такое случится. Если случится, конечно...

Значит, срочно. Что ж делать? Саша взял лист бумаги с текстом, призывающим его на Голгофу, и обнаружил под ним другой листок— поменьше. На этом был напечатан текст сообщения о прилетах самолетов разных авиакомпаний во вторник между 16.30 и 17.15. Итак, в столицу прибыло четыре самолета: два компании «Аэрофлот» из Берлина и Вены, один — «Люфтганза» из Франкфурта-на-Майне и еще один — «Иберия» из Мадрида. Самолет «Люфтганзы» приземлился в Шереметьеве ровно в 16.47.

«Что там у нас говорил Сергей Егорыч-то? «Самолет минут двадцать назад приземлился». А было на часах Кочерги 17.08». Все правильно, значит, этим рейсом и прибыл «курьер»...»

И тем не менее надо идти к генеральному...

5

Совещание наверняка было объявлено суперважным и сверхсекретным. Эту истину Турецкий уловил сразу, едва подошел к дверям так называемого Мраморного зала этого богоугодного заведения. На записке Клавы стояло время написания: 10.00. Сейчас на часах было без четверти двенадцать, стало быть, пятиминутка растянулась уже почти на два часа. Если опоздал, то что там теперь делать? А если генеральный только вошел в раж, тогда самое время поприсутствовать при кульминации действа. Саша взялся за ручку двери, но на его плечо тут же опустилась бдительная рука начальника канцелярии генерального, в отличие от своего хозяина, кажется, вполне пристойного мужика. На его строгий вопросительный взгляд, долженствующий изобразить вопрос: почему так опоздал? — Турецкий провел ладонью по горлу: мол, дел невпроворот. И верный страж разрешил пройти.

Закрыв за собой дверь, он остановился рядом, чтобы по возможности отыскать для себя свободное место и в то же время постараться не привлекать пристального внимания «высокого собрания».

Оно действительно «тянуло» на звание «высокое». Зал был битком, до отказа, набит народом, в основном незнакомым. С чего бы это вдруг? Ну, если рассуждать по чести, то народ в так называемых правоохранительных органах нынче почему-то задерживается недолго. Глядишь, проходит какой-нибудь год, а то и меньше, и, как говорится, иных уж нет, поскольку всеми правдами и неправдами сумели переметнуться в банковско-финансово-коммерческие структуры, другие — перебиты, а что, и такое имеется — пенсии, увольнения по несоответствию и тому подобное, а на подобных совещаниях появляются новые лица. Очень быстро обновляются кадры не только здесь, но и в милиции, и в госбезопасности. А толковых голов все равно не хватает. Поэтому следствие ведут студенты-старшекурсники. Без ума еще, без опыта. Накалываются, получают со всех сторон оплеухи и... уходят в фирмы — советниками, юрисконсультами, получают свои «лимоны» или «зеленые» и плюют на серебряные погоны. А что дальше-то будет? Ну когда старики уйдут? Ведь не за горами.

Знакомые все-таки были, но раз-два и — обчелся. Саша увидел в передних рядах Меркулова, Федорова, горстку «важняков» и еще нескольких одряхлевших милицейских и прокурорских волкодавов. Заседание вел сам генеральный. Он вальяжной такой горой разлегся на трибуне, чувствуя себя, по всему видать, свободно и раскрепощенно, и говорил не по бумажке, а так, вольно беседуя с переполненным залом.

— ...а в той же Германии, между прочим, доложу я вам, тоже имеется определенное количество убитых банкиров. Как вы наверняка читали в прессе, несколько лет назад в Бад-Хомбурге был убит директор не какого-нибудь завалящего там банка, а самого Дойчебанка, то есть главного банка Германии. Между прочим, в его машину, как нередко и у нас, была заложена взрывчатка. Так вот, я хочу вам сообщить, что преступление было раскрыто немецкой уголовной полицией в кратчайшие сроки. А три месяца назад подобное преступление было совершено и в Дрездене. Преступники уже дожидаются суда... Вот такие вынужден привести вам примеры. Каковы же выводы? А выводы таковы, что немецкие следователи, полиция и служба безопасности работают гораздо лучше правоохранительных органов России...

Так, это Костя получил новый чувствительный пинок, и главное, на тех же примерах: все для нас немец — образец. Насколько Саша понял, данное совещание, видимо, было посвящено очередному президентскому указу об очередном накале борьбы с бандитизмом и организованной преступностью. Генеральный прокурор, естественно, на себя весь пафос нового постановления принимать не собирался, поскольку он, видимо, уже приготовился топать совершенно в другом направлении, персональном. Но как бы там ни сложилась его дальнейшая судьба, а стружку снять в очередной тоже раз за то, что провинившиеся и собранные здесь сегодня сыщики и следователи не сподобились найти виновников шестидесяти взрывов, прозвучавших за прошедшие месяцы в Москве, и оказались неспособными раскрыть убийства почти трех десятков банкиров, вот это было необходимо. Хотя бы для демонстрации служебного рвения, а точнее, его видимости в Генеральной прокуратуре.

Что же касается стружки как таковой, то и тут нет ничего выходящего за рамки. На всех сидящих здесь давно развешены эти «висячки», то есть нераскрытые дела с непойманными убийцами. И еще это значит, что в списке нерадивых, который наверняка для усиления праведного гнева положил перед своим носом наш генеральный, есть и фамилия Турецкого. И следовательно, становится предельно ясно, зачем Клавдия Сергеевна, по указанию Меркулова, естественно, положила на ваш стол, мсье Турецкий, записку с указанием бегом бежать на совещание-разнос. Меркулов конечно же решил, что Турецкому будет очень полезно попариться в прокурорской бане. Только одного не учел ни он, ни все остальные: дело в том, что для Саши уже давно эта ужасная процедура как с гуся вода. Все уже проходили, господа генеральные прокуроры. И не по одному разу...

Вероятно, Меркулов почувствовал слишком уж пронзительный взгляд, буравящий его спину, потому что он неожиданно обернулся, узрел Турецкого возле двери и громко объявил:

— Коллеги, здесь следователь по особо важным делам Турецкий. Он ведет дело о взрыве автомобиля и убийстве президента банка «Золотой век» Сергея Алмазова. Александр Борисович, пожалуйте к нам, здесь есть для вас место.

«Ах, значит, ты так!» — со злорадством подумал Саша, заметив, что за длинным столом с хилым президиумом произошло некоторое замешательство. Вероятно, в своей повседневной форме, то есть куртке нараспашку, он походил скорее на сбежавшего из тюряги уголовника, нежели на ответственного чиновника главного ведомства законности в классном чине старшего советника юстиции, иначе говоря, полковника. Но ведь, позволительно заметить, что и данное совещание в принципе также было совершенно лишним. Оно не только шло не туда, но, что самое глупое, зря и без разбору информировало массу новоиспеченных следователей, собранных в зале, о тех сведениях, которые вовсе не должны были доходить до их ушей. Пока, во всяком случае.

Кто мог бы ответственно заявить, что ни один из сидящих тут не служит мафиозным группировкам? Что нет здесь бандитской агентуры? Более того, Турецкий был уверен, что большинство убийств, особенно заказных, потому и остаются нераскрытыми, что иные из его так называемых коллег давно уже служили не богине правосудия, а золотому тельцу.

Заявить об этом вслух было бы подобно самоубийству, а он собирается жить. И даже кое-что изменить в своей жизни. Но именно сейчас Турецкому представилась блестящая возможность внести в ход совещания элемент неожиданности.

Он сделал несколько шагов в сторону президиума и громко выдал диффамацию:

— Прошу прощения за опоздание, господа, но я сейчас прямо, как выражаются журналисты, с поля боя. То есть с места преступления. Хочу делом откликнуться на важный документ о дальнейшем усилении битвы с преступностью, который подписал наш Президент, несмотря на сопротивление определенных кругов. Итак, убийство президента банка «Золотой век» Алмазова раскрыто. Убийца установлен. Им оказался шофер и телохранитель покойного банкира Виктор Антонович Кочерга. Его труп находится в морге, поскольку он покончил жизнь самоубийством, оставив покаянное письмо.

О том, что он во всеуслышание лепил горбатого, Саша, естественно, сообщать не собирался. Но в обширной аудитории вдруг наступило гробовое молчание. Неужели у кого-то все-таки возникло сомнение? Нет, не должно быть.

— А что, разве этот шофер... Кочерга не погиб вместе со своим шефом? — раздался неуверенный голос генерального прокурора, показавшего присутствующим свою информированность.

— Нет, Анатолий Иванович, — бодро заявил Турецкий, глядя в глаза генерального честным взглядом усталого сыщика. — Я могу с уверенностью утверждать, что во время взрыва в машине Алмазова Кочерги не было. У меня вот здесь имеется информация исключительной важности и... секретности, — он потряс папкой с протоколами допросов Кочерги и Червоненко. — Поэтому я прошу у вас разрешения, уважаемый президиум, и вас, господин генеральный прокурор, отпустить меня и некоторых моих коллег с этого высокого совещания... — Саша с трудом сдержал улыбку, заметив, как Меркулов сухо и недовольно поджал губы, видимо решив, что это очередной розыгрыш. Ну а что? Лучше сидеть здесь и слушать бредятину? А может, все-таки своим делом заняться? — ...поскольку мы должны незамедлительно разобраться в ситуации и разработать кардинально новый план расследования. И, мне кажется, продуктивнее будет, если заместитель генерального прокурора Константин Дмитриевич Меркулов, начальник Московского уголовного розыска полковник Федоров и следователь Турецкий покинут на время этот зал, чтобы обсудить вновь открывшиеся обстоятельства, прежде чем поставить об этом в известность Кремль. И конкретно Президента.

На миг Саше показалось, что генеральный опешил не столько от поворота событий, сколько от наглого тона. Он с изумлением и даже некоторой затравленностью уставился на Турецкого, но неожиданно произнес:

— Что ж, раз уж такая важная новость, вы втроем можете идти, господа... Я вас не смею задерживать.

6

Костя, идя первым по коридору, что-то бурчал себе под нос. Юра, отстав на полшага, показывал Турецкому за спиной большой палец, сохраняя при этом серьезность физиономии. А Саша и сам знал, что поступил лихо.

Затем в течение полутора часов Меркулов и Федоров, не шевелясь и не произнося ни слова, слушали магнитофонную пленку с наклейкой «Концерт Майкла Джексона». Потом так же неподвижно и безмолвно выслушали сообщение о полном провале операции по охране свидетеля. И, наконец, приступили к изучению протокола допроса свидетеля Семена Ивановича Червоненко.

Утомившись и освежив горло стаканом минеральной воды из пластмассовой бутылки с надписью «Нарзан», Саша высказал свое мнение.

— В общем, Костя, как ты и говорил, дело это неправильное. Преступление, по моему достаточно твердому убеждению, было направлено против человека, прилетевшего в прошлый вторник рейсом в шестнадцать сорок семь самолетом «Люфтганзы» из Франкфурта-на-Майне. Для упрощения дела я называю его «курьером». Впрочем, нельзя исключить, что он таковым и являлся. Но тогда банкира убили либо как опасного свидетеля, либо заодно, так сказать, до кучи.

— Едрит твою в качель! — воскликнул не сдержавшись Юра. — Если б Володька с ребятами подкатил хоть на полчаса пораньше, был бы жив этот чертов Кочерга! Но ведь пока крышу нашли, пока договорились... Он же меня, Константин Дмитриевич, — Юра ткнул в Сашу пальцем, — в восемь утра поднял, это в воскресенье! А через три часа этот Кочерга, выходит, уже висел. Где ж тут поспевать-то?..

— Бросьте вы, ребята, чепухой заниматься, — поморщился Костя.— Сейчас ваша главная задача— найти тех милиционеров. И автомобиль, оранжевый, да?

—Уже разыскиваем, Константин Дмитриевич... и милиционеров, и «фольксваген» апельсиновый. Найдем обязательно. Если только они уже не за бугром.

— А ты не хочешь, Юра, предположить, что они действительно могли быть из милиции? — спросил Меркулов, искоса взглянув на Федорова.

— Чего ж тут невозможного! Но более вероятно, что это бывшие милицейские, сохранившие свою форму. Такое нередко встречается. Или то были гэбисты... Однако, по-моему, это не должно означать, что фигура Отара Санишвили благополучно выпадает из игры.

— Не означает, Юра. Но где был твой Отар, когда произошел взрыв, нам известно?

— Пока нет, Константин Дмитриевич. Вы же сами лучше меня знаете, что подобные убийства являются, как правило, заказными. И значит, крупные паханы всегда будут ходить чистенькими. Я думаю, что даже если у грузина имеется алиби, это совсем не означает, что он не причастен к убийству. А теперь посмотрите на эту цепочку: Алмазов — Сильвинская — Кочерга. Действует банда. И еще посмотрите: ведь все три убийства имеют разный почерк, то есть никакого modus operandi установить нельзя. Однако разными способами убирают именно тех людей, которые могли бы дать показания о деятельности Алмазова и его компаньона, как его ни называй, хоть тем же вице-президентом. Поэтому я считаю, что все эти убийства должны быть объединены в едином следственном производстве. И вести их должен один следователь, а не три, как сейчас...

Ах ты, Юра! Жук ты, жучара! Рассуждая о цепочке убийств и как бы исключая четвертый труп — «курьера», Федоров тем самым эдак элегантно отбрасывал в сторону последнюю Сашину версию о направленности умысла не на убийство Алмазова, а на водителя «мерседеса». Вроде как бы и не было четвертого трупа. Тут конкретные люди, имевшие фамилии, биографии, а этот-то четвертый... Ну кто он такой? Какое отношение имеет к данному расследованию?.. Хитер. И еще ему очень захотелось взвалить ответственность за раскрытие всех убийств на прокуратуру. Но у Кости Меркулова, от которого не укрылся «тонкий ход» начальника МУРа, неожиданно обнаружились адвокатские задатки.

— С объединением мы немного подождем, — успокоил он Федорова. — А соединим все дела под одной обложкой лишь тогда, когда наметятся более ясные контуры. Пока же в смысле доказательств, дорогой Юра, все очень рыхло. Что мы имеем? Предположения, которые к делу не пришьешь. В дальнейшем, я считаю, Александру Борисовичу, конечно, от этих четырех, Юра, а не трех убийств, не отвертеться...

«Что, дорогой, умылся?» — подмигнул Турецкий Федорову.

— Ну а пока, — продолжал Меркулов, — делами Сильвинской и Кочерги пусть формально занимаются территориальные следователи. А по существу, твой МУР, Юра. И не забывай, пожалуйста, что изобличить убийц Сильвинской и Кочерги ты должен сам во что бы то ни стало.

Ясные и чистые глаза начальника МУРа даже потемнели от обиды на заместителя генерального прокурора, тень недовольства словно скользнула по Юриному красивому выпуклому лбу, без единой морщины. Да и то, не прошел у него номер с перекладыванием ответственности на чужие плечи. А за раскрытие двух убийств должен попрежнему отвечать угрозыск.

— Надо не только разыскивать убийц, — решил вернуть узкое совещание на нужные ему рельсы Турецкий, — необходимо установить также, кто был в машине с Алмазовым...

Юра снова недовольно поморщился, но Саша продолжал гнуть свою линию:

— Вы же слышали показания Кочерги, он подтвердил факт наличия двоих людей, перебегавших Ленинградский проспект и севших в «мерседес». Интересные показания дал Семен Червоненко. Он, кстати, сегодня с утра должен быть у тебя, на Петровке, Юра, чтобы помочь составить фотороботы этих двоих мужиков. Я Володю просил встретить его и проводить к нашим экспертам. Надо бы узнать, как там дела.

Юра кивнул, но к телефону не потянулся, а продолжал развивать свою мысль об отличительных особенностях современной преступности. Оратор... Вот до чего могут довести толкового сыщика всякие интервьюеры!

— Мне кажется, — сказал он, глядя в окно, — что здесь ни в коем случае нельзя упрощать задачу. К сожалению, время наших прежних, скажем так, милых старых разборок, когда один врезал другому по башке пустой бутылкой от портвейна после совместного его распития, прошло. Хотя имеются еще рецидивы. Ведь еще недавно до семидесяти процентов убийств в Москве совершалось на примитивной бытовой почве. И у нас, розыскников, не было нужды сильно напрягать свои мозговые извилины. Вы со мной, надеюсь, согласны? — И не дождавшись ответа на свой скорее риторический вопрос, продолжал: — Сегодня же в семидесяти процентах случаев царит неочевидность. До девяноста процентов убийств совершается на заказной основе, а их стоимость доходит до...

— Юра, Юра, попридержи коней, — довольно невежливо осадил Федорова Меркулов, — до заседаний там. — Костя показал пальцем в потолок. — Опять тебя, брат, заносит, извини, конечно...

Но Федоров не обиделся и с тем же жаром ловко перекинулся на другую тему:

— Я же хочу вас подвести, так сказать, к конкретной информации. Итак, что нам на сегодня еще известно. Родной брат Отара Санишвили — Георгий, по кличке Босс, — вор в законе и главарь южного мафиозного синдиката в Москве. Учтите, по нашим сведениям, личность он весьма серьезная, человек жестокий и безжалостный, своих держит в страхе, и кроме того, вы же знаете, у кавказцев, как в «Крестном отце», брат за брата всегда горой. Поэтому можно предположить, если между партнерами в банке «Золотой век» возникли разногласия, то нашему пахану ничего не стоило оплатить киллерам их труд и взорвать алмазовский «мерседес» вместе с его хозяином и любым, кто бы там рядом ни находился. Примерно, полагаю, такая же ситуация могла сложиться у партнеров-банкиров и с этой Кармен Сильвинской. Обратите внимание на характеристику, данную ей Кочергой. Уж ему-то врать вроде и незачем, чернить эту женщину. Он ведь — заметили? — все время подчеркивает, что его дело — баранку крутить, глаза держать открытыми, а уши закрытыми. Характерная деталь. И когда он совершенно спокойно, без всяких эмоций, называет ее, извините, оторвой, я ему верю. А такая женщина, находящаяся между двумя мужчинами...

— Короче, что ты предлагаешь конкретно, Юра? — Хотя сказано это было Меркуловым совершенно спокойно, но Турецкий почувствовал, что он начинает злиться. Юре сейчас бы самое время рокирнуться. — Мы же не можем накрыть всю твою банду целиком, если не начнем рыть... помаленьку. Знаешь, как мышка норку роет? Вот так...

Меркулов довольно смешно поскреб пальцами по полированной крышке стола, отчего даже жалко стало прокурорский инвентарь: ведь стол продырявит, зверь!

— Хорошо, Константин Дмитриевич, понял, — нехотя пошел на уступку Федоров. — Значит, пока мои «архаровцы» должны отыскать тех милиционеров и «фольксваген».

— Вот и договорились, — удовлетворенно заметил Костя и повернулся к Турецкому: — А что у тебя с Шереметьевом?

— Думаю, если уже не пришел, то с минуты на минуту должен поступить список пассажиров, вылетевших во вторник из Берлина «Аэрофлотом». Там, в порту, скажу я вам, есть та-акая симпатяга! Я как увидел, ну просто ах! Словом, ее подружка из Берлина обещала выдать на наш факс. Но теперь я думаю, важнее будет список из Франкфурта. К сожалению, там у меня пока нет нужных девушек.

Федоров хмыкнул и завистливо покрутил головой. Костя же меланхолично вздохнул:

— Начинается...

— Костя, — Саша решил сделать маленькую разрядку, — ты мне напоминаешь одного старика...

— Это какого же? — купился Меркулов.

— А у него интервью брали. Дед, говорят, когда тебе лучше жилось, при царе-батюшке или при советской власти? А дед, не раздумывая, отвечает: конечно, при царе! Его спрашивают: а почему? А потому, отвечает дед, что у меня тогда, кхе-кхе, член стоял... Вот и ты, Костя, чуть что, сразу: начинается. Сознался бы уж, что просто зелен виноград.

Федоров, сбитый с толку столь неожиданным «выступлением», по-молодецки «заржал», как выразился бы доктор Липкий. Это у него получилось настолько смешно, что рассмеялись следом и остальные. Короткой паузы хватило, чтобы прийти в себя.

— Но тут возникает серьезная проблема, которую пока мне трудно решить...— И Турецкий рассказал о краткой беседе с представителем «Люфтганзы», который вежливо, но, в сущности, по-сволочному отказал в помощи.— Не лететь же теперь действительно во Франкфурт из-за этого козла?

Оказалось, что для Юры это является плевым делом. Он заявил, что немедленно сам свяжется с Шереметьевским летным отделом внутренних дел, а те по своим каналам добудут нужные сведения в пункте отправления. То бишь во Франкфурте. Но дальше-то что?

И Саша снова был вынужден обратить их внимание на все временные показатели, почерпнутые из допроса Кочерги и свидетельств Червоненко. «Люфтганза» являлась наиболее вероятным рейсом. У неизвестного погибшего был православный крестик, значит, он не иностранец. А своих вычислить и проверить по списку пассажиров все же легче.

— Не понимаю, почему вы не хотите увидеть следующую картину: тот, что был в длинном плаще, высокий, возможно — с тонենькими усиками, сел сзади и подложил тому, который сел за руль «мерседеса», одетому в модную джинсу, всю на молниях, и, кстати, матерящемуся с московским акцентом, то есть с упором на букву «а», бомбу в чемоданчике. Возможно, с часовым механизмом. Или — управляемую по радио. Что там было на самом деле, как вам известно, мы теперь вряд ли узнаем. Криминалисты утверждают, что на месте взрыва ни черта не осталось, никаких следов, даже микрочастиц. Следовательно, делаю я для себя вывод, убийство было тщательно подготовлено и точно по времени разыграно. А какую роль здесь играл Алмазов, честно говорю: не знаю. Может, был прикрытием для преступника, а может, удобной случайной жертвой. Он же, кстати, на Центробанк шел? Возможно, кому-то тоже помешал. Тогда — одним выстрелом убрали двух зайцев... Не понимаю, почему вам не нравится такая версия? Тем более что я же не отказываю вам в расследовании предыдущих... Вот почему мне так нужен этот «курьер», понимаете? Необходимо установить его личность. А в общем, я с Костей абсолютно согласен: мы должны рыть норку, но только с двух сторон, как туннель.

И Саша на меркуловский манер тоже поскреб ногтями крышку стола.

— Ну а если мы промахнемся и никогда не встретимся в этом туннеле, тогда как? — ехидным тоном поинтересовался Юра.

— Перестаньте, ребята, — усталым голосом сказал Костя, которому надоели все эти кавалерийские стычки и гусарские подначки. — Все, что мы говорим, пока, к сожалению, общие слова. Хотя в Сашиных размышлениях есть, конечно, резон. И его версию — кажется, она у нас была последней, да? — не надо упускать из вида. Но пока, я чувствую, у нас начинается простой. Нет списков, нет фальшивых милиционеров, «фольксвагена» этого дурацкого тоже нет. Завещание в пользу Боузы — пустой номер, и, значит, эта версия отпадает. Словом, Юра, сейчас вся надежда на твоих оперативников... А вот сегодняшнее расширенное заседание, ребята, я считаю ошибкой генерального. Потому что, скорее всего, это его собственная идея. Хотя, не исключаю, что она могла родиться и в чьей-то весьма заинтересованной голове, «подсказавшей» ее генеральному. Тогда это идет сверху. Ты вот не слышал, Саша, а начал-то он с того, что накопилось уже много сигналов о причастности наших сотрудников к мафиозным делам. А такая информация, надо же понимать, не для широких масс. Не для всех. И в каждом отдельном случае надо разбираться особо, вызывать сюда следователей по одному. Тогда и трепа не будет... Да, вот вам еще новость. В кабинете генерального под паркетом обнаружены подслушивающие устройства. Это значит, что нас как минимум полтора года внимательно... подслушивали. Кто? А какая теперь разница? Органы безопасности или воры в законе... Я вон тоже обшарил весь свой кабинет, во все щели заглянул, но, слава Богу, пока ничего не обнаружил.

Так вот что было истинной причиной уборки кабинета!

— Поэтому я принимаю решение засекретить все дела об убийстве банкиров и не распространять сведения дальше той группы, которая непосредственно ведет следствие по каждому из них. Ты, Саша, сегодня, я считаю, правильно сделал — уточняю: по существу, а не по форме, — что прервал наше заседание, объявив Кочергу преступником. Я тоже думаю, что реабилитировать его мы всегда успеем, хотя это ему уже, к сожалению, никак не поможет. Следовательно, будем считать его лицом, устроившим взрыв машины Алмазова. Каковы бы ни были ближайшие результаты расследования экспертов и медиков по факту его смерти. Для всех, кроме посвященных. И последнее, ребята. Наши доблестные чекисты решились-таки, наконец, внести и свою лепту в расследование убийства экс-кандидата на пост президента Центрального банка. Вот их донесение. Можете ознакомиться, но очень прошу вести себя по-прежнему пристойно в отношении наших коллег из госбезопасности.

Турецкий с Федоровым немедленно углубились в изучение поданного нам Меркуловым листа роскошной вощеной бумаги, на котором компьютерным шрифтом было напечатано следующее.

Секретно

Заместителю Генерального
прокурора Российской Федерации
Государственному советнику юстиции 3-го класса
Меркулову К.Д.

СПЕЦСООБЩЕНИЕ

Уважаемый Константин Дмитриевич!

Ставим Вас в известность, что Федеральной службой безопасности проделана определенная оперативно-розыскная и следственная работа, направленная на установление лиц...

Вводная часть спецсообщения, пришедшего под грифом «Секретно», Сашу не интересовала, поэтому он скользнул глазами дальше.

...Работа нами проводится по трем направлениям:

1) выявление преступников и очевидцев взрыва;

2) определение мотивации убийства;

3) установление образа жизни потерпевшего.

По первому пункту результатов пока нет. Лица, замеченные входящими или выходящими из подъездов, прилегающих к территории взрыва зданий, в момент нахождения там автомашины потерпевшего марки «мерседес», не установлены.

По второму пункту: по оперативным сведениям, в преступном мире существует список ста самых богатых людей страны, у которых есть огромные накопления в западных банках. По этому списку совершаются заказные убийства богачей, имя Алмазова могло находиться в этом списке...

Так могло находиться или находилось? Где же ваша работа, господа контрразведчики? На хрена вы без конца реорганизуетесь, требуете все больших средств, если не можете для самих себя и по собственным оперативным источникам выяснить элементарный вопрос?

По третьему пункту сообщаем следующее. У С.Е. Алмазова имеется специальный счет за номером... в банке... (указаны наименование банка и номер счета), *с которого ежемесячно производились отчисления крупных сумм на анонимный счет за номером... в банке...* (снова указываются наименование другого банка и номер счета). *Работа по установлению владельца последнего проводится...*

Ай да молодцы чекисты! Чудные ребята! И сказки про вас расскажут, и песни про вас споют. Зачем же вам розыскные мероприятия-то проводить, да вы просто позвоните Турецкому, а он вам скажет, кому счет принадлежит, — сынку алмазовскому незаконнорожденному, Эмилио Боузе, не известно только, склоняется или нет его фамилия. И у нотариуса имеются на то необходимые сведения. В общем, толковые работнички. Ну а еще чего они добились и что обязательно следовало засекретить в послании в прокуратуру?

...По поводу Вашего запроса в отношении пропуска для автомобиля гр. Алмазова установлено: С.Е. Алмазов был включен в список лиц, обладающих правом беспрепятственного въезда как на территорию Кремля, так и на соседние охраняемые территории по выданному пропуску за номером 234.

С уважением

Зам. директора Федеральной службы безопасности

генерал-лейтенант Н.И. Петров.

Турецкий усмехнулся: даже от сердца отлегло... А вот еще попросят чего-нибудь, чего сами не имеют. Оперативных сведений, к примеру. А потом выдадут за свой собственный пот. Ладно, генерал Петров, и на том спасибо. Все же очень красивой бумагой вы, генерал, пользуетесь в своем тайном ведомстве. И не экономите ее вовсе. А чего ее экономить-то? Вы ж были и останетесь все тем же КГБ, который никогда не знал такого слова: экономия. Не то что какая-нибудь вшивота прокурорская.

— Полагаю, этот документ является лишним подтверждением того, о чем я только что говорил, — заметил Меркулов, увидев, как поскучнели лица коллег после зачтения эпохального документа.

— Да уж... — подтвердил Турецкий излюбленным выражением Кисы Воробьянинова.

Федоров же... развел руками. И Саша не выдержал, снова расхохотался, но уже в охотку, свободно. В паузах объяснил причину своего столь странного веселья. В общем, на том они все и расстались. Отсмеявшись, каждый стал заниматься своим непосредственным делом.

7

«Батюшки, время-то! Третий час! — едва не завопил Турецкий. — И куда ж оно так быстро испарилось? Только ведь что приехал в прокуратуру, а трех часов как не бывало...

Он ринулся к телефонному аппарату, чтобы звонить в МУР. Яковлев, как ему доложили, был на выезде, но должен вернуться с минуты на минуту. Оказывается, Федоров уже успел опередить Сашу, тоже позвонил к себе и приказал оперативникам немедленно собраться для краткой информации. Оставалось надеяться, что лавры генерального прокурора пока не прельщают Юру, а оценка Меркуловым этой его самодеятельности поможет Федорову не повторять тех же ошибок. Поэтому Турецкий попросил только передать Яковлеву, чтобы тот немедленно связался с ним, как появится, а после этого позвонил в НТО — научно-технический отдел. Там сейчас должен был находиться его главный интерес: фотороботы.

Когда-то... да что там, всего два года назад, а будто вчера, звонил Саша при такой же нужде лучшему человеку и криминалисту в первопрестольной, а может, даже в государстве — Семену Семеновичу Моисееву, который еще в бытность их с Костей в горпрокуратуре руководил кабинетом криминалистики. Семен выслушивал слезную мольбу, кивая своей мудрой еврейской головой, затем все делал в лучшем виде и практически незамедлительно, после чего угощал просителя спиртиком из своих тайных и нескончаемых лабораторных запасов. Надо при этом иметь в виду, что со спиртным в столице и государстве в восьмидесятых — начале девяностых было ой как туго. А Семен всегда имел.

Увы, нету больше подобных специалистов. Питья теперь навалом, а специалистов днем с огнем поискать. Ушел старик на пенсию, как ни крепился, а Турецкий лишился в прокуратуре самой верной своей руки. Да и народ не тот пошел. С другой стороны— зарплата маленькая, забот до и больше, а кому это надо?.. Честно говоря, Саша и не знал, кто там у них сегодня командует.

Ответил приятный женский голос. Турецкий, естественно, тут же полностью представился. Женщина назвалась Верой Константиновной и сообщила, что действительно майор Яковлев доставил к ним свидетеля для составления фотороботов. Сама она при этом не присутствовала, но знает, что работа была завершена где-то в районе двенадцатого часа. Пришлось помучиться, очень, говорили, расплывчатые сведения. Впрочем, если остро необходимо, она может найти криминалиста, проводившего эту работу. Но придется подождать, поскольку сейчас никого на месте нет. Почему — Саша не стал спрашивать. Наверно, потому, что понедельник — день любителей совещаний. Он дал Вере Константиновне свой номер телефона и попросил — самым нежным и сердечным образом — перезвонить ему.

Но едва повесил трубку, как прорвался Володя Яковлев. В чем дело, говорит, полчаса не могу дозвониться? Ну уж!..

— Ладно, слушай информацию,— не стал спорить Яковлев. — По фотороботам. Кое-что получилось. Я, честно, не очень доволен, но... При большом желании, как говорится, а также используя фантазию, можно и узнать. Оба сейчас тебе подошлют, я распоряжусь.

— А что это у тебя там за Вера Константиновна? — как бы между прочим поинтересовался Турецкий.

— А ты откуда знаешь, Александр Борисович? — В вопросе был явный подвох.

— Разговаривал только что.

— А-а, всего-то?.. — будто успокоился Яковлев. — Работает тут. Недавно. Из института криминалистики перевелась.

— Ладно, учтем, поехали дальше.

— Нет, ты скажи, откуда интерес возник? — настаивал Володя.

— Да просто голос мне ее понравился, — успокоил Турецкий ревнивого майора. — Голос, понимаешь? А видеть-то ее я никак не могу. Мы по телефону общались. Но ты, майор, молодец, как я догадываюсь. В НТО всегда надо своих людей иметь. Похвальное желание. Давай дальше.

— Дальше так. Твой «фолькс» мы, кажется, засекли. По Москве всего три таких машинки числятся. Две отпали сразу — полное алиби. А вот третий «фолькс» — вероятно, тот, что нам нужен.

— Володя, объясни мне внятно, почему ты считаешь, что наша машина была с московскими номерами? Откуда у тебя такие сведения?

— Ха! — обрадовался Яковлев, скорее всего тому обстоятельству, что ему удалось натянуть нос «важняку». — Кто меня на соседку этого Кочерги, Лидию Зубову, вывел? А девушка, между прочим, оч-чень даже... наблюдательная. Вот она-то мне и доложила, что у блохи этой апельсиновой номера наверняка были московские, иначе она бы обратила особое внимание и запомнила. А что, по-моему, вполне съедобная версия. Как?

— Полагаю, вполне, Володя. Так где, ты говоришь, находится этот апельсиновый клоп? Или блоха?

— Записывай, Александр Борисович. Это апельсиновое насекомое принадлежит директору гостиницы «Урожайная», что в Останкине. А фамилия этого гражданина Волков, Станислав Никифорович. Номерной знак колес 75-83 ММЗ. К нему я еще не успел, Александр Борисович, поскольку мы полдня с твоим Червоненко сидели. И вообще я тебе вот что скажу. Когда мы закончили, я Червоненко на всякий случай говорю: ты, мол, браток, поостерегись маленько, не отсвечивай, в Шереметьево не езди пока, пусть время пройдет. Это я потому, что у нас такой позорный прокол с Кочергой получился. Я ж понимаю, Саша, если они начали охоту за свидетелями, то не остановятся, это только дураку не ясно. Верно?

— Да. — Турецкому оставалось лишь вздохнуть: во всем прав был сыщик. — И если мне, Володя, удалось в считанные часы выйти на этого «Гену», то почему того же не могут сделать опытные киллеры, которые мгновенно вычислили нашего Кочергу.

— Но я не совсем тебя понял, Александр Борисович, — прервал Яковлев. — Ты, что ли, сам поедешь в Останкино или мне поручишь?

— Сам, Володя, сам. А вот насчет Семена — тут ты абсолютно прав, а я не подумал. Молодец, спасибо. Надо его изолировать, хоть на время.

— Да что там... — засмущался Яковлев. — Это же наше дело... И еще по поводу этого Кочерги кое-что имею. Ты знаешь, что у него в Германии был определенный финансовый интерес?

— Да, он говорил, и в протоколе записано, что имеет... ну, имел он там маленький, так сказать, гешефтик. А до конкретики так у нас и не дошло. Времени уже не оставалось, а потом, ты и сам знаешь, как сложились обстоятельства.

— Так вот, в его бумажках, которые аккуратно были сложены в ящике платяного шкафа, мы обнаружили некоторые документы на немецком языке. Я теперь думаю, что они никому были не нужны, поэтому их и не искали. Да и торопились, видно. В письменном столе, что в прихожей стоял, все перерыто, перелопачено. А в платяном — только карманы у пиджаков вывернуты. В ящик же, где обувь, не лазали. Поверхностный обыск был. Может, больше для показухи?

— Значит, версия о самоубийстве, которая была ими так тщательно подготовлена, все-таки закачалась?

— Не, Саша, ты меня не понял. По этой части как раз все чисто. А бардак в столе и шкафу можно списать на самого хозяина, который, находясь уже не совсем в своем уме, искал бумажку и карандаш, чтоб написать предсмертное письмо. Вот как выглядит. Ты эту его записку помнишь? Бумажка из блокнота вырвана, нашли мы его. И пальцевые отпечатки— его собственные. А у него в ящике-то целая пачка хорошей бумаги лежала. Он же не мог этого не знать. Вот бы и взял чистый лист. Значит, не в себе был. Схватил, что под руку подвернулось.

— Интересно, — заметил Турецкий. Ему и в самом деле любопытны были эти наблюдения толкового сыщика. Многого, получается, не учли убийцы, как ни старались. — Ну а что ж это за бумаги ценные?

— Документы, Саша. Мне пришлось тут одному нашему на перевод дать, поскольку я в немецком ни бум-бум. А суть в том, что это договор, понимаешь, с хером... Ты не смейся, так в переводе, господин по-ихнему. С хером, значит, Михаилом Соколиным на совместное владение салоном игровых автоматов, опять же по-ихнему— шпиль-салон. Я тебе заодно подошлю копию документа и перевода, чтоб не пришлось зря голову ломать. Есть тут и название, и адрес, и все остальное — кому какой процент и так далее. Вот пока и все.

Ничего себе — пока! Молодец сыскарь. Оставалось лишь еще раз искренне поблагодарить толкового мужика.

8

Вечер торжественного освящения генеральских погон у Шуры должен был начаться никак не раньше семи-восьми часов. Вот, кстати, еще одна прекрасная особенность современного бытия. Давно известно, что понедельник — день тяжелый. Даже роман кто-то на эту тему написал. Но именно в понедельник, который, скажем, для моряков является самым противным днем и они никогда по понедельникам не выходят в море, простые постсоветские люди обожают устраивать себе всяческие празднества. Ну чего было б Шурочке, к примеру, не устроить выпивон в субботу или в воскресенье? Нет, нельзя: выходные — святые дни. Для отдыха, для семьи, для души. А понедельник — он же рабочий, да еще и черный, тяжелый, а раньше — еще и похмельный день. Вот его и используем на всю катушку. Сперва долгие совещания, потом — не менее длительные застолья. Но если конкретно про Шурочку — то это уж конечно зря. Она хорошая баба и знает, что и сыскари, и следователи отдыхают редко, а выходных как таковых для них не существует. Да ведь и сама прошла этот долгий и совсем не женский, тяжкий путь. И погоны генерал-майора милиции ей к лицу...

Времени было еще достаточно, и Турецкий решил смотаться в Останкино, чтобы навестить директора гостиницы «Урожайная» господина Волкова. Из Останкина, если не случится ничего непредвиденного, два шага до Грязнова. Неприлично у матери-генеральши появляться в затрапезном виде, который явно шокировал нынче высокое прокурорское собрание. Для работы — еще куда ни шло. Но в застолье надо появиться, как говорит Грязнов, хорошо причесанным и пахнуть одеколоном.

С другой стороны, очень хотелось дождаться курьера из МУРа. Не терпелось взглянуть на фотороботы, чтобы потом на протяжении вечера, а может быть, и ночи видеть перед глазами искомые лица. Кто знает, какие штуки выкидывает иногда зрительная память...

Саша отправился к Клавдии Сергеевне — пышному предмету своей давней зависти — и, вложив в свой голос всю теплоту, вызванную бархатными интонациями Веры Константиновны, попросил ее, ради собственного личного спокойствия, принять пакет из МУРа, запереть его в свой сейф и никому ничего не говорить, а тем более не показывать.

Ах, Клава, как она призывно улыбнулась! Ей-богу, славная женщина, и как Меркулов этого не замечает? Впрочем, он никого, кроме своей жены и дочки, и на дух не принимает. Турецкий имел в виду женский пол. Правда, есть еще Шурочка. Но она — товарищ. А это святое...

После того, что рассказал сегодня Костя о подслушивающих системах, жучках всяких, Саша не желал рисковать жизнью свидетеля. Тут Володя Яковлев был абсолютно прав. Да и не нужно, чтобы посторонние в это дело носы совали.

9

Директор гостиницы Станислав Волков выглядел именно так, как и должен был выглядеть директор не самой худшей, хотя и не самой престижной, гостиницы. «Урожайная» — разумеется, не «Палас-отель», не «Метрополь» с новейшими его интерьерами и уж, конечно, не какой-нибудь «Хилтон» или «Хаммер». Станислав Волков был директором гостиницы средней руки, номера в которой снимает народ приезжий, главным образом с южных окраин некогда могучего Советского Союза. Нынче это народ — и не случайный, и не бедный. Правда, с год назад один из канувших в небытие министров внутренних дел попробовал провести в столице чистку гостиниц от «чечни» и вообще «лиц кавказской национальности», но чем это кончилось — всем известно. Дали, наконец, работу правозащитникам всех мастей. Нельзя ведь, чтоб без скандала. Даже такое элементарное дело, как проверка документов, теперь легко превратить в антидемократическую акцию.

Директор «Урожайной» господин Волков внешне имел вид вполне преуспевающего человека: сорокалетний высокого роста брюнет с косым пробором, вполне приятной наружности, в отлично сшитом пиджаке — не в магазине купленном, там таких размеров не достать, — а именно, от хорошего портного, и отутюженных брюках. Желто-коричневый узорчатый галстук хорошо смотрелся на фоне его темно-серого твидового пиджака. Этот «сет» — галстук, платочек в кармашке и такие же подтяжки — стоят дорого, Турецкий видел в какой-то витрине — всего-навсего сто двадцать тысяч. Чья-то пенсия.

И пиджачок его тоже на «лимон» тянет. В этих двух вещах Саша худо-бедно разбирался: Ирка научила. Носить их, правда, не доводилось. В общем, не бедным человеком был директор Станислав Волков.

Он оказался предельно вежливым и предупредительным, голос у него был негромкий, но... душевный. Можно было без натуги догадаться о месте его предыдущей службы: «пятерка» либо «девятка». Многие из тех, в майорских и подполковничьих званиях, заняли, активно перестраиваясь вместе со всей страной, такие вот незаметные, но и не нищие посты. Прошло немного времени, и эти должности почему-то оказались едва ли не ключевыми в странной системе совмещенного государственно-частного бизнеса. А гостиничное дело вообще стало, без всякого сомнения, одним из наиболее выгодных видов предпринимательской деятельности. Вот из тех же тайных до поры до времени глубин и выплыл, видимо, Станислав Волков — обаятельный мужчина. Между прочим, в вышеупомянутых управлениях мордоворотов и не держали. Их теперь не особо чтут даже в исправительных, так сказать, учреждениях.

Узнав, кто прибыл и какова цель визита, Станислав Волков немедленно выказал самое искреннее желание помочь следствию. Хотя и не скрыл некоторого смущения. О чем охотно поведал:

— Понимаете, господин Турецкий, у меня имеется, между нами говоря, небольшой личный бизнес. Ведь это сейчас приветствуется, не правда ли? — Очень ему хотелось видеть следователя своим сторонником. — Впрочем, его даже и небольшим назвать нельзя. Скорее, крошечный. Я имею маленький парк автомобилей, всего и дела-то — четыре машинки, которые сдаю в прокат. Приезжим в нашей гостинице, просто приличным людям, которым нужен автотранспорт на короткое время, и так далее. Все это, разумеется, абсолютно законно, зарегистрировано соответствующим образом, уплачены все пошлины и налоги, на что имеются соответствующие документы. Я могу их немедленно представить вашему вниманию...

Слишком много у директора было всего «соответствующего», хоть и крохотный бизнес.

— Да, пожалуйста, покажите, Станислав... извините, не расслышал вашего отчества. Но меня больше интересует один конкретный факт: кто у вас ездил в последнее время на «фольксвагене» с номерным знаком ММЗ 75-83?

Станислав Волков все тем же предупредительным тоном объяснил:

— Господин Турецкий, как вы сами понимаете, я не могу сказать вот так, с ходу, не взглянув в деловые бумаги. А отца моего, с вашего позволения, звали Никифором.

— Очень приятно, Станислав Никифорович. Тогда будьте любезны, покажите мне ваши бумаги. У вас ведь все записано, как я понимаю, все законно и все зарегистрировано... соответствующим образом?

— Безусловно и бесспорно, господин... Простите, а вы не позволите и мне величать вас по имени-отчеству?

— Сделайте одолжение, Александр Борисович к вашим услугам.

— Поймите меня правильно, Александр Борисович. — Директор стал снова обретать уверенность. — Я, так сказать, всей душой, вы должны меня понять, но дело в том, что человек, конкретно отвечающий за данный сектор работы, уже ушел домой. Я отдельным своим работникам разрешаю, если нет особых дел, уходить пораньше. Семьи, знаете ли, заботы всякие. Надо идти хорошим людям навстречу, верно? А сам я в делопроизводство стараюсь не вмешиваться... — И тут вдруг вальяжный, представительный и, вероятно, глубоко воспитанный директор гостиницы Станислав Волков стал... грызть ногти.

Это так потрясло Турецкого, что он даже забыл, о чем хотел сказать и чем возразить. Но быстро пришел в себя.

— Ну что вы, Станислав Никифорович, право, какие мелочи! Да мы с вами на пару обойдемся и без ответственных работников. Я просто не сомневаюсь, что вы и сами сможете мне дать любую информацию. А ваша секретарша еще здесь, — таинственно понизив голос, добавил он, — потому что я чувствую, что она подслушивает под дверью наш с вами разговор. Но она, вероятно, не очень хороший работник, не так ли?

Директор потупил очи, слегка зарделся и, оставив в покое указательный палец правой руки, нажал им кнопку вызова секретарши.

Дверь распахнулась тут же, и секретарша, в узкой и короткой юбчонке, обтягивающей ее худые, кавалерийской формы ноги, гордо прошествовала к столу шефа. Остановилась, упершись лобком в угол стола.

Саша усмехнулся. Недавно один его приятель про такую же вот дамочку в шутку заметил: «Ах, это та, что носит короткую юбку без всяких к тому оснований!»

Интересно стояла секретарша. Но еще интереснее сообщила о себе:

— Между прочим, мой рабочий день закончен, Станислав Никифорович.

Турецкий хмыкнул достаточно громко, чтобы быстрее вызвать ответную реакцию директора.

— Да что вы говорите? — искренне удивился тот. — Ах, ну да, конечно, ведь я же сам вас отпустил, как же, помню, помню... — И, обернувшись к посетителю, добавил: — А я вот такой... Совсем, знаете ли, не замечаю времени. Другие времена, Александр Борисович, другая и ответственность... Однако, да, Мариночка, а где у нас с вами докуменнты, так сказать, на прокат э-э... автомобилей?

Мариночка подошла к одному из стенных шкафов, открыла его и с грохотом выдвинула нижний ящик.

— Спасибо, Мариночка, а что ж вы сидите тут? Можете идти домой.

Мариночка кинула на Волкова такой взгляд, который ставил под сомнение кардинальный вопрос: кто тут на самом деле директор?

Волков снова сунул указательный палец в рот, немного погрыз его, левой рукой перелистнул несколько бумажек и, наконец, вынул из ящика плотный лист бумаги, на котором была надпись: «75-83 ММЗ».

— Ну вот, пожалуйста, Александр Борисович, все, так сказать, в полном порядке, в чем я был уверен. А эту машинку, знаете ли, оказывается, как раз вчера и вернули. Вот, кстати, отмечены фамилия, имя и отчество, а также адрес бравшего автомобиль в прокат. Не желаете взглянуть?

— Обязательно желаю, — сказал Турецкий и взял протянутый лист. — Но я еще хотел бы, чтобы вы описали мне внешность этого человека.

Сказал и испугался, что Станислав Никифорович откусит себе палец, так он почему-то вздрогнул. Но тут же заторопился, будто за ним собаки гнались:

— Нет, нет, что вы, что вы! Совершенно не помню, не помню совсем, это же давно было, там написано, два месяца назад было, где упомнить при такой массе народа, который ежедневно перед глазами проходит, уважаемый Александр Борисович... — Последнее он произнес уже на полном выдохе, еле вытянул.

— Ну а как же вчера-то?

— Вчера? Ах, вчера!.. Этот человек позвонил днем по телефону, сказал, что поставил машину во дворе, там, где и брал, что все с ней в порядке, а если у меня появятся претензии, то я его адрес конечно же знаю, все записано соответствующим образом...

— И все?

— И все. Вот. — Волков вытащил из кармашка своего роскошного твидового пиджака узорчатый яркий платочек и с облегчением вытер влажные ладони. Видимо, трудный для него разговор он посчитал законченным.

Турецкий же имел другое мнение на этот счет. Но прежде чем продолжить разговор с обаятельнейшим Станиславом Никифоровичем, он обязательно должен был встретиться с гражданином Поселковым, вчера днем поставившим на место автомобиль, взятый им в прокат два месяца назад.

И еще было желание перед уходом лично взглянуть на «апельсиновое насекомое», о чем он и сообщил Волкову. Ну здесь-то уж, кажется, никаких проблем.

С тыльной стороны гостиничного здания имелся небольшой хозяйственный двор, огороженный, как это принято в Москве, высокой и уродливой стеной, составленной из ребристых бетонных плит, закрепленных между бетонными же столбами, врытыми в землю. Этакое частное владение, куда вход посторонним навсегда запрещен.

Они прошли гостиничным коридором в торец здания, свернули направо и через запасный выход выбрались на хоздвор. Саша увидел несколько запертых гаражных дверей, большой навес над половиной двора, под которым стояли крытый фургон, несколько разбитых вдребезги автомашин, каким место на гаишных свалках — для устрашения автолюбителей, словом, железный лом, и... апельсинового цвета «фольксваген».

Турецкий подошел ближе, оглядел «клопа» — форма действительно давно устаревшая, Бог весть какого года выпуска. Странная прихоть киллеров: уж слишком заметна эта машинка. Если хочешь, чтоб тебя обязательно поймали, лучше варианта не придумаешь... А может, на этом и расчет строился: мол, на такой «несерьезной» таратайке только клоуну разъезжать, куда там убийцам! Им, на худой конец, «мерседес» подавай, а то — белый «линкольн». Но это, последнее, скорее всего из американских кинобоевиков. А отечественные предпочитают почему-то «БМВ» и «ауди». Удирать, наверно, легко.

Но что же теперь делать с этим «апельсинчиком»? По идее, надо его арестовать. Изъять из этого частного гаража и поставить на Петровку, чтоб в нем криминалисты повозились как следует и постарались определить: кто в нем ездил, куда, зачем, что делал и кого перевозил (если автомобиль действительно перевозил, а не стоял себе в сторонке во дворе у Кочерги в ожидании фальшивых милиционеров).

И вдруг Сашу будто обухом по макушке хватило! А где же «девятка»-то малиновая? Неужели ее вот так элементарно зевнули? Нет, там же был Володя с заданием допросить соседку и вообще разобраться на месте.

— Уважаемый Станислав Никифорович,— сказал Турецкий вежливо,— я вынужден вас некоторым образом огорчить, но эту машинку придется ненадолго у вас изъять. Естественно, все будет... соответствующим образом оформлено. А после мы вернем ее вам. Надеюсь, в интересах следствия, вы не станете возражать?

Но по глазам, по движению бровей, по мимике лица Волкова Турецкий понял, что хозяин «клопа» возражать не будет, хотя сам факт подобной проверки его честности ему весьма неприятен.

— Тогда, — беспечно заявил Саша, — будьте любезны, проводите меня к вашему телефону, чтобы я мог распорядиться.

Яковлева вызвали с совещания у начальника МУРа. Ах, Юра!..

Он все понял буквально с двух слов и сказал, что ребята подъедут в течение часа с соответствующим постановлением.

— Володя, я не помню сейчас, обратил ли вчера внимание на одну машину там, в нашем дворе... Ты не подскажешь? — Не мог же он объясняться в присутствии этого «грызуна».

— А, ты имеешь в виду машину Кочерги? Да?

— Ну конечно.

—Я ее в розыск объявил. Но почти уверен, что это пустой номер. «Девятки» сейчас высоко котируются. Еще «шестерки». Уважает их эта шпана. А остальные — почему-то не очень. Качество сборки, наверно.

— Тогда все правильно: этого поставили и уехали. Ну, будь... А вы, Станислав Никифорович, вероятно, торопитесь? — наивно спросил Турецкий, заметив, что директор уже несколько раз нервно поглядывал на свои крупные, под золото, а может, и в самом деле золотые часы на правом почему-то запястье. — Вы ж недавно уверяли, что времени не замечаете.

— В принципе, Александр Борисович, в принципе, как говорится. Но как раз сегодня у меня намечено, так сказать, маленькое семейное торжество, день рождения, понимаете...

— Ах, тогда, ради Бога, простите меня и примите, пожалуйста, самые искренние...

Потупившийся директор вежливо остановил поток поздравлений:

— Не у меня, нет, так... Как бы это сказать, у близких знакомых...

«Уж не у той ли «кавалеристки»? — мелькнула догадка. Уж больно она независимо вела себя. Черт их всех разберет с этими сексуально-финансовыми проблемами.

— Ну что ж, сочувствую, но, видимо, вам придется, Станислав Никифорович, кого-нибудь оставить вместо себя, кто мог бы выдать официально для проведения экспертизы ваш «фольксваген». Вы понимаете меня? — со значением объяснил Турецкий.

— Увы, — тяжко вздохнул директор. — Видимо, придется самому... Это же, насколько я могу понять, ответственное дело?

— Разумеется. И еще, если позволите, этот ваш учетный листок я тоже возьму. На время и под честное слово. Верну при первой же возможности, скорее всего, вместе с автомобилем. Не возражаете?

Интересно, а как бы он мог возражать, если следователь уже упрятал твердый лист, почти картонку, в свой портфель?..

Засим Турецкий раскланялся, сообщил, что товарищи с Петровки подъедут с минуты на минуту, и, сопровождаемый до выходной гостиничной двери элегантным директором, покинул, наконец, помещение «Урожайной».

Отъехав половину квартала, Саша прижался к обочине, вышел, запер дверь и отправился обратно к гостинице. Обойдя высокий бетонный забор по периметру, он выбрал место поудобнее, подпрыгнул, подтянулся на руках и увидел то, в чем был абсолютно уверен.

Господин Волков собственной персоной задумчиво разглядывал свое апельсиновое средство передвижения. Затем открыл дверцу и по пояс залез в тесный автомобильный салон. Очень хорошо. Идентифицировать его пальцевые отпечатки труда не составит. Саша видел, как он мусолил в потных своих ладонях листок учета автомобиля, прежде чем вручить его следователю. А внутри машины Волков вряд ли найдет что-либо компрометирующее его. Эти киллеры вовсе не идиоты, хотя... ведь известно, что даже на старуху случается проруха...

Турецкий хотел было уже разжать пальцы и спрыгнуть на землю, как во дворе появилось новое действующее лицо. Откуда-то, возможно, из гаражей или подсобки, вышел невысокий, но крепко сложенный парень, как теперь говорят, кавказской национальности. Это легко определялось по его заросшему черной щетиной лицу— не борода с усами, а просто густой волосяной покров. Поговорив о чем-то с Волковым, парень вернулся к гаражам, где сразу заработал мотор, и выехал на середину двора на... вишневой «девятке».

Мгновенная мысль: «чечен» — «девятка», и Турецкий, спрыгнув на землю, уже мчался вдоль бетонного забора к гостиничным воротам, проклиная себя, что не послушался Меркулова и конечно же не вынул из сейфа положенное по штату оружие. Но, выскочив на улицу, он понял, что опоздал: «девятка» опередила его минимум на две сотни метров, и чтоб теперь догнать ее, не могло быть и речи. Но появилось другое, более весомое обстоятельство: машина киллеров, если это была она, и угнанная «девятка» Кочерги оказались в одном дворе. И это уже говорило о многом.

Стоп! — в который уже сегодня раз остановил себя Турецкий. А откуда известно, что эта машина принадлежала покойному Кочерге? Что, в городе нет больше малиновых «Лад» девятой модели? Или на этой были номера Кочерги? Ничего подобного. Значит, все это надо еще доказывать. И никаких обвинений «грызуну»-директору, к сожалению, сейчас не предъявишь. А вот спугнуть его этой «девяткой» можно. Значит, что же? Все оставить, как есть, решил Саша. Яковлев проведет изъятие «фольксвагена», эксперты его понюхают, а за Волковым надо установить наблюдение. И за этой его подозрительной конторой.

10

Поразительно, но сегодня весь его путь ищейки постоянно приближал к родному дому — так Саша мог бы, и не без основания, назвать квартиру Грязнова. Следующая остановка была на улице Седова, возле вытянувшегося на целый квартал многоэтажного дома с добрым десятком стеклянных подъездов. Отыскав нужный ему и поднявшись самостоятельно, ввиду отсутствия исправного домофона, на восьмой этаж, Турецкий позвонил в дверь, созданную, по всей видимости, на каком-нибудь танковом предприятии. Правда, броневой лист сверху был обтянут стеганым, словно одеяло, черным блестящим дерматином.

Но дверь открыли без предварительных вопросов: кто да зачем.

— Мне необходимо поговорить с гражданином Поселковым, — сказал Саша, предъявляя удостоверение крупной, плечистой девахе в спортивном костюме, стоящей возле порога и закрывающей собой вход в неширокий коридор, в который выходили с обеих сторон три двери. Трехкомнатная, значит, квартира, старой планировки. У Славки такая же.

— Он тут больше не живет, — тихим и безжизненным голосом ответила девушка-богатырь.

Заметив невольное движение Турецкого вперед, она отступила в сторону, позволяя ему войти в прихожую и прикрывая наружную дверь, может быть, от соседей, чьи лупоглазые «очки» пристально разглядывали лестничную площадку и кабину лифта.

— А где, извините, он проживает? По какому адресу? Вы не могли бы мне помочь в этом вопросе?

— Папа нигде теперь не проживает... — Собеседница неожиданно тяжело задышала, и в глазах ее блеснули слезы. — Потому что он умер.

— Как это — умер? — прозвучал не совсем продуманный вопрос. — Когда?

— Скоро годовщина... Мы похоронили его в прошлом году, двадцать седьмого октября.

— Так... — пробормотал Турецкий, чтоб хоть как-нибудь отреагировать на обескуражившую весть.

Было совершенно ясно, что этот ухоженный сукин сын Волков его снова надул. Но на что он рассчитывал, сваливая ответственность за машину, взятую два месяца назад, на гражданина Поселкова, уже год как оставившего сей бренный мир? На то, что следователь — дурак? Бред сивой кобылы. Ведь он же имел какую-то цель? Какую? Ведь последней машиной, которой мог воспользоваться гражданин Поселков Н.Н., как указано в учетном листке, был катафалк.

— Приношу вам свои соболезнования, — сказал Турецкий. — А вы, вероятно, его родственница, в смысле дочь?

— Нет, я жена его сына. Но его сейчас нету дома...

— Отчего же, простите, умер?.. — Саша взглянул в учетный листок.

Она поняла вопрос:

— Папа, то есть Николай Николаевич, умер от рака желудка. У нас его, к сожалению, не лечат.

— Да, увы, еще раз простите... Но дело в том, что я — следователь, как вы могли понять из моего документа. И мне необходимо знать, брал ли когда-нибудь ваш... отец машину напрокат у некоего гражданина Волкова, директора гостиницы «Урожайная»? Это тут неподалеку, в Останкине.

Задавая теперь вопрос, он не преследовал особой цели, скорее спросил по инерции, потому что смысла продолжать допрос этой могучей девицы не было.

— Да что вы! — почти вздохнула она. — Он же только с шофером и мог ездить! Он же практически инвалидом был: очень сильный артрит. Страдал от радикулита, ой, да Господи! — Чего у него только не было! Я не уверена, что он вообще умел водить машину.

— Но, может быть, он брал для кого-то другого машину? Для сына, к примеру, или для вас?

— А зачем? У Алика есть служебная, мне не нужно, какой смысл?

— Да, действительно... Может быть, ваш муж знает? Он скоро придет, вы не в курсе?

— Да что вы, кто ж скажет! Он того и сам, наверно, не знает.

— А чем он занимается, если не секрет?

— Что ж тут секретного? Алик — президент небольшой фирмы «Мостранслес». Это в центре, возле ГУМа.

— Вы меня извините, — изобразил Турецкий улыбку, — но Алик... это мне как-то...

— Ну да, конечно,— улыбнулась и она. — Алексей Николаевич. Вообще-то друзья зовут его Лешей, а я как-то привыкла: Алик. Да и отец так его звал. Он хороший был человек, наш папа, нет, правда.

— Я вам верю... Но каким же образом значится его фамилия на учетном листке аренды автомобиля? Как же он сюда-то попал? — Саша туповатым взглядом милицейского служаки рассматривал лист, аккуратно держа его за самый уголок. Показал девице, пардон, женщине. Но в руки ей не дал. Она прочитала фамилию, задумалась.

— Как вы назвали эту гостиницу? — спросила неожиданно.

— «Урожайная». Это, повторяю, неподалеку, сразу за ВДНХ, ну за Выставочным центром, как ее теперь именуют. Знаете?

— Представляете, я вспоминаю... Кажется, с год назад, ну да, незадолго до смерти... да, к папе приезжал его старинный друг. С семьей. Папа уже болел, понимаете, больше лежал и было... ну, не совсем удобно... с гостями. Их, кажется, шестеро было. Вот тогда папа, как он сказал, воспользовался своим служебным положением и в пять минут буквально устроил всю семью в какой-то просто роскошный, хотя и недорогой, номер гостиницы. И по-моему, называлась она «Урожайной». Точно сказать не могу. Алик должен помнить, он же их и отвозил туда. Похоже, вы говорите правду, он тоже сказал тогда: совсем рядом, в пяти минутах езды.

— Еще раз извините мне мою невежливость, как вас зовут? — Саша от усердия даже прижал руку к сердцу.

— Алла Павловна, а...

— Александр Борисович, — поторопился он предвосхитить ее вопрос. — Скажите, Алла Павловна, вот вы говорили: служебное положение... А кем работал Николай Николаевич? Кто он был по профессии?

Она даже слегка удивилась, будто не знать Поселкова было попросту стыдно.

— Папа был генерал-майором госбезопасности и работал, я имею в виду до пенсии, в Управлении кадров КГБ СССР. Но теперь это его ведомство называют как-то по-другому.

— Да, конечно... — пришла, наконец, очередь и Турецкого «развести руками». — Вы мне разрешите воспользоваться вашим телефоном?

— Пожалуйста.

Но продолжение разговора с директором Волковым Станиславом Никифоровичем пришлось отложить на неопределенное время, поскольку автоответчик в офисе предложил желающим сообщить для записи свое имя и номер телефона. Молчал и его домашний телефон, выданный Турецкому Володей Яковлевым. Значит, одно из трех: либо Волков сдает муровцам машину на своем хоздворе — по времени они должны были уже подъехать. Но тогда зачем ему было включать автоответчик? Его же не включают, когда выходят из помещения на пять минут. Либо он уже сдал ребятам автомобиль и, исполненный душевного смятения, грызет ногти на пути к дому. Либо его нетерпеливая секретарша Мариночка уже взнуздала элегантного жеребчика и они благополучно приступили к стипль-чезу.

Как скоро сообразил Турецкий, ожидать здесь Алика было бессмысленно. Поэтому он записал телефоны Алексея Николаевича Поселкова — служебный и домашний — и вежливо распростился с хозяйкой. Уже выйдя за дверь, движимый скорее идеями абстрактного гуманизма, пожурил ее слегка, что она открыла дверь, напоминающую больше средневековые крепостные ворота, не спросив, кто там. А ей бы ответили: почтальон Печкин. А мог ведь вовсе и не Печкин стоять. Да не один.

Алла Павловна кивнула, как бы соглашаясь, и неопределенно пожала плечами. Но Саша все равно не позавидовал бы тому «домушнику», который рискнул бы в одиночку проникнуть под крышу этого дота.

Итак, на сегодня можно было предположить, что его рабочий день кончился. Надо поторопиться к Грязнову. Во-первых, приодеться, привести себя в порядок, душ принять для начала. А то эта неровная погода оставляет на всем теле ощущение какой-то сырой накипи. Но главное все-таки во-вторых. Естественно, что Грязнов поедет к Шуре совсем не для того, чтобы вести умные разговоры. Романова хоть хозяйка, в смысле повариха, прямо скажем, не очень, но жратвишки у нее будет вдоволь и всякой. Воспитанный на бесконечном кофе и двадцати видах яичниц Турецкого, Слава, конечно же, мечтает воспользоваться случаем и вкусить от истинных даров небесных, которые все приличные люди покупают лишь по большим праздникам. Но пища без пития — как соловей без песни... Пить же за рулем Слава себе позволяет лишь в редчайших случаях. В последнее время подобного вообще не было. Значит, для сохранения душевного равновесия он будет вынужден посадить за руль своей роскошной «ауди» племянника Дениса. Пить которому нет ни малейших оснований. Вот таким дедуктивным путем Турецкий выяснил для себя, на что мог бы рассчитывать, если не опоздает к отъезду Грязновых на бал.

Но он опоздал. «Ауди» во дворе не было, а в квартире все носило следы поспешных сборов. Вода в ванной текла тонкой струйкой — кран до конца не закручен: это Денис. У него вечно течет. На кухонном столе рядом с засохшей хлебной коркой лежали на выбор несколько галстуков: это Грязнов. Перенял у Саши страсть к этому виду камуфляжа. В комнате Славы стоял удушливый запах «О'де туалетт»: Турецкий открыл форточку, потому что спать здесь Грязнову будет невозможно.

«Ну, раз вы так со мной, друзья дорогие, не могли, понимаешь, пяти минут обождать, то и черт с вами! Соберусь не торопясь, поеду на собственной тачке, буду делать вид, что пью, хоть это и очень обидно, но, может, и к лучшему. Зато поем в охотку. А там видно будет. Ну а уж совсем на худой конец, опрокину парочку-другую, кто мне запретит? Гаишники, известное дело, конфликтуют главным образом с гэбистами, их хлебом не корми, дай прижучить антипода-чекиста. А к нам, прокурорским, относятся спокойно. Может, ближе к своим считают. Да в общем-то и работаем мы вместе, в постоянном контакте. Так что можно не бояться, не остановят, а остановят — подмигнут и отпустят».

Саша посчитал деньги. Он, конечно, не Грязнов и миллионами не ворочал, но гордость свою все же имел. Этого не отнять. Покупать Шурочке какую-нибудь крашеную фиговину, которую дети жаркого бакинского солнца выдают за натуральные хризантемы, для красоты присыпанные блестками, джентльмену его типа было как-то негоже. Пусть будет роза. Правда, одна, на хилый букет денег не хватит, но это будет роза. Пятнадцать тысяч как одна копеечка, а? Обидно, но что делать?.. «Ноблэс оближ!» — как говорят французы, что в переводе означает: положение обязывает.

11

На сборище Турецкий прибыл, кажется впервые в жизни, первым из гостей. Если не считать, конечно, Олега, Шуриного младшенького. Пока Саша вручал свою пунцовую розу и они втроем толкались в прихожей, Шура неожиданно установила, что он ниже Альки чуть ли не на десяток сантиметров. Ну конечно, сын-то для нее всегда будет маленьким, несмотря на почти двухметровый рост.

Олег подмигивал, кивая на мать, мол, не стоит ничего сегодня принимать всерьез, но Саша видел по его глазам и впалым щекам, что ему самому нелегко приходится, сильно устает мужик. Всего три, что ли, дня его не видел, а уже заметно, как-то опал лицом Олежка. Знать, и утренние пробежки не шибко помогают.

А в доме шли последние приготовления к торжественному ужину.

Олег нарезал широким японским ножом какую-то копченую вкуснятину, Шурочка раскладывала веера на больших тарелках, а Саша искал на столе свободные места и пробовал их втиснуть. Заставлено все было до упора, по-русски. Как говорится, все, что есть в печи, на стол мечи. Какой-нибудь вшивый иностранец в обморок бы упал. У них ведь как? Съел салат — принесут ветчинки. Ее слопал — еще чего-нибудь подадут. И лишнего не остается, и для обжираловки не так уж много продукта требуется. А Россия, хорошо еще если половину в мусоропровод спустит, зато в конце застолья набьют целлофановые пакеты— и в холодильник. Целую неделю потом можно завтракать и ужинать. Конечно, какой зарплаты тут хватит!

Бурчал Саша себе под нос, а сам понимал: чистая фигня все то, о чем он сейчас думал. И праздник такой у Шуры, может, если не первый, то уж точно — последний. А что еще праздновать-то? Уход на пенсию? Рождение внука или внучки, о которых она только и мечтает? Но там уж папа с мамой командиры. Вот и получается, что немного радости-то впереди светит.

Вытирая руки полотенцем, с кухни пришел Олег, критическим оком оглядел потуги Турецкого, скривил губы в усмешке.

— Да-а... Слышь, ма, ты же говорила, что восемь гостей пригласила, а тут девять тарелок. Зачем?

— Ой, да ну шо вы, хлопцы! Да я разве знала? То ж в самый последний момент выяснилось, будь он неладен!

— Ты о ком, ма? — крикнул Олег на кухню, понимая, что мать не сильно довольна присутствием этого девятого гостя.

— Да есть такой... Ни в жизнь бы не позвала, а он сам напросился, и послать его неудобно. Ну и черт с ним, закуски хватит!

— Ничего себе хватит! — восхитился Турецкий. — Еще и на целый эскадрон останется...

— Вы, хлопчики, давайте-ка проверьте приборы, да про хлеб не забудьте, вечно забываю! А я пошла переодеваться!

— Ма! — засмеялся Олег. — Надеюсь, ты погоны сегодня не станешь на себя напяливать?

— Да какие там погоны! Сдались они мне!

Ох, лукавит Шурочка! Как же, сдались... Всю жизнь к ним топала. Правда в другом: когда притопала, оказалось, что все это, наверно, уже никому не нужно. Однако генеральская пенсия все-таки несколько выше полковничьей, как ни крути. А славной русской бабе под хохлацким соусом хоть бы на пенсии пожить по-человечески...

Раздалась соловьиная трель — такой звонок на двери у мадам Романовой, — и в квартире появилось молодцеватое семейство Грязновых, и с ними... ну да, конечно, как же это Турецкий не сообразил, почему эта семейка поднялась на крыло так рано, — с ними была Танечка Грибова, лукаво поглядывающая на Турецкого, словно между ними было нечто такое, о чем ведали только они. Ну и хитра же, бестия... Грязновы выглядели по-своему празднично, а вот Таня — у Турецкого не было подходящих слов, чтобы выразить свое восхищение. Интересно, каково сегодня будет Косте, когда Славка представит ему этот великолепный образец, менее всего предполагающий причастность к юриспруденции. Даже у Олега отвисла челюсть.

Конечно, если женщину одеть соответствующим образом и поставить на изящные высокие каблучки, может получиться нечто этакое, от чего мужчины соглашаются на адские мучения в загробном мире, а не на райские кущи с распевающими в них ангелицами. Подлое дело — завидовать другу, но что поделаешь, если вопреки желанию сама по себе взяла да и наклюнулась у Саши не очень благородная мыслишка: а ведь наверняка не просто за так предоставил ей возможность ночевать в офисе ее шеф... Да, Александр Борисович, добавь еще к этому, что он, поди, и сам с удовольствием ночами диктует ей свои «мемуары». Мысли стали принимать совсем уже вольный оборот, и Турецкий резко осадил себя: молчал бы уж в тряпочку и на чужой виноград не заглядывался...

Он сделал себе строгий выговор с... предпоследним предупреждением и запоздало сообразил, что, судя по реакции Шурочки, Таня не могла быть девятым гостем. Во-первых, она никак не могла «напрашиваться», а во-вторых, была совсем не мужеского пола. Тут глубокие сопоставления прервал Денис, который бесцеремонно потянул его за рукав на балкон — покурить.

— Но ведь ты же не куришь, — с иронией возразил Саша, понимая этот маневр Грязнова-младшего как шаг по отвлечению слишком пристального внимания к выдающимся Танечкиным прелестям.

— Вам, дядь Саш, надо. Пойдемте.

— Ах, мне? Ну конечно... А как же иначе! — Из мелкого чувства мести Саша предложил и Грязнову-старшему составить им компанию. К удивлению, тот охотно согласился.

На балконе дул противный, холодный ветер. Денис притянул к себе дверь, и они остались втроем.

— Вообще-то, Саня, я не хочу вам мешать. Если будет желание или нужда, сам расскажешь. А от Дениски я так ничего и не добился, сколько ни пытал его. Так и не знаю, чего он гонял в библиотеку.

— Сейчас все узнаете, — пообещал Денис. — Я как раз тоже хочу, чтобы вы послушали, чего я раскопал.

— Ну тогда, — сказал Слава, закуривая, — давайте не будем проедать время, а то еще кто-нибудь явится и к нам на балкон вылезет. Ты слышал, оказывается, Шура двух милицейских пригласила. Ну, одного ты прекрасно знаешь, а вот второй... Ладно, черт с ним, валяй, Денис.

— Значит, дядь Саш...

— Исключительно в домашних условиях, Денис, — строго поправил его Грязнов. — Он тебе никакой не дядя, а старший следователь...

—Да брось ты, Славка, считай, что мы дома, — успокоил Саша.

— У них там столько газет, что можно голову себе сломать. Представляете, в каждом маленьком городишке, который меньше любой нашей деревни, своя газета выходит. Да еще у них есть вечерние выпуски, специальные тематические издания, словом... — Денис взмахнул руками. — Хотя и у нас теперь не меньше. Но трудность в том, что все они очень толстые. Я просмотрел в газетном фонде только за две последние недели и — сдох совсем. «Франкфуртер альгемайне», «Франкфуртер рундшау», «Бильд» и прочие. Как я сказал, с вечерними выпусками. Но это центральные издания региона. И у них там тоже преступлений хватает. Кстати, сейчас все они пишут о совершенно черной, по-нашему, бытовухе. Потом расскажу.

—Ты давай о главном,— поторопил его Турецкий, потому что стало совсем холодно в пиджачке-то.

— Я помню, что вам про банки. По этой теме я целый кейс вырезок принес. Я сначала стал делать копии, у них там ксерокс имеется, но они шкуру дерут за каждую копию. Ну и стал я тогда просто вырезать то, что может понадобиться.

— Денис! — возмутился, но не очень Грязнов-старший.

— А чего? Я бритовкой, аккуратненько. Да у них там, дядь Слав, каждой газеты — по несколько экземпляров. Перебьются. Нам же нужнее. А потом, если бы я все на ксерокс таскал, то и до утра бы не управился. В общем, набрал я, сколько успел. Второй раз туда теперь— сами понимаете. Кое-что у меня с собой есть. А одну, это из «Кронбергер цайтунг», я сейчас покажу, вот, я фломастером обвел. Кронберг — это городок под Франкфуртом, километрах в пятнадцати от него на северо-запад, я по карте смотрел. Нате, глядите.

На балконе было темновато, но в слабом свете люстры в комнате, за тюлевой занавеской, все же можно было разобрать латинские буквы и прочитать два подчеркнутых зеленым слова: «Goldenes Jahrhundert».

— Понимаете, дядь Саш, это «Гольденес Ярхундерт». Вот слушайте: «Вчера, в районе одиннадцати часов вечера... — начал медленно переводить Денис, — так... одиннадцати часов вечера... произошел взрыв автомобиля»... Ну, не совсем так, дядь Саш, давайте я пока своими словами, а вечером дома точно вам переведу, ладно?

— Давай, давай, Денис.

— В общем, при взрыве пластиковой бомбы в автомобиле марки «Ягуар» погиб директор банка... нет, директор филиала банка...

— «Золотой век»? Так, Денис?

— Во, дядь Саш, точно! Герр Манфред Шройдер, директор филиала банка «Золотой век», штаб-квартира которого находится в России. Преступники пока не установлены, но предполагается, что это дело рук русской мафии, которая сейчас вышла на мировые просторы. Это они так пишут, дядь Саш, почти дословно. Ну а нюансы я переведу дома.

— От какого числа газета?

— А вот, я здесь записал. Понедельник, второго октября.

— Вот так, мужики... — назидательно сказал Турецкий. — За два дня до убийства президента банка «Золотой век» в Москве — Алмазова в Германии убирают директора филиала того же банка — Шройдера. Банкиры-партнеры...

— Дядь Саш, эта заметка в газете, между прочим, дана как объявление. Они дальше просят тех, кому что-либо известно об этом трагическом происшествии, звонить в полицию инспектору герру Юнге и дают номер его телефона... И еще они деньги предлагают за информацию, целых пятьдесят тысяч. Дойчемарок! А у нас этого пока нет, и зря. Это награда тому, кто скажет про убийц что-нибудь определенное — приметы там и прочее. И если эти сведения помогут арестовать преступника, получайте свои денежки! Вот жизнь! Мы там с дядей Славой точно стали бы настоящими миллионерами... Дядь Саш, скажите правду, как вы догадались послать меня в этот газетный фонд? Откуда вам было известно, что я там это найду?

— Честно, Денис?

— Ага!

— Я на кофейной гуще гадал, что у твоего дядя с вечера в кружке остается.

— Да кого ты слушаешь, Дениска! Тоже мне — кофейная гуща! Чему ты молодежь учишь, старший следователь по особо важным, а?! А ты, Дениска, тоже дурацкие вопросы задаешь! Ты разве не видел, как он ночами кумекал?

— Потише, Слава, — тронул его за рукав Турецкий. — Это же все-таки тайна следствия.

— В том-то и дело, а ты мне мою молодежь развращаешь. Сел — погадал, и нате вам — решение! Вот, Дениска, следи за ходом мысли. Ты же, в общем, в курсе дела. Первое — самолет из Франкфурта. У Алмазова там филиал — два. Убили не только Алмазова, но и курьера из Германии — три. За Кочергой, который всю ночь у нас на кухне исповедовался, охотились во Франкфурте, а достали-таки в Москве — четыре. Куда Отарик Санишвили слинял, тот, чьей бабы квартиру мы с тобой вскрывали? В Германию— пять. Видишь, у меня на руке пальцы кончились, и это еще наверняка не все. Твой дорогой дядь Саша не все еще рассказал. Понимаешь теперь, откуда берется эта твоя интуиция? То-то, племяш, учиться тебе надо... Эй, мужики, вижу шевеление!

Через стекло балконной двери они увидели входящего в комнату начальника МУРа Юру Федорова в полковничьей форме, а следом за ним осанистого дядьку, который был в штатском.

— Ну вот тебе, — недовольно заметил Грязнов, — и наш славный Московский уголовный розыск в лице его последнего на сегодняшний день начальника, а с ним и дружок его, чтоб мои глаза не видели, — Валерка Лагунин.

— Ах, вон это кто! — узнал теперь и Турецкий. — А я гляжу, физия вроде знакомая, а вспомнить не могу.

— Та еще гнида! — пробурчал Грязнов. — Прет наверх, как танк. Все сметает на своем пути. Пяток своих преданных корешей подсидел. А в середине года получил генеральскую папаху и теперь начальник особой инспекции по личному составу в МВД. Вот погоди еще немного и увидишь, что этот тип устраивается в кресле замминистра. Особая ж инспекция у нас — это как гестапо, самая грязная служба во всей эмвэдэшной системе.

— А на хрена он Шуре? Ну, может, сыграл какую роль при ее назначении, так от него, поди, ничего и не зависело.

— Не скажи... Раз сам напросился, значит, ему чего-нибудь нужно. И послать его к едрене фене тоже никак нельзя. Вот и будем теперь терпеть весь вечер гниду... Слушай, Саня, — вдруг таинственно наклонился Грязнов, — а вдруг это ему Олег Шурин нужен? Он же у нас не последняя шишка в комиссии по преступности при Совете безопасности! На службе-то Олег его запросто на хрен пошлет и даже не обернется, а так, в домашних, как говорят, условиях? А? Ну народ! Каждый свою дерьмовую политику вершит где может!

— Ну ты даешь, Вячеслав Иваныч! — восхитился Турецкий такому неожиданному ходу мыслей Грязнова.

А с другой стороны, почему бы и нет? Славка тоже ведь не первый день на свете обретается. И опыта общения с подобными «гнидами» ему тоже не занимать... Надо было идти в дом, но подлючая подначка так и лезла, так и рвалась на волю.

— Знаю я его, — небрежно кинул Турецкий. — И человек — дерьмовый, но что хуже — бабник страшенный. Ничего святого. И чем только берет, не понимаю — ведь никакого вида, а бабы от него стонут. Ты бы, Славка, не подпускал его к Татьяне ближе, чем на метр, уведет ведь, подлец!

И все в нем возликовало, когда Саша увидел, как ринулся Грязнов в комнату, где в настоящий момент генерал Лагунин уже наклонял лысеющую голову, чтобы приложиться к ручке блистательно-эффектной Татьяны Павловны. Грязнов по-свойски отодвинул Лагунина в сторону, как передвигают мебель, походя поздоровался, и вот уже Татьяна с его помощью оказалась по другую сторону стола вне досягаемости генерала.

Все, что касалось Лагунина, Турецкий, конечно же, сочинил, но ведь он хорошо знал нравы милицейского генералитета. А то, что этот Лагунин охотно поможет Танюше не только институт закончить, но и немедленно в свое ведомство заберет, под себя то есть, это ни в каких доказательствах не нуждается. Поэтому прав он был лишь в одном: не бросай роскошную Татьяну, и нечего ее всяким генералам демонстрировать.

Олег индифферентно, со скучной миной, наблюдал за процессом появления гостей. Саша перехватил взгляд Шурочки, брошенный сыну, а после — на Лагунина и понял, что она тем самым показала Альке, кто среди гостей — девятый. Потом она сама представила генерала-особиста Олегу, и, как показалось Саше, Лагунин очень ему не понравился. Возникла неучтенная, неловкая пауза, во время которой две женщины поправляли на столе приборы, Олег доставал из стенного бара бутылки и откупоривал их без всякого разбора. Федоров при виде обильнейшего стола довольно потирал руки и морщил нос, принюхиваясь к аппетитным запахам, доносившимся из кухни.

Наконец появился Костя Меркулов, держа в руках огромную коробку с тортом С его приходом стало как-то спокойнее, увереннее и веселее. И вся компания стала рассаживаться за столом.

К Меркулову вернулась его былая застольная раскованность, которая позволяла ему быть своим человеком в любой компании и в любой питейной точке, забегаловке Москвы и ее ближних окрестностей. Он с блеском произнес пару тостов и за сверкающие Шурочкины погоны, и за ее способности собирать вокруг себя только тех, кто этого поистине достоин. Словом, намеков было выше головы, но они никого не обижали, а, напротив, вызывали взрывы нового веселья. Косте удалось очень быстро поломать напряжение, возникшее от присутствия чужого, в общем, человека, и застолье покатилось.

Что любопытно: ну вот собираются, скажем, в узком праздничном кругу художники или компьютерщики. О чем они беседуют? Конечно, о своих делах, о том, что, в первую очередь, интересно им. А они сегодня? Естественно, если бы тут не оказалось «чужого» генерала, уже давно обсуждали бы, все более горячась, перипетии текущих дел. Поскольку практически все гости пусть в разной степени, но имеют к ним отношение. Не говоря уже о свидетельнице Грибовой, которой все больше внимания, этак ненавязчиво, стал уделять Олег.

Была у Грязнова одна хорошая, но опасная для него самого черта. Несмотря на свой богатейший муровский опыт, где доверяй и проверяй — не хохма бывшего американского президента, а основной принцип розыскной работы, Славка безмерно доверчив. К своим людям, конечно. Вот та же Татьяна. Неизвестно, конечно, до какой температуры дошли их взаимоотношения, но раз он ее таскает с собой по гостям, значит, она ему не просто приятельница. Ладно, Славка, размышлял Турецкий, нравится она тебе — это хорошо, но нельзя быть абсолютно уверенным в обратном. Она же молодая баба, наверняка знает себе цену, потому что не может не видеть, как ее разглядывают мужики и чего они от нее хотят. И то, что она до сих пор не замужем, совсем не значит, что она девственно чиста в ожидании принца. Заочный юрфак — тоже ведь не от самой хорошей жизни. Ну вот, сейчас у нее Славка нашелся. Мог бы и другой. Но Грязнов — далеко не принц! И годки его подбираются к среднестатистическому пенсиону. Словом, как в том еврейском анекдоте, — это не фасон для невесты. А кто же тогда «фасон»? Да вон он, почти напротив сидит — совсем молодой, но уже достигший немалых высот на правоохранительной ниве, Олежка, Алька, Шурочкин младшенький. Чем не жених? Одним словом, зря Славка притащил сюда свою даму, отобьют, уведут, видит Бог... Но он — доверчивая душа, ничего не замечает, и зря. Но как ему сказать об этом, чтоб не обидеть?..

Пока Саша совершенствовал в себе умение вести внутренние монологи, за столом произошли некоторые тематические изменения. Народ, не единожды опрокинувший рюмки за Шурину генеральскую папаху, перекинулся на общую политику и, наконец, затронул самое больное и близкое — тему разгула мафии.

Никто пока намеренно не касался дела, которое вел Турецкий, как вдруг этот *чужак*, этот генерал в штатском, обратился к нему напрямую — не к Косте или Федорову, а именно к Саше — и словами-то липкими, как мед:

— А значит, ва-ашего бога-атенького, получается, прикончил на этот раз его собственный телохра-анитель?

Турецкий не успел ни подтвердить, ни опровергнуть сей вопрос-утверждение по двум причинам. Во-первых, его рот был занят копченой курицей, которую Саша разрешал себе время от времени для удобства запивать легким вином. Во избежание соблазна хорошо надраться. Почему-то вдруг появилось такое желание. Ну а во-вторых, его опередил Костя Меркулов, перехватил инициативу и вяло, как о чем-то рутинном, надоевшем, промямлил, ни на кого не глядя:

— Да, эти слухи верные. Мы прекращаем дело по причине смерти обвиняемого. Только на этот раз, — Костя поднял равнодушный взгляд на генерала, — тут никакая не мафия действовала. Убийство по личному мотиву. Все установлено окончательно... А вот самоубийство госпожи Сильвинской — бездарная инсценировка, и преступник нам тоже известен. Это некто Санишвили.

Совершенно неожиданно для Турецкого Меркулова поддержал Юра Федоров:

— А я уже вкратце доложил об этом деле генералу. Теперь наша цель — арестовать этого грузина. Вот только как его найти в Германии да каким образом арестовать — это задача. Эх, господа мои хорошие, прошли добрые старые времена. Никого б мы не спрашивали, а взяли бы и доставили на родину в лучшем виде...

И Федоров со свойственным ему красноречием продолжал пространно и долго философствовать, а в сущности, вешать лапшу на уши особисту Лагунину, справедливо полагая, что в оперативной работе тот ни черта не смыслит. Вот ежели б об интригах — тут другой коленкор.

Между тем Олег, внимательно наблюдавший за Костей, усмехнулся чему-то и, наклонившись к Саше, предложил сепаратный тост за его близкий отпуск:

— Наконец-то, Саш! Я очень рад за тебя и за то, что эта дурацкая тягомотина завершилась. Я ж говорил: все гораздо проще, чем кажется на первый взгляд. Ну, давай, за твой отдых в славном городе Мюнхене, или куда ты там собрался? И за твоих девчат. От души поздравляю!

Он говорил искренне, что действительно рад Сашиному «освобождению», а тому совсем не хотелось его обманывать. Но ведь у них не было возможности встретиться в последние дни, чтобы толково и не торопясь обсудить вновь открывшиеся факты. Однако теперь, после выступлений Меркулова и Федорова, после того, как это дело было красиво и просто преподнесено публике в лице «гниды» Лагунина, Турецкий не имел права открывать рот и что-либо вякать по своему разумению. И еще одна подспудная мысль не беспокоила, нет, а задевала: мадамочка-то, кажется, приняла толику лишнего, глазки Танечкины заблестели, заколыхался «волнительный» бюст. Прерваться бы, передохнуть немного, Грязнова бы предупредить, чтоб был бдительнее, да разве этот народ теперь оторвешь от стола, где, сколько ни ешь, все равно останется больше. А вот если удастся поднять их из-за стола, там, глядишь, можно будет и о времени напомнить: мол, завтра все же рабочий день, не пора ли, гостюшки ненаглядные, и честь знать? Шура-то купается в генеральских мерлушках, она у себя дома. А лично Турецкому очень сейчас хотелось просто врезать парочку стаканов и — носом в подушку.

— Братцы! — решился он с некоторой развязностью не совсем трезвого человека. — А не сообразить ли нам для нашей дорогой Александры Ивановны, то бишь Шурочки, тур вальса?

— Дело! — обрадовался Костя и, прищурившись, посмотрел на Сашу. — Помню, однажды...

— Ой, да ну шо ты, Костенька! — видимо, зная, о чем речь, сразу замахала обеими руками Шурочка. — Ну как тебе не стыдно?!

— Ага! — обрадовался Турецкий, не ведая, о чем они, но создавая определенный ажиотаж. — Ну-ка давайте! Олег, где у твоей мамы музыка?

Три минуты спустя Олег, не пользуясь, естественно, никакими табуретками, вытащил с антресоли проигрыватель для пластинок. Но какой! Наверно, это был младший брат патефона, рожденный где-то в начале пятидесятых годов, то есть еще до появления Турецкого на свет. Оттуда же Олежка вытащил и кипу пыльных пластинок. Шура тут же запричитала, заохала и понеслась на кухню за тряпкой.

Кто-то из гостей начал оживленно перебирать старые пластинки, узнавая певцов, споря, чего-то доказывая. Саша же подхватил Славку под руку и потащил на балкон — покурить. Когда задымили, сказал:

— Слушай, Слава, я знаю, что у вас с Олегом несколько... ну, натянутые отношения, впрочем, это ваши личные дела. Однако мне совсем не хочется, чтобы вы поругались окончательно. Поэтому, пожалуйста, последи за Татьяной. Если она, конечно, имеет для тебя значение. По-моему, девица малость перебрала, а Олег...

— Брось ты, Саня. Танька — нормальная баба. Да мы, в общем, уже собираемся трогаться. Не бери в голову, старик.

— Твои дела.

В комнате старинными голосами заиграла музыка, запел Утесов. Они вернулись и увидели, что стол уже сдвинут к стене, а в освобожденном от стульев пространстве кругами плавает Шурочка, вздымая руки и касаясь пальцами окруживших ее мужиков. И каждый, кого она касалась, тут же делал с нею два-три оборота в танце. Симпатично придумала — никому не обидно. Возле книжного шкафа, прислонившись к нему плечом, стояла Татьяна и что-то, смеясь, рассказывала, жестикулируя красивыми руками. Ее слушал Олег, тоже словно искрясь от смеха.

Ну и черт с ними! Взрослые люди, пусть сами и разбираются! Но сейчас же возник новый вопрос: а с какой это стати ты, Александр Борисович, лезешь не в свои дела? Тебе что, завидно? Или Татьяна — тот желанный кусок, который у тебя самого изо рта вынули? Но ведь ты же сам, того... отказался, когда она была совсем не против. Зачем же теперь-то моралиста из себя корчить?..

Нет, пора было кончать этот домашний концерт. Тем более что выпито уже все, что имелось в Шурином доме, то есть все, что откупорил Олег. Улучив момент, Турецкий шепнул Косте, что может отвезти его домой. Тот с некоторым сомнением оглядел Сашу, ухмыльнулся как-то двусмысленно, потом подмигнул, кивая на отчаянно кокетничавшую с Олегом Татьяну, тоже развел руками, мол, что поделаешь, всему приходит конец, и сказал, что сейчас «закроет торжественное заседание».

— Друзья мои, — услышал Саша, выходя на кухню, чтобы выпить воды, — подошло время задать сакраментальный вопрос: не надоели ли мы хозяйке? Тихо, тихо, Шура, не размахивай крылами, знаю, что надоели. Но на прощанье я хочу напомнить вам Конфуция... ну... был такой великий древний китаец. Он говорил так: знающий не сомневается, человечный не тревожится, смелый не боится. И все это имеет самое непосредственное отношение к нашей замечательной Александре Ивановне Романовой. Давайте допьем что осталось в рюмках за ее здоровье.

Молодец Костя, большой философ...

Возникла легкая неразбериха: кто куда едет. Олег совсем уже, кажется, напрягся, и стал предлагать Татьяне Павловне свои услуги и транспорт. Грязнов довольно невежливо по отношению к обоим заявил, как в старом анекдоте: кто ее ужинает, тот ее и танцует. Иными словами, он привез сюда, он и отвезет. На возражение Олега, что Слава заметно выпил, Грязнов резонно возразил, что пил как раз Олег, а вот Дениска, приглашенный в качестве извозчика, вообще даже и не нюхал. Спор готов был уже набрать силу, когда Татьяна проявила благоразумие и взяла Грязнова под руку, послав воздушный поцелуй поскучневшему Олегу. Через минуту Шурин младшенький навалился Турецкому на плечо и задал не совсем понятный вопрос:

— Саш, объясни, пожалуйста, на кой хер ему нужна Танька? Он же старый, ему же шестьдесят.

— Не ври, ему только шестой десяток. Есть разница. А что делать, он, наверно, и сам знает.

— Во-во! Седина в башку и бес — в ребро... Уже и не рыжий, а пегий, и все скачет! А мы с ней поговорили... Она баба ничего, только...

— О чем ты?

— А-а... — отмахнулся, пьяно качнувшись, Олег.— Ну сам подумай, какой она к едреной бабушке свидетель?

— С чего ты взял? — Турецкого словно током ударило, но он даже глаз не поднял. — Извини, не совсем тебя понимаю, о чем речь...

— Да брось, Сашка! — Олег несильно хлопнул его ладонью по плечу. — Она же сама рассказала, как вы с этим Грязновым ее накололи.

— Мало что — было! Дело-то мы ж заканчиваем и прекращаем, кому это все теперь нужно? Да ты и сам слышал, что Костя сказал.

— Ну и правильно, Саш. Вали лучше в Мюнхен! Там тепло. Там пива сладкого — залейся!.. Ладно, не бери в голову...

На миг Саше показалось, что Олег вовсе и не пьян. Но он же сам видел, как тот кидал рюмку за рюмкой. Просто хорошо держался, а сейчас расслабился. Однако зачем Татьяна рассказала ему, что проходит свидетелем? Они же договорились держать все в тайне, ну насколько это возможно...

— Поеду я, Олежка. — Турецкий снял его ладони со своих плеч.

— Ага, я сейчас тоже... — кивнул он, хмельно подмигивая.

— А вот тебе — не стоило бы. Я-то ведь принял винца самую малость... Оставайся лучше у матери.

— Да-а? Ты так считаешь?.. Подумаем. А ты звони, Саш, звони. Я тебе зла, ей-богу, не желаю. Я тебя, понимаешь?..

Саша вывел Олега из кухни в комнату, в буквальном смысле вручил матери и отправился в прихожую, где одевался Костя.

— Давай, Александр, Юрку с собой прихватим. Не возражаешь?

— Я-то не возражаю, а как он сам? Как его генерал?

— Генерал на своей машине. Юра пошел проводить его.

— А Грязновы где?

— Уже уехали... Да-а, голубчики, ох и завариваете вы кашу, скажу я вам.— Костя огорченно махнул рукой и посмотрел на Турецкого искоса: — Локти будете кусать еще. Пошли прощаться с хозяйкой.

Они расцеловались с погрустневшей Шурочкой. Олег лежал на коротком для него диванчике, вытянув длинные ноги, и похрапывал. Готов товарищ. Поэтому постарались расстаться тихо.

12

В машине Саша рассказал Косте и Федорову о посещении директора гостиницы «Урожайная» Волкова, о неуловимой «девятке», потом о Поселкове, который перешел в мир иной год назад, однако до вчерашнего дня распоряжавшемся взятым в прокат автомобилем. Юра подтвердил, добавив, что Яковлев уже доложил: апельсиновый «фольксваген» передан в распоряжение криминалистов.

Но когда он начал рассказывать о походе Дениса Грязнова в газетный фонд библиотеки, Костя прервал его. Он сказал, что возле его дома, куда они уже подъезжали, есть киоск, в котором он утром видел очень симпатичный ликерчик. В этой связи возникло предложение: он берет свой ликер, они поднимаются к нему. Леля, его супруга, заваривает крепкий кофеек, и под него употребляется данный ликер. Как?

Никто не возражал, тем более что было, о чем поговорить.

— А как ты сподобился, — спросил Турецкий Федорова, — этого особиста с собой приволочить? Тоже мне — друг нашелся!

На что Юра с несвойственной ему лаконичностью и откровенной неприязнью ответил, как отмахнулся:

— Да он сам навязался, хрен собачий. Я ему: Шура гостей не приглашает. А он: а я и не в гости. Ты, говорит, меня с ее сыном познакомь. Ну, товарищи дорогие, я же не могу спрашивать генерала: а зачем он тебе? Возьми, мол, позвони да познакомься. Ну, представил я их друг другу, хотя с Олегом, как вы знаете, мы же не знакомы достаточно близко. А о чем они там говорили, что их интересовало, понятия не имею. Да пошел он!

На кухне сидели долго, гоняя кофеек и сдабривая его забугорным темно-синим ликером по фамилии «Кюрасао». Главной темой разговора было убийство Манфреда Шройдера, директора немецкого филиала банка «Золотой век». А роль докладчика, естественно, предоставили Турецкому.

Пользуясь данными, сообщенными ему еще на той неделе во время беседы в «Белом доме» Олегом Марчуком-Романовым, Саша предположил существование какой-то очень крупной финансовой аферы, центральным звеном которой может являться именно Франкфурт-на-Майне, который, видимо, не за красивые глаза называют финансовой столицей Германии. Поскольку там же находится филиал «Золотого века», а в Москве — его штаб-квартира, то, ввиду убийств сразу двух руководителей, причем практически одновременно — разница в сутки с небольшим, — можно сделать вывод, ну такой, например: господин Шройдер, возможно, либо разоблачил аферу, либо только хотел это сделать, но стал немедленно первой жертвой аферистов. Посланный им курьер к Алмазову, партнеру и президенту банка, достиг цели, но был взорван вместе с Алмазовым в автомобиле уже в Москве.

Какие еще могут быть варианты?

Ну вот, пожалуйста, такой. Итак, личное вмешательство в финансовую аферу Шройдер оплачивает своей жизнью. Но не исключено, что об этой же афере, как и об убийстве немецкого банкира, знает еще некое лицо— мистер Икс, или «курьер». Убийцы также знают о его существовании и охотятся за ним. Тогда «курьер», никому не доверяя, летит в Москву— к Алмазову, а возможно, и к кому-нибудь повыше, чтобы раскрыть тайны преступления. Его встречает не только банкир, но и некто другой, кого «курьер» хорошо знает. Этот высокий, в длинном плаще, садится сзади. На подъезде к Кремлю на минутку выходит из машины по своим делам, после чего «мерседес» разваливается на куски от взрыва и сгорает почти без остатка.

— Костя, ты не в курсе, мне из МУРа поступили фотороботы этих двоих?

— А разве должны были?

— Я Клавдию твою попросил их в свой сейф запереть, чтоб ни одно постороннее лицо не видело.

— Значит, заперла, завтра посмотрим... Ну что ж, очередная версия, и, похоже, действительно, последняя, выглядит более-менее пристойно. Как, Юра, твое мнение?

— Так она ж практически ничем не отличается от его той, тоже последней. Правда, нюансы появились, но...

— Вот и я хочу заметить, — перебил Федорова Костя, — что в эту последнюю версию как-то не очень укладывается убийство нашей партийной дамочки. Она-то им зачем?

— Да, не укладывается. Но могу предположить, что подобным варварским способом довольно топорно подставляется алмазовский партнер Санишвили, что должно запутать дело. Ибо возникают уже политические мотивы — партийные счета в банках, предвыборная гонка, устранение конкурентов на выборах в Государственную Думу, до которых остался практически один месяц. Словом, дело запутывается окончательно, ему придается политическая окраска, в игру вступает госбезопасность — и в результате то, с чего все началось: дело благополучно похерено и прочно забыто. А у нас всего и забот, что «повисает» двадцать седьмой банкир-покойник. Но это ведь никого не волнует. У новой Думы появятся совершенно иные проблемы. А нашего генерального попрут наконец на пенсию. Или еще куда-нибудь подальше.

— Красиво нарисовал, — улыбнулся Федоров. — Но что же все-таки делать с убитой дамой?

— А я, между прочим, не исключаю, что ее пришил действительно Санишвили. Ты что нам про братца-то его рассказывал? Выходит, одна шайка-лейка.

— Можешь исключить, — вздохнул Юра. — Грузин вылетел в Германию вечерним самолетом, восемнадцать с чем-то. А убита наша дамочка, как уже установила экспертиза, между часом ночи и двумя.

— Погодите, ребята, — вмешался Костя. — Давайте-ка поступать разумно и соблюдать очередность. Оставим пока Сильвинскую. Что мы должны считать сейчас главной своей задачей? Ну, Александр?

— Установить личность убитого «курьера», — тянул Турецкий свою линию.

Федоров двусмысленно хмыкнул.

— Ты чего это? — насторожился Меркулов. — Не согласен, так и скажи.

— Так чего ж говорить-то? Опять на круги своя. К нам из Франкфурта поступил список пассажиров. Мы проверяем.

— Многих отыскали?

— Многих надо искать, — возразил Юра.

— И когда вы собираетесь это сделать? — недовольно спросил Костя.

— Сами заинтересованы, но работать по ночам я не могу людей заставить. Хотя... В общем, к утру будет ясно.

— Вот это другое дело, — похвалил Меркулов. — А как тебе, Турецкий, в голову пришла идея рыться в их газетах? — улыбнулся Федоров.

Но ответил Костя, разливая по рюмкам остатки синих сладких чернил:

— Это ж он в Баварию намылился, так воспользовался случаем узнать, какова там криминогенная обстановка. И стоит ли рисковать головой.

Меркулов все-таки молодец! Он все наперед знает.

Единственное, чего не обсудили поздним вечером, точнее уже ночью, так это странной, по мнению Саши, реакции Олега на известие о прекращении дела об убийстве Алмазова. «Но, скорее всего, он действительно был рад за меня», — решил Турецкий.

Вопрос с Волковым отложили до утра, до разговора с сыном покойного генерала КГБ Поселкова. И, уже провожая гостей, у дверей Костя сказал, что прямо с утра необходимо в обязательном порядке написать постановление о прекращении дела. С тем, надо понимать, чтобы начать следствие заново.

13

Незадолго до полуночи неподалеку от Кунцевского переезда, что возле железнодорожной станции Рабочий поселок, остановилось такси. Собственно, переезда как такового здесь давно уже не было, его закрыли, будка обходчика пустовала, а шлагбаум валялся на ближайшей свалке. Опытные водители, знающие это место, иногда пользовались переездом, чтобы сократить дорогу. Но это днем, когда все видно. А что здесь делать шоферу такси ночью, пожалуй, никто бы не мог сказать.

Оказалось, что сюда завел его каприз двоих хмельных пассажиров, один из которых сидел сзади, а другой — рядом с водителем. Они настаивали, чтобы водила гнал через переезд, а тот категорически отказывался. Вон же их дом, настаивали пассажиры, вон, окна светятся. И вылезать из машины не собирались. Шофер видел этот проклятый дом — за путями, но ехать через бывший переезд не собирался. Спор мог бы, вероятно, продолжаться до бесконечности, но передний пассажир боком вылез из машины и отправился на пути. Постоял там несколько минут покачиваясь, вернулся к машине и сказал сидевшему сзади одно только слово:

— Пора.

Отчаявшийся уже водитель решил, что они оставят его в покое, и обернулся к заднему. Но в щеку его больно ткнул железный ствол пистолета.

— Не вертись, сволочь, — негромко добавил севший рядом второй совершенно трезвым голосом. — Берись за баранку и — вперед, если не желаешь, чтоб тебе башку разнесли.

Новый толчок, теперь в затылок, убедил водителя, что он влип.

— Мужики, — заканючил он, — да заберите вы выручку, ну что я вам?.. Мужики...

— Двигай прямо, — жестко приказал сидящий сзади, похожий на грузина.

Водитель горько жалел, что польстился на толстый кошелек, когда брал этих черножопых пассажиров, обещавших расплатиться со всей щедростью. Дождался... Сам не понимая, что делает, водитель включил двигатель, тронул рычаг скорости и, врубив свет фар, медленно поехал к железнодорожным путям.

— Быстрей! — заторопил его задний и ткнул с такой силой под мозжечок, что водитель громко вскрикнул от боли.

Доски бывшего переезда давно сгнили, и когда колеса стали переваливать через рельсы, машина раскачивалась, словно лодка на волне. Водитель судорожно вцепился в баранку, сунулся вперед, чтобы разглядеть дорогу, и сейчас же ткнулся лицом в торпеду, потому что сильный удар по затылку проломил ему череп.

— Быстрее, — вскрикнул задний. — Зажигание убери! И свет! Где его документы?

Передний сунул руку водителю под куртку, вытащил бумажник, а из него водительские права. Второй бегло посветил ему фонариком, после чего первый сказал:

— Он. Пошли отсюда, — и сунул бумажник с правами водителю на колени.

Они прислушались и одновременно услышали недалекий гул идущего поезда. Пригибаясь, убийцы перебежали переезд и, оглянувшись, уже с трудом различили в темноте светлое пятно машины, застывшей прямо на путях, по которым надвигалась ночная электричка.

Через минуту-другую ночь всколыхнул пронзительный рев поездной сирены, затем раздался визг тормозных колодок, которыми машинист тщетно пытался предотвратить катастрофу, грохот, скрежет и наконец подальше, в стороне, куда электричка протащила несчастный автомобиль, вспыхнуло пламя и рванул взрыв.

Примчавшаяся через короткое время оперативная группа из Кунцевского ОВД, вызвала необходимую технику и примерно через час, то есть в начале второго ночи, обгоревший остов машины стащили с железнодорожных путей, после чего электричка смогла наконец двинуться к Белорусскому вокзалу. А на месте трагедии начал работу полусонный следователь межрегиональной прокуратуры, которому выпало сегодня ночное дежурство.

ВТОРНИК, 10 октября

1

Рано поутру на кухне сидел Грязнов — в одних трусах, — пил кофе и нещадно дымил сигаретой. Саша, проходя в туалет, кивнул ему и пожелал хорошего настроения. Но Грязнов лишь мрачно качнул головой в ответ, из чего можно было сделать вывод, что вчерашний вечер кончился для Вячеслава Ивановича неудачей. На миг у Александра Борисовича словно вспыхнуло: «Вот же мудила! Не послушался меня, а теперь страдаешь... Эх ты, рыжий... шестой десяток. Конечно, шестой. Это мне, считай, сорок, и я еще ого-го! Могу!..»

— Ты знаешь, что мне эта дура вчера заявила? — поднял он темные глаза от кружки.

Саша боком присел к столу и тоже взял себе сигарету.

— У вас, говорит, все дела и дела, вы даже пьете для дела, а так хочется себя женщиной чувствовать... красивой, говорит. А?

— Ну вот, старик, ты мои слова повторяешь.

— Да какой же я старик? — возмутился Грязнов. — Ну-ка давай руку! Кто — кого?

— Я не про то. — Славкина горячность не могла не вызвать улыбки. — Ты ее давно в театр-то водил? Или в ресторан, где богатенькие валюту разбрасывают?

Грязнов насупился и стал ожесточенно расчесывать пятерней свои сильно поредевшие — какие они теперь: саврасые или пегие? — кудри.

— Ты считаешь, ей это надо? — сурово спросил он.

— А ты считаешь, не надо, — в тон ему ответил Турецкий. — Ну и валяй дальше в том же духе... Меня, Славка, другое озаботило...

И Саша, стараясь быть точным, передал ему вчерашний разговор с Олегом. Вернее, ту его часть, где речь шла не о нем — Грязнове, а о том, что Татьяна раскололась в качестве свидетельницы. Было теперь над чем подумать.

— Как ты считаешь, мне удобно ей сейчас позвонить? — поинтересовался Турецкий, глядя на часы: было семь утра.

— Не знаю, — пожал плечами Грязнов. — Может, через час... хотя... Звони! — решительно закончил он. — У них в девять уже работа начинается. — Грязнов сам набрал номер телефона, подождал и передал трубку Саше.

Он услыхал немного сонный, с ленцой, голос, мяукнувший:

— Алло?

— Доброе утро, Татьяна Павловна, это вас Турецкий некий беспокоит с утра пораньше. Как ваша драгоценная головка? Не болит?

— Ах, Александр Борисович! — Радость ее была весьма ненатуральна. — Спасибо за заботу. У меня все в порядке. Чем обязана?

— Танечка, — проникновенно начал он, — мы ж с вами договорились, что о наших делах мы пока никого в известность не ставим. И вы, как завтрашний юрист, понимаете, что существует определенная тайна следствия. Зачем же вы вчера Олегу-то все рассказали, а?

Ее замешательство длилось не более секунды. Но показалось очень долгим. А ответ — просто невероятно нахальным.

— А-адну минуточку! — Таким прокурорским тоном с Турецким давно не говорили.— Как вас самого прикажете понимать, Александр Борисович? Что это за игры вы со мной затеваете?

Он даже опешил.

— Не понимаю вас, объясните, пожалуйста!

— Так что ж здесь непонятного? Я еще вчера хотела с вами объясниться, но вам было не до того. А Олег Анатольевич мне все сам разъяснил, и в лучшем виде.

— А... а при чем здесь Олег?

— Так он же ваш консультант по этому вашему делу. Или и он мне лапшу вешает? Он сказал, когда было заявлено вашим начальником, что дело об убийстве, ну о том самом взрыве, вы прекратили; вот и слава Богу, теперь никому уже не нужны ни его консультации, ни мои свидетельства. И очень этому обрадовался. А оказалось, что вы лично между тем роете под моего шефа.

— Да вы что, в своем, извините, уме? При чем тут ваш шеф? Я его и в глаза-то не видел!

— Тем более. Но я-то знаю! Его супруга вчера вечером ему в офис звонила, что вы приезжали к ним домой и там ей допрос учиняли.

Скажите, разве это порядочно? Если человек мне делает добро, зачем же?..

— Стоп! — приказал Турецкий. — Так разговор не пойдет. Как, вы сказали, зовут вашего шефа — Алексей Николаевич? Ну да, конечно...

Назвать себя идиотом, который ничего не видит дальше пуговицы на собственном пиджаке, было бы мало. Но почему же вчера произнесенное этой Аллой Павловной название фирмы «Мостранслес» не вызвало немедленно необходимых ассоциаций? Это что, старческий маразм или рассеянный склероз? Значит, прав Меркулов, Турецкого тоже пора гнать на пенсию. Но какое отношение ко всему этому имеет Олег?

— И вы что же, все вышесказанное умудрились изложить... — Саша искоса взглянул на Грязнова, лицо которого выражало полнейшее непонимание происходящего, — Олегу Анатольевичу?

Славка вскинулся, но Турецкий резко остановил его взмахом ладони.

— Я сказала только то, что сказала, — огрызнулась Грибова. — И еще хочу добавить: ни вы, ни кто-то другой не являются теми людьми, в чьих советах я бесконечно нуждаюсь. Можете сообщить об этом вашему приятелю.

— Та-ак... — протянул Саша, не зная, что ответить. Обошелся самым примитивным ходом — официальщиной: — Ну что ж, не смею пока вас беспокоить. Когда понадобитесь, вызову вас в прокуратуру. Попрошу в ближайшие несколько дней никуда из Москвы не отлучаться. Вы предупреждены.

Возможно, последнее она не расслышала, поскольку в трубке уже звучали короткие гудки. Похоже, дамочка швырнула трубку. Но ведь она не знала, какой козырь имеется в Сашиных руках...

— Вы что, пособачились вчера с ней? — спросил он Славу, напряженно глядящего на телефон.

— Ну-у не так, чтоб говорить об этом, — пожал плечами Грязнов. — Но... она потребовала, чтоб мы с Дениской доставили ее домой. То есть в офис. Я пешком проводил ее до дверей, и все. Въехать же туда, ты сам знаешь, пропуск нужен.

— Но вы не ссорились?

— Да нет вроде, просто ее вчера будто кто-то накрутил нарочно...

Турецкий понял, кто ее «накрутил».

— Извини, Слава, еще один звонок... — Он набрал номер Шуры Романовой и сразу же услышал ее взволнованный голос:

— Алька, чтоб тебя! Ты что, совсем хочешь мать с ума свести? Всякую совесть потерял! Ну куда ты провалился? Почему не позвонил, как обещал? Я тебя шо, с собаками искать должна, босяк ты этакий?!

— Это я, Шурочка, доброе утро! За что ты так Олега?

— О Господи! Да то ты, Сашок! Прости меня, дуру старую... — И снова завелась: — Ну хоть ты посоветуй, шо мне с этим поганцем делать? Ты ж его видал вчера, еле ж на ногах держался, хоть сопли ему подтирай, а туда же! Только вы из хаты, как он — гоголем, вишь ты: поеду! Вскочил: дела всякие! Да какие у него ночью-то деда? Блажь одна да мальчишество! Позвоню, говорит, как домой приеду! Ну и что ты думаешь? Позвонил? Успокоил свою мать, которая всю ночь не спала, все думала, как бы дитя ее непутевое в беду не попало? Ух, дождется он у меня! Не погляжу, что у Президента служит! Сашок, ну хоть ты меня успокой: разве ж можно так с родной матерью?!

— Да не волнуйся ты за него! — сделав над собой усилие и стараясь быть предельно беспечным, засмеялся Турецкий. — Дрыхнет небось без задних ног.

— Да какой там дрыхнет! — взвилась Шура. — Звонила я ему! Несколько раз! Никто ж трубку не берет!

— Ну тогда он бегает кругами вокруг своего Останкина. А что босяк — это точно. Ничего не поделаешь теперь. Терпи, мать. А я, собственно, звоню, чтоб спасибо от всех нас сказать. Очень ты большая молодчина, и мы тебя любим. Ну, не волнуйся, все утрясется. Пока.

«Так, и с этим вопросом, кажется, ясность. А вот с тобой, Вячеслав Иванович, — думал Саша, — вообще никакой теперь ясности. Поскольку у тебя нет автомобильного пропуска в эти бывшие цековские угодья, а у Олега Анатольевича наверняка есть. Иначе, чего б его понесло среди ночи из дому...»

Но сообщить об этом Грязнову он сейчас, разумеется, не мог. Да и вообще, не стоило пользоваться непроверенной информацией.

Пока же для себя Саша наметил на сегодня, помимо массы необходимых дел, познакомиться с Алексеем Николаевичем Поселковым и повидаться с Олегом.

Избегая слишком пристального Славкиного взгляда, он тут же смылся в ванную, где активно занялся приведением своей внешности в порядок. Но ведь и Грязнов — он тоже не первый год живет на свете — вырос в дверях ванной и бесцеремонно прервал песенные упражнения. Дело в том, что, бреясь, Саша всегда, правда без всякого успеха, пел-мычал что-нибудь трогательное вроде: «Сказала мать: бывает все, сынок...» Но что он мог сейчас ответить Грязнову? Вряд ли бы его устроила правда. А врать другу... И он повторил только что сказанное Шурочке:

— Не бери пока в голову, утрясется, старик...

А вообще-то Саша не думал, что у Грязнова может быть действительно что-то серьезное.

— Что она тебе наговорила? — не обращая внимания на ветхие «утешения», настаивал Грязнов.

— Ах, она! — выход нашелся. — Понимаешь, Слава, не знаю, от кого исходила инициатива — от нее или от нашего Олега, но он сказал, что является как бы моим консультантом... Была у нас с ним такая договоренность. Причем он сам попросил не афишировать его участия в помощи моему следствию. Сказал: помогу, чем смогу — советами, консультациями и так далее. Так вот, он сказал, она сказала. Ты сам слышал. Или наоборот, кто теперь разберет? Все ж вокруг такие трезвые были! И дело усугубилось тем, что, оказывается, некий Поселков, на чье имя был взят «фольксваген», в котором ездили киллеры, благополучно помер год назад, а его сын, с коим мне нужно в ближайший час побеседовать на эту тему, является президентом того самого долбаного «Мостранслеса», где служит небезызвестная тебе товарищ Грибова, которая, в свою очередь, мое желание встретиться с ним истолковала как подкоп под ее шаткое материальное благополучие... Ф-фу-у-у! Ты что-нибудь понимаешь?

Славка с сомнением разглядывал Турецкого, смешно склонив голову набок. Саша понял его взгляд и очень этому обстоятельству обрадовался:

— Ну вот видишь? Что я еще могу объяснить, если мир давно уже сошел с ума? Ты уж отпусти мою душу грешную, а я добреюсь и поеду в контору писать постановление о прекращении дела.

2

Перед Турецким стояла дилемма: с чего начать? Ситуация требовала делать все одновременно, но на это не было ни ног, ни возможностей. И он решил начать с Поселкова, поскольку его офис был ближе всех к конторе. Он позвонил по его домашнему номеру, трубку взяла Алла Павловна. Когда Саша представился, она, несколько помедлив, — возможно, советовалась с мужем, — наконец сообщила, что тот уже, правда, оделся, чтобы спускаться к машине, но сейчас возьмет трубку. Зачем ей нужно было все это объяснять? Просто балда или все-таки рыльце в пушку? Запаниковала ведь вчера почему-то? Но как же это стало известно Татьяне? Подслушивала? Или сыграла роль особая степень доверительности в отношениях с шефом?

— Я вас внимательно слушаю, — раздалось в трубке.

Турецкий еще раз представился, сказал, что имеет безотлагательную нужду встретиться, причем говорил так, чтобы у президента фирмы не возникло желания придумать для себя какое-нибудь неотложное совещание. Но нет, показалось, что тон его голоса остался спокойным и доброжелательным. Поселков осведомился, когда и где они могли бы встретиться. Саша предложил в его конторе. Тот охотно согласился и добавил, что будет у себя минут через тридцать.

Это вполне устраивало: через полчаса Саша и сам рассчитывал быть на Ильинке.

Второй звонок он произвел, предварительно прикрыв дверь в комнату, куда удалился мучимый многими противоречиями Грязнов. Там у него работал телеящик, знакомя замечательного стареющего детектива с новыми перипетиями предвыборной борьбы и сопутствующими ей мафиозными разборками. Значит, Славка увлечен и не услышит.

Олег отозвался после четвертого или пятого гудка. Прибежал, надо понимать. Саша слегка пожурил его за то, что он обманул мать и не позвонил, и вообще, в нетрезвом виде гоняет по ночным улицам. Олег хмыкал в ответ что-то неразборчивое, но, похоже, не терял благодушного настроения. Наконец, Саша решил, что с чепуховиной можно кончать и сказал, что ему сегодня кровь из носу необходимо увидеть Олежку для очень серьезной беседы.

— Надеюсь, ты не станешь мне мораль читать, а, Саш? — хохотнул Олег.

— Во-первых, с какой стати, а во-вторых, по поводу чего? — искрение удивился Турецкий.

— Ну как же! — снова засмеялся Олег. — У вас, старичков, обязательно найдется повод уличить молодежь вроде меня в каких-нибудь неблаговидных, с вашей точки зрения, поступках. Разве не так?

— Как тебе не стыдно, Олежка! — Он решил быть мягким, как воск, чтобы не получить отказа.

— Если не будет моралите, то хоть сейчас.

— Нет, вот как раз сейчас не могу, срочная встреча.

— С кем, если не секрет?

— Вот как раз и секрет, но ты ведь изволил добровольно согласиться стать моим консультантом? Или я ошибаюсь?

— Ты, Саш, никогда не ошибаешься, ну... чтоб не сильно гордился, почти никогда. Но, если мне не изменили слух и память, вы ж, кажется, прекратили ваше дело о «мерседесе»? Или все-таки нет? Для отвода глаз было заявлено?

Умен, зараза. Потому и рядом с Президентом. Всякий, конечно, там народ есть — в окружении Самого, — но дураки, полагал Турецкий, не задерживаются. Беда, может, как раз в другом — слишком умны. Ну ладно, это были мысли так, ни для какой цели.

— Костя вчера сказал совершенно серьезно. Про то, что касается убийства банкира. Но, Олежка, ты же сам юрист и знаешь, что вокруг твоего «мерседеса»...

— Это почему же — моего? — фыркнул он.

— Да не лови меня, оговорился, нашего, конечно... при чем здесь ты? Вокруг-то вон еще сколько накручено! Кармен эта, другие обстоятельства... Машину, например, нашли, в которой преступники за Кочергой гонялись. А вокруг нее тоже покойнички с косами и — тишина. Понимаешь, Президенту, естественно, доложат, что убийца банкира найден. Дело уйдет в архив. А МУР будет еще долго того же Санишвили ловить, потому что убийство мадам Сильвинской висит на них. Ну и все такое прочее. Об этом уж не мне, а скорее Юрке Федорову думать со своими «архаровцами». Так когда и где ты меня можешь принять?

— Гляньте на него, какая торжественность! — восхитился Олег. — Ну, если тебе все равно, что есть и пить, давай у меня дома. Ты вот, кстати, ни разу у меня не был, заодно и посмотришь, от чего отказался, не переселив ко мне своих девчат. А во сколько?.. Ты когда освобождаешься?

— В общем, по необходимости. Но дел сегодня, честно говорю, невпроворот. Поэтому...

— Понял, жду от восьми до девяти. Не приедешь, ищи ветра в поле!

— Адрес давай.

— А ты разве?.. Ах, ну да, пиши: улицу Королева знаешь? Это который космос обустраивал. Записывай: дом... подъезд... код первый... домофон второй... этаж... номер квартиры... И, как говорится, сильно стучать ногой в дверь три раза! Привет!

Нет, все-таки, как бы Грязнов к нему ни относился, и Славку тоже можно понять, но Турецкий с какой-то особой нежностью относился к Шуриному меньшому, к этой версте ходячей... Вот хоть сравнить их с тем же Киркой. Старший брат — серьезнее, спокойнее, может, и умнее, не исключено. А этот — ярче, что ли? Пусть взбалмошнее, непредсказуемее. Или Саша ничего не понимал, или Алька все же свел вчера со двора кобылу у мужика. Ну свел и свел. Дело молодое. Может, будь Турецкий малость помоложе да посвободнее, сделал бы то же самое. А возможно, и не стал бы приятелю ножку подставлять. Но ведь сей шаг — дело обоюдное: еще классик уверял, что коли баба не захочет, никакой кобель не наскочит. Так кто виноват? А это очень скоро можно будет своими глазами увидеть, Турецкий не считал себя крупным физиономистом, но кое-какие начатки психологии все же и ему были известны. А для этого надо успеть перехватить президента Поселкова возле его дверей и, создав атмосферу доверительности и юмора, подняться вместе с ним в офис. И чтоб его помощница это увидела.

Все эти вольные мысли блуждали в Сашиной голове, вовсе не отягощенной вчерашними возлияниями. Да, но сами мысли-то были — вчерашние. И не самыми веселыми к тому же.

Поскольку пропуска на въезд в бывший «партзаказник» у него тоже не было, следовало торопиться. Алексей Николаевич же не мог не иметь такого пропуска... Однако что же делает в этом заповеднике его контора? «Мостранслес» — надо немедленно все про нее выяснить. Почему это раньше не пришло в голову? Серьезное упущение. Впору самому себе влепить выговорешник. За ротозейство. Но кому поручить разобраться с этим «лесом»? Как бы эта фирма не оказалась чьей-то очень удобной крышей... Вообще-то говоря, заняться этим могут близнецы-лазутчики из МВД и ФСБ. Вернее, не сделать. И тогда все неясное сразу станет совершенно понятным. Вот тут можно будет и со Славкой посоветоваться, у него сейчас ощущения обострены назревающим конфликтом. Только бы не получилось так, будто его нарочно «подставляют».

Машину удалось припарковать на грязной, заваленной строительным мусором площадке между Ильинкой и Богоявленским переулком. А затем бегом обратно и — в Никольский переулок. Бег не бег, но быстрый шаг для человека, который не совершает ежедневных пробежек вокруг останкинских водоемов, серьезная нагрузка на дыхалку. А при встрече следовало бы выглядеть абсолютно спокойным и даже, может быть, чуть ленивым оптимистом, выполняющим рутинную, никому не нужную работу и больше всего желающим избавиться от нее любыми путями.

Поэтому Саша умерил шаг, огляделся, выцелил для себя искомый перекресток и пошел фланирующей походкой, ибо уложился в двадцать пять минут, а у дверей углового подъезда не увидел никаких машин. И правильно, потому что, когда очень надо, он умел быстро ездить. И не влипать в ненужные истории.

Ввиду прохладной погоды Турецкий надел плащ — хороший, почти новый, но, конечно, не такой длинный, какие носят сейчас богатенькие преступники и их жертвы. Главное, Саша себя в нем чувствует комфортно. Остановившись у подъезда, он поднял воротник и спокойно закурил, внимательно, но ненавязчиво оглядывая соседние дома. Служилый люд спешил на работу. Странно, что все почему-то прибегают в последнюю минуту. И в основном женщины — с многочисленными, вставленными один в другой, целлофановыми пакетами. Так, говорят, можно и тяжести носить, и что ручки оторвутся, не бояться. Бедные бабы — никуда им без тяжести. Все ж ведь уже есть, магазины ломятся и от продуктов, и от цен, а они таскают и таскают. Женщин почему-то в этом районе было большинство. Ну да, обслуга же.

Рядом мягко затормозил длинный темно-синий автомобиль «вольво» семьсот сорок. Красивая машинка — зеркально отшлифованная, мощная. Прав Мефодьич, надо уважать себя и ездить на дорогих машинах. А чтоб уважать, надо деньги большие иметь. А чтоб их иметь, надо уметь воровать. Или обманывать. Потому что то, чем мы богаты, на сегодняшний день является лишь необходимым, не больше. И лозунг: лучше быть бедным, но честным — нет, не проходит нынче. Он для немногих. Может, для дураков. Впрочем, и Турецкий не отказался бы от богатства, но честно заработанного. Однако он не артист какой-нибудь великий и не писатель-классик. Он — следователь и взяток не берет. Хотя, возможно, и зря. Ладно, чушь все это, пора знакомиться...

Алексей Николаевич оказался достаточно молодым человеком, лет, наверно, тридцати пяти, не больше, широкоплечим и узким в талии. Такими вообще-то бывают борцы-классики. Этакий треугольник, поставленный на вершину. Теперь Саша сообразил, что он, вероятно, в молодости занимался спортом, причем наверняка преуспевал, и там же, среди силовиков, мог и жену свою встретить. Ну что ж такого! Бывшие спортсмены — люди, как правило, приличные, если им повезло в жизни и их не выкинуло на обочину. Саша первым протянул руку и представился:

— Если не ошибаюсь, Алексей Николаевич?

— Вы угадали, э-э... — Александр Борисович.

— Да-да, простите. А как вам удалось? Мы раньше не встречались?

«Ну вот и повод — лучше не придумаешь!..»

— Нет, не встречались, но я вас легко вычислил. Хотите знать, каким образом?

— Очень интересно. — Поселков тоже достал пачку сигарет и, видя, что Турецкий еще не собирается бросать свою, закурил, махнув шоферу рукой. Тот кивнул и отъехал за угол, где, наверно, у них была стоянка.

— Когда я вчера увидел вашу супругу, а я в прошлом занимался спортом, ну, необходимыми видами, профессионально, вы понимаете?..

— Да-да...

— Я подумал: наверно, из силовиков. Ядро или что-нибудь в этом роде, — он взглянул на Поселкова с интересом — угадал?

— Ну-у... — тот с улыбкой, уклончиво пожал плечами.

— А когда я вдобавок посетовал, что ж это она открыла мне дверь, не спросив, кто там, а она со смехом пожала плечами, я искренне посочувствовал тому жулику, который отважится войти к вам без приглашения. Так?

Поселков весело рассмеялся.

— Ну а дальше, вы понимаете, дело техники. Где могут познакомиться хорошие ребята? Да в спорте же! И когда вас увидел, сразу решил: скорее всего, классик. Угадал?

— Вот тут нет, я вольной занимался. Но — близко! Совсем рядом! Бросайте ваш бычок, пошли ко мне наверх.

Вот так, со смехом, причем вполне искренним, не подразумевающим какого-то обмана или подвоха, они поднялись в лифте на шестой этаж и вошли в скромный четырехкомнатный офис, обставленный, как уже знал Турецкий, вполне стандартной мебелью.

Еще в лифте Саша спросил, в какие годы он ушел с ковра. Поселков ответил, Турецкий тут же назвал несколько громких имен, он их, разумеется, знал. И вот в таком радужном настроении, когда с удовольствием вспоминаешь свою красивую, славную спортивную молодость и рядом есть человек, который тоже это помнит и разделяет твои воспоминания, они прошли через все помещение в кабинет президента.

Татьяна Павловна, явно растерянная, приподнялась со стула при их приближении, но Поселков, весело махнув ей рукой и подмигнув, подхватил Турецкого под локоть и пропустил вперед себя, как это делают с приятелями. Саша лишь коротко кивнул Грибовой, будто они были с ней совершенно незнакомы, но, войдя в скромный кабинет, обернулся и довольно громко сказал хозяину:

— Где вы такую симпатичную секретаршу отхватили, а?

— Понравилась? — со смехом откликнулся Поселков. — Садитесь, курите, сейчас мы с вами кофейку погоняем и разберемся со всеми делами. Танюша, сделай одолжение, свари нам по чашечке!.. Или вы чай, Александр Борисович?

— Кофе, оно как-то привычней.

Татьяна в полном недоумении постояла еще столбом в дверях и тихо удалилась, прикрыв, но не закрыв дверь. Естественно, а как же получать информацию?..

Но когда она принесла по чашке душистого кофе и снова вышла, лишь притворив дверь, Турецкий не счел за труд, поднялся из глубокого и удобного кресла, стоящего возле круглого столика, подошел к двери и демонстративно плотно закрыл ее. Поселков, сидя напротив с закинутой одна на другую ногой, с улыбкой проследил за его действиями и кивнул понимающе. Саша не знал, как будет дальше, но пока этот человек ему откровенно нравился.

Рассказ Турецкого касался лишь самого основного: автомобиля, директора гостиницы Волкова, Николая Николаевича Поселкова, фигурирующего в карточке учета сданных напрокат автомобилей, и наконец, причины интереса к данному апельсинового цвета «фольксвагену».

Он выслушал спокойно — настолько, насколько это дело не касалось его лично. И в сущности, повторил сказанное вчера вечером его супругой, но это не было дословным повторением, которое могло бы подразумевать сговор. Однако в его информации Саша не нашел буквально ни одного нового факта. То есть то же самое, но просто другими словами. Или он умен, как черт, или Турецкий строил свой замок на сыпучем песке. Он даже пары фамилий отцовских приятелей назвать не мог, объяснив тем, что связи разорвались еще при жизни отца, а уж после смерти бывшие друзья и сослуживцы вообще звонить перестали. Тут все как раз было понятно: обычное дело. Всю же историю с присутствием отцовской фамилии в учетной карточке Волкова Алексей Николаевич объяснил очень просто: жулики ж сидят везде. Мертвые души еще как бывают нужны. И больше того, он лично готов даже подать в суд на прохиндея бизнесмена за то, что тот использовал его имя для своих корыстных целей и тем самым нанес моральный ущерб.

Тут Поселков усмехнулся и заявил:

— А сумму, покрывающую мой ущерб, я готов согласовать с вами, дорогой мой спортивный коллега. А что, в самом деле? Давайте его прижучим, сдерем гонорар и честно поделим пополам? Я лично не против. А вы?

Да, конечно, заманчиво. Но и утопично. И тем не менее Саша посоветовал ему не церемониться с «грызуном», а потом объяснил, почему так назвал Волкова. Алексей Николаевич хохотал, как ребенок — заливисто и искренне. И Саше почему-то снова не захотелось портить себе впечатление о нем. Он решил выяснить два важных для себя вопроса: чем занимается «Мостранслес» и как он втиснулся в дебри бывшего партийного заповедника, позже и другими путями.

Поэтому Саша постарался свернуть беседу, допил остывший кофе и поднялся, чтобы сказать «до свиданья». Но Поселков, попросив минуту обождать, вышел из кабинета в приемную и, вернувшись, вручил целую пачку ярких, красочных буклетов, сказав, что это вкратце объяснит при необходимости, чем занимается его фирма, когда образована и с какой стати. Именно так: с какой стати. И это последнее тоже очень Турецкому понравилось. Расстались они почти по-приятельски.

Спускаясь в лифте, он все думал о том, что следователю редко выпадает удача общаться не с жуликами, а с нормальными честными людьми. Похоже, Поселков-сын был из таких. К сожалению, ничего нельзя было пока сказать о его родителе.

Единственное свинство, которое Саша просто не мог себе не позволить, а точнее, не удержался от него, было следующее. Проходя уже к выходу в сопровождении президента фирмы, он как бы заметил в одном из помещений диван, сделав удивленное выражение лица, и двусмысленно хмыкнул. И, обернувшись, увидел, как залилось густым румянцем лицо Татьяны Павловны. Но Алексей Николаевич отреагировал по-своему:

— Это жизнь, Александр Борисович, чему удивляться?..

Молодец парень — вот все, что можно было сказать. Что же касается Татьяны Павловны, то у Саши уже сложилось окончательное мнение в ее отношении. Ее испуг и растерянность, ее определенная наигранная наглость есть не что иное, как страх за собственную шкуру, как ни скверно это звучит. Естественно, ночь она провела с Олегом и на что-то рассчитывала, но Олег тоже не дурак, сделал свое дело и благополучно побежал к пруду в Останкино. Значит, мадам и у Славки потеряла, и у Олега не приобрела. А Сашино появление поставило под угрозу вообще ее дальнейшее пребывание в фирме Поселкова. Занервничаешь... Ну и черт с ней. В принципе ее откровения никому теперь особенно и не нужны. Четким свидетельским показанием тот факт, что машина некоторое время стояла и только потом взорвалась, подтверждать нет нужды. Достаточно того, что это уже знал Турецкий. Дело о взрыве и убийстве сегодня будет прекращено, но теперь нужен «курьер». И на возможность или невозможность найти его следы свидетельство Грибовой никак повлиять не могло. А значит, и нужда в ней отпадает.

3

Едва он вошел в свой кабинет, как раздался звонок внутреннего телефона.

— Ну наконец-то! — Меркулов был сердит. — В чем дело, мы же договорились закончить твое дело с утра! Я сижу, как дурак...

Саша еле сдержался, чтобы не задать наивный вопрос: «Костя, почему — как?» Но ответил спокойно, без тени улыбки:

— Извини, Костя, но я с семи утра уже ношусь по Москве. Только что был в фирме этого Поселкова, пустой номер, Костя.

— Пустой, значит, пустой, — без всяких эмоций отреагировал Меркулов. — Давай возьми дело, все ему сопутствующее и иди ко мне.

Со дня убийства прошла неделя, с того момента, как Турецкий взял в руки тонкую папочку с несколькими листками дела — сегодня шестой день. А ощущение такое, что расследование длится вечно. Устал уже от него. Вон одних свидетельских показаний на добрый килограмм. А ведь еще нет заключений от криминалистов по поводу машины, анализа от Кима Курзаева, материалов по списку прилетевших из Франкфурта пассажиров... И многого другого.

Саша забрал у Клавдии Сергеевны пакет из МУРа с фотороботами и всю кипу материалов выложил на приставном столе в кабинете Меркулова. Когда взялся за пакет, почему-то почувствовал слабую дрожь в пальцах. Будто держал в руках предсказание своей судьбы.

— Посмотрим? — спросил у Кости.

— Вскрывай, — кивнул он и зачем-то поднялся.

Саша достал из плотного конверта два листа. Положил их рядом на Костин стол. Обошел его и стал рядом с Меркуловым. Да, конечно, они могли ожидать большего. Про оба портрета можно было бы сказать, что они кого-то отдаленно напоминают, но в то же время совершенно незнакомы. Турецкий понял скептическую оценку работы незнакомой ему Верой Константиновной, новой сотрудницей НТО, и Володей Яковлевым, которые еще вчера заявили, что сведения слишком расплывчатые, а человека можно узнать лишь при большом желании. Словом, мало чем сумел помочь Семен Червоненко. Изображенные на портретах, вероятно, в силу присутствия у шофера Сени какого-то своеобразного художественного видения, а возможно, как раз наоборот, ввиду его полного отсутствия, выглядели словно молочные братья. И именно как роботы, а не люди с их индивидуальными чертами лица. Но вот же чертовщина какая, один из них, с тонкой чертой усиков на верхней губе, кого-то Саше определенно напоминал. Он посмотрел на Костю, тот на него, они дружно пожали плечами, а Костя, не теряя зря времени, сунул оба фоторобота в конверт и небрежно откинул его на край стола, чтобы больше к ним не возвращаться. Саша знал эту его манеру решать некоторые вопросы быстро и категорично. Ну что ж, нет так нет...

Затем совместными усилиями было составлено мотивированное постановление о прекращении дела об убийстве С.Е. Алмазова в связи со смертью обвиняемого В.А. Кочерги. Когда покончили и с этим вопросом. Костя встал из-за стола и пошел к окну — постоял в излюбленной своей позе капитана Немо, провожающего соратников в последний путь. Была такая картинка в старой книге: одна рука на груди, пятерня другой сжимает подбородок. Впечатляло. Раньше, но теперь-то уж нет.

— Пойду-ка я к себе, Костя, — сказал Саша без всякой надежды получить хоть какой-нибудь толковый совет.

— Федоров по списку «Люфтганзы» не звонил? — словно пробудился Костя, не оборачиваясь от окна.

— Нет пока. Сейчас поспрошаю Кима и наше НТО. А с ними чего будем делать?

— Как это — чего? Грамотей, прости Господи... Я хочу продумать вопрос, как нам твоего господина Волкова на того полковника из ФСБ перекинуть, вот вопрос. И какую пользу от этой рокировки получить. Чего от них взамен потребовать. Ладно, иди пока, но, если уедешь, обязательно сообщи. А вообще-то одна мысль у меня наклевывается... но позже, позже.

Забрав с собой документы и пакет с фотороботами, Турецкий покинул кабинет Меркулова.

Может быть, где-то подспудно он хотел услышать успокаивающий, бархатный голос Веры Константиновны, но, увы, ответил, грубый и мужской. Без всякой надежды Саша сообщил, что его конкретно интересовало, и услышал в ответ:

— Приезжайте, есть результаты.

Это хорошо. Но теперь оставался еще доктор Курзаев.

— Как наша с вами тяжкая жизнь, уважаемый Ким Шогенович? — начал Турецкий издалека.

— Ах, это вы! — услышал он насмешливый голос профессора. — А что у вас новенького? Кого зарезали, кого отравили? Чем помочь?

— Тьфу, тьфу, тьфу! Бог пока миловал. А помочь можете одним: как там мой самоубийца? Само или все-таки помогли?

— Помогли, Александр Борисович, еще как помогли! Чисто сделано, но мы с вами все равно успели, ухватили за самый хвостик. Почти на нуле [illegible]аботали, ай, молодцы! Ну так что? Вам формула нужна? Название? Первое — еще кое-как, а вот по части второго, увольте, дорогой. Не я сочинял сие соединение, не мне и имя присваивать... Впрочем, что ж это я?.. Может, подъедете, побеседуем? Или вам надо срочно и прямо так, по телефону? Хорошо ли, а, Александр Борисович?

Саша понял предосторожность Кима.

— Подъеду к вам. Конечно, вы правы. Не будете возражать, если где-нибудь на протяжении часа?

— Буду ждать, — кратко завершил разговор Курзаев.

Однако начинается, как заметил бы чукча. Везде есть след.

Меркулов снял трубку.

— Костя, есть следы. И там, и там. Я поеду?

— Хорошо, но постарайся поскорей. У нас с тобой может сегодня встреча состояться. С одним моим старым другом.

4

Ким в белом халате встретил его на площадке своего этажа и проводил в лабораторию. Сотрудники, вероятно, были предупреждены и, когда они появились, оставили помещение.

Саша присел напротив профессора за столом. Ким достал из сейфа блокнот с записями и, не глядя в него, достаточно скупо рассказал, как ему удалось обнаружить четкий след очень сильного психотропного препарата.

— Еще в морге при осмотре трупа я обратил внимание на ряд признаков: необыкновенное мышечное напряжение, разбухший язык, кривошея и ряд других. Так называемый нейролептический синдром, Александр Борисович. Шизофреники его переносят спокойно, а вот здоровые люди — плохо. Я, как вам известно, взял для анализа кровь, мочу, слюну, сперму, фекалии. То, что может хранить следы психотропного препарата, введенного в организм. Обычно яд через почки и печень выходит. Ну, чтоб долго не объяснять, да вы все равно не поймете и вам не надо, стал я лазить по всем группам и нашел пипотиазин. Это — крайне сильный препарат, но он держится в организме не более восьми часов. В нашем же случае, как я понял вас, шли уже вторые сутки, а большинство ядов, вы знаете, имеют дурную привычку быстро испаряться. Одним словом, удалось зацепить этот более стойкий вид нейролептика, из чего можно сделать вывод, что мы имеем в данном случае дело с совершенно новым препаратом из группы пипотиазинов. Это, скорее всего, флюпипотиазин. Я об этом психотропном средстве необычайной силы, быстро и напрочь подавляющем волю, слышал, но... как говорится, в руках не держал.

Ким музыкальной своей пятерней несколько замысловато провел по своей стильной прическе — от высокого, «ученого», лба к макушке — и указательным пальцем поправил очки на переносице. Движения его были четкими, словно выверенными, а в присутствии студентов или симпатичных лаборанток рассчитанными на определенный успех и подражание. Мэтр, одним словом.

Но теперь Турецкому всего сказанного им было уже мало.

— Скажи, Ким, этот твой «пипа» — он в таблетках или ампулах?

— Без сомнения, ампулированный.

— Понятно. А где его могут производить?

— Ты имеешь в виду — у нас? Два года назад я мог бы, думаю, дать тебе совершенно точный адрес, — Ким наклонился к Саше: — Тринадцатая...

Турецкий кивнул. Он тоже так подумал. Спецлаборатория номер тринадцать принадлежала Госбезопасности. И там работали подлинные мастера своего дела. А проверка новых препаратов в действии, их использование — уже за этим-то дело не стояло.

— Она по-прежнему существует? — Вопрос, конечно, был не самым лучшим, поэтому Ким усмехнулся:

— Саша, ответь и ты мне на один вопрос: ты не знаешь, она еще существует?.. Полагаю, что существует, хотя номер, может, и другой.

— Да... А у тебя там... никого?

— А зачем они мне? Я ж тебе сказал: у меня у самого тоже есть нечто такое, что всем этим твоим пипотиазинам... Но я — совсем другое дело. А там, говоришь?.. Надо подумать, аккуратно так поспрашивать, может, кто-нибудь из наших и у них есть. Но — не могу обещать.

— Однако попробуешь все-таки?

— Постараюсь... — подчеркнул это слово Ким, — попробовать. А соответствующий актик я тебе приготовил.

Он достал из того же блокнота свернутый вчетверо лист бумаги и протянул его Турецкому. Все правильно: акт... проведены следующие анализы... показали... и вот наконец: наличие яда из группы пипотиазинов.

— Поможет? — скептически посмотрел на следователя профессор Курзаев.

— Непременно. Мой низкий поклон, дорогой доктор. Если чего — сам знаешь, для тебя разобьюсь в лепешку.

— Пока живи спокойно, — засмеялся Ким, пожимая Турецкому руку.

5

Он ехал в НТО и размышлял над вопросом: этот акт экспертизы для территориальных следователей, на которых висит дело о самоубийстве Кочерги, — помощь или новая головная боль? Скорее, второе. Самоубийцу можно предавать земле, надо сообщить об этом вдове покойного. Хотя, собственно, какая она вдова? Они же в разводе, кажется, уже год. Или просто разбежались? А стоит ли уточнять? Деньги на похороны у нее есть. Кочерга говорил, что привез ей. Впервые привез... Себе на похороны. Надо будет ей подсказать: она может рассчитывать на часть его капитала, вложенного в салон игровых автоматов в Германии. Но пусть лучше сама сходит к нотариусу или адвокату, посоветуется... Теперь с похоронами. Надо полагать, что сотрудники банка «Золотой век» не изъявят горячего желания хоронить убийцу своего горячо любимого шофера. Значит, кто же будет этим делом заниматься? А, Александр Борисович? Кому-то поручите? Ваша ведь ошибка-то! Что ж, будем надеяться, государство не обеднеет, похоронив за свой счет одного из не самых удачливых своих граждан...

С такими не лучшими мыслями прибыл он к криминалистам. И — первое разочарование: Вера Константиновна, владелица чарующего, бархатного, ласкающего и убаюкивающего голоса, оказалась сухой и длинной девицей, возможно, даже основательно перезревшей, остроносой и некрасивой. Непонятно, почему закатывал глаза Володька Яковлев. А может, все то же — голос! Ах, этот голос!.. Когда она заговорила, Турецкий сразу забыл о ее малосимпатичной внешности. Птица Сирин! Ну а если по правде? То кто за эти разнесчастные копейки, а хоть бы и рубли, пойдет пахать в НТО? Майя Плисецкая? Или, может, Ирина Хакамада? Как же, жди! А тут хоть голос... Глядишь, тот же Яковлев и клюнет.

Турецкий посмотрел результаты проведенных исследований внутри автомобиля марки «фольксваген», номерной знак ММЗ 75-83. Обнаружены пальцевые отпечатки... Есть Виктор Антонович Кочерга! На боковом стекле, на спинке переднего сиденья. Значит, перевозили его на заднем... Так, осколки ампулы... Ну вот и разгадка: в машине вкатили укол, да, возможно, и не первый. Кочерга и потух. Привел в дом приятелей. Соседка Зубова слышала их громкие голоса. Инсценировка удалась. А дальше уже известно... Еще отпечатки. Ну, эти наверняка принадлежат либо киллерам, либо Станиславу Никифоровичу Волкову. Что сейчас и выяснится.

— Вера Константиновна, — обратился он к криминалистке, — сделайте одолжение, прикиньте пальчики вот отсюда, — Саша подал ей учетный лист на автомобиль «фольксваген», — с теми, что у вас уже имеются.

Она забрала материалы и пошла в угол лаборатории, к своему столу. Саша же вышел в коридор — покурить. Но не прошло и трех минут, как она поманила пальцем из двери.

Вообще-то тому же Семену Семеновичу Моисееву на эту операцию потребовалось бы времени вдвое меньше...

— Есть. Можно идентифицировать. Но вот эти группы — неизвестны.

— Вы проверяли их в спецотделе?

— Да, конечно, там нет.

— Тогда, — улыбнулся ей Турецкий с благодарностью, — храните их пуще собственного глаза. Придет и их время, я уже носом чую...

Ну вот, еще добавили головной боли следователям по делу Кочерги. Это он успокаивал так себя, надеясь, впрочем совершенно напрасно, что минует его чаша сия...

6

Турецкий позвонил Косте и сообщил о результатах двух анализов. И уже увидел, как тот ожесточенно мнет свой подбородок. Еще бы! Только что прекратили дело, а тут — на тебе! Подарочек! Но ведь эти два эпизода висят не на них. Ими муровцы должны заниматься, как бы ни желал Юра Федоров объединить их под одной обложкой и оставить на Сашином столе. Знать, его тоже интуиция не подводила.

— Что слышно о твоем друге? — напомнил Косте.

— Жду его звонка после трех. Имей это в виду.

— Хорошо. Мне сегодня еще Червоненко нужен. Надеюсь, ты не возражаешь?

— Да брось ты эти картинки, к чертовой матери! Все равно пользы от них — ноль без палочки... Впрочем, как хочешь. — Последнее он просто буркнул и повесил трубку.

К сожалению, телефона у Червоненко не было. Имелся только адрес. Вот по нему Турецкий и поехал.

Старая пятиэтажка в районе метро «Молодежная», на Оршанской улице. Однокомнатная квартира на первом этаже. Подъезд грязный, обшарпанный, разрисованный идиотскими черными английскими словами. Это наши милые детишки тешатся: баллончиком с краской рисуют на стенах домов, подъездов и лестничных пролетов. Саша позвонил в дверь квартиры номер два. Тут же открыла испуганная женщина с заплаканными глазами в темном платочке.

У него сердце оборвалось.

— Извините, я к Семену Ивановичу...

— Проходьте, Сэмэн, иди, туточки до тэбэ!

Из комнаты вышел Червоненко — тоже испуганный, весь какой-то помятый, сгорбленный.

— Что у вас случилось? — спросил Турецкий, когда они молча поздоровались.

— Жинкина братана... — Семен сморщил лицо и всхлипнул.

— Что, умер?

— Вбыли, товарыщу следователь... Они прошли с Семеном на кухню, сели на табуретки, и тот поведал, какая страшная беда случилась с его ближним родственником и спасителем. Ведь это Игорь, брат его жены — той самой маленькой, пухлой женщины с заплаканными глазами, что дверь открыла, помог им закрепиться в Москве, эту квартиру снять временно, работу нашел и все остальное. А теперь он погиб, и что дальше делать, они толком не знают, машина разбита вдребезги, сгорела, денег не успели накопить, значит, из квартиры придется убираться, а куда?.. Вот же беда-то какая!

Ну, может, не все так безнадежно, попробовал Турецкий немного успокоить и привести в чувство Семена. Но тот только кивал, покачиваясь на табуретке. Да, с женой Игоря у них хорошие отношения, возможно, какое-то время можно будет продержаться, а потом?.. Что будет потом, боязно и загадывать. Вот что такое жизнь беженца, переселенца... Ничего своего и никаких перспектив.

Турецкий уж и не знал, стоит ли сейчас лезть к нему со своими фотороботами. Спросил, где произошло убийство, откуда об этом узнали, когда, но Семен мог только сказать, что позвонили из милиции и сообщили Игоревой жене. Сегодня утром. А погиб Игорь вчера вечером, точнее ночью. На Кунцевском переезде у Рабочего поселка. Ночная электричка сбила машину, почему-то застрявшую на путях, и протащила ее несколько десятков метров, пока не остановилась, превратив ее в груду искореженного горящего железа. Водитель был внутри машины. Заснул, не успел выскочить — теперь не узнаешь...

— Семен Иванович, вы помните, я вас просил недельку-другую не ездить в Шереметьево, вы помните?

— Я — ни! — затряс он головой.

— А Игорь?

— А шо ему? Вин вчора ездил. Я после обеда передав ему машину, вин и поихав.

— Машина кому принадлежала, Игорю?

Червоненко подтвердил.

— А вы, значит, ездили по доверенности, так?

— Ага ж.

Саша мог дальше уже не продолжать своего допроса, потому что снова сбылось худшее из того, что он мог ожидать. Фамилия Игоря, если ему не изменяет память — Черненко. А Семен — Червоненко. Лежит близко. Но окончательный ответ Турецкий мог бы получить лишь в бывшем таксопарке, где работал Игорь до того, как парк «приказал долго жить», или в отделе ГАИ. И еще нужен следователь, которому поручили это дело. Но звонить и разыскивать его из автомата — гиблое дело. Значит, надо мчаться в МУР и городскую прокуратуру. А оттуда к себе в Генпрокуратуру.

Турецкий еще раз выразил свои искренние соболезнования Семену и его супруге, попросил его еще некоторое время не высовываться, посидеть дома и уехал. А вообще-то Саша мог бы сейчас на спор поставить бутылку пива против ящика самого дорогого коньяка, что смерть ошиблась. Вернее, ошиблись те, кому нужен был Червоненко, а вовсе не Черненко. Потому что даже Джуне Давиташвили вряд ли пришла бы в голову догадка: одну машину водят по очереди два родственника со схожими фамилиями. А еще это значит, что где-то Турецкий с Семеном прокололся... Как и с Кочергой.

«Смотри-ка, Александр Борисович, а ведь тебя со всех сторон ловко обкладывают, за каждым шагом следят, словно стоят за спиной. Но кто же это может быть? Кто-то из МУРа? Из Генпрокуратуры? Как говорил когда-то любимый Штирлиц — информация к размышлению... Или это все просто придумал Юлиан Семенов?»

7

Он поднялся к Федорову и застал его в задумчивом одиночестве. Перед ним на столе лежал длинный список фамилий, а против каждой — какой-нибудь значок цветным фломастером. Саша понял, над чем задумался детинушка. «Люфтганза» отозвалась, и сыщики теперь носятся, как угорелые, в поисках «наших», русских пассажиров. Ведь российские православные крестики католики не носят. И лютеране — тоже.

Он сел напротив начальника МУРа, кивнул на список:

— Много?

— Синие крестики, — ответил тот и повернул список «лицом», так сказать, к Турецкому.

Синих было не так уж много. Да и сам список небольшой, возможно, сейчас не туристский сезон и народу летает немного. Своих же, насчитал Саша, всего и было-то шестнадцать человек. Из них зачеркнуты в списке — четырнадцать. Это те, объяснил Федоров, которые благополучно долетели, живы-здоровы и имеются в наличии. В это время зазвонил телефон, Федоров быстро поднял трубку, выслушал сообщение, забрал список и, низко склонившись над ним, прижимая его чуть ли не трубкой к столу, нарисовал еще один крестик.

— Все, — сказал, кладя трубку. — Оставались четверо, но ребята нашли троих, только что — Низовского. Остался последний, которого попросту нет. Это — Рослов. Зовут Владимир Захарович. Но такого человека в Москве практически нет.

— То есть как это — нет?!

— Объясняю. Во франкфуртском аэропорту, как и в любом другом, перед посадкой в самолет пассажир предъявляет билет и паспорт, сдает багаж и прочее. Всю эту рутину, как нам сообщили, проделал и Рослов. Фальши в документах никакой быть не может, это у них жестко. Все перечисленные в бумагах люди прибыли в Москву. У нас, кстати, имеются паспортные данные этого Рослова, все чин-чинарем, выдан московской милицией. Это тоже успели проверить. Но когда поехали по месту прописки, то оказалось, что дом сломан за ветхостью еще пару лет назад, а в домовой книге такой фамилии просто не значится. Все ясно?

— Как раз наоборот, — огорчился Турецкий. — Все вы делали правильно, конечно, и с меня причитается, дай только отпускные получить. И лечебные. Но можно было одновременно идти и с другого конца. Понимаешь, надо было сразу расспрашивать каждого найденного вами пассажира: где сидел, с кем, как выглядел сосед. Собрать словесные портреты, зафиксировать характерные, скажем, жесты, особенности поведения. А теперь придется все по новой... Ты им дай фотороботы того, что без усиков, пусть показывают, вдруг кто-нибудь узнает, добавит что-то свое. Человеческая память, мы ж это прекрасно знаем с тобой, штука темная. Есть такие, как этот наш Сеня: у него — все на одно лицо. А иной обладает такой зрительной памятью, что до конца дней помнит того, с кем пару часов рядом просидел. Да ведь и у тебя тоже бывает, поди, привяжется какая-нибудь физиономия и вот маячит перед глазами, хотя ты этого человека и знать не знал. А другой путь — искать тех, кто знаком с Рословым. Мы ж не в безвоздушном пространстве живем.

— Это уж точно, — с юмором подтвердил Федоров. — Короче, что ты еще предлагаешь?

— Ну, вы-то давайте все по новой, а я пойду с другого конца. Диктуй мне координаты: где он прописан, где находится ЖЭК, ДЭЗ, РЭУ — не знаю, как эта контора теперь называется. Придется искать соседей.

Покончив с одним делом, Саша выложил на стол результаты экспертиз. Федоров все внимательно прочитал и задумчиво уставился в стол.

— Тебе все понятно? — поинтересовался Турецкий, полагая, что теперь уж у Федорова точно должна появиться первая морщина на лбу.

— Пока я вижу одно: у нас имеются все основания учинять форменный допрос Волкову. А также его сотрудникам, которые имели или имеют отношение к автомобильному бизнесу своего директора.

— И еще мы твердо знаем, что автомобилем пользовались двое: один — рыжеватый, как описал их Кочерга и его соседка Зубова, с узким лицом, похожий на еврея, а второй — кавказский тип, Кочерга его «чеченом» называл. С Зубовой этой, думаю, надо еще раз побеседовать. Она вкратце этих киллеров-милиционеров уже описывала, и Кочерга, если помнишь, я говорил, сразу их узнал. Надо бы еще раз: детали, побольше, поточней. Сделаешь?

— Не вопрос.

И в заключение Турецкий рассказал Юре о посещении Семена Червоненко. Федоров немедленно приказал выяснить и доложить, кто из следователей прокуратуры и оперативников угрозыска принял это дело, и вообще, со всеми материалами — к нему. Саше очень хотелось лично узнать в подробностях, как все произошло, но время поджимало. Поэтому он попросил Юру разобраться самому, высказав предположение, что за ним кто-то идет, пока почти шаг в шаг, но, не приведи Господь, опередит на этот шаг. Тогда крови не оберешься.

Ну а с другой стороны, разве, скажем, тому же Федорову могло бы прийти в голову, что трагическое происшествие с автомобилем на Кунцевском переезде имеет какое-то отношение к делу Алмазова? Нет, конечно. Так что теперь глаз да глаз.

— Может, утечка? — Федоров поднялся, чтобы проводить Турецкого.

— Ты, я, Костя, Володька твой, другие ребята, что задействованы. Ты же в них уверен? — Об Олеге он не стал говорить, потому что и знал он, в общем, немного, да и не посвящал его Саша во все детали расследования. Грязнов еще знал, но тут можно быть спокойным. Остальные — по мелочам, вроде того же Лагунина или генерального прокурора, которому вообще все было, надо понимать, до лампочки, кроме собственной шкуры и странного бизнеса, связанного со строительством домов-коттеджей, о котором кто-то недавно говорил, как о нонсенсе: генпрокурор — он же генподрядчик.

— Может, нам стоит еще более сузить круг посвященных? — задал ну совершенно наивный вопрос Федоров, либо считая Турецкого абсолютным дураком, либо имея четкую и наверняка шкурную цель.

— Давай! — легко согласился Саша. — А бегать будем с тобой вдвоем. Идет, коллега?

— Ты что, шуток не понимаешь? — сделал вид, что обиделся, Федоров.

Турецкий покачал головой.

8

В приемной у Меркулова была тьма народу — и все какие-то важные, высокомерные. Саша склонился к Клавдии Сергеевне, к самому ее ушку:

— Чьи похороны?

— Да ну вас, Саша! — прыснула секретарша. — Константин Дмитриевич проводит совещание с областными прокурорами...

— Ах, вон оно что! — Турецкий совсем упустил из виду, что, помимо его паскудного дела, существует еще другая жизнь, которая бурлит вокруг, и к событиям, связанным с убийством банкира Алмазова, не имеет никакого отношения. Вот ведь — живут же люди!

Меркулов вышел из кабинета и, пожимая руки присутствующим, направился к выходу. Увидев Сашу, мотнул головой: следуй за мной.

Одевшись, они спустились во двор. Турецкий поинтересовался, откуда такая толпа в приемной. Костя, морщась, объяснил, что совещание затянулось, он хотел закончить раньше, но ведь людей не остановишь: у каждого свои боли и заботы, всех надо выслушать. Сейчас они продолжат заседание с другим заместителем — о кадрах пойдет речь. И его, меркуловское, присутствие не обязательно.

— Ты на колесах? — перебил он вдруг сам себя.

— Конечно! — Саша пожал плечами.

— А чего ж молчишь? — возмутился Костя.

— Разве я кому-то должен?

— Да нет, — Костя рассмеялся, — извини, просто я говорю с тобой, а сам соображаю, как нам в Чертаново добраться.

— У тебя что, уже и машину отняли? — удивился Турецкий. — Опять овес подорожал?

— Служебная — лишнее, — сухо сказал Костя.

— Так бы с самого начала и говорил, называй адрес.

— Я же сказал. А там покажу.

Пока они ехали, Турецкий успел подробно, не упуская важных деталей, пересказать события первой половины сегодняшнего дня. Информации было много. Костя молчал, напитываясь ею и мучая пятерней свой подбородок — знак его величайших раздумий.

С Каширки он велел повернуть на Черноморский бульвар, потом они нырнули направо, в узкий проезд, и, снова повернув на этот раз налево, поехали по какой-то кривой дороге, огибающей хрущевские пятиэтажки, между металлическими гаражами, детскими игровыми площадками и непонятно для какой цели поставленными косыми бетонными заборами. Меркулов, оглядываясь, но не забывая пальцем указывать направление движения, как понимал Саша, проверял, нет ли хвоста. Лишний глаз, как говорится, не помеха. Но ведь Турецкий и сам, когда Костя отменил свою служебку, понял, чего тот опасается, и не упускал из виду зеркальце заднего обзора. Он был уверен, что сзади чисто. Ну а в этих чертовых дворах сам их хозяин ногу сломит.

Меркулов показал, куда поставить машину, и Турецкий удачно втиснулся между парочкой частников. Затем они вышли, Саша запер дверцы, и отправились по асфальтированной узкой дорожке между торцами домов. Прошли три дома, и Костя — вот же конспиратор! — кивнул на ближайший подъезд последнего из них. Поднялись неторопливо на пятый этаж. Меркулов нажал кнопку звонка, но никакого звука не услышал, а дверь открылась. Молча вошли, хозяин сравнительно молодой человек, во всяком случае, моложе Турецкого, жестом предложил раздеться и так же, движением ладони, пригласил в комнату.

Двухкомнатная обычная типовая квартира. Книжные полки на стене. Саша подошел, взглянул на корешки книг; учебники по сопромату, строительным работам, всякие справочники — потрепанные и хорошо бывшие в употреблении. В основном техническая литература, связанная со строительством. Несколько довольно толстых книг по архитектуре и десяток современных детективов в ярких, скорее пестрых переплетах. Типичный набор студента или молодого специалиста: две, так сказать, стороны его медали.

Хозяин квартиры, заметив интерес, усмехнулся и, протянув руку, представился:

— Генрих Хайдерович. Можно просто Гена.

— Саша.

— Ну вот и познакомились, — сообщил им Меркулов и опустился в потертое кресло возле журнального столика. — Садитесь, ребята. Гена, дай чего-нибудь... как это? Херши, да? Ну, чтоб с пузырьками и лимоном пахло. А то у этого молодца, — он ткнул в Сашу пальцем, — в машине такая бензиновая вонь, что меня едва не вывернуло.

— Одну минуточку! — вмиг завелся Турецкий. — Я попрошу!.. — Но тут же понял, что это он уже давно привык к бензину, а постороннему, возможно, не совсем приятно. Ну и пусть, мы люди не гордые.

Генрих принес из кухни начатую пластмассовую бутылку какого-то лимонада и парочку стеклянных бокалов. Один налил, подвинул Косте. Вопросительно посмотрел на Сашу, но тот отрицательно покачал головой. И подумал: что это за церемонии? Где мы? Чего мы тянем? У нас навалом лишнего времени — переться в этакую даль, чтоб водички попить?.. Росло раздражение от неясных ему действий Меркулова.

Наконец, Костя допил свою воду, Генрих сел верхом на стул, Саша устроился на коротком диванчике, который, как он знал, мог раскладываться и становился полутораспальной постелью.

— Как Юра? — поинтересовался Меркулов.

Генрих с легкой полуулыбкой кивнул своей иссиня-черной головой. Глаза его немного сузились и четче проступили желваки. Типичный такой Чингисхан. Ну да, татарин, наверно. Хайдерович... Хайдер, Хайдер, что-то Саша не помнил, чтобы это имя хоть раз мелькнуло однажды в разговоре с Меркуловым. Но знал же Турецкий еще чуть ли не с первого дня их совместной работы в прокуратуре: у Меркулова в загашнике обязательно найдется человек, который, так или иначе, связан с необходимой в данный момент информацией. Это мог быть школьный товарищ, приятель из студенческих времен, бывший коллега, сводный брат коллеги и еще Бог знает кто. С кем же они имели дело на сей раз? Квартирка-то явно конспиративная, о чем говорили Костины таинственные броски по окрестным дворам и нешумное знакомство, хотя отношения между Костей и этим Геной были вполне доверительными.

— Сердечный привет передашь, — добавил Костя, как приказал.

— Слушаюсь.

Черноволосый Чингисхан принял команду.

— Давайте тогда к делу, времени у нас очень мало... — удивил Костя своим неожиданным открытием. — Первое: генерал-майор ГБ Николай Николаевич Поселков, это Управление кадров. Желательно все, но можно и последние годы перед пенсией. Его сын — Алексей Николаевич, президент «Мостранслеса»; секретарь президента — Грибова... как ее? — Костя обернулся к Турецкому.

— Татьяна Павловна, — сказал Саша и подумал, что Костя снова его удивил.

— Далее: Волков Станислав Никифорович, директор гостиницы «Урожайная», его окружение, когда открыта, кем, что там сейчас. Гена, это все экстренно и очень важно. Никто другой мне этой информации не даст.

Генрих все, сказанное Костей, записал себе в блокнот и сунул его в карман пиджака, висевшего на спинке стула.

— Когда можно ждать? — Костя снова потянулся к бутылке, будто алкоголик за опохмелкой.

— Надеюсь, завтра утром... — Генрих, сузив глаза, мрачно посмотрел в окно на оголившиеся ветви деревьев, пожевал губами и закончил: — Дядь Кость, раньше не успею. За кем, думаете, хвост?

— Пока — за ним, — Меркулов снова не очень-то тактично ткнул в Турецкого пальцем.

Саша же впал в растерянность: «Дядь Кость, за кем хвост?» — это что же происходит, граждане хорошие? Они все знают, а он, выходит, ничего? Да и потом, извините, никакого хвоста не было! Может, тут другое имеют в виду? То, о чем Турецкий заикнулся Федорову?..

Видимо, догадавшись о Сашиных мыслях, слишком явно обозначившихся на его лице. Костя усмехнулся, Генрих в ответ подмигнул с пониманием. Ясно — спелись. Видимо, давно.

— Как свяжемся? — спросил Костя.

— Я ж должен бате привет от вас передать. Вот он и позвонит.

— Хорошо. — Меркулов посмотрел на часы. — Есть у нас еще пяток минут, Гена?.. Тогда, если можно, в двух словах, что там у вас с Крайним?

— Арестован он и трое его замов по УРАФу. И специально для Саши хозяин пояснил: — Управление регистрации и архивных фондов. Тема — загранпаспорта. С февраля вели.

— Спасибо, будем иметь в виду. Когда тайну откроете?

— Днями будет публикация. Так что никакой тайны уже нет.

Меркулов тяжело поднялся из удобного кресла.

— Ясно-понятно, спасибо, Гена. Еще раз поклон Юре.

Они оделись, пожали руку хозяину, молча вышли на площадку. Спустившись на этаж, Костя сказал:

— Выедешь налево, сделаешь круг и выбирайся на старую Балаклавку. Там есть магазин «Прикарпатские узоры», вот около него и тормознешь.

Возле Сашиной машины ругались двое мужиков. Турецкий сообразил, что занял чужую стоянку: «жигуль» пятой модели стоял у тротуара.

Торопливо приблизившись к машине, Саша повинился:

— Простите, мужики, я тут совсем запутался, вот, понимаете, воткнулся на минутку, чтоб дом отыскать, а спросить-то не у кого. Будто вымерло все! Как к дому девятнадцать подъехать, не подскажете?

Они как-то странно переглянулись и стали объяснять, при этом путаясь и переспрашивая друг друга. Турецкий вмиг ухватил: «Неопытные, видать, ребятки. Топтуны, а не оперативники...» Но понял он и другое: нужно хорошо запомнить эти гладкие рожи и уматывать без дальнейших объяснений. Что Турецкий и сделал, прыгнув в машину и молясь, чтоб она не подвела на этот раз. Обошлось: не подвела. Но, оказывается, все-таки зевнули они с Костей. Да еще как!

Он покрутился между домами и наконец пересек Черноморский бульвар. Теперь, как объяснил Костя, надо по диагонали между домами, а там и магазин. Следуя наставлениям Кости, Турецкий легко выбрался к магазину и заметил Меркулова, читающего наклеенное на фонарном столбе объявление.

Он сунулся было навстречу машине, но Саша лихо прокатил мимо, остановился метрах в пятидесяти впереди, вышел и направился ему навстречу. Тот сделал сильно удивленное лицо, но это удивление немедленно потухло, едва Саша рассказал ему об эпизоде с водителем синей «пятерки».

— Сейчас пошарим или к ребятам заехать? — предложил он Косте на выбор варианты осмотра машины.

— Давай лучше помолчим, — решил Костя. — А чтоб тебя не мучить, скажу: Гена из ССБ.

Саша понял: Служба собственной безопасности ФСБ. Серьезный выход. Но он ждал и продолжения.

— Хайдер — мы его в школе Юрой звали — был одно время министром безопасности в Татарии. Достаточно?

У своей машины Саша опустился на колени и оглядел, насколько это возможно было, днище. Вроде, ничего сомнительного, но... Нынче такие мастера, что могут тебе самому в одно место «булавку» вставить, а ты и не почувствуешь. А где-нибудь позади в той же синей «пятерке» сидит круглолицый хрен в кепочке и слушает, как у тебя в брюхе от голода урчит. Вот тоже кстати: «С утра маковой росинки во рту не было». Меркулов усмехнулся (высокий стиль, что ли, ему не понравился?) и заметил, что того, чем Саша успел набить свое брюхо накануне, на вечеринке у Романовой, должно, как верблюду, хватить минимум на неделю. Поэтому нечего притворяться, а стаканом чая их Клавдия, так и быть, обеспечит. Так, перекидываясь ничего не значащими фразами, и добрались они до Генпрокуратуры. Костя вышел, а Саша сказал, что смотается на Петровку и тут же обратно. Пусть пока Клавдия чайник ставит.

9

Конечно, Турецкий не мог просить Веру Константиновну, обладающую божественным голосом, лезть под машину! Поэтому он заглянул во второй отдел, нашел Володю Яковлева и объяснил свою нужду. Но так как Саша был, как говорится, не первый год замужем и кое-что знал о тех деятелях, что могли сесть на хвост, то он высказал Володе и свои некоторые соображения на этот счет. Тот ответил, что и сам в технике разбирается и отличить «маячок» от «микрофона» сумеет.

Уходя, Володя оставил Турецкому для ознакомления материалы, которые уже сегодня накопали его сыщики на предмет выяснения личности загадочного пассажира Рослова. Протоколов допросов было немного, и разнообразием они не отличались. Саша перелистал их, но ничего важного для себя не обнаружил: не видели, не помнят. Искать же и допрашивать немецкий экипаж, стюардесс и пассажиров-иностранцев можно было бы в том случае, если бы об этом сперва договорились министры иностранных дел. Ну что ж, отрицательный результат — все равно результат.

Скоро появился Володя и, махнув рукой, пригласил следовать за ним. Они прошли в закрытое помещение спецгаража, и Саша увидел свою старушку, которую, перевернув на бок, крепко держали захваты опрокидывателя. Днище — Господи, грязное-то какое! — освещал яркий фонарь. Володя молча подвел Турецкого к машине и пальцем показал на маленький квадратик, напоминающий гайку, прижатый к днищу возле передней дверцы. Потом аккуратно, с заметным усилием оторвал и снова опустил на старое место. Посмотрел вопросительно, а когда Саша открыл рот, тут же прижал палец к губам и махнул кому-то рукой. Ровно и почти неслышно загудел где-то движок, а машина стала медленно опускаться на свои собственные колеса.

Володя снова махнул рукой, и они вышли из помещения наружу.

— Ну и что сей сон должен означать? — поинтересовался Турецкий.

— То, что в этой хреновинке — я уже встречал подобные штучки — смонтированы «маячок» с «микрофоном». Но эта модель довольно-таки устаревшая. Наша, отечественная. Есть поновее. Что же касается твоей, то «маяк» тянет до пяти примерно километров, а вот «микрофон» — берет не более трехсот метров. Пятьсот — это максимум, когда почти не слышно.

— Как там твои специалисты считают, — Саша кивнул себе за спину, — давно эта фиговина может у меня стоять?

— Погода последние дни мокрая... Когда у нас слякоть-то началась?

— Дня три назад, кажется.

— Ну вот, накануне, вероятно, и поставили. Корка грязи равномерная. Столько, значит, и стоит.

Турецкому стало вмиг нехорошо. В мозгу бешено завертелась машинка, которая начала лихорадочно высчитывать, кто ездил с ним в автомобиле, о чем говорили, какие секретные дела обсуждали. Да вот хоть и сегодня — с Костей. А вчера, когда ехали с Меркуловым и Федоровым к Косте домой? И вдруг всплыли слова Кости, сказанные им сегодня: «За кем хвост?» — «Пока за ним». За Турецким, значит, хвост был.

А почему ж он не знал? Или прозевал?

А что, может, действительно двинуть на пенсию? И податься в журналистику: обличать все-таки легче, чем ловить жулье.

Теперь срочно нужен был Костя. Но прозвонился Саша к нему лишь после пятого набора.

— Ну, — коротко и ясно буркнул он в трубку, услышав голос Турецкого.

— Нашли. И я теперь о хвосте думаю.

— Это плохо. Давно стоит?

— Специалист предполагает: дня три-четыре.

Костя молчал. Это работала на предельном режиме его собственная счетная машинка. Наконец он прорезался:

— Обдумай вопрос: снять или оставить. А насчет сегодняшнего варианта я позабочусь. Да, и еще: не задерживайся, ты мне тут нужен.

— Костя, ты вспомни, а ведь был уже у нас с тобой подобный случай[1]. Года два назад, если не ошибаюсь.

— Но ты тогда лишился этого своего... «жигуля», да?

— Вот именно. Уж не предлагаешь ли ты мне повторить тот эксперимент? Но учти, денег на новую машину у меня нет. И щедрые подарки делать, как тогда, никто не собирается. И служебной я пользуюсь, как милостыней.

— Это для меня не новость. — Голос Кости стал скучным, и это означало, что Турецкий ему уже надоел. Но, с другой стороны, и Саша не знал хуже положений, когда тебе дают парочку взаимоисключающих советов, каждый из которых абсолютно правилен и логичен, после чего говорят: решай сам, что лучше. Костя, конечно, обожал такие ситуации. Потому что он теперь очень большой начальник, и у него нет необходимости спускаться с Олимпа, чтобы убедиться в правильности действий земных рабов. Большой начальник — это же совсем иная философия. А когда очень большой, тут и вообще рассуждать не о чем. Тут уже не философия, а единственно правильная точка зрения.

Все это, конечно, очень весело, но что же делать с шайбочкой-гаечкой? Толковый оперативник Володя Яковлев на Сашин молчаливый вопрос ответил здраво, и его совет был поистине исчерпывающим. Если сейчас снять, они совсем уж нахально сядут на хвост, а если водитель станет удирать от них, попросту сожгут эту машину и оставят следователя без колес. Если же ничего не трогать, то есть сделать вид, будто никто ничего не знает, их можно будет какое-то время, правда недолгое, поскольку и они не дураки, но все-таки поводить за нос. Какая-никакая, а делу польза. Тем более что теперь придется быть вдвойне осторожным.

— Ладно, — принял Турецкий самое неприятное для себя решение, потому что терпеть не мог никаких хвостов, — оставляем все как есть, но... — И тут его словно оглушило: он же Косте со всеми подробностями описал ситуацию с Семеном Червоненко и его шурином! И поскольку преступники сидели на хвосте, значит, они получили буквально все данные на него!

Увидев глаза Турецкого, Володя забеспокоился, а когда Саша изложил ему причину своей внезапной тревоги, Яковлев и сам будто полинял.

— Что же теперь делать? — обескураженно спросил он, будто кто-то это знал.

— Если мы *уже*, — Саша подчеркнул последнее слово, — не опоздали, то Семена надо срочно отправлять в командировку. У тебя, ты говорил, есть такое место, где человека ни одна живая душа не сыщет?

Володя кивнул.

— Причем экстренно... А что же делать с похоронами? Он ведь у них там теперь единственный мужик... Тоже задача! Или телохранителя к нему на пару дней приставить?

— Нереально, — покачал головой Володя. — Прятать надо... А с похоронами, что ж, придется нам как-нибудь помочь. Ну ладно, думаю, мотаться тебе туда сейчас никакого смысла нет, давай его адрес, и я немедленно высылаю к нему своих парней. Бог даст, на этот раз обойдемся без проблем.

Володя говорил бодро, словно старался и себя и Турецкого убедить, что проблем действительно нет, однако Сашу ни на миг не оставляло ощущение какой-то приближающейся опасности. Томило что-то душу, и он ничего не мог с собой поделать. Но, с другой стороны, и он ведь не легавая собака, чтоб за каждым зайцем гоняться. Есть служба, пусть она своим делом и занимается, да хоть бы и те же Володины парни.

Договорились, что Яковлев сразу же сообщит Турецкому, когда они закончат операцию «Командировка». После этого каждый занялся своим делом: Саша отправился в прокуратуру, а Володя пошел организовывать тайную «крышу» для Червоненко.

10

Костя был чем-то расстроен. Турецкий решил, что это реакция на его сообщение о хвосте, который они, кажется, привели-таки за собой в Чертаново. Но, оказалось, причина совсем в другом. Звонила Шура, то бишь Александра Ивановна Романова, и непонятным голосом — не то уже отревелась белугой, не то только собиралась начать — стала умолять срочно встретиться, потому что... А вот почему, не объяснила. Словом, Костя пообещал — ближе к концу дня, но теперь даже не знает, у себя ли ее принять, к ней ли ехать на службу, а может, вообще увидеться где-нибудь на нейтральной территории?.. Его, оказывается, сильно «интересовало» Сашино мнение на сей счет.

Турецкий не собирался пока посвящать Меркулова в свои с Олегом, Шуриным младшеньким, отношения. Тем более что у них как раз сегодня вечером назначено рандеву на улице основоположника космических полетов товарища Королева. И лично для Саши эта встреча была очень важной. Шурина же историка, как он понял со слов Кости, могла быть вызвана двумя причинами: поведением Олега, возможно чем-то обидевшего мать, или какими-нибудь служебными неприятностями, не исключено — связанными и с Кириллом, по поводу которого Шурочка в последнее время почему-то стала проявлять все больше беспокойства. Но, пожалуй, наиболее пикантным во всей этой тянучке было то, что ответа на все Шурины вопросы находились рядом в буквальном смысле слова. Ведь Олег, занимая руководящий пост в комиссии при Совете безопасности, имел выходы от имени Президента на все без исключения службы — от армии до внешней разведки. Он что же, не мог ответить на вопросы матери, что ли? Бред какой-то! Или у них в семье происходит нечто такое, о чем Саша даже и представить не мог?

Посочувствовав Косте в его не самой благодарной миссии, Турецкий хотел отправиться восвояси, но оказалось, что Костя не только умнее, но и хитрее Саши. Он как бы между прочим заметил, что не мыслит подобного разговора с Шурочкой без его присутствия. Вот те на! Вот, значит, в чем нужда была! Только этого и недоставало: быть кем — судьей, следователем, плакальщиком или вытиральщиком материнских слез? Какую же роль собирался отвести статисту Турецкому режиссер Меркулов? Но Сашины воинственные восклицания не возымели ни малейшего воздействия на непреклонного в своем решении заместителя генерального прокурора. Он даже осмелился предложить вообще неприличный вариант: всем вместе поехать к Славе Грязнову и втроем, поскольку ближе никого у Шурочки, естественно, нет, поговорить с ней, выяснить причину расстройства и, по возможности, облегчить страдания несчастной генеральши. Черт знает что! Может, он решил и эту проблему: договориться с Грязновым — также возложить на Сашу? Не стоило нервничать: оказывается, именно это Меркулов и собирался предложить ему.

Единственным возражением, которым Саша мог еще козырнуть, было то обстоятельство, что Грязнову именно сегодня не до гостей: он, кажется, поссорился с Грибовой. Меркулов возразил, что все это сущая чепуха, и посоветовал Саше не брать в голову всякие глупости.

Но Турецкий стоял твердо, аргументируя свою позицию тем, что живет в квартире Грязнова и не решится на подобную наглость. Несмотря ни на какие дружеские чувства, Слава имеет все основания предложить ему поменять место жительства. А куда переезжать, может, Костя подскажет? Может, действительно к нему? Тем более и Лидка, его совсем уже взрослая дочь-студентка и в некотором роде даже крестница Турецкого, наверняка обрадуется: такой кавалер под боком. Да она и вообще к Саше с детства неравнодушна...

Только этот последний аргумент и оказался решающим. Грязнова Меркулов решил взять на себя. Но от своей идеи не отказался.

Не придумав ничего лучшего, Турецкий заявил заместителю генерального прокурора, что, как следователь, ведущий весьма сложное дело, находящееся на президентском контроле, больше не может терять времени на сомнительные выяснения чьих-то семейных обстоятельств и должен удалиться в собственный кабинет, который пока еще у него есть, чтобы сесть и подумать о том самом деле, коим он занимается. Потому что чувствует, что именно на этот процесс у него остается все меньше свободного времени.

Саша понял, какими словами готов был возразить Костя, но он только усмехнулся и ушел к окну торжественно и печально мучить свой подбородок, а Турецкий негромко вышел за дверь. Через несколько минут Меркулов позвонил по внутренней связи:

— Езжай домой один.

— Что, испугался? — Саша имел в виду «слухачок-маячок» на днище собственной тачки.

— Нет, я на служебной за Шурой заеду. Грязнов не возражает, он не чета тебе... — И — короткие гудки.

11

Ну уж конечно Грязнов умеет «выглядеть». И этому умению его, скорее всего, частный бизнес обучил. По Турецкому — так сидеть бы на кухне: самое удобное место для душевных излияний. Но Грязнов приказал Денису накрыть стол в большой комнате для чая и... легкого перекусона — все ж народ после работы. Как намек, не более, был открыт мини-бар, вмонтированный в стенку, и в зеркальной глубине его двоилась литровая бутылка водки. Может, даже и не намек, а больше напоминание о тех счастливых и беспокойных днях молодости, когда все они в «минуту жизни трудную» вдруг решали «сообразить» по стаканчику и — отпускало. Тонкий психолог этот Слава Грязнов. И — не прав Олег — совсем он еще не старый...

Сделав свое дело и встретив гостей, Денис отвалил в соседнюю комнату бубнить по-немецки. Помимо предстоящих словопрений, Турецкого мучили еще две проблемы: одна из них — главная — это безопасность Семена Червоненко, а вторая — необходимость встречи с Олежкой. Но если первое зависело уже не от него, а от действий Володи Яковлева и его парней, то второе — целиком от Шурочки.

Меркулов — это было известно всем — человек осторожный и при служебном, «проверенном», так сказать, шофере никогда не ведет бесед, касающихся дела. Поэтому Саша не знал, что успела рассказать ему Шура, если ей это все же удалось, но когда она поставила локти на стол, решительно отодвинув от себя столовый прибор, он понял, что говорить генеральша будет долго и страстно. Однако долгими оказались лишь ее эмоции, а не существо дела. Коротко его можно было бы изложить следующим образом.

Сегодня рано утром Шурочку буквально уже у двери остановил явно междугородный телефонный звонок, что легко определить на слух: несколько сигналов подряд. Женщина, говорящая по-русски с акцентом, попросила к телефону мать Володи. Шура ответила, что абонент, видимо, ошиблась номером или ее неправильно соединили. Но женщина торопливо назвала Шурин домашний номер и, дождавшись подтверждения, сказала, что никакой ошибки быть не может. Где Володя? Прилетел ли он? И почему не сообщает, как обещал?

Господи! Да мало ли ошибок совершают затраханные телефонистки? А все эти автоматические станции — ведь такое иной раз лепят, диву даешься! Вот и теперь к этому телефонному звонку можно было бы отнестись ну в худшем случае, как к дурному розыгрышу, если бы... Если бы не одно обстоятельство. Дня три или четыре назад, точно так же, рано утром, будто абонент точно знал, когда Шура выходит на работу, ее остановил у двери похожий междугородный звонок. И та же женщина — ее голос узнала Шура — спросила что-то про Володю. Шура сказала ей, что она ошиблась номером, а женщина тут же извинилась и положила трубку. И вот сегодня снова. Дважды ошибиться по поводу одного человека в наше время — факт довольно странный. Шура немедленно проверила свой телефон, но все было в порядке, чье-то подключение, то есть жульничество, исключалось. Более того, на телефонной станции ей сообщили, что звонок был из Германии, из города Франкфурт-на-Майне. И еще не понравилось Шуре, что звонившая женщина сильно нервничала и торопилась так, будто за ней гонятся. Когда сегодня все еще ничего не понимающая Шура повторила ей, что та снова ошиблась и зря теряет время, женщина стала возмущаться, вставляя почему-то немецкие слова. Поскольку понять было ничего невозможно, Шура положила трубку и отправилась на работу. Но пока ехала, все никак не могла отделаться от ощущения, что никакая это не ошибка и не розыгрыш, а происходит просто что-то пока для нее неизвестное, но грозящее бедой.

Камень дважды на одну голову случайно не падает — этот закон Шура знала. Она его усвоила за долгие годы работы и руководства Московским уголовным розыском. Но бывают ситуации, когда кому-то это просто необходимо, и тогда камни кидают с размеренностью качка часового маятника. Если кому-то надо! Вот в чем вопрос.

В Бога Шура не верила, поскольку этому ее не научили, а точнее, приучили к безбожию с детства, с младых ногтей — пионерией, комсомолией, более чем тридцатилетним партийным стажем. Поэтому пойти в церковь помолиться, поставить свечку и спросить совета у батюшки она не могла в силу, ну... собственных этических соображений. Чего тут объяснять! Она ж не из «новых русских», заключивших сделку с Всевышним и потому демонстрирующих свои драгоценные «нательные» кресты поверх одежды, и не из президентской рати, у коей обязательное посещение церковных торжеств является немаловажной частью нового менталитета. Не к кому было обращаться Шуре, но сердце матери подсказывало беду, и она ничего не могла с собой поделать. И вот финал: хлопчики, родненькие вы мои, у кого ж еще спросить, скажите бабе-дуре, что делать?!

Нет, перед ними сидела сейчас не знаменитая Романова, стальная сыщица, которая однажды в одиночестве вышла на шоссе и остановила машину, в которой сидел матерый преступник. И не просто остановила, а выволокла из-за руля обалдевшего от такой наглости убийцу. Сейчас сидела перед родными ей мужиками, тоже имевшими свое ничуть не менее боевое прошлое, простая растерянная баба, все аргументы которой состояли из восклицательных знаков, а вывод диктовался сакраментальным: «Ой, и беда ж, хлопчики!» Но они понимали, что вовсе не абстрактные опасения занимали Романову, а вполне конкретный вопрос: куда девался Кирилл? Она звонила первому заму директора-академика, Валерию Яковлевичу, тот клялся и божился, что с Кириллом все в порядке, что он выполняет особо секретное задание руководства, что все это находится под контролем Президента, поскольку речь идет о делах поистине мирового масштаба, и, соответственно, «крыша» у Кирилла такая, которой могли бы позавидовать все Штирлицы, вместе взятые. Шутка. Тем не менее это были уверения крупного разведруководителя. К тому же Валерия Яковлевича, по слухам опять же, прочили на место академика, которому была уготована уже ведущая роль в президентской команде. То есть обман или подлог здесь исключались. Но... сердце матери! Ну что ты с ним поделаешь?! Болит, зараза! Хлопчики, а? Ну шо делать бабе?..

В подобных случаях вообще-то рекомендуется задать вопрос полегче.

Грязнов, внимательно слушавший эмоциональные речи Шурочки, резонно заметил, что Валере Трубачеву, он имел в виду первого заместителя директора СВР, верить можно. Мужик информированный и в детские игры не играющий. Тем не менее было бы не плохо, уже с Костиной стороны, выйти на самого директора. Тот человек ученый, грамотный царедворец, вообще — профессионал. Если Костя с ним найдет контакт, осечки не будет.

Меркулов между тем помалкивал, покачивая сильно поседевшей за последний год головой, и нельзя было понять, разделяет он точку зрения Славы или нет. Точка же зрения Турецкого была в следующем: никто никому ничего путного не скажет. Не те времена настали. Тайны сегодня стоят очень больших денег. Значит, вывод мог бы быть таким: найти возможность разыскать ту женщину, что звонила Шуре, поскольку именно в звонке и может таиться разгадка всего, в чем тут так долго и безуспешно пытаются разобраться. Иными словами: «Костя, отпусти ты меня, наконец, в Германию! А я попутно и эту женщину найду, и спрошу, что ей от нас надо!» Ведь международка наверняка зафиксировала номер телефона, откуда звонили. Правда, в Европах жизнь другая, там можно из любого уличного телефона-автомата позвонить на минуточку в Австралию и поинтересоваться, как чувствуют себя жарким весенним октябрьским вечером аборигены-кенгуру. Так о чем же спорить? Вот оно — решение.

Костя, естественно, тут же высказался в том смысле, что все о деле, а вшивый — о бане. На что Турецкий возразил, что баня — тоже важное дело, иначе нация погибнет от педикулеза, к чему, собственно, дело и идет. Эстетичный диалог начал набирать силу, однако охлаждение пришло опять-таки со стороны милейшей Шуры. Она попросила не ссориться, а действительно попробовать найти какие-нибудь выходы на Германию с целью обнаружения... Чего? Телефона звонившей дамы? А если действительно из автомата?

Мудрый змий Грязнов сказал, что все это ерунда, не надо усложнять и без того запутанное нами дело, а нужно просто позвонить сейчас Олегу, Шуриному младшенькому, и попросить его все спокойно разузнать по своим закрытым каналам про собственного брата.

Господи, ну надо же быть до такой степени зацикленными на дурацкой таинственности, чтобы не пойти самым простым путем! Но неожиданно категорически возразила Шура.

Ее аргументы были абсурдны и, более того, чужды Саше с нравственной точки зрения. Братья, видите ли, не ладят между собой. Ну и что из этого следует? А то, что в последние месяцы перед заграничным вояжем Кирилла тот категорически просил мать не иметь по поводу его дел никаких контактов с Олегом. Они, мол, при необходимости сами разберутся. Примерно ту же позицию занял и Олежка... Алька. Он довольно резко заявил однажды матери, что Киркина работа его не колышет и она имеет полное моральное право по этому поводу обращаться куда угодно, только не к нему, младшему брату «гениального» разведчика. И все. Категорически. Но вообще-то сказанное напоминало дешевый фарс.

Не желая продолжать бесцельные говорения, Турецкий решил для себя сегодня же, благо время к тому подходило, после второй или третьей рюмки серьезно и без всяких уверток поговорить на эту тему с Олегом. И раз и навсегда, хотя бы для себя лично, снять дурацкий вопрос с повестки дня. Это было тем более странно, что он сам же в прошлую пятницу видел в кабинете Олега фотографию, на которой были запечатлены для потомства Саша с Киркой на фоне... нет, там был главным трехкилограммовый гриб, а уж они — действительно на его фоне. И Кирка там у него сидел на мотоцикле, и еще навеки запечатлен решающий момент футбольного матча в Тарасовке, который, если не изменяла память, сама же Шурочка и щелкнула. И после этого она рассказывает о каких-то разногласиях? Я вас па-апрашу! Так говорил всегда Толя Равич, друг Сашиного детства, когда тому лепили горбатого и он уставал от брехни. Вот прямо так и останавливал: па-апрашу. И липа, как говорится, шла на лыко. Светлые тапочки плести.

Взять и сказать все это сейчас Шурочке, понимал Турецкий, было бы совершенно напрасным делом. Ибо зацикленность — тоже одно из характерных, хотя и не самых приятных качеств, точнее, результатов социалистического воспитания. А еще точнее — образ мышления, с ударением на букве «ы».

В принципе Саше все уже было ясно, и он мог бы, не вступая в дальнейшие дискуссии, отваливать по своим делам. Пока же он предавался своим ясным и возвышенным мыслям, что-то в компании произошло, во что Саша не сразу врубился. Шурочка, оказывается, стала приводить примеры разногласий между братьями, иными словами, ударилась в воспоминания своей грешной молодости. Господи, ну все они давно знали, что был момент в биографии героини, когда она поддалась своему девичьему, студенческому чувству и, грубо говоря, дала засранцу Матюше, который, воспользовавшись случаем, сделал свое хамское, хотя, вероятно, и очень приятное — по молодости — дело, чтоб через какое-то время отвалить за рубеж. Ладно, родился Кирка. Шурочке одного сына оказалось мало, и она вышла замуж за будущего генерал-лейтенанта КГБ, а тогда просто Толю Марчука. Тот уже не случаем пользовался, а торжественно исполнял свои супружеские обязанности, отчего скоро на свет Божий явился Олег. Сегодня Шурочка, не прожившая с будущим генералом и трех, кажется, лет, может быть полностью удовлетворена: она сама стала генералом, и погоны когдатошнего мужа ей до лампочки. Все это было известно давно и в разных подробностях, которые проскальзывали как в байках самой хозяйки положения, так и в воспоминаниях Константина Дмитриевича, вполне возможно когда-то подбивавшего клинья под это грандиозное строение природы, именуемое Александрой Ивановной. Но к чему все это?!

Сыновья выросли, «образовались» до такой степени, что их охотно забрали в высшие политические сферы. О чем теперь спорить?

Генерал дядя Толя, по личному мнению Турецкого, очень хорошо относился как к своему родному сыну, так и к пасынку, который не стал им официально исключительно по причине Шурочкиных капризов. И с чего это она теперь-то затеяла самобичевание? Ну грызутся парни, так тут, может быть, проявляются как раз рецидивы их духовного и физического роста, их максимализм в отношениях друг с другом, семейная гонка за лидером. Точнее, за право обладать этим званием...

И если Саша в этом смысле все-таки прав, то нечего и воду лить. Но Олежку все равно следует немножечко вздрючить. Это он решил для себя, пользуясь правом Старшего Брата. Видит Бог, Турецкий считал себя человеком справедливым, особенно по отношению к своим. И оттого, что Шура рассказывает, как ей трудно было отдаться тому или другому, а затем разделить свои материнские чувства между старшеньким и младшеньким и считать одного удачненьким, а другого, извините, не очень, — от этого, пардон, дамского маразма Сашу слегка подташнивало. Потому что он знал, любил и помнил обоих парней сызмала, они выросли на его глазах, он их учил жизни, и они играли с ним в футбол — разве для чистоты отношений этого мало?! И Шурочка, любя или не очень одного, в пику другому оставалась все-таки генеральшей, а не матерью, которую любили сослуживцы и называли между собой «мать-начальница». Ни одни на свете погоны, даже полностью золотые и без единого просвета, не добавят к человеческому естеству больше, чем ему отмерено Богом. Вот и все...

Собственно, все — в самом прямом смысле слова. А то Саша уже ощущал неясное брожение в мозгах, отчего совершенно определенно могло произойти разложение личности. Тем более что и эта чертова бутылка призывно раздваивалась в зеркальной глубине минибара. Ну, положим, уверял себя Турецкий, ему лично она ни к чему. А вот тем двоим философам, которые сейчас пытаются перевести абстрактность Шурочкиных эмоций в конкретику дельных предложений и которые понимают, что ни-че-го путного из этого дела все равно не получится, бутылка, кажется, пришлась бы в самый раз. Чтобы не искушать судьбу и не нарушать собственных планов, Саша для начала удалился в соседнюю комнату, к телефонному аппарату, чтобы далее, в зависимости от обстоятельств, предпринять следующий шаг.

Яковлевский телефон был занят прочно, это понял он после пяти беспрерывных наборов. Тогда Турецкий позвонил в приемную Федорова, чтоб Володьку шуганули оттуда, по внутренней связи. Тоже занято. Что у них там, пожар, что ли? Пока он размышлял, зазвонил грязновский телефон, но трубку снял Денис — параллельную.

— Это вас, дядь Саш! — крикнул он из-за стены.

— Ну ты даешь, Турецкий! — услышал Саша раздраженный голос Володи. — Целый час не могу до тебя дозвониться!

— Ничего не понимаю, а я тебе звоню и — тоже занято... А-а, понял. — Турецкий же совсем исключил Дениса, а у того, разумеется, могут быть и собственные интересы. — Денис! Это ты, что ли, висел на аппарате?

— Я, дядь Саш, — отозвался племянник. — Если можно, долго не занимайте, у меня еще один срочный разговор.

Вот так, растут детишки!

— Ну, что там у тебя? — спросил его Саша, а во рту сразу какая-то кислятина появилась, будто медный пятак облизнул.

— Совсем хреново дело, Саша, — мрачно ответил Яковлев. — Опять у нас с тобой полнейший прокол. Обскакали!

— Достали?! — только и сумел выдохнуть Турецкий.

— Причем лихо. Буквально из-под носа увели...

12

Уверенный после разговора с Турецким, что перепуганный насмерть Червоненко будет теперь сидеть дома и никуда носа не высунет, Яковлев был удивлен, узнав от его жены, что Сеня еще с час назад ушел в магазин и до сих пор не возвратился. Володя забеспокоился и спросил, зачем его понесло в тот магазин. Хозяйка лишь рукой махнула: там, на бугре, и пивная есть, зашел, наверно, кружку выпить, поскольку какая теперь работа, раз машины больше нету. И далее в том же духе. Но в сварливом тоне супруги Червоненко Володя обнаружил явное недовольство вмешательством в ее жизнь властей, и в частности — милиции. Нет, она не размахивала кулаками, но не преминула ядовито заметить, что пока ее Семен тихо работал себе на братниной машине, все у них было спокойно. А как его потащили в милицию да еще рисовать чего-то там заставили, так беды и посыпались: то «дворники» у мужа украли, то ночью бензин слили, а теперь... Тут она не сдержалась и запричитала в голос: Игорька, братика родненького, убили!..

Обо всем этом Яковлев был уже в курсе, поэтому оставил у подъезда оперативника — для порядка, а сам на дежурной машине отправился к «магазину на бугре». Фотографию свидетеля Семена Червоненко он, разумеется, имел, и найти мужика для такого опытного сыскаря, как Володя, труда не составляло. Торговый комплекс занимал большую площадь. Здесь размещались универсам, пивной бар, бюро проката, несколько мастерских по ремонту часов, обуви, мебели и так далее, а часть второго этажа занимал вечерний ресторан, днем же — обычная коммерческая забегаловка с отвратительной кухней и высокими ценами. На эту публику, вероятно, не распространялся всемирный закон конкуренции.

Обойдя все заведения и нигде не обнаружив Червоненко, Яковлев, снова проходя мимо входа в пивной бар, вдруг услышал разговор, который его сразу насторожил. Двое алкашей, видимо из подсобников, обсуждали вопрос, куда его ткнул ножом этот рыжий. Но, заметив интерес милицейского майора, они тут же разошлись. Встревоженный Яковлев вернулся в бар, где уже был, и, пройдя между заваленными рыбной шелухой столиками, подошел к стойке. Пальцем поманил цыганистого парня, моющего под краном поллитровые банки, заменившие на определенном этапе развития государства уважаемые народом стеклянные кружки, сунул тому под нос удостоверение уголовного розыска и негромко сказал:

— Быстро, что тут произошло?

— Да чего? — индифферентно пожал плечами парень, на которого яковлевская ксива не произвела, похоже, нужного впечатления. — Повздорили двое, базлать стали, а о чем? — Он снова пожал плечами. — Ну вот тот, другой, который рыжий, чего-то этому сделал и ушел, а тот затих. Мордой лег на стол и молчит. А кому какое дело? Ну кто-то потом тронул мужика за плечо, а он на пол и повалился. Сразу ваши прискакали: что да чего, а кто толком запомнил-то? Ну был рыжий такой, даже не так чтобы и очень. Просто он без шапки, поэтому. Жмурика увезли, а кто чего если и видал, так давно ушел. Я пойду, да?

— Иди, — чуть не послал его еще подальше Яковлев.

Потом в ОВД «Кунцевское» состоялся у него разговор с начальником, выезжавшим лично на происшествие. Яковлев быстро просмотрел протоколы допросов свидетелей убийства неизвестного человека. А ведь и в самом деле, откуда ж его знать, если у него при себе не оказалось никаких документов. Ни кто такой, ни где живет, ничего не мог объяснить ни один свидетель. Его и раньше здесь не встречали. И Володя понимал почему: не до того мужику было, чтоб по шалманам шляться. Но все невольные, так сказать, свидетели в один голос утверждали, что вошли в зал этот убитый и его рыжеволосый спутник вдвоем, мирно сидели за пластмассовым столиком, по паре кружек взяли и воблу, и все было путем, пока не стали чего-то шуметь. Только этот, который стал покойником, вдруг вскочил, а рыжий его за плечи взял и к стулу прижал, чтоб не вякал. Ну тот и затих. А оно вон чем оказалось.

Орудие убийства — обыкновенная воровская заточка — вошла точно в сердце, поэтому жертва даже и не охнула. Удар был большой силы. То есть можно предположить, что действовал опытный, «грамотный» человек. Убийца. Труп до опознания отправлен в морг. Самая близкая тут, конечно, Кунцевская больница, но она же —

начальник воздел руки к небу — для великих! Там теперь президентов лечат, куда нам со своим неопознанным. Вот и отправили в районку.

Яковлев представлял, как тяжело работать в этом районе подполковнику Казанцеву, так звали начальника ОВД. Кругом все завязано на ЦКБ, так называемой Центральной клинической, а в миру — «кремлевке». Да и район с его бывшими цековскими, розового «партийного» кирпича домами, где проживает столько высокого начальства, и сама Рублевка, являющаяся правительственной трассой, — все это, вместе взятое, являлось его постоянной головной болью. Вот и на каждое ограбление хуже того — убийство, на любую криминальную разборку, которых нынче на дню по нескольку штук, приходится выезжать самому, словно спасаясь от звонков сверху. Поэтому Володя Яковлев, по описанию убитого признавший в нем искомого Семена Червоненко, не вдавался в лишние подробности, сказал, что отправится в морг, поглядит на покойного, и если нет ошибки, то дело это он заберет к себе, освободив Казанцева от ненужного ему «висяка». Начальник не то чтобы сильно обрадовался, но хоть не полез не в свое дело — и то спасибо. И даже обещал поручить своим оперативникам вызвать вдову покойного для опознания. Уже одним этим он снял часть тяжеленного груза с плеч Яковлева.

К сожалению, Володя оказался прав. Час спустя он позвонил Казанцеву и попросил провести официальное опознание, заодно снять с дежурства у подъезда Червоненко своего сотрудника и все материалы дела вместе с ним передать в МУР.

— Это он был, Саша, — сказал в заключение своего рассказа Володя.

— Ты имеешь в виду того рыжего?

— Ну конечно. Значит, они и тут работают по одной наводке. Не исключаю, что причина в твоем «маячке».

Он был прав; и Саша твердо знал, кто и каким образом навел убийцу на Червоненко. Значит, они слушали Турецкого давно и очень внимательно. И провожали по всем адресам. Непростительная ошибка, и тем страшнее, что он же не новичок. Нет, точно, с такими проколами в прокуратуре делать больше нечего. Турецкий выяснил, когда подвезут дело, поблагодарил Володю и с настроением, сквернее которого просто не бывает, вернулся к гостям, к их уже вялотекущему, странному какому-то спору и чашке давно остывшего чая.

О чем они тут договорились, что решили, его абсолютно не интересовало, как бы ни обижалась Шурочка. Но крепко испортить настроение Косте, чтоб тот не таскал его на дурацкие семейные разборки, это он мог. И, воспользовавшись паузой в затянувшейся беседе, заявил:

— Как это ни горько, Костя, но мы снова лопухнулись. Если, конечно, гибель еще одного свидетеля по вине старшего следователя и тэ дэ господина Турецкого можно обозначить столь легкомысленным словом. «Маячок»-таки опять сработал.

Саша не собирался намекать Меркулову, что в этом чрезвычайном происшествии есть доля и Костиной вины, — если б поехали сегодня не на раздрызганной «лайбе», а на его служебке, Семен наверняка остался бы жив. Саша не стал бы Косте ничего рассказывать, и никто бы не узнал, что киллеры ночью в понедельник ошиблись и убили не того человека. Да, именно сегодня, всего несколько часов назад, весьма заинтересованные люди выслушали это сообщение и немедленно приняли меры, заставив навсегда замолчать того, кто нечаянно увидел двоих пассажиров «мерседеса».

А вот и вывод: один из тех двоих мог оказаться убийцей, и теперь он — или его холуи, не важно, — тщательно наблюдают за Турецким и опережают на один шаг. Только один, но он несет смерть. Кто же теперь следующий — сам Турецкий? А почему нет?..

Костя, кажется, был уже и сам не рад, что поддался Шурочкиным эмоциям. Новая же информация вообще выбила его из колеи, которую он стал обожать в последнее время: народ просит совета, как отказать народу?! Или это не житейская его колея, а сложившийся образ мышления? Выросли ж все-таки в Стране Советов... Есть такое мнение... А потом — голову с плеч долой! Словом, совсем худо дело... Но самое поганое заключалось в том, что винить во всех провалах Саша мог только самого себя.

Грязнову он сказал, что на сегодня осталась еще масса невыполненных обязательств, наскоро попрощался с гостями, которые, похоже, и сами стали понимать некоторую неуместность своих личных забот, когда вокруг такое творится, и тоже поднялись. Ничего Саша ждать не стал, поскольку уж чем-чем, а служебным транспортом этот народ был обеспечен в достаточной степени, и уехал к Олегу.

Если быть до конца честным, то сегодня видеть кого-нибудь у Турецкого не имелось ни малейшего желания. Но... Олег к этим «всем» не относился. И, выруливая в Останкино, Саша был уверен, что, помимо обещанной информации, которую он собирался получить от Олега, наверняка можно будет хорошо надраться, ибо, как он заметил, младшенький умеет составить подходящую компанию, у него это получается неплохо.

И еще Саша подумал, что достаточно парочки подобных провалов, и уже не он сам, а его, то бишь Александра Борисовича Турецкого, «важняка» из Генпрокуратуры, этак элегантно попросят написать заявление о переводе на должность следователя куда-нибудь в Орехово-Зуевскую районную прокуратуру. В лучшем случае. Поскольку пенсионного стажа Саша еще не имел, а теперь, пожалуй, уже и не сможет иметь в будущем.

13

Олег с некоторой долей юмора отнесся к душевному смятению Турецкого. Но когда Саша, в самых общих словах, рассказал о преследующих его неудачах, тот посерьезнел, задумался. И, слава Богу, перестал демонстрировать свой цинизм, который этаким серебристым налетом покрывал все, о чем бы он ни высказывался. Но это, видел Турецкий, скорее от того поста, от высокого общественного положения, которое Олег занимал, а не от характера. Как раз по характеру он, если Саша правильно понимал, Олег, и не сварливый, и не завистливый. Во всяком случае, таким был до сих пор. Впрочем, может, его работа изменила.

Не стал Олег снова напоминать ему, что уже не раз предлагал послать это дело подальше и заняться собой и семьей. Но это чувствовалось и в тех укоризненных взглядах, которые он бросал на Сашу, и в нетерпеливом покашливании, когда все уже ясно, а собеседник все никак не может остановиться.

— Значит, опаздываешь... — вопросительно-констатирующим тоном прервал Олег, наконец, Сашины излияния. — Это плохо. А может, наоборот, очень хорошо?.. Если не будешь меня торопить, я постараюсь еще раз объяснить своему старинному другу и учителю несколько элементарных истин нашего времени. Согласен слушать?

— Да... за этим, собственно, и приехал. — Турецкий нарочито хмыкнул. — Назовем это новым ликбезом, а?

— А что? — усмехнулся Олег. — Ты, Саш, вовсе недалек от истины, как тебе ни кажется. Вот только вид у тебя такой, будто не жрал ты как минимум пару суток. Про остальное и не мыслю. Не прав?

— Почти. Вчера у твоей матери... А вообще-то больше всего мне сейчас хочется надраться до поросячьего визга.

Олег, хмыкая и похохатывая, будто Саша сморозил невероятную глупость, повертел головой, а потом поднялся и взмахом ладони позвал за собой. Они вышли на кухню, которую Турецкий и при самом большом желании не смог бы обозвать столь затертым словом. Он никогда не был ценителем кухонных интерьеров, всяческой забугорной техники, украшающей, как заявляет телевидение, быт россиянина. Ежели по делу, так достаточно кастрюли и сковородки, вот и весь тебе смак. Но даже у волосатого певца, которого Саша однажды выходным днем наблюдал в телевизоре, когда он на пару с другим известным певцом, двусмысленно похихикивая, учил широкие народные массы готовить некое жаркое из бараньих яиц, так вот, даже у той самой поп-звезды данная невероятность, именуемая Олегом кухней, наверняка вызвала бы немой восторг. Заметив совершенно растерянный взгляд, Шурин младшенький снисходительно, естественно, с высоты своего положения, похлопал Турецкого по плечу и объяснил его туземное смятение по-своему:

— Сложно, конечно, если в первый раз. Когда мне эту всю хреновню завезли и только через сутки смогли смонтировать, а потом стали объяснять, что к чему и для какой надобности, у меня тоже появилось ощущение, будто я к марсианам попал. Поэтому, Саш, ты не тушуйся, а нужда заставит — так и скоро привыкнешь. К тому же сегодня это не последний сюрприз.

— Ну ты-то, я вижу, привык!

— А куда денешься? Правда с неделю все чего-то хлюпало, фырчало, даже отключалось. Мы ж не привыкли полностью доверять технике, все норовим со своим копытом сунуться. Ничего, наладилось, теперь уже иначе и не мыслю: все под рукой, ничего не пригорает, само моет, сушит, убирает. Готовит, кстати, вполне приемлемо, сейчас оценишь. А еще мне обещали, только не сюда, а в сортир, ну это уже как хохма, такую конструкцию, которая сама тебе зад подтирает, подмывает, высушивает и шлепает легонько: мол, надевай портки и вали отсюда. Вот это класс, а?!

— Да уж... — И это все, на что Саша оказался способен. — А это, — он почтительно обвел глазами помещение, — нечто среднее между царскими покоями в Эрмитаже и пультом космического корабля из фильма о славном космическом будущем, — поди, очень дорогая штуковина?

— Не дешевая, — походя заметил Олег. — Но тебе, Саш, скажу по секрету: лично мне вся эта хреномастика даже гроша ломаного не стоила. Представляешь?

— Если честно, то весьма смутно, — с уважением к чуждой ему научной мысли сделал Турецкий окончательный для себя вывод. А ведь и в самом деле: для него подобные заботы — только абсолютно лишние хлопоты, поскольку для реализации, как теперь выражаются, данного проекта старшему следователю и так далее никаких средств не хватит. Из чего следует еще более окончательное утверждение: развитой капитализм, или как он там будет называться, — не для тех, на ком гений предпринимательства свою печать не ставит. Он для таких, как Олег, — облеченных высшей государственной властью, не важно, явной или тайной. Вероятно, Сашины размышления нашли свое отражение на физиономии, потому что Олег снисходительно заметил:

— Ладно, давай-ка лучше тяпнем, как говорится, под дичь, а потом, если захочешь, расскажу.

Он выставил на стол литровую бутыль смородинового «Абсолюта», к которому Турецкий питал уже особую слабость, какие-то другие напитки и лимонады, пяток тарелок с заранее нарезанными и разложенными закусками, главным образом, рыбой разных оттенков, а сам принялся колдовать возле какого-то хитромудрого устройства, напоминавшего одновременно и плиту, и духовой шкаф, и холодильник, и еще черт знает что, освещенное изнутри. Походя Олег сказал, что не совсем привык к этому кухонному комбайну, но все равно попробует сделать одно фирменное блюдо. Впрочем, печка — он так назвал свое устройство — сама все сделает, надо только правильный режим задать. Печка! Это звучало примерно так, как если бы Саша назвал тот полицейский суперавтомобиль с оборудованием XXI века, который ему продемонстрировали в Америке три года назад, «самобеглой коляской»!

Олег между тем нажал все необходимые ему кнопки и сел напротив, заявив, что ровно через пятнадцать минут печка доложит о готовности. А пока, значит, можно и начать. И они тут же резво начали.

После третьей рюмки Саша заметил, что Олега вроде бы малость «повело». Но так не бывает, чтоб здоровый мужик, подобный ему, закосел от такой малости, значит, он уже раньше принял, хотя это было прежде не заметно. Саша даже пожалел: надо же, вот тебе и поговорили по душам! Но Олег, молодчина, видно, и сам почувствовал, вышел из-за стола и через две-три минуты вернулся свеженьким, как огурчик. Турецкий же, пока его не было, понял, что ему не хватало: ясности в оценке ситуации. Бесконечная беготня, постоянные перемещения по городу, суета, естественная для каждого человека усталость, горечь разрушенных планов, — словом, все, вместе взятое, основательно навалилось на плечи и крепенько придавило. Плюс опережающая работа противника и связанные с нею жертвы. Надо бы, конечно, встряхнуться, набрать в грудь побольше воздуха, смыть с глаз пелену какой-то обреченности, что ли... Да, устал и, разумеется, все давно осточертело, а теперь еще и возраст сказывается, и зависть появилась вот к ним — молодым, здоровым и удачливым. Но почему же он все-таки запаниковал? Дела застопорились? Так они всегда двигались с трудом. А если посчитать только за последние пять-семь лет, ну за годы этих могучих экономических реформ, то многих ли преступников, что были все-таки пойманы, удалось передать в суд и наказать? То-то и оно! Над Турецким — Костя, над тем — генеральные, один другого почище, над Генпрокуратурой — власти любых рангов — на выбор. А уж на той высоте не действуют не только законы, но и прямые указания самого Президента. И потому стало очень удобно ссылаться всем, сидящим поочередно на более низких ступенях: ну что вы, мол, хотите от Президента? Он у нас хороший, он правильный, а вот окружение у него такое, что не дай вам Бог! Но тогда зачем же нужен «важняк» Турецкий, если пойманный им преступник запросто уходит от наказания? В этом ли плоды Сашиных деяний? Конечно, в подобной ситуации гораздо легче, да, возможно, и прибыльнее, писать о коррупции и преступности, пронизавшей все общество, о мафии, расправившей крылья, и тому подобном, находясь, так сказать, на переднем крае средств массовой информации. Проще и обвинять их — сыскарей, следователей, дознавателей, прокуратуру, суд, как конечную инстанцию, который, кстати, за всю послеоктябрьскую историю никогда ею не был. А если иногда такое и случалось, все те же СМИ радостно орали на весь мир. Но даже в этих условиях, сказал бы Турецкий, искренне защищая собственную честь, он умудрился не провалить, в сущности, ни одного дела. А если когда что-то и «повисало», то, уж увольте, вовсе не по его вине: находились силы повыше, о которых, как говорится, сказано в преамбуле к этим размышлениям. И еще факт, который тоже никак у него не отнять: практически все его дела, так или иначе, раскручивались в считанные дни. Ну — недели. Редко — один-два месяца. Так, собственно, с чего это вдруг понесло каяться? Всего ведь неделя прошла. А без проколов и прежде не обходилось. Было же — и в него стреляли, и взрывали автомобили, и под дверь бомбы подкладывали... Многое было, при нужде можно и рубашку скинуть, и дырки на теле показать. Поэтому... А что — поэтому?

— Ты чего бубнишь? — Олег, широко улыбаясь, смотрел на Сашу. Вальяжно откинувшись на высокую резную спинку дубового стула, Олег крутил на широкой и светлой, тоже дубовой столешнице высокий хрустальный бокал со своей смесью, которая искрилась радужным многоцветьем, и терпеливо ждал ответа.

— Я совсем не бубню, — Саше захотелось немного обидеться, но он решил, что его все равно никто сейчас не поймет. — Это ко мне ясность пришла. Явилась наконец.

— А-а-а! — многозначительно протянул Олег. — Тогда извини. Ясность — штука редкая, ее вон как беречь надо! А то я подумал было... Рассказываю ему, понимаешь, что делать, чтобы приобщиться к клану владельцев этой хренотени, — Олег обвел взглядом дубовые, зеркальные, хромированные объемы, составлявшие внушительное помещение, в просторечье именуемое кухней, — а он, понимаешь, чта-а? Никакого внимания! Бубнит чего-то...

Он очень ловко, хотя и ненавязчиво, копировал своего хозяина. Да они там, наверняка, все этим на досуге грешат, что, кстати, может выглядеть, если надо, забавной лестью, но... коли глубже, то совсем и не забава. Даже больше того: сейчас, когда гудит вовсю предвыборная думская вакханалия, похоже, эти далеко не оболтусы, которые взяли Президента в тесное кольцо и держат глухую оборону, не умеют, да и не желают шутить над хозяином — они его попросту и в грош не ставят. А нужен он им для сугубо личных, корыстных целей. Впрочем, возможно, к Олегу это не имеет отношения... Но, с другой стороны, почему бы нет? А если это так, зачем здесь Турецкий? Нет, в самом деле, если разобраться, какой помощи он хотел от Шуриного младшенького, усевшегося на олимпе у ног Самого? Чтоб посодействовал? А в чем? Пока Саша на свои возможности не жаловался. Помог разобраться? Да ведь Турецкий умнее его. Ну, скажем так, старше. Значит, опытнее. Может, наоборот, поучить самого Олежку уму-разуму? Вот уже ближе к правде. Во всяком случае, за свинство по отношению к Славке, выразившееся в... да, а, собственно, в чем выразилось это самое хамство? Бабу увел? Так она же сама того пожелала. О чем заявила однозначно. Она свободна от каких-либо обещаний. Но — все равно нехорошо.

Саша вспомнил. Речь сегодня шла о Кирилле. Это раз. А уже второе — Татьяна. Хотя нет, она — на третье, на десерт, так сказать. А второе — госбезопасность. Уж не она ли обложила Турецкого и ведет, куда не ему, а ей требуется? Тут у Олежки могут быть свои источники. Открывать их Саше не надо, но пошарить там он, конечно, может. Просто по-товарищески. Ладно, цели определены, как говорили предки, задачи ясны, пора сменить пластинку.

— Ну так извини еще раз, благодетель, укажи путь к непрерывному и желанному росту благосостояния.

— Наконец слышу от тебя, — словно обрадовался Олег, — слова не мальчика, но мужа. Итак, запоминай, впрочем, можешь и записывать: пункт первый. Переходишь в мое ведомство. Должность я тебе сочиню хоть завтра. Мне советники во как, — он чиркнул ладонью по горлу, — необходимы. Твой переход, или, если пожелаешь, перевод, я обеспечу. Уедешь в отпуск из прокуратуры, а вернешься уже ко мне, сюда. Костя твой таких вопросов не решает, а генеральный ваш — не жилец, можешь полностью доверять моей информации. Уберут буквально со дня на день. Там за ним, Саша, такое числится!.. В общем, пока мы отправим его на пенсию, а через месячишко-другой, думаю, посадим. Чтоб шуму было поменьше. На него ведь давно уже оппозиция бочку катит, вот Президент и кинет ей кость. Кстати, чтоб ты знал: дело свое тебе раскрутить не удастся. А если, не дай Бог, чего, то твой генеральный его немедленно закроет. Учти, говорю это как другу. Впрочем, ты мне уже слово дал сегодня.

Очень интересно! Прямо как в том анекдоте: пьяный заяц под пень свалился, а волк с медведем из-за его тушки драку затеяли, да друг дружку и угробили. Проснулся заяц, глядит, а рядом трупы. Ну и дела, думает, чего по пьянке не наделаешь!.. Ну что ж, раз Олежка так говорит, значит, успел Саша проколоться.

— А по поводу чего я поклялся? — сделал он наивные глаза.

— Кончай, Саш, валять дурака! — Олег почти рассердился. — Если б я тебя не знал, честное слово, обиделся бы... Я ж о деле с тобой. В конце концов, ты спросил, я ответил. Словом, последнее слово, извини за тавтологию, за тобой.

Это как раз было понятно, хотя никакой тавтологией тут и не пахло.

— Я полагаю, Олежка, что к данному вопросу мы еще вернемся. Но моя к тебе просьба пока заключается в ином. Я уже сказал сегодня, что дело мы прекратили, остальные убийства раскручивают МУР и территориальная прокуратура, короче, их дела.

— Да ладно тебе темнить, — усмехнулся вдруг Олег. — Что я, вас с Костей не знаю, что ли? Для общественности, то есть для дураков, официально, поди, прекратили, а сами продолжаете. Могу поэтому только повторить: не делай, Саша, не нужной никому работы. И смертельно опасной.

«Интересно, — подумал Турецкий, — с каких это пор ловить убийц — ненужная работа? Впрочем, как я погляжу, в наше время многие понятия, несущие совершенно определенный и однозначный смысл, бывают извращены до неузнаваемости или вывернуты наизнанку... А Олег, конечно, прав, и от него я мог бы и не скрывать правды. Но что поделаешь...»

— Нет, — безучастно, как о пустом, отмахнулся Турецкий, — действительно прекратили. Ну — то, что касается Алмазова. А убийство Кочерги — все-таки самостоятельное, как говорится, убийство, Олежка, хотя сам он и прикончил, как выяснилось, своего шефа, а затем убийство Червоненко — эти висят на муровцах. Но с делом Алмазова, как я понимаю, никто их связывать не собирается. Разве что всплывет по ходу... нет, не думаю. Ты мне другое скажи: есть у тебя серьезные выходы, говоря прежним языком, на госбезопасность?

— А это еще зачем?

— Две причины. Интерес первый — киллеры. У, меня имеется веское подозрение, что мальчики — из-под той «крыши». Второй же вопрос связан с вашей славной семейкой.

Олег так дернул рукой со стаканом, что едва не опрокинул его на пол.

— Так... понятно... — протянул он. — Мамаша настучала, что я не хочу потакать ее капризам? Сознавайся, сыщик!

Саша догадался, что своей шуткой Олег хотел загладить собственную растерянность. И только кивнул. Но и этого ему было достаточно. Олег тут же вскочил, явно «заводя» себя, забегал по огромной своей кухне и, размахивая длинными руками, почти крича, начал доказывать публике в лице Турецкого то, что ни в каких доказательствах не нуждалось. Ну конечно, у матери на старости, усугубленной тяжелой многолетней работой, появилась мания преследования. Боязнь за своих несчастных детишек, которые давным-давно выросли и занимаются такими серьезными государственными делами, которые ей отродясь не снились. Она знает, что ей положено, причем, знает отлично, но ей этого мало, и она лезет в такие сферы, где не только не окажут помощи, но еще и шею скрутят, чтоб к ним нос не совали. Он уже тысячу раз повторял ей одно и то же, но ей все равно неймется, и вот она подсылает ходоков, просителей, ставя их в идиотское положение.

На идиота Саша, вообще-то говоря, мог бы и обидеться. Тем более что из всех ходоков-просителей лично ему известен был пока только один человек — он сам. Но Олег так красиво разыгрывал свое возмущение, что Турецкий загляделся, заслушался и... ободряюще подмигнул ему. На что тот отреагировал мгновенно: резко выдохнул воздух, засмеялся и, махнув отчаянно рукой, мол, где наша не пропадала, с ходу плеснул в бокалы смородиновой водки.

— Давай, Саш, махнем за мать! Настырная она баба, но, увы, больше таких я не встречал... к сожалению.

Помолчали, покурили, и Олег, снова став деловитым, вернулся к Сашиным вопросам.

— Значит, киллеры, говоришь... Впрочем... Ладно, друг и учитель, если тебе все-таки придется отчитываться перед генеральшей, можешь ей заявить, что я уже выбирался на самый верх в Службе внешней разведки, — понимаешь? — и имею совершенно секретную информацию по Кирке. Тебе могу сказать лишь одно: он залег. На какой срок, не могу говорить. Поэтому любая волна в том направлении попросту опасна для него. Попробуй убедить в этом мать. И не надо ей лезть ни к академику, ни к его заму. Мужики мне сказали, что могли. А кстати, и у них там тоже намечаются серьезные перемены. Но это — сугубо между нами. Да-а, Саша, в трудное время живем-существуем... Мне иногда, честное слово, даже жалко становится нашего Президента. Он же на острие постоянно, а вокруг голодные шавки... Да что там шавки — псы свирепые, и каждый свою кость требует с пеной у рта. Вот он время от времени и вынужден им подбрасывать... то одного, то другого. Из тех, кто с ним начинал. А что поделаешь? Се ля ви, как говорят французы... Ну а что касается твоих киллеров, то, думаю, здесь, в этом вопросе, сумею тебе помочь. Но не сразу. Не завтра, во всяком случае. Моим кадрам, сам понимаешь, тоже нет никакого резона светиться. Придется подождать... Недельку-другую. Можешь?

— А что, разве у меня имеется иной вариант?

— Конечно. Мы ж договорились. Ты из отпуска переходишь прямо в мои объятия, и нужда в этих киллерах отпадает сама по себе. Разве не так?

— Ага, понятно, благодетель. Я, значит, в сторонку, а убийцы нехай бегают, может, им еще где работенка сыщется?

— Саша, — с укоризной покачал головой Олег, — не разыгрывай передо мной дурачка. Ты прекрасно понимаешь, о чем я говорю. Разве дело в этих твоих киллерах? И, кстати, уж кому-кому, а им-то работенка завсегда найдется. Мы ж ведь днями говорили с тобой по поводу наших банковских разборок? Чего ж ты теперь хочешь? В конце концов наличие киллеров, прекрасно и быстро исполняющих свою работу, и есть, пожалуй, сегодня единственный и действенный способ быстрого разрешения всех конфликтов. Только, — засмеялся он, — ради Бога, не называй меня циником. Подумай — и сам поймешь, что по-крупному прав все-таки я.

— Ну конечно, — Турецкий постарался вложить в свои слова весь имеющийся у него в наличии сарказм, — мы уже не раз слышали тезисы подобного рода. Пусть преступники сами уничтожают друг друга, а мы им в этом поможем! Санитары леса, так сказать...

— Между прочим, не вижу почвы для иронии. Да будет тебе известно, на этот счет имеется вполне достойное обоснование. Если желаете, сэр?

— Сэр желает, — кивнул Турецкий, — поскольку у сэра нет другого выхода.

— Это как сказать, — возразил Олег. — По нонешним временам крутых разборок говорят так: выхода нет, когда двое не договорились.

— Надеюсь, ты не нас с тобой имеешь в виду?

— Ах, Саша, — вздохнул Олег, — мы оба ходим по такому краю, где достаточно легкого дуновения и — нет человека. А он...

— Если б ты только знал, младшенький, — может, более резковато, чем следовало бы, перебил его Турецкий, — как мне осточертела эта философия. Да, ходим, ну и что? Никто ж не гнал тебя в шею? Сами себе такую работу выбрали! Не хрена, извини, и скулить... Ты мне лучше обоснуй тезис о пользе киллеров, и тогда я, возможно, пойму наконец, чем вы там у себя наверху занимаетесь. Над чем, понимаешь, голову ломаете, россияне...

«Ничего, — подумал мельком Турецкий, — мы тоже умеем выступать в жанре застольной пародии, пусть не сильно носы задирают эти белодомовские вершители чужих судеб». Но Олежка, стервец, лишь расхохотался:

— Ну ты, Сашка, молоток! Не ожидал от тебя, старик! Только ты не злись, не надо, мы ж с тобой рядом целую жизнь прожили, и я тебя, честное слово, искренне люблю, чертяку. Не веришь?

— Верю, — вздохнул Саша.

— Ну хоть это, слава Богу... Итак, если желаешь, насчет твоих киллеров. Ты понимаешь, я же не в прямом, а некоторым образом в переносном смысле... И еще учти, это лишь мой личный опыт, продукт, так сказать, сугубо личных наблюдений и размышлений.

В этот момент прозвучала негромкая мелодия. Олег обернулся и поднялся.

— Извини, был сигнал, что блюдо готово. Надеюсь, ты ничего не имеешь против легкого шашлычка из телячьей вырезки?

— Чи-во-о?.. — Турецкому едва не стало худо.

— Таво, чиво слыхал, — развеселился Олег. — В Пицунде бывал?

— Я, брат, СССР как свои пять пальцев изучил. Это теперь...

— Про «теперь» можешь не вспоминать, — перебил он. — Ресторан напротив автобусной остановки помнишь? Там еще органный зал неподалеку.

— Насчет органа и вообще музыки — это тебе Ирка может рассказать. А ресторан — это по моей части. Был там, помню, местный поэт, довольно известный, говорят, в стране, Ваня Тарба. Он же у них, у абхазов, и профсоюзным лидером тогда считался. В общем, были у меня к нему дела, а когда мы закончили, он меня вот этим твоим шашлыком в «Пацхе» той угощал... Я бы вам всем уже за одно это яйца бы поотрывал. Надо же, такую державу развалить!

— Саша, лопай шашлык и не лезь в высокую политику, а то как раз и лишишься того самого, понял? Ну как мясо?

— Божественно! Но в Пицунде... — Шашлык сам таял во рту, Саша действительно уже забыл его вкус и запах. А сейчас вдруг, словно наяву, возникли и шелест пальм, и специфический, истинно пицундский запах влажной земли, морской соли и душноватого жаркого самшита. И еще — постоянно рассыпанных повсюду пряностей. Нет, это незабываемо. Вчера была Родина, а сегодня — заграница, вроде далекой Югославии, где уже шла и снова надвигается война. Турецкий жадно накинулся на шашлык и понял, наконец, почему ему плохо: он ведь ничего не ел со вчерашнего вечера. А мозгам без подкормки очень трудно.

Олег с усмешкой наблюдал за ним, а сам лишь крохотный кусочек мяса и осилил. На укоризненно-вопросительный взгляд гостя прореагировал соответственно:

— Ешь и не обращай внимания. Меня ж в отличие от тебя кормят врачи, давление каждый день измеряют, в рот заглядывают и в задницу — заботятся, одним словом. Переходи ко мне, и у тебя такой же режим будет. И печку эту, — он небрежно кивнул через плечо, — организуем. Не уговорил еще?

— Поглядим, — ответил Турецкий с набитым ртом. — Между прочим, ты, Олежка, извини мою наглость, я тебя от государственных-то дел не шибко сегодня отвлекаю?

Он лишь дернул щекой и махнул ладонью.

— Обойдутся. А дел, в том числе и государственных, у меня всегда хватает. Не бери в голову. Ешь, а я уж, так и быть, познакомлю тебя со своими наблюдениями... Я рад, что тебе нравится, наливай себе, я пока передохну немного... Ну, слушай...

Олеговы наблюдения были любопытными. Но еще большую ценность они имели по той причине, что автором их являлся ведущий советник Президента по борьбе с преступностью и коррупцией, начальник межведомственной комиссии при Совете безопасности. Об этом тоже стоило подумать. Не сразу, конечно, не сейчас, прямо тут, за столом, а после, на досуге. Подумать и сделать выводы. Какие? А это зависело от того, как Саша мыслил свою дальнейшую жизнь. Свою. Семьи. С кем планировал жить дальше — в каком окружении...

Итак, по убеждению Олега, весь мир сегодня захлестнула криминально-политическая волна, вызванная необходимостью экономического передела планетарного масштаба. Наша держава тоже не осталась в стороне от этого всемирного процесса. Семидесятилетняя власть партийно-государственного аппарата имела в своей основе все ту же мафиозную структуру с крестными отцами на вершине пирамиды. Не важно, кто ими были — Ленин, Сталин или Брежнев. Сперва шло накопление капитала, а теперь страна подошла к необходимости передела.

— Сам посмотри, — предложил Олег, — кто сейчас и у нас, и в других странах находится у руля? Кто держит в своих руках практически весь бизнес? Молодые люди не старше, скажем, тридцати. Называй их волками, львами, гиенами — кем хочешь, но у них в руках все рычаги мировой экономики. Следовательно — жизни. Да, их власть криминальна и по своему происхождению, и по образу действий. Но ведь тот же Мальтус не из пальца высосал свою теорию, а он утверждает, что в конце концов выстоит сильнейший, наиболее приспособленный, это если рассуждать примитивно о, так сказать, «естественном» регулировании численности народонаселения. Ты вообще, Саша, когда-нибудь на досуге, к примеру в отпуске, почитай этого священника, его «Опыт закона», очень интересно. Но суть, в конце концов, не в нем. Смею предложить тебе для дальнейшего размышления следующий постулат: мафия преступна, но она устанавливает в государстве порядок и стабильность. Ты бывал за границей не раз, значит, мог наблюдать. А я последние месяцы просто жил там, объездил полмира. Давай соединим наши знания. Ну, к примеру, Италия.

— Не пример, — возразил Турецкий. — Как раз там я и не был.

— Ой, да какая, в сущности, разница! Не мелочись. За бугром везде одинаково. Но наиболее разительный вариант я видел как раз в Италии. Я посетил два-три курортных приморских городка, где, мне сказали, вовсю орудует мафия. Тридцать процентов всей прибыли от отелей, ресторанов, казино, магазинов принадлежит ей, мафии. Дорого берут, скажешь? Зато, слушай, двери отелей и машин не запираются. Воровство отсутствует как таковое, а пришлых жуликов попросту убивают. На пляжах — чистота и порядок, живи, отдыхай вволю и ничего не бойся. Мафия обеспечивает твою безопасность. Правда, за это надо платить. А разве мы с тобой, Саша, всю жизнь не платили государству из своего кармана за то, что нам разрешалось не жить, нет, а просто существовать?! Так что же лучше? Я совсем не исключаю, что при том положении дел, которое складывается у нас, в России, ближайшее будущее — за мафией. Постоянные кровавые разборки, убийства банкиров, гибель банков-однодневок, все эти эмэмэмы и прочие пирамиды — пока только подходы, Саша, к главному пункту нашей программы: кто возьмет власть — старая партийно-государственная мафия или молодая, так называемая, постсоветская. Третье исключено. Поэтому, ты, конечно, как хочешь, но лично мои симпатии или, точнее... словом, называй это вынужденным выбором, на стороне последней. Первой мы уже накушались, а что касается второй, то тут возможны определенные соглашения. Даже на государственном уровне. Ты скажешь: страшноватенькая перспективка, да? Но ведь другой, Саша, может просто не оказаться. Вот о чем надо думать...

— Ты так просто рассуждаешь о кошмарных, по сути, вещах...

— Но ведь мафия — это прежде всего бизнес. Кровавый — да, но и упорядоченный. Этого же ты не станешь отрицать, надеюсь? Но еще важней — стабильность. Ее-то и не хватает нашему народу, нашему государству.

— М-да... Незавидные, однако, у тебя перспективы.

— Почему же — у меня? А у тебя, что, иные? А у государства?

— Наш спор, Олежка, в общем, беспредметный, поскольку, я считаю, у человека хватит ума противостоять...

— Да о каком человеке ты говоришь, Александр Борисович, следователь ты мой самый старший, да еще по особо важным делам? Идеал человека сегодня для всей нашей державы, всей, даже в старых ее границах, — не мореплаватель и плотник, а «новый русский», как во всем уже мире называют и чечню, и хохляндию, и нас, многогрешных, независимо от фамилии. А это кто? Тот, кто богат. Предприниматель это. Он и создает богатства, он и дает работу людям.

Поэтому у него всегда будет в доме самое лучшее и современное, начиная с того же дома. Самая красивая машина, самая модная компания, куда все эти ваши современные таланты и классики из кожи лезут, стремятся попасть. Вам, я имею в виду, конечно, не тебя, а рядового российского обывателя, никогда не понять философии дельца, предпринимателя, богатого человека. Он и пашет, как сто карлов, и «отрывается» так, что земля на уши становится. Ему все доступно, понимаешь? Ему не нужно мечтать, ибо он все и так имеет. Это, если помнишь, марксисты за нас мечтали. Человек без мечты, как кто там? А, птица без этих, без этих, без крыльев. А на хрена мне... ему, извини, крылья, если у него собственный самолет. Так что вот такие дела, старик. В нашей стране уже давно вовсю идет борьба не идеологий, а конкретных интересов. И на обочине ни тебе, ни мне не отсидеться. Все-таки я тебе настоятельно советую: брось ты все свои дела и катись в Германию. Отдохни там хорошенько со своими девчонками, приглядись, как люди живут. Как они привыкли жить, как общаются друг с другом. Нам ведь такая вежливость и не снилась. Такая человеческая предупредительность... Их мир, конечно, жесток, но, Саша, он предельно справедлив к личности. Мы говорим: человек — стадное животное. А они, видишь ли, этого не понимают. У них это случилось однажды, в тридцатых — сороковых годах, и с тех пор как отрезало. Накушались. А вот нам в этом смысле, особенно по части исторической памяти...

— Ну уж совсем-то до такой степени не надо бы... Ты, Олежка, на мир смотришь оттуда, откуда лично тебе удобно. И место это твое — опасное, неустойчивое, один ты там еще кое-как уместишься, а двоим уже и делать нечего. А коли так, никакая охрана не защитит. Вами зависть движет, а это поганое чувство. Впрочем, извини, я не прав, ваши — наши, все не то. Ладно, ты, я вижу, устал, кое-что ты для меня прояснил, и на том спасибо. А вот насчет самого лучшего, что может позволить себе богатый человек, о котором ты говорил, будет, пожалуй, нежелание подставлять ножку приятелю. Хоть какой он тебе приятель...

— Ах, вон ты еще о чем! — Олег загадочно сощурился. — Ну, во-первых, как ты сам только что заметил, никакой он мне не кореш, а бывший мамашин подчиненный, и, во-вторых, Таньке надоело с ним философию разводить. У нее на сегодня три основных задачи: скинуть наконец свой юридический, заиметь квартиру в Москве и всласть потрахаться. Последнее мы вчера устроили в полном объеме. Скажу, старик, без хвастовства: давно я за собой не замечал подобных подвигов... Но Танька! Это же тайфун! Пожар! Всемирный потоп! Она мне на своем диване там, в офисе, такое исполнила, что я ее в охапку и — сюда. Всю ночь не мог глаза сомкнуть. А он ей, представляешь, о раскрытых и нераскрытых убийствах или о чем-то еще... Не тем девушку заинтересовывать надо, как же вы не понимаете?

Саше стало очень неловко от сказанного Олегом, и он поморщился.

— Впрочем, как я понимаю, — по-своему оценил его гримасу Олег, — это все к тебе лично отношения не имеет. Она мне созналась, что Александр Борисович как раз вызвал у нее... ну как бы тебе сказать, вполне, что ли, конкретные чувства.

— Это как же понимать прикажете? — удивился Турецкий. — Вы что же, в перерывах между тайфунами и пожарами нас, грешных, обсуждали?

— Да нет, — с улыбкой пожал плечами Олег, — как-то так, само собой вышло... Она говорит, что ты на нее в прокуратуре так поглядел, что у нее под мышками вспотело. Так что, считаю, это делает тебе, Сашка, честь. А ты — сразу в обиду! Я ей говорю, если по-честному, скажи: дала б ему? — Еще как! А Грязнов — зануда, который на что-то рассчитывает на старости-то лет... В общем, я все сказал. Могу добавить последнее: с жильем я ей за послушание и прилежность помогу, это не вопрос. Соответственно, и службу подходящую подберу. Потому что подозреваю, что сотрудница она — никакая, а вот телка — высший класс. Я ей таким образом обеспечиваю внешнюю сторону бытия, а она за это будет очень стараться. Ну разве я не прав? Да она ж за этакую перспективу любое мое желание выполнит. И с удовольствием...

«Черт меня подери, — сказал себе Турецкий, — если я сейчас заявлю, что он не прав. Вот конкретный пример того, что богатенькие действительно, как заявил Олежка, имеют все самое лучшее — от шлюх до персональных тусовок. Но ведь обидно. Да и Славка не поймет... Хотя теперь уже вряд ли у меня возникнет желание объясняться с ним по этому поводу...»

Турецкий ухмыльнулся своим мыслям и, увидев вопросительный взгляд Олега, касавшийся, вероятно, именно этой его ухмылки, неожиданно для себя сказал:

— Да в общем-то, если не держаться за некоторые свои принципы, цена которым, как я замечаю, в нашем мире невелика, кувыркалась бы Татьяна не под тобой, хороший мой, а подо мной...

Олег даже подскочил на стуле! А рухнув обратно, захохотал.

— Родной ты мой! — Кажется, он даже прослезился. — Ну надо же! Вот это оторвал номер! Ай, молодец! Нет, Саш, честное слово, ты мне просто позарез нужен, переходи, мы сработаемся!

Ну вот, покивал Турецкий, будто китайский болванчик, тут она и вся философия... Нехорошее чувство это — зависть. Однако вина выпито достаточно, мясо съедено, пора гостям, как говорится, и честь знать... Саша отодвинул тяжелый стул, поднялся, показывая, что с пищей на сегодня покончено. Олег поднялся тоже и предложил показать квартиру. Соблазн был, конечно, велик поглядеть, как живут эти «новые русские», к которым Олег несомненно принадлежал, но Саша вдруг почувствовал снова острый приступ ревности: это ж что, разглядывать лежбище, на котором Татьяна показывала этому мальчишке высший класс?! Да пошел бы он...

Жестом Турецкий отклонил соблазнительное предложение. Олег двусмысленно хмыкнул:

— Зря, может пригодиться... Впрочем, время есть.

Какое время, Саша не понял, но переспрашивать не стал.

— Кстати, — Олег ткнул пальцем в свою чудо-печь, — мы так и не договорились по поводу этого комбайна. Если ты или твоя Ирка захотите такую же, нет ничего проще. Знаешь, кто мне ее обеспечил? А я тебе, если помнишь, рассказывал об одном нашем высшем руководителе, что дом себе в центре Лондона купил. Так вот, он самый. Он у меня некоторым образом в серьезных должниках ходит. Соображаешь, какую мы с тобой силу имеем, учитель ты мой и друг ненаглядный? Не забывай об этом и по возможности не пренебрегай моими советами... Ты что, уже спать хочешь?

— Да пора, я думаю, — отер глаза ладонью Саша.

— Нет, милый мой, — активно возразил Олег, — давай уж друг друга будем, хотя бы в крайних ситуациях, слушаться. Я ж вчера послушался? Правда, ты больше на материнские чувства давил, но все равно. А сегодня давай-ка уж ты меня...

— Да ты ж сразу и удрал!

— Не сразу, — заметил Олег, — а когда маленько проспался. Это не одно и то же. А ты сегодня взял на грудь предостаточно, поэтому... предлагаю...

— Олежка, тут ведь ехать-то два шага, и те огородами.

— Не уговаривай, все равно не отпущу.

— Но мне же надо, — упрямо стоял на своем Турецкий. Он прошел к прихожую и демонстративно взял с подзеркальника свою тощую папку-портфель.

Олег тут же заявил, что о деле-то они как раз и не поговорили толком, и поинтересовался, чем Турецкий на сей раз обогатился. Саша вынул из портфеля конверт с двумя фотороботами, достал тот, на котором была изображена физиономия с усиками, и объяснил Олегу, откуда фотик появился у следствия. Олег слушал рассеянно, вертел фотографию, разглядывая ее под разными углами зрения, приближая к себе и, наоборот, отстраняя, хмыкнул и вернул Саше.

— Да-а... Здесь, конечно, навалом информации... Так это тот самый таксист, о котором ты рассказывал? Действительно, глаз-ватерпас. С таким роботом можно выходить прямо на Калининский проспект и брать каждого второго... в том числе и меня. По-моему, у матери должна была сохраниться моя студенческая фотография, попроси и посмотри: один к одному. Только я тогда усов не носил. Ну что ж, значит, этот вот тип — один из твоих киллеров?

Саша обреченно вздохнул, а Олег — вот же зараза какая! — нагло и совершенно издевательски расхохотался. Глядя на него, не выдержал и Турецкий. Так они и стояли в прихожей и ржали, как молодые жеребцы, пока их не прервал переливчатый дверной звонок.

14

В дверь вошла Татьяна. Но какая! Она не вошла, а будто бы торжественно спустилась с подиума Дома моделей.

— А вот тебе и мой сюрприз! — радостно заявил Олег, но было непонятно, к кому обращены его слова и для кого готовился сюрприз. Наверно, он решил, что такая двусмысленность даже чем-то хороша — пусть каждый отнесет удовольствие на свой счет.

Турецкий растерялся. Пока все разговоры по поводу Татьяны носили скорее абстрактный характер, но теперь все становилось с ног на уши и их досужая болтовня приобретала черты какого-то подвоха. Но тогда Олегу-то зачем же нужно было выставлять перед Сашей всю бесцеремонность своих взаимоотношений с этой женщиной? Очень напоминает элементарную провокацию...

Олег между тем быстро и ловко снял с Татьяны ее «эротичный», как он заметил по ходу дела, плащ и, слегка шлепнув ее по попке, отправил на кухню, крикнув вдогонку, что она сама знает где что и учить ее не надо. После чего зашептал почти на ухо Турецкому:

— Ну что ты на меня смотришь, балда ты этакая? — Я ж говорил тебе, она сама знает, что ей нужно. Тебя я никуда сегодня не отпущу, а вот у меня, в свою очередь, есть очень важное дело. Сейчас должен позвонить мой шофер и отвезти меня... впрочем, это не важно. Ты сегодня имеешь полное моральное право делать все, что тебе угодно: можешь надраться до потери пульса, можешь Танькой заняться, а она, как я говорил, совсем не против, словом, чувствуй себя здесь хозяином. Мыться-бриться — все в ванной, она тебе покажет. И последнее, умоляю, не будь дураком и не чувствуй никаких угрызений совести перед Грязновым. Ты ничего у него не отнял.

Зазвонил телефон. Олег быстро снял трубку, молча выслушал недлинную речь, кивая сам себе, и, наконец, ответил:

— Поднимайтесь, я выхожу. — А для Саши добавил: — Это мои телохранители чего-то всполошились. Шныряют какие-то возле дома. Слышь, Саш, — сделал он страшные глаза и засмеялся, — а может, это не за мной охотятся, а вовсе за тобой? Извини, — быстро поправился он, заметив, как напряглись скулы Турецкого, — не сердись, я же пошутил. Вот, к слову, еще одна причина, по которой я тебя не отпускаю. Все, пока, передай от меня привет Татьяне. Только очень горячий!

Олег хохотнул, накинул на плечи модный плащ с поясом, висящим ниже зада, кинул в карман ключи, лежавшие на подзеркальнике, и ушел, когда в дверь дважды коротко позвонили.

Саша остался дурак дураком в прихожей и не знал, как поступить. Потом медленно отправился на кухню, где хлопотала Татьяна. Она обернулась и, увидев Турецкого одного, не удивилась, будто все знала наперед.

— А Олег Анатольевич?

Ишь ты, усмехнулся Турецкий, а ведь их величают по имени-отчеству...

— Он умчался по каким-то своим делам.

— А-а... — протянула Татьяна, и уже одним этим даже не словом, а скорее выдохом, было все сказано. Или так понял ее Турецкий. Ну конечно, знала. А вот он не знал, что теперь делать.

— Я смотрю, вы тут уже посидели? — не столько спросила, сколько констатировала она. — Еще есть хотите?

— Не знаю, — пожал плечами Турецкий. — Есть — определенно нет, а выпить... А вы, Таня, как?

— Я тоже сыта — во! — она показала ладонью выше головы, и Саша не понял, чем это она насытилась: неужто проблемами? — А вот выпью с вами с удовольствием. Для куражу.

— А разве вам он сейчас нужен? — удивился Турецкий.

— Мне? — Она подошла к нему вплотную, так, чтобы он мог почувствовать терпкий аромат ее духов. — Мне не нужно. Это вам... А можно я буду говорить сегодня: тебе? На кой нам черт условности?

Турецкий сделал глотательное движение и положил вздрагивающие ладони ей на бедра. Она тут же крепко прижалась к нему грудью, провела губами по подбородку и негромко сказала, словно самой себе:

— Ну вот, теперь все будет хорошо... Давай возьмем с собой туда бутылку и стаканы. Идем, покажу тебе, где бритва, побрейся, а то сдерешь с меня всю кожу.

— Ну уж всю!

— В нашей сегодняшней ситуации ничего нельзя исключить, — философски заметила она...

Татьяна стояла возле низенького столика и разливала светлое вино в высокие стаканы. На плечах у нее был почти прозрачный короткий халатик, или это ночная рубашка, или вообще черт-те что весьма соблазнительное, а на ногах — красивых и сильных — прозрачные узорчатые чулки. Турецкий ощутил мгновенную странную боль, похожую на короткий спазм. Чулки! Перед глазами возникли роскошные ноги Сильвинской и тут же — пятно крови на подушке.

Он вздрогнул и невольно отстранился от Татьяны, но она, заметив это его движение, тут же подошла к нему и прижалась коленками, бедрами, животом, грудью — словно влилась в него всем телом сразу. Запрокинув голову, спросила, в чем дело, что ему не так?

— Чулки... — пробормотал он, ничего не объясняя.

— Ах, вон что! — Она поняла по-своему, улыбнулась, и пальцы ее требовательно взялись за ремень его брюк. — А ты у нас, оказывается, почти невинный ребенок? Это хорошо... это мы сейчас быстро поправим...

Он застонал от желания.

Татьяна снова вскинула к нему лицо, сияя потемневшими от страсти, расширенными глазами.

— Можешь мне обещать?

— Что?..

— Не жалей меня...

— А это тебе зачем? — Он впился губами в ее губы.

— Они... смелые... — простонала она. — Изобретательные... Ну же!

Она негромко, будто самой себе, рассказывала:

— ...а когда ты вдруг посмотрел на меня... я поняла, что если ты сейчас дотронешься до меня... я тут же отдамся тебе...

— И где ж ты собиралась это совершить? — хохотнул Турецкий, жесткой ладонью лаская ее круглое, обтянутое прозрачной паутинкой колено.

— Тебе нравится моя кожа? — спросила она вдруг.

— Чудо. Но я же обещал не сдирать ее с тебя, хотя очень хочется.

— Я так и думала, — вздохнула она и призывно улыбнулась.

— Так как же ты все-таки собиралась нарушить святость Генпрокуратуры? — вернул ее к рассказу Саша.

— А очень просто. Надо было только твой кабинет запереть — и все. У тебя там такой огромный письменный стол, и на нем ни единой бумажки. Я и подумала: просто грех не использовать его для такого серьезного дела. У нас бы ловко получилось... А ты вместо этого взял — да ледяной ушат мне на голову с этим твоим Грязновым...

Если поначалу Сашу еще тревожили какие-то сомнения, или там угрызения совести, то вскоре он и сам не заметил, как все прошло, словно испарилось...

Утром он понял, что женские ноги в чулках — это самое то. Почему-то прежде не знал. Вот так жизнь проживешь — и дураком копыта откинешь. Обидно. И другое он сообразил: пропитался Танькиными духами до такой степени, что никакая баня теперь его не отмоет. Придется Олежке поступиться частью своей Франции, никуда от новых забот не денешься. И Турецкий щедро умаслил себя по всем местам таким дезодорантом, что Таня, войдя в ванную, чихнула и сделала большие глаза.

— Господи, что тут происходит?

— Убиваю, как последний негодяй, всяческую информацию о тебе, — подобно знаменитому Волку из «Ну, погоди!», — прохрипел-прорычал Турецкий.

Татьяна весело рассмеялась:

— Не-а, теперь долго не вытравишь... Придется тебе дома... у Грязнова то есть, не ночевать. Он учует...

Сказано это было так, что Саша снова ощутил, как заныло у него под ложечкой. Татьяна, пытливо взглянув ему в глаза, кажется, все поняла.

— А у тебя, мой хороший, нет ни малейшей необходимости что-то объяснять ему. Или там каяться в чем-то. Это ведь наши с тобой личные отношения. В конце концов, я захотела, назови это моим капризом, Олег Анатольевич, как ты видел, не возражал. Все мы взрослые люди и никому ничем не обязаны. Я умею молчать. А в общем, решай сам, как того хочешь. Меня, ты во всяком случае, не обидишь. И если снова сильно захочется, позвони... Между прочим, я тебе тоже понравилась. Я это почувствовала.

Что тут было возразить! Как объяснить, да и нужно ли, что понравилась — совсем не то слово. Турецкий понял смысл «всемирного потопа»: это когда остается лишь одно-единственное последнее желание, после которого только небытие и полная тьма.

Он взглянул на часы: половина шестого утра, а за окном, затянутым блестящей кисеей шторы, только еще наметился рассвет. Следовало в любом случае заехать домой и сменить рубашку. Но... как избежать встречи со Славой? Хотя бы сейчас... Чего-нибудь соврать — не вопрос. «Да что я, в самом деле, как мальчишка какой?! — возмутился вдруг Турецкий. — Кому, действительно, какое дело до моих приключений!»

— О! — ухмыльнулась Татьяна. — Вот таким ты мне больше нравишься. А то хмуришься по всякому пустяку.

«Если Танька еще и мысли читает?..»

Турецкий начал по привычке быстро одеваться. Этот процесс всегда занимал у него, в отличие от Грязнова, максимум две минуты. Татьяна с усмешкой наблюдала за ним.

— Образцовый любовник, — сказала наконец. — Ну, ты поехал? Тогда помни, о чем я сказала. Я — единственная хозяйка того, чем владею. И кому и как я это отдаю, мое дело.

Она проводила его до входной двери, где снова обволокла руками, всем телом, и Саша почувствовал, что если немедленно не уйдет, то уже точно не уйдет долго. Татьяна не хотела ему зла и — отпустила. Тем более что уже начался рабочий день — среда. Не суббота или воскресенье, когда можно без конца позволять себе любые утренние шалости.

СРЕДА, 11 октября

1

Если в момент прихода Александру Борисовичу удалось миновать зоркое око хозяина своего временного пристанища, то уже полчаса спустя он понял, что профессиональный сыщик не оставил ему ни единого шанса. Они, словно невзначай, столкнулись у двери в ванную. Причем Сашина форма состояла из одних плавок, Славка же был даже при галстуке. Из чего пришлось сделать немедленный вывод, что допроса не избежать — это во-первых, а во-вторых — с враньем дела обстоят довольно-таки туго. Значит, надо применить максимум усилий.

— Странный какой запах от тебя, — вдруг поморщился Грязнов.

— Младшенький Романов сдуру продемонстрировал мне свои французские дезодоранты, — небрежно ответил Турецкий.

— А-а, ну конечно, — кивнул Слава.

Вопреки первому впечатлению настроен он был миролюбиво. К сожалению, это Турецкого не насторожило. Бреясь и поглядывая в зеркальную дверь ванной, он видел передвигавшегося по кухне Грязнова, тот заваривал традиционный утренний кофе, хлопал дверцей холодильника, курил, словом, занимался обыденными делами и при этом, как бы между прочим, слушал Сашин сбивчивый и, вероятно, не совсем логичный рассказ о посещении младшенького и беседе с оным. Большую часть описания занимала, естественно, необыкновенная кухня со всеми ее удобствами и причиндалами. В принципе, почему-то казалось Турецкому, Славка мог бы позволить и себе такую же — разве что помещение тут маловато, но это же поправимо, можно найти, так сказать, малогабаритный вариант совершенства. Кинув в очередной раз взгляд в зеркало, Саша увидел, что и Грязнов внимательно рассматривает его, но — с сожалением. Именно это было написано в его глазах. Саша создал на лице вопросительное выражение — Грязнов огорченно покачал головой:

— Зря стараешься... Ты ведь и сам догадываешься, что ради такого пустяка не стоило тратить время, которого у тебя и так в обрез. Поэтому кончай свой безответственный треп, имеющий целью запудрить мне мозги, умывайся, иди пить кофе и говори, в чем причина конфликта. И можешь не врать, у тебя на роже написано, что с младшеньким ты ни о чем не договорился. Скорее наоборот.

Кажется, Славка был прав, потому что, оценивая вчерашний вояж к Олегу, в общем-то бесперспективную для себя беседу, Саша не мог не сделать вывод, что по-крупному ждать помощи от Шуриного сынка не придется. Как только что заметил Грязнов, «скорее наоборот». Вчера — да под рюмку, да с забытым шашлычком — если что-то и казалось ему неприемлемым из Олеговых тезисов, то сегодня при свете хоть и тусклого, но уже дня все, о чем он рассуждал, пусть даже и со знанием дела, было неприятно. Почти все. За малым исключением. Которое сейчас наверняка нежится в огромной Олеговой ванне. Такое сильное и совершенно бархатное тело...

Рассказав Славке о пользе мафии и о некоторых заманчивых в этой связи предложениях, Саша сделал единственно приемлемый для себя вывод: ни в какие помощники и советники он, естественно, не пойдет, поскольку имеет свой совершенно отличный от молодого босса взгляд на природу вещей. Значит, от такого альянса будет не польза, а вред в самом чистом его виде. Что же касается выходов младшенького на госбезопасность, то это, как он сам сказал, когда еще будет. И будет ли вообще — неизвестно. Совершенно непонятным было иное: настойчивые и постоянные, становящиеся уже навязчивыми, советы прекратить дело об убийстве Алмазова. Ведь официально-то оно уже прекращено! Что же так тревожит президентскую команду? Рассматривать фигуру Олега как нечто самостоятельное и чрезвычайно опасное для общества Саше бы и в голову не пришло. Что он, совсем уже перестал разбираться в людях?! Или в этом деле сильно заинтересованы наверху?

— Скорее, не заинтересованы, — резонно поправил Грязнов. — А вот сведения о твоем генеральном я бы обязательно довел до Меркулова. Он ближе к верхним людям и может иметь информацию, но пока не располагать их окончательным решением. Зачем ему самому лишний раз шишки наколачивать?.. Так, ну и наконец?..

— Чего, наконец? — небрежно удивился я, хотя прекрасно понял, о чем хотел спросить Славка, но проявил некоторую тактичность.

— Да хватит тебе дурака валять!.. Будто не знаешь, что она уже две ночи дома не ночует. Я имею в виду — в конторе. А днем сидит и мух ноздрей давит. И зевает так, что на Красной площади слышно...

— Ну у тебя информация! — искренне восхитился Саша. Настолько искренне, что Грязнов не смог устоять перед такой лестью и самодовольно ухмыльнулся.

И тогда Турецкий решил, что они оба давно не дети и не идиоты, и вешаться никто не собирается. И он рассказал словами Олега о трех желаниях Татьяны, а затем, утопив недокуренную сигарету в чашке с недопитым кофе, чего никогда раньше не делал из принципиальных соображений, тут же пошел и выплеснул эти остатки в унитаз. И тем самым как бы поставил точку.

— А что касается Кирилла, — неожиданно заметил Грязнов, когда Саша спустил воду и, вернувшись, присел к столу, — то я бы все-таки посоветовал Шурочке послать своего младшенького как можно дальше и самой сходить к академику. Хотя, возможно, это во мне сейчас еще злость не остыла... Да, Саня, большую глупость я сморозил. Ладно, пусть живет, как сама хочет... А мы тут посовещались и приняли, значит, такое решение: ты можешь взять к себе Дениса. Я ему обещал нечто вроде отпуска, он заслужил и теперь может располагать своим временем по собственному желанию. Решил он так, — глядя в сторону, добавил Грязнов, — что ему неплохо бы поработать с тобой, приглядеться, как это у специалистов делается, ну... уму, так сказать, разуму... на новом этапе набраться. Я думаю, он хорошее решение принял, если... ты, конечно, не будешь возражать...»

«Ах, Славка! Святая душа» Есть, говорят, один-единственный день в году, когда в церквах приносят молитвы Богу во спасение грешных душ самоубийц, вынужденных терпеть вечные муки. И день этот выпадает на Троицу. Это когда русалки — утопленные души — особенно охотно печальные свои хороводы водят и хохочут при этом. В туманных лесах. Но самоубийце расстаться с телесной жизнью проще простого: однажды — в азарте — голову в петлю, табуретку — долой из-под ног, да еще успеть эрекцию в последний миг испытать. А что же, скажем, нам со Славкой о себе подумать? О коллегах своих? Тела нам, правда, другие дырявят, а вот души свои мы убиваем собственноручно. Тот же убийца, бандит, насильник, для него чужая жизнь — плевок, ничто. Он — на меня, я — на него. Я — быстрей, потому что внимательней. Профессионал я. Но ведь всякий раз применяя насилие, мы скоро перестаем утруждать свои души сомнениями и тем самым медленно, но верно убиваем их. И кто-то постоянно требует от меня, к примеру, милосердия.

«К кому? К убийце? К закоренелому бандиту? И, значит, я не имею права отнять у него бандитскую жизнь? А он — он может. Что сказать? Я так думаю, что если Господь всучил нам наши «самоубийственные» профессии, пусть сам же и указывает своим прислужникам отмаливать наши грехи. И не однажды в год, а постоянно, ежечасно... Или не стоит себя жалеть и торговлю с Ним устраивать? Ладно, пусть все остается как есть, но вот Вячеславу Ивановичу — наше глубокое спасибо. Я думаю, все равно ему зачтется когда-нибудь...»

Ничего этого Саша, разумеется, Грязнову не сказал, да тот и не ждал слов благодарности, рассыпанных по кухонной клеенке. Турецкий просто кивнул и хлопнул ладонью по его руке: какие слова еще требовались?..

2

Три задачи наметил себе Турецкий на сегодняшний день. Найти Рослова или его следы в Благовещенском переулке, в доме, которого уже не существовало; вразумить Меркулова по поводу Кирилла и Шурочкиных истерик в связи с этим и, наконец, изыскать возможность навестить Маркушу, то есть Феликса Евгеньевича Марковского, у которого, по Сашиным соображениям, можно было разжиться действительно толковой информацией насчет нашей отечественной криминогенно-финансовой элиты. Все-таки Олеговы изыски в этом плане казались ему более чем субъективными, хотя и заманчивыми для выводов. Но Олег, как он подозревал, в данной ситуации — практик, теоретические же выкладки по части перехода России к правовому государству со всеми сопутствующими ей в этом переходе моральными, физическими и прочими, мягко говоря, издержками — в руках, точнее голове, Сашиного бывшего университетского преподавателя уголовного права Маркуши. Свои координаты он дал несколько дней назад, когда они встретились с ним в ДЖ, только вот найти их... Хотя нет ничего проще: он же преподает в Новом гуманитарном, значит, не вопрос.

Щедростью Вячеслава Ивановича следовало пользоваться немедленно, поэтому Саша крикнул Денису, чтобы тот был готов к выходу в течение ближайших десяти минут. Но... воспользовавшись предоставленным «хозяином» отпуском, юный раб беспечно почивал. Не дождавшись ответа, Саша вопросительно взглянул на Славку, после чего тот, махнув ладонью: мол, сейчас все будет в норме, — удалился с кухни.

Не через десять, конечно, но через пятнадцать минут Саша с Денисом уже сидели в «жигуленке», и Турецкий выруливал со двора на привычную трассу, ведущую в центр.

Пока ехали, распределили обязанности. Это было тем более важно, что по Сашиным прикидкам, беготни на сегодняшний день хватало, а он все же был не так молод, да и прошедшая ночь поубавила прыти, так что пусть уж молодежь покажет, сколь быстра на ногу.

Время приближалось к одиннадцати, когда они подъехали к Благовещенскому переулку. Раньше, во времена далекой юности, Турецкий отлично знал этот кусочек Москвы. Вот, прямо, Театр юного зрителя. Дальше, за углом, проживала Лидочка... одноклассница и первая его любовь.

Вообще-то вопреки воспоминаниям, легко коснувшимся его седеющего виска, — а что, неплохо сказано, подумал он — никаких ностальгических чувств, про которые можно было бы сказать: не ходи дорогами первой любви, у Саши не возникало уже давно. Во-первых, улицы детства — Трехпрудный, Горького, да и сам Благовещенский — давно потеряли свой прежний облик. Застроенные новыми домами, предназначенными для офисов, отелей, в редких случаях для жилья очень богатеньких, они лишились своей милой притягательности. Денис же, как заметил Турецкий, не разделял его точки зрения. Ему нравился «кусочек» Европы. Что ж, у каждого свой вкус.

Естественно, дома под номером 7 А уже не существовало. И даже предположить сейчас место, где он прежде находился, было невозможно, не имея на руках соответствующего генплана района. Впрочем, даже держа перед глазами развалины бывшего дома, они бы все равно не сумели отыскать хоть какие-нибудь следы Владимира Захаровича Рослова, который, если судить по его паспортным данным, зафиксированным во Франкфуртском аэропорту, должен был проживать здесь. Но вот проживал ли? Ничего вопрос? Так спросил себя Турецкий вскоре после того, как прижал машину к тротуару и, опустив стекло, закурил, изображая для Дениса процесс раздумья.

Впрочем, можно было вообще ничего и не изображать, потому что после первой же затяжки Сашу пронзила простая до безобразия мысль: каким образом в паспорте Рослова могла стоять данная прописка, если самому «новому»дому в Благовещенском на вид никак не менее двух лет? Но почему же это не пришло в голову ни одному из федоровских сыщиков? Ведь кто-то же из них был тут и видел то же самое! Значит, какие еще могут быть варианты? Этот Рослов уехал еще до того, как дом снесли, и пробыл за границей как минимум два года. И другой вариант: все это липа, и адрес вымышленный. Другими словами, он проставлен в паспорте Рослова или кого-то иного, носящего эту фамилию, с той целью, чтобы кто-то, в данном случае — следователь Турецкий, не нашел никаких концов. Первое надо сейчас проверить. А вот второе означает, что «крышу» мистического Рослова следует искать совершенно в другом месте. Словом, или — или.

Денис понял с полуслова и отправился по уже известному адресу в ближайшее жилуправление, чтобы еще раз, более внимательно, просмотреть записи в домовой книге несуществующего строения. Великолепная ксива из алого сафьяна с неутвержденным до сих пор золотым орлом табака на обложке и несколькими синими печатями внутри, придающими цветному изображению физиономии Дениса мужественность и решительность, несомненно открывала ему двери в самые высшие сферы. Во всяком случае, с этой стороны за судьбу ответственного сотрудника частного сыскного бюро Турецкий мог не беспокоиться. К тому же день сегодня вполне рабочий и время подходящее.

Саша вышел из машины, запер дверцу, хотя мог бы этого и не делать: такое старье вряд ли вызовет интерес у похитителя, но вспомнил вчерашний разговор с Олегом и решил, что Россия, несмотря на разгул отечественной мафии, все же не успела еще превратиться в Италию, где автомобили, по его словам, не запирают. У богатеньких свои причуды, а Турецкому на любой другой автомобиль денег не хватит. Он шел по переулку, оглядываясь на своего «жигуленка», и думал, как быстро довел его до ручки. Какой-то год всего с небольшим — и почти рухлядь. Это потому, что хозяин свое авто не за друга держал, говоря по-одесски, а ценил лишь за колеса. К тому же Сашу ни на миг не покидало ощущение опасности — шайбочка-то была по-прежнему прижата к днищу. Поэтому и его задания Денису выглядели для непосвященного скорее шарадой. Парень же схватывал все действительно с полуслова. Саша видел, что с ним можно работать, и Славка не зря, не от великих щедрот отдал его на время Турецкому: наверняка хотел показать племяннику, что даже работа «важняка» состоит прежде всего из абсолютной в процентном отношении массы тяжелой, неблагодарной рутины. Кстати, про шайбочку им тоже было уже известно, и про Семена Червоненко, и про Сашино решение оставить ее до поры до времени. Хотя Славка оказался единственным, кто этот шаг не одобрил. И тем не менее дал указание Денису слушаться дядю Сашу как его самого и ни в чем не перечить.

Турецкий дошел почти до конца переулка и неожиданно оказался перед высоким забором, составленным из бетонных плит. Это обстоятельство и обрадовало, и несколько озадачило его. Значит, тут еще строят? А казалось, что все здесь давно завершилось и никаких концов не отыщется. Чистота на тротуарах и проезжей части противоречила всем правилам проведения строительных работ, но Саша понял почему. Двое мужиков по полчаса обмывали из пожарных шлангов каждый грузовик, выезжающий со стройки через решетчатые ворота. Это чтоб колеса грязь по городу не разносили. Молодцы. Кажется, и россияне, наконец, научились. Но, приглядевшись к мужикам — горбоносым, с дублеными, почти черными лицами, увидев их совсем не безобразную форму, Саша понял, что перед ним были наверняка турки. Да вот и текст на транспаранте сообщал, что строительство банка осуществляет турецкая фирма.

Пока он размышляя, какую пользу можно извлечь из данной ситуации, ему навстречу, сама того не подозревая, двигалась госпожа удача в наиболее комичном, если говорить о внешности, ее исполнении.

Этот колобок на коротких ножках был в свое время грозой Красного Строителя, где Турецкий вместе с ним тянул следственную лямку. Господи, как же давно это было!

— Здравствуйте, полковник Пыщик! — обрадовался Саша.

— Наше вам, — проходя, буркнул он и резво обернулся. — Ба! Если мне не изменяет память...

— А она мне никогда не изменяет! — подхватил Турецкий известной фразой из какого-то давнего, забытого фильма.

— Сан Борисыч! Мать моя, шоб я вас не узнал?!

Через минуту, отойдя в сторонку, весь состоящий из округлостей и покатостей бравый отставник Савелий Иванович Пыцик, все больше возбуждаясь, костерил направо и налево муниципальные власти, субпрефекта, префекта и самого мэра, которые, как самые настоящие бандиты и мафиози, словно вечно голодные крысы, жрут все, на что падает их глаз. Здесь, по всей округе, славившейся когда-то своими старинными особняками, все ломают, продают, а на пустырях возводят для поганых иностранцев с их крутой мошной многомиллиардные отели и офисы. Банк вот еще удумали! Мало их по всей Москве-матушке! Башни им, вишь ты, нужны, да повыше кремлевских! Это куда ж общественность-то глядит?! Старый Савелий свирепел на глазах. Саша понял: еще немного — и этим туркам-строителям тоже достанется на орехи. А рука у Пыцика — это помнилось с давних пор, — несмотря на все его округлости, была тяжелой и не мазала.

Вот Пыцик-то и оказался главной удачей. Поскольку память у него, как знал Саша, была капитальной, а здесь он в последние годы обретался в должности заместителя управляющего жилищной конторы, — так он по старинке называл ЖЭК, преобразованную сперва в ДЭЗ, а после — в РЭУ, черт разберет все эти изыски российского бюрократического ума. Быстро разобравшись в сути Сашиного интереса, Савелий Иванович прытко потащил его в свою контору, располагавшуюся поблизости, буквально за углом, в подвальном помещении огромного, сталинской еще постройки, дома. Длинным и узким коридором они прошли в кабинетик, находившийся в самом торце. Очереди, тянувшейся вдоль коридора к его двери, Пыцик заявил безапелляционно и строго:

— Семнадцать с половиной минут занят. После начну прием.

И даже в этом был весь Пыцик, до мелочей, до секунды распределявший свое время.

Они сели друг напротив друга. Савелий Иванович добыл из ящика, заляпанного чернилами, старого конторского стола пухлую папку с бумагами и расстелил перед Сашей лист «синьки» с изображением бывшего плана квартала.

— Вот он, твой 7 А, — Пыцик ткнул толстым пальцем в синьку. — Снесен в позапрошлом годе, ага! Ты ж, Сан Борисыч, едрит твою, и не знаешь, какая тут тогда война шла!

Пыцик всегда отличался склонностью к словесности, чаще — неизящной. Но слушал его Турецкий, как первого весеннего соловья в дни влюбленной молодости.

— А что за битвы-то?

— Ну-у! — От наслаждения поведать необращенному великолепную историю, Пыщик даже откинулся на спинку стула, хотя сделать это было практически невозможно ввиду общей округлости фигуры, и скрестил пальцы-сардельки на высокой груди, шарообразно переходящей в живот. — Такаая битва! — чмокнул он губами. — Даже КГБ, ты же знаешь этот танк, ничего не смог поделать. Как только хмельные казачки уволокли ихнего Феликса с площади, кончился тут гэбэшный рай. Им же, едрит твою, тут пять домов принадлежало! И твой — 7 А, и другие. Уж как они боролись! Какие бумаги слали! Чего не обещали! А мэрия ни в какую. Вот и пришлось им, енать, съезжать к такой-то фене. Да и как не понять, земелька-то у нас тут куды твои мильены стоит! Каждый, значит, квадратный. Вот мэрия ее и продает иностранным, стало быть. А куды те мильены идут, к какой едреной матери, нам знать не дано... Так что ты там говорил-то? Человек у тя пропал?

С бывшим милицейским полковником можно было быть откровенным, в пределах допустимого, разумеется. Саша объяснил Пыщику, почему его интересует конкретный человек, в паспорте которого стояла прописка, а в домовой книге по этому адресу он не значился.

— Дак, мил друг Сан Борисыч! — обрадовался Пыщик. — Какая тут, к едрене, сложность-то? Ведь это ж у них, у гэбэшников, тут за милое дело «крыша» была. Кого хошь — пиши, прописывай, выписывай, в своих же руках все! А жил тут твой или нет, никого, извини... — И тут Савелий выдал такую тираду, что Турецкий захохотал. Силен дед! И словарь у него сохранился — что надо!

Все теперь стало ясно.

— Спасибо, родной! — Все еще хохоча, Саша безуспешно попытался обнять Пыщика. — Ты ж мне столько времени сэкономил!

Семнадцать с половиной минут истекли, и Турецкий мог теперь без всяких угрызений совести отзывать Дениса. Пообещав Савелию Ивановичу как-нибудь при случае заглянуть снова на огонек, но уже без всяких дел, а так, по старой памяти, Саша удалился мимо оживившейся очереди. Про нее, прощаясь, Пыщик сказал, что это — очередная партия на выселение. Точнее, переселение жильцов куда-нибудь в Солнцево или еще подальше. А их замечательные коммуналки с четырехметровыми потолками будут перестроены под дорогие офисы для инофирм. Не известно, чего здесь больше — иронии или издевательства. Но такова политика, да и, в конце концов, каждый свободен теперь в своем выборе. Не того ли добивались?..

Странное дело. Турецкий несколько лет работал буквально в двух шагах от конторы Пыщика, в следственной части Генпрокуратуры, размещающейся по соседству. И каждый день ходил здесь, и бегал, и ездил в своем задрипанном «жигуле», но ни разу не встретил старого товарища и коллегу. Больше того, вероятно, ежедневно встречал и жильцов уже снесенных ныне домов, всех этих существующих и несуществующих гэбэшников, не выдержавших борьбы с всесильной, оказывается, мэрией, опирающейся не на всесилие власти, а на большие деньги, которые оказались сильнее и крепче любой власти. Может, действительно прав Олег, и всем давно уже следует перестроить свою идеологию? Или философию. Или просто принять без всяких оговорок его точку зрения. «Мы жили по соседству... Встречались просто так...» Дурацкий мотив привязался, и Саша никак не мог от него избавиться...

Денис, облокотившись на крышу машины, что-то подчеркивал в своем блокноте. Уши его были задраены черными блямбами наушников, проводок от которых тянулся к нему за пазуху, знать, не теряет времени даром молодая поросль. Увидев Сашу, он скинул скобку с наушниками на шею и приготовился докладывать о проделанной работе.

Турецкий же, ни на миг теперь не забывая, какая опасность таится рядом, взял его под белы ручки и отвел подальше от автомобиля. Ага, забылся парень! Ничего, это ему очередной бессловесный урок на внимательность. Но все же Саша, стараясь не казаться занудой, кратко объяснил юноше, что внимательность в их профессии — пожалуй, самое необходимое качество. Ибо пока ты внимателен, ты жив. Коротко и ясно. Надеюсь, закончил Саша, повторять в дальнейшем не придется... В самом деле, не каяться же ему без конца, что Семен Червоненко есть жертва именно его собственной невнимательности? Жаль, что хороший пример чаще всего связан с кровью, с гибелью невиновного человека...

Денис доложил, что переписал все данные на жильцов девятнадцатой квартиры, в которой, если судить по известному паспорту, и проживал среди других некто Рослов. Для подстраховки он отметил также фамилии и жильцов соседних по площадке квартир и, на всякий случай, из той, что находилась под девятнадцатой. Мало ли, объяснил Денис, ведь случаются всякие неприятности, протечки там, еще что-нибудь. Так что нижние жильцы, бывает, лучше других знают своих верхних соседей. Что ж, логично и вполне в духе российского коммунального быта. Только откуда все это известно Денису? Неужто интуиция? Интересно.

Дело теперь оставалось за малым: надо было искать новые адреса в паспортном столе, в военкомате, в районных жилкомиссиях, в документах бывших исполкомов, которые тоже давно превратились в префектуры, муниципалитеты и прочие «мэрские», как ныне острят, заведения. Петр Великий за все годы своего безграничного правления не смог так засорить русскую речь вульгарной иностранщиной, как сами россияне всего за несколько лет перехода к рыночной экономике. Поэтому, понимая все трудности Дениса, будучи почти уверенным, что в конце концов правым окажется старина Пыцик, считающий, что и дом и квартира — всего лишь «крыша» для существующего совершенно автономно Рослова, Турецкий счел нелишним дать юноше добро на проведение очередного поиска. В таком деле ни одна, даже самая слабая и незначительная, версия не может не быть отработанной до конца. А что отрицательный результат — тоже результат, то племяннику постоянно и на конкретных делах показывал дядя Слава. Это чтоб будущий сыщик не гордился сильно и не задирал нос. Собственно, об этом Саша честно и сказал Денису, рассчитывая в ответ услышать томительный вздох. Но его не было. Значит, парень — молодец. Такого бы Саша с собой и в Германию взял. При нужде. Впрочем, возможно, так оно скоро и случится...

Снова уточнив задачу, Турецкий отвез Дениса на Тверскую, к мэрии, где находились службы Тверского территориального управления. Начинать, конечно, лучше сверху. Но Саша полагал, что к бывшим ведомственным домам вряд ли удастся найти легкий подход. Да и ведомство, о котором шла речь, никогда не отличалось открытостью. Впрочем, рискнуть стоило, вдруг действительно найдутся адреса, по которым переехали бывшие жильцы девятнадцатой и прочих нужных квартир. Высадив Дениса, Саша отправился к себе, в прокуратуру.

3

Поднявшись в свой рабочий кабинет, Турецкий в течение пяти минут отыскал все необходимые ему телефоны Маркуши, а вскоре услышал и его хрипловатый, высокий голос:

— Марковский у телефона. С кем, позвольте, имею честь?

Саша представился и кратко объяснил причину своего звонка. Феликс Евгеньевич не то чтобы обрадовался, но, во всяком случае, проявил максимум расположения. А все дело в том, что в прошлый раз Турецкий выступал в роли сотрудника газеты, заинтересованной в интервью с профессором. О своей настоящей должности Саша счел как-то неудобным, да и неуместным распространяться. Сейчас же, услышав, с кем имеет дело, Маркуша просто растерялся. Но, сохраняя лицо, не отказал в гостеприимстве и пригласил посетить его в любой день, да вот хоть и нынче, можно в любое время после часу дня. Как раз закончится лекция и он будет дома, это рядом, на Миуссах, в том известном доме, где когда-то жили все выдающиеся советские композиторы. Турецкий хорошо знал и этот район Москвы, и сам дом — большой и мрачный, который давно уже следовало отреставрировать — куски облицовки падали на асфальт, едва не калеча прохожих. Словом, они договорились, и теперь Саша имел целых два часа для того, чтобы выяснить, «шо мы имеем с гуся», иначе говоря, какие результаты дала поездка к Гене. И что делать с «грызуном» Волковым и его чересчур «Урожайной» гостиницей.

Турецкий позвонил по внутреннему Косте, поскольку именно ему обещал передать весточку от сына бывший министр Хайдер. Но Клавдия доложила, что Константин Дмитриевич еще с утра отбыл в неизвестном ей направлении и обещал прибыть только после обеда. Кстати, просил Александра Борисовича по возможности также появиться в это время в прокуратуре. Ну раз уж Костя ринулся лично, значит, имело место быть нечто действительно важное. И это хорошо.

Володя Яковлев, который подошел к телефонной трубке после пяти минут ожидания, предложил Турецкому подскочить к нему, в МУР. Запросто так, по-домашнему. Из чего следовало сделать вывод о срочности дела.

Турецкий снова побеспокоил Клаву и сообщил, что отбывает в МУР. Это для Кости, которому он может срочно потребоваться. Выходя, зачем-то обернулся и вдруг совершенно по-новому оценил свой девственно-чистый полированный стол, принадлежавший вместе с часами и громоздким шкафом всем предшественникам А.Б. Турецкого без исключения. Но вряд ли кому-нибудь из тех бывших следователей могла прийти в голову мысль использовать его полированную столешницу в единственно, может быть, правильном назначении. Ай да Танька! И тут же услышал явственно ее вскрик-полустон: «Н-нуже!» Чертовщина какая-то...

С такими вот шальными мыслями он и въехал во двор МУРа. Не оставлять же хороший такой «маячок» на улице.

Володя на ходу пожал Турецкому руку и махнул ладонью: следовать за собой. Пошли к Вере Константиновне, из чего Саша сделал вывод, что дело, возможно, касается гостиницы. И не ошибся. Некрасивая, но по-своему милая женщина с восхитительным голосом сообщила, что по поручению майора Яковлева она проверила и идентифицировала все пальцевые отпечатки, которые были собраны во время изъятия машины марки «фольксваген» и операции по проверке документов у проживающих в гостинице «Урожайная». Результаты были просто потрясающие: эти киллеры, которых разыскивали в связи с убийствами Кочерги и Червоненко, преспокойно себе проживали в «Урожайной» в номере люкс. До вчерашнего дня, разумеется. Помимо этого, добавил уже Володя, при обыске в гараже, в одном из боксов, среди хлама и грязного рванья найден автомобильный номер, который был снят с вишневой «девятки» покойного Кочерги.

Значит, подозрения Турецкого на этот счет подтвердились. Просто надо было ему самому не зевать, вот бы и не упустил ни машину ни киллеров. Саша поблагодарил эксперта и вдвоем с Яковлевым отправился в его кабинет. По дороге думал, что Федоров все-таки молодчина. Сказал и — сделал. И вот теперь результаты. А Волкова этого надо брать за шкирку.

Ах, как не хватало Саше тех сведений, что обещал уже сегодня сообщить меркуловский Гена!

— А этот «грызун» не удерет? — спросил у Яковлева.

— Подписку взяли.

— А что сегодня эта подписка! Чистая формальность.

— Ничего, мы ему приличный хвост приделали. Никуда не уйдет. Сидит, поди, пальцы обсасывает, вот же сучара... А к нам сегодня с утра уже позвонили. Из канцелярии министра внутренних дел. С какой стати учинили проверку в гостинице? Жалобы, мол, поступили в связи с неправомерностью действий. Но ты ж Юру знаешь, у него всегда найдется на кого сослаться. Звоните, говорит, министру. Те и заткнулись. Но, видишь, значит, кому-то мы наступили на лапки. Вот только кому?

— Думаю, тут гэбэшные дела, — сказал Турецкий. — Уточняем. Ну а что теперь с киллерами-то делать будем?

— Допросил я всех кого мог, в том числе персонал гостиницы, описания сошлись, так что двоих мы имеем четко. Вот гляди.

Володя положил на стол два фоторобота, сделанных так лихо, что Саша даже вздрогнул: не роботы, а отличные фотографии, даже выражение глаз просматривалось. Лица нестандартные, и это уже хорошо.

— Разослали сегодня с утра, куда следует, будем теперь ждать.

— «Девятку», конечно, не нашли.

— Да откуда же? — пожал плечами Володя. — Ее, поди, уже давно разобрали на запчасти.

— А я вот ее видел, — сознался Турецкий и рассказал Яковлеву, как было дело и как он прокололся. Володя только покивал и развел руками: мол, с кем не бывает. Не хотелось ему, видать, сыпать соль на свежую рану Сашиного самолюбия.

— Володя, — сказал, поднимаясь, Турецкий, — а ведь нам придется еще раз вернуться к пассажирам «Люфтганзы». Надо им предъявить фоторобот того, который без усиков, и описать внешность: джинса там, может, кто крестик заметил, молнии всякие, сумку, ну все прочее, о чем нам Семен поведал. Может, хоть какой-то намек последует, зацепочка. Тем более что тут у меня кое-какие соображения появились, новые. Но о них пока рассуждать не будем, надо кое-что уточнить.

Яковлев, конечно, поскучнел: более неблагодарной и рутинной работы Турецкий не мог ему предложить, но, что делать... надо.

4

Саша позвонил в прокуратуру — Меркулов еще не появлялся. И тогда он отправился к Маркуше.

Феликс Евгеньевич, хоть и старался выглядеть гостеприимным хозяином, все же был заметно растерян. Саша, чтобы не усложнять отношений, выложил на стол и служебное удостоверение, и «корочки», выданные ему в газете «Новая Россия». Коротко объяснил свое нынешнее положение, а также то, о котором мечтал, если фортуна когда-нибудь смилостивится поворотиться к нему благосклонной частью своего тела. Маркуша легко похохатывал, видя, что Саша абсолютно искренен с ним, а Турецкий, в свою очередь, понимал, что натянутость, возникшая в результате взаимного непонимания, полностью рассеялась и можно было начинать тот разговор, ради которого Саша, собственно, сюда и приехал.

Памятуя, что у них уже затевалась идея большой статьи Марковского для газеты, Турецкий сказал, что к этому вопросу он вернется немедленно, как только удастся завершить паскудное дело об убийстве банкира. Это, явно преувеличил свои возможности Турецкий, займет неделю-другую. Сказал вот и вздохнул: дай-то Боже...

Марковский с улыбкой кивал, ожидая продолжения.

— Скажите мне, Феликс Евгеньевич, могу ли я рассчитывать на то, что вы лично мне, бывшему вашему студенту и человеку, который к вам относится с полнейшим уважением, согласитесь дать консультацию... э, извините, если можно, то бесплатную? — Он честно посмотрел в глаза профессору.

Тот заливисто расхохотался: всего ожидал, но чтоб такое! Отсмеявшись, вытер носовым платком глаза и неизвестно кому назидательно покачал головой:

— Да, действительно! Если строишь капитализм, а сам живешь еще при той системе, воображаю, какой должен быть в голове кавардак. Разумеется, мой милый Саша, я дам вам любую консультацию, и даже, — он широко развел руки в стороны, — абсолютно бесплатно. Ну, слушаю вас, в чем заключается вопрос?

— Вопрос, — стал серьезным Турецкий, — будет состоять из нескольких. В последнее время, Феликс Евгеньевич, я так часто их повторяю, что они уже мне самому кажутся примитивными, но... тем не менее. Как возникают банки? Как они умирают? Почему убивают банкиров? Кто? Кому нужны эти убийства? А в общем, Феликс Евгеньевич, мне нужно знать о крупнейших финансовых аферах хотя бы последних лет. И еще: банки я имею в виду наши, российские, а вот аферы?..

— А ведь вы, Саша, верно ухватили главную мысль, — строго поднял указательный палец Марковский. — Девяносто пять процентов убийств сегодня происходит на экономической основе, и лишь пять — по политическим и иным мотивам. Поэтому политики, бытовых преступлений, суицида и так далее трогать не будем. Я, как вам известно, в настоящий момент читаю публичное, координационное и частное право и к вашей теме имею отношение постольку поскольку, однако кое-что рассказать могу. Но это будут, Саша, мои личные наблюдения и соображения. Так к ним попрошу и относиться. Если не возражаете...

Турецкий нисколько не возражал.

— Хорошо. Вас, Саша, интересует, вероятно, как создавалась в России вся эта гигантская ныне масса коммерческих банков. Как говорится, потребность времени. В государстве в связи с перестройкой, бурным развитием коммерческой частной деятельности, мелкого бизнеса резко увеличилась потребность в расчетных центрах. Ну кого, скажите, когда у тебя все горит и сделка срывается, могли бы устроить километровые очереди в банках? А между тем в стране было огромное свободное поле. Более точное слово «ниша», увы, меньше подходит к обозначению нашего явления. Вот отсюда, из этой крайней уже необходимости, и возникли, как грибы, многочисленные банковские конторы — на чердаках, в подвалах, в подворотнях, ну вы же помните! Уставной капитал у большинства из них состоял, естественно, из заемных денег. Скажем, паевой взнос — пятьсот тысяч рублей. Даже по тем временам сумма не так велика. Поскольку деньги у людей были, и большие. Я вам скажу, Саша, что сегодня, к примеру, около сотни этих «новых русских» обладают капиталом по полмиллиарда каждый. В долларах, Саша. А капиталом до десяти миллионов — более пяти тысяч. Другой вариант создания банка опирался на интеллектуальную собственность. В уставный капитал вносились ценные бумаги и так далее. При наличии иностранных партнеров эти новые банкиры имели выходы на западные банки, что открыло дорогу самому беззастенчивому вывозу капитала из страны. Тут вам и фиктивные контракты, и предоплата, после которой товар в страну никто и не думает поставлять... Но имеется еще и третий вариант. Я говорю лишь как о возможной схеме, вы понимаете. Это создание банков на пустых уставных капиталах. Что сей сон значит, объясняю. Итак, до начала девяностых годов, я имею в виду Россию, у нас была принята документарная система. Ее недостатки: она медлительна и подвержена фальсификации. Помимо этого, подсчитано, что при документарном режиме теряется около пятнадцати процентов прибыли. Это много, Саша. Между тем Америка, я имею в виду Штаты, другие развитые в финансовом отношении государства уже в конце семидесятых годов стали переводить свои банки и прочие финансовые структуры на компьютерную технологию. Этот процесс был, как вы понимаете, отнюдь не прост, требовал серьезных изменений в мировой финансовой системе. В частности, предстояло уничтожить огромное количество ценных бумаг, как-то: акций, из заменителей — сертификатов, бон, векселей и прочего. Казалось бы, чего проще! Но этот процесс оказался невероятно длительным и трудоемким, поскольку ценных бумаг навыпускали к той поре на многие сотни миллиардов долларов. Стали создавать специальные компании, которые должны были заниматься исключительно этим делом. Уничтожением. Но... — Снова палец Маркуши взметнулся к потолку. — Как у вас в смешном фильме про итальянцев в России: «Мафия бессмертна»? Вот-вот, в печати несколько лет назад появились сведения, что под операцию «Ценные бумаги» были задействованы лучшие силы криминальных структур многих стран, в том числе и России. В результате было похищено что-то порядка... да-да, кажется, на сто пятьдесят миллиардов долларов ценных бумаг. Не исключено, что немалая, если не большая их часть, оказалась в России и легла в основу уставных капиталов. Что здесь могло сделать государство? Что противопоставить афере, можно сказать, века? А ничего. Ваш БХСС отродясь не мог разобраться в хитростях банковского дела, налоговые службы отсутствовали, либо находились в зачаточном состоянии. Но вы же должны помнить, Саша, как на улицах Москвы вдруг появились сотни роскошных иномарок, как стали вдруг новые бизнесмены скупать недвижимость в Европе и — как это? — ах да, «отрываться» на Канарах и так далее. А наша с вами несчастная Россия-матушка с помощью этих криминально-финансовых маневров стала поневоле втягиваться в две наиболее преступные и прибыльные отрасли: торговлю оружием и наркотиками.

— Ну а в чем же все-таки необходимость отстрела, извините за выражение, этих новых российских банкиров?

— Саша, никогда не теряйте из виду классику. Все самое умное давно сказано за нас. «Мавр сделал свое дело», Саша. Дальнейшая криминализация банковской сферы приобретает общегосударственный характер. Поднимается новый монополист. И ближайшей целью здесь является, по моим личным наблюдениям, Саша, контроль над главной финансовой структурой страны — Центробанком. Вы же должны понять, что нарушение платежной системы, действующей в стране, может привести к финансовому коллапсу. И как следствие — политическая нестабильность в стране, которая продиктует необходимость смены руководства.

— Неплохие задачи, — криво усмехнулся Турецкий.

— А вон, Саша, — указал Маркуша, — возьмите ту газету, кажется, «Независимая», да? Вот-вот, прочитайте, там синим карандашом отчеркнуто.

Турецкий развернул газету и прочитал броский заголовок: «Подлежащие уничтожению сертификаты акций «Дженерал моторс» разошлись по миру».

— Посмотрели? Присвоили всего-то полтора миллиона акций! Каково? Вот так и совершаются нынче дела, дорогой мой старший следователь, я правильно вас, извините, обозвал? — улыбнулся Феликс Евгеньевич.

— Иногда добавляют: по особо важным делам, — развел руками Саша.

— Я ответил на ваши вопросы, коллега?

— Да. В общем, да, — кивнул Турецкий и встал. — Сердечное спасибо вам, профессор. Ну а остальное, как говорится, дело уже моей техники... Значит, это все-таки не конкуренция, как хотят себе представить эту целенаправленную охоту некоторые мои коллеги...

— Ну почему же? — возразил Марковский. — Одно ведь другого не исключает. Особенно когда мы только рассуждаем о цивилизованных отношениях, но ничего для этого не делаем. Но, прошу вас заметить, передел сфер влияния, по сути, подходит к концу, а процесс, как говорил последний президент великой державы, пошел. И с нарастанием. Вам, конечно, лучше знать, Саша, но ведь отстрел, как вы говорите, более сотни банкиров за последние годы — это определенная тенденция. Дела эти, я знаю, за редким исключением, не раскрыты. А почему? Ну, во-первых, выполнены заказы в высшей степени профессионально. Поскольку в их подготовке и, возможно, осуществлении принимают непосредственное участие спецслужбы правоохранительных органов — бывшие или настоящие. Совсем не исключаю и госбезопасность. И во-вторых, если это так, то, значит, расследование преступления никому не нужно. И оно будет прекращено либо на стадии следствия, либо в суде. Разве не так, коллега?

Саша слушал рассуждения старого своего профессора и видел, что прав он, хотя душа сопротивлялась столь безысходной картине, изображенной бывшим эмигрантом.

— ...именно это обстоятельство и должно настораживать в первую очередь. Можете для удобства назвать его синдикатом, воровским общаком, как угодно, название сути не меняет. Этот центр существует. И доказательством тому может служить ну, скажем, такой факт. Вот вполне разумное предложение об изменении порядка кредитования коммерческих банков. Это же в цивилизованном государстве вполне естественный процесс. А у нас — трагедия! И убивают банкира, и тут же списывают на какого-то там ревнивого водителя... Ну что вы скажете?

Саша вмиг насторожился. О чем это профессор? Неужто об Алмазове?

— А это вы кого же имеете в виду, Феликс Евгеньевич?

— Так все же газеты писали... Этот... Алмазов. Умная голова. И программа у него была вполне реальная. Я, естественно, исхожу из заявлений прессы. Лично с ним я знаком не был. Но как пример того, о чем мы тут с вами рассуждали, я полагаю, лучше сейчас и не назовешь... Однако что ж это мы? Я вовсе не желаю, чтоб у моего бывшего студента сложилось превратное представление о его старшем коллеге. Поэтому давайте, Саша, выпьем по чашке чаю, а вы мне расскажете, что вас еще волнует...

Они проговорили еще добрый час, но воспоминания Маркуши касались университетского прошлого, и Турецкий не стал посвящать профессора в существо своих забот. Но реакция Феликса Евгеньевича на те сведения, что уже успели просочиться в газеты — это касательно признаний Кочерги, — насторожила Сашу. Значит, есть умные головы, которым мозги не запудришь столь примитивным ходом. Надо бы, конечно, взглянуть, как все это газетчиками подано...

Спускаясь по вытертым подошвами знаменитых в недавнем прошлом композиторов ступеням, Турецкий сопоставлял сведения, полученные от Маркуши и Олега, и видел между ними много общего. Только Олег склонялся исключительно к криминальным разборкам, а Феликс Евгеньевич видел не частности, а общую панораму развития событий. Почему-то больше верить хотелось именно ему, хотя в основе — все те же неопределенные ссылки.

Из ближайшего автомата Турецкий позвонил в приемную Кости, Клава сразу соединила. Меркулов, услышав голос Турецкого, ничего не объясняя и не слушая, сказал одно лишь слово: «Жду».

5

Когда Саша вошел, Костя в излюбленной позе маячил у окна, символически провожая в последний путь товарищей. Вот бы кому изобразить в кино капитана Немо...

— Сядь, — сказал нервно. — Ты ту свою шайбочку, как вы ее назвали, не выбросил еще?

— Как можно, Костя?! Она же ведь, наверно, больших денег стоит.

— А я сегодня утром говорю Егорычу: ну-ка, друг ситный, поставь-ка автомобиль на яму и пошарь по днищу. А он мне: «Да вы что, Митрич! Я ж ее вчера на профилактику гонял, чего там смотреть?» Словом, поставил, залез и вон чего принес, на, на память... — Костя швырнул металлическую пластинку, напоминающую средних размеров гайку, на приставной столик.

Турецкий с опаской посмотрел на нее.

— Не бойся, в этой штуковине уже хороший мастер покопался. Теперь не работает. Сувенир. Чьих же это рук дело? Как считаешь? Ну — ты, это понятно. А мне-то зачем?

— А ты в машине иногда всяких генеральш возишь, — сказал Саша и вдруг запнулся.

— Ну продолжай, — сухо отозвался Меркулов, — а дальше-то что?

— А дальше — они, эти генеральши, болтают всякую чепуху. А может, совсем и не чепуху! — в запальчивости выдал Турецкий. Костя с удивлением поглядел на него и покачал головой.

— Ты чего это? Нервишки пошаливают? А я тут как раз о твоем отпуске размышляю... Отпустить, что ли?.. Где мотался?

Покручивая гаечку на полированной поверхности столика, Саша сел и, не вдаваясь особо в детали, пересказал все дела, начиная с утреннего посещения конторы Пыцика.

Костя вдруг заулыбался:

— Живой, бродяга? Ах, как он витиевато умел про мать высказаться! Песня, а не эта... ненормативная лексика.

Услышав о событиях в «Урожайной», построжел лицом, а сообщение Маркуши воспринял как хороший, приятный анекдот. Но когда Саша закончил и попробовал сделать свои выводы, остановил его:

— Не торопись. Это тема для отдельных размышлений. Не забалтывай. Ну а теперь меня послушай.

Поскольку Костя, кажется, отродясь не делал никаких записей, полагаясь на свою чертовскую память, он просто сел на стул, положил локти на стол, утопил в ладонях подбородок, что являло его высокую степень раздумья, и сказал как о чем-то обыденном:

— Был у академика. — Так в их кругу называли директора Службы внешней разведки.

«Вот это да! А как просто, как доступно!» Но Меркулов никак не отреагировал на иронию, расплывшуюся по физиономии Турецкого.

— Разговор состоялся хороший, но главное не в этом. Кирилл действительно, по его выражению, лег на дно. Сколько это будет продолжаться, пока неизвестно. Но с ним все в порядке. Сегодня, ну как у них там положено, пришла очередная шифровка. Я не стал допытываться подробностей, он сам просил передать матери от себя лично, чтобы она не волновалась. Считаю, что этим двоим во внешней службе можно полностью доверять — ему и Валере. Но...

— Ага, значит, есть все-таки это «но»?

— Мне не нравятся ошибки международной телефонной службы. Есть два варианта: либо это действительно ошибки, либо кто-то кого-то очень хорошо водит за нос. Твое мнение?

— Батюшки! Кого-то стало интересовать мое мнение?

— Не ерничай!

— Упаси Бог, Костя... Я ж ведь заявил однажды, если помнишь: ошибки можно проверить лишь одним механическим способом — найти нервного абонента.

— Значит, все же имеешь сомнение?

— Имею, Костя.

— Хорошо, пока остановимся на этом. С Шурой, наверно, стоит мне поговорить? Ну, об академике? — совсем непонятная у Кости появилась интонация в голосе — неуверенная, просительная. В чем дело?

— Естественно, а кому же еще? Ты вот лучше объясни мне, Костя, поскольку слушал я ваши воспоминания не раз, а так до сих пор и не выяснил, кто Киркин отец? Что это за мистический Матюша?

Костя помолчал, пожевал губами и, поглядев на Турецкого с некоторой опаской, ответил:

— Был у нас на юрфаке такой веселый парень. Матвей Калина. Откуда-то из-под Александрии, кажется, родом. Это Кировоградчина, кажется. Ну и Шурка имела родню где-то в тех же краях. Она красивая в девках была...

— А вот это мы уже слышали, — констатировал Турецкий не очень вежливо.

— Многие за ней ухаживали, — продолжал гнуть свою линию Костя. — А повезло этому Калине. Тоже был видный хлопец. Может, даже слишком видный. Он после МГУ обратно к себе умотал, вскорости перебрался в адвокатуру, в какие-то, кажется, диссидентские дела влип — и сбежал. А Шурка из-за родов на целый семестр отстала. Закончила, слава Богу, ушла в угрозыск и... выросла.

— Ну а ты, Костя, когда под нее стал клинья-то подбивать? — уже совсем обнаглел Турецкий, но Костя был весь в воспоминаниях.

— Да всю жизнь... пока на Лельке не женился, — вздохнул он. — Только где тебе понять...

— Это точно, как говорил товарищ Сухов.

— Кто? — Костя не дождался ответа и махнул ладонью. — Вечно у тебя глупости на уме. И когда поумнеешь?.. Ладно, хватит болтать. Перейдем к текущим делам. Как ты уже сообразил, с тобой ездить — только светиться. В общем, заезжал я к Гене. Был разговор. Помечай, если хочешь. — Это Костя так мелко отомстил за ненужную иронию, показав наглядно, что у Саши туговато с памятью: записывать надо. В общем-то лучше бы нам всего этого не знать, да приходится. То, о чем я просил, он выяснил. Пока будем в курсе ты и я, больше никого посвящать не надо. Смысла нет никакого. Под «крышей» этой «Урожайной», где останавливалась, прибывая в Москву, всякая кагэбэшная публика, добрых три десятка лет существовала школа так называемых исполнителей. Фирма выносила приговор, а эти приводили его в исполнение. Причем, как ты догадываешься, по всему белу свету. Там обучали самым разнообразным наукам и готовили профессионалов высочайшего класса. От примитивной удавки или какого-нибудь сверхсекретного яда до торжественного сожжения приговоренного в печи крематория. Причем живьем и с обязательной киносъемкой. А после демонстрировали этот процесс новичкам. Чтоб те о порядке помнили.

— Костя, откуда в тебе этот жуткий садизм? — Турецкий даже волосы взъерошил, чтобы показать, как страшен рассказ Меркулова.

— Не паясничай, Саша, — печально сказал Костя. — Я ведь ничего не выдумываю, и ты прекрасно это знаешь.

— Знаю, конечно. Точнее, слышал. Впрочем, слышал и другое: подобные организации существуют во всех так называемых цивилизованных странах. В той же Америке... Да возьми хоть их десантников...

— Я же не про то! — поморщился Меркулов. — Я тебе рассказываю, чем занимались до последнего времени студенты в «Урожайной». Эту их контору прикрыли только в прошлом году. Но люди-то, Саша, живы! И этот твой рыжий, и тот чеченец, и многие другие живущие там месяцами и пользующиеся самыми доподлинными документами. Вот в чем дело. Слушай дальше. У истоков этой школы стоял один из заместителей начальника управления кадров КГБ, небезызвестный нам генерал-майор Поселков Николай Николаевич очень заметный такой мужчина. Теперь о Волкове. Прежнее звание — майор госбезопасности. По работе характеризовался как личность волевая, хороший исполнитель, да, именно в этом самом смысле. Поскольку официально школы не существует, высказано мнение, что он мог быть оставлен в качестве координатора. Владеет тонкостями своей профессии в совершенстве. А ты — «грызун». Твое счастье, что не нужен ты ему был.

— Костя, — вдруг хмыкнул Турецкий, — а он случаем не голубой? Нет у них таких сведений?

— Ну скажи пожалуйста! — всплеснул руками Меркулов. — Откуда вы все наперед знаете? Ну кто сказал?

— Костя, я подумал об этом, когда увидел, как его кривоногая секретарша потерлась лобком об угол письменного стола, а его всего перекосило, бедного. Но не понял причины. А сейчас, когда ты сообщил о решительном его характере, понял: против природы никак не попрешь. И никакой характер не спасет. Ну ладно, а что мы имеем с сына? Его Алексеем Николаевичем зовут. «Мостранслес», президент.

— Роль сына выясняется, — коротко ответил Костя. — Пока все. И последняя информация для твоих размышлений. Гена сказал, что не исключено следующее. Обыском и тотальной проверкой документов, который учинил Федоров по моей санкции, весьма обеспокоены...

— Костя, — изумился Турецкий, — так, значит, это твоих рук дело, а вовсе не Юркина самодеятельность? Когда ж вы договориться успели-то?

— Не понимаю, ты что, пьян был, когда рассказал мне о том чернобородом, удравшем от тебя на малиновой «девятке»?

— А-а, ну да, — кивнул Саша. Он мог бы застрелиться, доказывая, что никому об этом эпизоде не говорил. — Тогда мне все понятно... А чего ж он тогда на министра ссылался? Ведь проверят, конфуз будет.

— Проверят, когда тот из Финляндии вернется. Газеты надо хоть иногда читать, уважаемый следователь. Короче, ФСБ засуетилась, хотя никаких претензий к МУРу высказано не было. Поэтому, повторяю, Гена считает, что нельзя исключить появления у нас в конторе твоего приятеля-лазутчика от генерала Петрова.

— Это почему ж он стал моим приятелем? С каких это пор?

— А вот это обстоятельство как раз неплохо было бы выяснить. Займись. Кстати, материалы, связанные с Волковым, видимо, придется им передать. Для ССБ, то есть опять-таки для Гены. Очень не хотят они выпускать из собственных рук любую информацию о себе. Имей в виду и не спорь. Подумай, что можно вытребовать от них взамен. Киллеров, надо понимать, они нам тоже не отдадут, уберут сами, ведь после такой засветки хлопчики подписали и свой приговор. Значит, будем считать, что и Кочерге, и твоему Семену не повезло... Политика, едрит ее в корень!..

— Костя, а нам же нечего им передавать! Отпечатки пальцев? Машину? Но она — вещдок и к Волкову прямого отношения не имеет. А дела об убийствах, ну ладно, пока об одном убийстве Семена Червоненко мы ж не вправе прекращать, пока убийца ходит где-то на свободе. Ну а что касается нашего «грызуна», то пусть они сами его действительно разрабатывают, тут я согласен на все сто, — кому сдавал машины, почему пользовался фиктивными фамилиями, зачем держал подставные лица и тому подобное. Только на кой хрен им все это самим-то надо?

— Я передал тебе соображения Гены. Этого пока достаточно.

— Пока да. Но что я буду делать уже сегодня вечером? Сидеть сложа руки в собственном кабинете и ожидать прихода лазутчика?

— Зачем же? Тебе надо готовиться срочно вылететь в Германию. — Костя сказал это как о само собой разумеющемся.

— И когда ты намерен отправить меня, наконец, в отпуск? Вместе с семьей?

Меркулов замялся, отвел глаза в сторону.

— Ясно, — сказал сам себе Турецкий. — Снова подставка. И лететь тебе, Александр Борисович, вовсе не в отпуск, а в служебную командировку. Господи, как они все мне надоели, если бы ты только знал!

— Давай обойдемся без аффектации, — спокойно заметил Костя. — Советую поехать сейчас отдохнуть, вид у тебя неважный. А завтра мы все подробнейшим образом обсудим. Учти, что официально ты все-таки уходишь в отпуск, да-да. Официально! — Костя воткнул указательный палец в потолок, подобно Маркуше. — А теперь свободен. Не забудь сообщить коллегам из МУРа, что Волкова мы передаем в ФСБ. Свободен.

6

Турецкий с размаху ударил кулаком по полированной столешнице.

— У-у, зараза!

Потом сел и придвинул к себе телефонный аппарат. В это время раздался звонок: кто-то успел опередить его. А Саша думал, как сообщить в Ригу о своем внезапном отъезде якобы в отпуск.

Телефон настырно звонил, и Турецкий поднял-таки трубку. Голос «лазутчика» узнал сразу. Тот зачем-то стал интересоваться успехами расследования дела Алмазова. Совсем прокололся, ну почему же так грубо? Ведь уже всем, даже профессору Марковскому, известно из газет, что убийца Алмазова установлен, ну и так далее. Ай-яй-яй, коллеги! Что же вы нас за дураков держите? Вот примерно такой внутренний монолог произнес Турецкий, прежде чем решительно перебить ненужный словесный понос «лазутчика» и предложить тому подъехать, чтобы получить кое-что любопытное по их части.

Положил трубку и стал снова раздумывать, как сообщить Ирине, что отпуск опять откладывается. Новый звонок прямо-таки взбесил его. Но, услышав голос звонившего, остыл. Это был Олег.

— Ну? Что же молчишь? Ни тете спасибо — ни дяде здравствуйте? Как настроение? Чем занят?..

Вопросов было так много, что Саша решил придерживаться средней линии: все в норме, настроение нормальное, тетя хорошая, дяде большое спасибо за доставленное удовольствие, чем помочь в свою очередь?

Олег выразительно хмыкал в трубку, как бы подчеркивая свое удовлетворение от того, что сделал другу приятное. Но за этим виделось Турецкому совсем другое: он же наверняка радовался, что вот так, запросто, купил своего «друга и учителя» с потрохами, ведь имея в руках такой компромат... И Олег будто почувствовал настроение Саши.

— Ладно, старик, все это пустое. Понравилась баба — и ладно. Ты мне нужен, вернее, твой совет, совсем для другого. Не занимаю твое дорогое время?

— О чем ты говоришь, для тебя... сам знаешь.

— Шефа Танькиного пришили, Саш, вот какое дело.

— А-а... Я-то чем могу? — совсем растерялся Турецкий.

— Ни ты, ни я ничего не можем. Не о нас с тобой речь. Я о другом. Татьяна что-то говорила, будто у тебя, вернее у твоей службы, мог к нему быть какой-то интерес. Я подумал, нет ли связи? Потому что по моим каналам он нигде никогда не проходил. Саш, если это не жгучая тайна, подскажи...

— Подожди, Олежка, как это — пришили?

— Понимаешь, — нетерпеливо продолжал Олег, — он с утра не появился на работе. Дома, супруга заявила, он не ночевал. Ни в чем, свойственном иногда нам с тобой, прежде замечен не был. В смысле порочащих связей. Ну, послушался я Таньку, дал своим команду, они вот и доложили: найден мертвым в собственной машине «вольво» в перелеске в районе Балашихи. По описанию все сошлось, отправили жену на опознание. У тебя по этому поводу, Саш, нет никаких соображений?

Первое, о чем сразу подумал Турецкий: они, несмотря ни на какие публикации, продолжают идти по следу. Там — опередили, здесь — припозднились, но все равно достали. Что ж получается? Теперь будут убивать всех, с кем общается следователь Турецкий? Или был все-таки в чем-то серьезном и крупном замешан Алексей Поселков?

Сказать сейчас об этом Олегу, вернее повторить уже не раз сказанное, значило бы для Саши раскрыть перед пусть даже близким другом, товарищем, приятелем — как ни назови, ту информацию, в которую были посвящены только трое: Меркулов, Федоров и Турецкий. Ну еще Володька Яковлев. Дело Алмазова закончено. Точка. Нет, не стоило посвящать Олега в их внутренние дела.

Но, с другой стороны, во все проблемы «Урожайной» уже через какие-нибудь полчаса будет полностью посвящен полковник-«лазутчик» из ФСБ. Конечно, никто ему не откроет своих каналов информации, но саму-то информацию он получит. Иначе как же им взять этого «решительного» Волкова за причинное место?

И Саша в самых общих словах изложил Олегу версию о размещавшейся когда-то в гостинице школе киллеров, а теперь возможном отстойнике для них, о странной роли директора Волкова, державшего в гараже краденые автомобили, наконец о том, что в одном из документов значилась фамилия генерала Поселкова, умершего еще год назад. Сын же заявил, что к делам папаши и директора гостиницы никакого отношения не имел. Вот, собственно, и вся информация. Она совсем не секретная, и, поскольку в ней фигурирует бывший кагэбэшник, скорее всего ею заинтересуется ФСБ.

Олег слушал, не перебивая, а Саша тянул и тянул свой пересказ, вялостью тона как бы подчеркивая то обстоятельство, что прокуратура действительно не располагает иными сведениями.

— Ну что ж, информация любопытная, — небрежно заметил Олег. — А насколько достоверна? Источник-то толковый?

— Алька! — устало ответил Турецкий. — Ты в своем уме? Ну откуда у нас может быть толковый источник? Что-то сличили, сопоставили, шмон устроили там, в гостинице, установили, что киллера, сунувшего заточку Семену Червоненко, там видели, номер от краденой машины нашли... Чего ж еще надо-то?.. А мне этого Алешу жалко. Один раз всего и видел, а понравился. Чистый парень был. Без комплексов...

— Вот в последнем ты прав. Комплексами не страдал, это точно. Мне Танька о нем кое-что рассказала... Ну ладно, был, значит, и нет. Придется, видимо, теперь уже нам заняться этим странным «Мостранслесом». Чем он занимался-то хоть знаешь?

— А как же, видел буклеты. Мебель, перевозки и прочее.

— Вот именно, прочее. Ну ладно, не бери в голову... Да, ты меня как-то спросил: за что их убивают? А вот за это самое — долги, неплатежи, обман. Очередная разборка, после которой у этого гребаного «Транслеса» появится другой хозяин. А Таньке я приказал больше там и носа не показывать.

— Смотри-ка! — удивился Саша. — Оказывается, у тебя у самого информации навалом, а у меня спрашиваешь. И говоришь, раньше не проходил он по твоим каналам... Как же понимать?

— А чего тут нелогичного? — вроде бы стал раздражаться Олег. — Раньше действительно нигде не проходил. А Танькин рассказ — это что, по-твоему, информация? Да мне каждая сучка в постели про своего шефа такую информацию кинет! О чем ты, Саш! А как с отпуском? — спросил без всякого перехода.

Турецкий сказал, что, кажется, от его нытья уже и Меркулов дозрел, а сегодня — так вообще заявил: уматывай с глаз долой. Но теперь вторая проблема появилась: что с семьей делать? Саша смотрел сводки — в Европе дожди и сплошная холодрыга. Везти туда маленькую девочку — надо быть идиотом. Дома она может и тут сидеть, и в Прибалтике. А если в Германии на улицу не выходить, то на кой хрен такая Германия и такой семейный отпуск? Словом, решил пока для себя Турецкий, на недельку смотаться за бугор, навестить Равича, посмотреть, на что можно рассчитывать, а потом уже и решить окончательно. В крайнем случае, на обратном пути залететь в Ригу и провести с девчонками остаток отпуска. Хоть какая-то радость для них...

Олег решительно поддержал эту идею Саши. Более того, предложил даже свою помощь.

— Это в каком же смысле? — удивился Турецкий.

— Ну... ты, конечно, понимаешь некоторую разницу между моими и твоими возможностями. Надеюсь, понимаешь. У тебя, поди, виза есть, и прекрасно. Ты можешь позвонить мне в любой момент из Мюнхена, или где там ты собираешься остановиться, а я организую им немедленный вылет к тебе.

— Но ведь Рига же — заграница!

— Саш, как тебе не стыдно? Это ты мне говоришь? Да ведь из Риги как раз слетать в Мюнхен, как два пальца, извини... Просто надо знать, с какого конца брать в руки, понял? — Олег опять расхохотался, довольный своей шуткой.

— Ну, извини, где уж нам, сермяжным...

— Не прибедняйся, давай лучше диктуй адрес.

— В Мюнхене? Равича?

— Да на кой он мне? Рижский давай, где там твои сидят?

— Олежка, честное слово, мне неловко...

— Не валяй дурака. Или ревнуешь?

— Совсем с ума сошел. Записывай. Значит, Рига, улица Блауманя, 8. Это дом, где кафе «Кристина». Квартира 17. Фроловская Элина Карловна — это ее тетка. У Ирки моя фамилия.

— Постой, Блауманя, это где-то у моста, что ли?

— Не-ет, помнишь, если по улице Ленина, бывшей конечно, двигаться в сторону Таллина, красивый такой храм слева, Александра Невского? Вот налево же, наискосок, и будет эта улица.

— Черт-те что, я уж забыл, давно там не был. Ладно, записано. Сам-то когда решил двигать? А может, перед загранкой еще разок заскочишь?

— Я позвоню, Олежка, когда билет получу. Да-а... Ты знаешь, жалко мужика. Нет, не показался он мне... как ты рассказал.

— А ты Татьяну при случае расспроси.

Да вряд ли представится такой случай, подумал Саша и ничего не ответил, а услышав короткие гудки, положил трубку.

7

От размышлений о быстротечности жизни Турецкого оторвал вежливый стук в дверь. Это явился «лазутчик». Саша уже думал, что с него взять, но так ничего и не придумал. Рыжего киллера все равно ловить будет доблестный МУР, делать вид, будто изо всех сил ищет вишневую «девятку», эту роль возьмет на себя отдел розыска ГАИ, до реабилитации Виктора Кочерги еще шагать и шагать, а Семену Червоненко и его шурину уже ничем не поможешь. Володька, правда, говорил, что Федоров сумел нажать на соответствующие кнопки и хоть похороны будут обеспечены за государственный счет. Хоть какая-то помощь. Что же касается «жертвы очередной криминальной разборки», хорошего парня Алеши Поселкова, то этим делом, естественно, займется областная прокуратура. Если, конечно, Президент не захочет взять и это гиблое дело на свой контроль и поручить следствие Генпрокуратуре.

Поэтому все, что в той или иной мере касалось Волкова и вверенной ему гостиницы на ВДНХ, как, несмотря ни на какие решения и переименования, продолжали называть тот район москвичи, те немногие сведения, зафиксированные в протоколах допросов свидетелей, и отдал Саша полковнику не без злорадной ухмылки. Конечно, он мог бы все остальное, то есть наиболее важные материалы, затребовать к себе из МУРа и вручить, так сказать, лично, передать из рук в руки. Соблюдая тем самым некий ритуал следовательского братства. Но — не захотел. Просто к месту вспомнил письмо генерала Петрова на вощеной бумаге и его выражение: «Работа по установлению... проводится...» Ну и проводите себе, генерал, дальше. А Турецкий просто позвонил Федорову, сообщил о решении заместителя генпрокурора Меркулова передать часть выделенных из дела следственных материалов представителю ФСБ, естественно, как это положено по официальному каналу: с указанием документов, перечисленных в постановлении о выделении материалов в отдельное производство. После чего предложил посетителю поехать в МУР, это буквально в двух шагах, и там покончить с этим вопросом.

— Надеюсь, ваша служба найдет возможным проинформировать Генеральную прокуратуру о результатах э-э... — И тут не смог отказать себе Турецкий в мелкой подлянке: — Работы по установлению?

Полковник выслушал пассаж, оценил глубину и с улыбкой понимания кивнул.

— Я обязательно передам просьбу э-э... Генпрокуратуры своему руководству.

После его ухода Турецкий вновь направил свои стопы в приемную Меркулова. Пришлось подождать, но недолго, поскольку у Кости вот уже второй час сидела какая-то шишка из Государственной Думы. Наверняка обнаружили какую-нибудь бяку либо в Центризбиркоме, либо еще где-нибудь и тут же примчались ябедничать, да не куда-то, а прямо в Генпрокуратуру. А чего ж не в ООН? Или в Богоявленский патриарший собор? Ну, нар-р-род!.. — разжигал себя Саша.

Все оказалось примерно так, как он и думал: Костя, ухмыляясь, сообщил мельком, что лидер либеральных демократов обвиняет российский конгресс в постоянной подтасовке результатов социологических опросов, что именно сейчас, накануне думских выборов, является едва ли не уголовщиной, способной вызвать крупный политический скандал. С этим и приезжал представитель либералов. Чушь собачья.

— Ну а ты? Разобрался с бравыми чекистами?

Саша кивнул и рассказал о гибели Алексея Поселкова. Раскрыл и источник информации, то есть Олега Романова-Марчука.

— Ах, так это погиб шеф той смазливой секретутки? — не напрягая памяти, сразу сказал Костя. — Надо будет сообщить Гене, чтоб не порол теперь горячку... Еще что-нибудь есть?

Саша отрицательно покачал головой. Говорить о том, что Татьяна в курсе дел Поселкова, он не хотел.

— Да, и вот еще что, Саша. Я созвонился с консульским отделом германского посольства, объяснил им ситуацию с твоим отпуском, они все поняли. Можешь взять свой загранпаспорт и мотать к ним: визу поставят вне всякой очереди. А билет закажи сегодня же, Клавдия все подготовила, деньги получишь. С билетом, полагаю, особых трудностей не будет, не сезон все-таки, но если чего, сразу звони. Сегодня у нас что? Среда? Ну вот, в пятницу и отваливай... А завтра приведи в порядок все документы по Алмазову, Кочерге, Червоненко, словом, все, что имеешь, и — мне на стол. Задание, Саша, тоже получишь завтра. А теперь убирайся отсюда и не морочь мне голову. Подозреваю, что сейчас ко мне явится еще делегация думской фракции коммунистов. Тоже чем-то раздражены.

Когда Саша уже взялся за ручку двери, Меркулов, громко хмыкнув, остановил его:

— Слушай, следователь, а ты можешь хоть однажды нормально и вовремя лечь спать? Не в постель, а именно спать?

— Ты на что намекаешь, Костя? — Турецкий тут же сделал вид, что безумно возмущен.

— А разве кто-то говорит намеками? Саша, голубь, ты же все-таки, несмотря на многие твои пороки, семейный человек... Ой, — поморщился он, — ну ладно, иди уж... Все равно как об стенку горох.

ЧЕТВЕРГ, 12 октября

1

В смысле погоды день был отвратительным. В смысле настроения — так себе. Правда, Турецкий, может, впервые за много дней заставил себя выспаться, а потом еще с полчаса отмокал в ванне, напустив в воду шампуня. Грязновых, естественно, не было дома. Поэтому Саша мог позволить себе немного побездельничать.

Вопрос с его визой в Германию, как и говорил Костя, был делом пятнадцати минут. Белобрысый сотрудник консульства, занимавшийся с Турецким, задал, в сущности, лишь один вопрос: о цели поездки. Саша, как было договорено, ответил с улыбкой: «Отдых». — «Да-да, ну конечно, — тут же закивал, хитро прищурив глаз белобрысый немец. — Отлично. Я желаю вам очень хорошо провести свободное время». Саша искренне поблагодарил за понимание, а потом отправился в офис «Люфтганзы», который размещался в роскошном торговом центре на Краснопресненской набережной, и там без всяких хлопот взял на пятницу, на раннее утро, билет до Франкфурта-на-Майне.

Оставалась единственная проблема — связаться с Ригой. Для этого надо было ехать в контору. Впрочем, туда надо было прибыть в любом случае: обсудить с Костей последние штрихи командировки. В принципе Турецкий и сам знал, чем ему заниматься в Германии, куда обратиться, кого искать. Но у Кости же всегда были и свои собственные источники, которыми не следовало бы пренебрегать: мало ли что может случиться с человеком в чужой стране!

Ну, конечно, и папки следовало перетащить из своего сейфа в его.

Саша выбрался из ванны, побрился, воспользовавшись не без некоторого злорадства грязновским одеколоном из хрустального флакона: вот ведь как живут богатенькие! После этого надел свой самый пристойный темно-синий с легким серебристым отливом костюм, который надевал исключительно в торжественных случаях, кинул на руку плащ и отбыл в направлении своей конторы.

2

Мефодьич был, конечно, если не подлинным кудесником, то крупным специалистом в редкой профессии: из дерьма пирожки лепить. Сашин «жигуль», от которого отказался бы любой уважающий себя автомеханик, тем не менее бегал вот уже пятый день и ни разу не чихнул, а уж чтобы заводиться с пятого или шестого раза, так о том и слуху не было. Эх, как бы не вид еще обшарпанный, цены бы автомобилю не было!

А что, размышлял себе Саша, может, действительно есть смысл, если рассуждать трезво и не комплексовать по пустякам, пойти на службу к младшенькому? Внутренний голос подсказывал до сей минуты, что этого делать не стоит. Почему же? Принципы? Невозможно сработаться ввиду разных точек зрения на этот мир и свою в нем роль? Но если поглядеть на дело меркантильно, что вовсе не должно противоречить человеческой природе, поскольку каждый хочет жить лучше, то возможно все. И без особой натуги. Разве хорошо зарабатывать — это плохо? А может, просто твои умственные способности и прочие профессиональные достоинства кто-то не может правильно оценить, а кто-то, напротив, уже оценил и говорит тебе о том, а ты кочевряжишься, как... Ну, Танька-то вовсе не кочевряжится, она имеет товар, ценит и сама им распоряжается. Самый, в сущности, верный подход. Хотя с точки зрения высокой морали... Нет, Костя, возможно, тоже прав по-своему. Вот именно, по-своему. И совсем не надо поступать постоянно «по его». У каждого своя жизнь... И кто больше прав — Танька или Костя, в конце концов, рассудят только их собственные судьбы...

Саша как-то подспудно чувствовал некую не очень понятную навязчивость Олега. С одной стороны, все это легко объяснялось их старинными, можно сказать, отношениями, в чем-то братскими, где-то приятельскими. А теперь, видишь ты, даже одна женщина появилась. Ну хорошо, Олег сегодня вошел в большую силу. У него появились гигантские, с точки зрения постсоветского человека, возможности. Он действительно может распоряжаться собственной жизнью по своему усмотрению, иначе говоря, делать то, что душа желает. И при этом он предлагает нечто подобное своему товарищу, старшему товарищу, наверняка надеясь и на знания, умение, таланты, если таковые действительно имеются, и тому подобное. Это разве плохо? А то, что он циничен, даже жесток, что постоянно проскальзывает в нем это: я сказал, мои люди, я решил, — так ведь не он один. Весь цивилизованный мир таков. Это при социализме хотели, чтобы повсюду звучало не «я», а «мы». Но ничего, к сожалению, не вышло. Эгоист и индивидуалист правит миром. И еще решительный, вот же, черт побери, привязалось это слово! Ну да, как в том польском анекдоте: «Пан вахмистр, как это вам удалось переспать со всеми без исключения дамами в этом поганом городишке?» — «Очень просто, панове. Надо просто решительно спросить красивую пани: вас можно пердолить?» — «Пан, но ведь за это можно схлопотать по морде!» — «Можно, но чаще пердолим».

Так в чем же все-таки причина его навязчивости? Вот и с семьей готов немедленно помочь... И в дерьмо лезть не советует, потому что там можно не только перемазаться с ног до ушей, но еще и пристрелят, как собаку, где-нибудь в балашихинском лесу. «Ну что ж ты такой беспокойный? На, возьми красивую бабу и успокой нервы...» Или послать все это дело подальше? Ирка называет своего супруга неумехой. Живет он, в смысле ночует, у друга из милости, как говаривали в прошлом веке. И ведь совсем, кажется, недавно, а будто на другой планете... Вот так однажды жизнь кончится, и ты в последнюю минуту будешь размышлять над прожитым: был честным, правда, не везде и не во всем; гадов изничтожал, но тоже далеко не всех; девок любил и старался, чтоб всем было приятно, а кончилось тем, что даже одной-единственной и той не сумел обеспечить пристойной жизни. «Так в чем же преуспел ты, Александр Борисович? — спросит Господь. — Ну-ка сам назови свои достоинства». А что ответить? Что их-то немало, но все они какие-то недоделанные? Никуда не годится. И Бог не простит, и перед самим собой стыдно.

— Все! — громко заявил Саша. — Вернусь из Германии и... постараюсь решить эту задачу. И вздохнул.

3

Пока Турецкий быстро и внимательно в последний раз просматривал материалы дела об умышленных убийствах, в первую очередь, по факту смерти Алмазова и профессионального водителя, прилетевшего из Германии, он чувствовал, что где-то в глубине его мозгов вроде проклюнулась и стала незаметно как-то двигаться по извилинам некая неясная мыслишка, которую никак не удавалось сформулировать более-менее четко. Никак не оформлялась она во что-то понятное.

С тем и отправился Турецкий к шефу и тоже стал наблюдать, как тот теперь листал материалы следствия, хмыкая под нос и делая вид, что все это его очень занимает.

Наконец Костя отложил папки в сторону, красиво задумался и сказал:

— А эту идею пристегнуть к тебе Дениса Грязнова я одобряю. Парень мне нравится, поскольку вы, дружки-приятели, еще не успели оказать в полной мере своего растлевающего влияния на формирование характера способного юноши. Только, пожалуйста, не таскай его по разным сомнительным заведениям и не учи глупостям. Я прошу его подъехать ко мне сюда завтра. Для хорошего разговора. И еще один совет. Я бы не хотел, чтобы ты брал с собой то, что приготовил: все эти вещдоки, типа челюстей германской работы и прочего. Лети налегке, ничем не связанный. Будь внимателен. Все эти подслушки, которые мы с тобой обнаружили, могут означать только одно: мы сели на хвост действительно какой-то очень крупной фигуре. Или конторе. Или черту в ступе, не знаю. Но слежка и прослушивание, не исключаю, идет по многим каналам. До самого отлета будь предельно внимателен. Пусть тебя Грязнов проводит. Или сними, наконец, со своей машины эту заразу. И удирай огородами, как ты говоришь... Словом, Саша, давай-ка, по старой памяти, пойдем прогуляемся чуток.

Они вышли на улицу и неторопливо отправились по Столешникову к Петровке. Светлой памяти «Красный мак» был закрыт на ремонт. А когда-то здесь собирались асы сыска, лучшие сыщики столицы, пили стопарики, закусывали, и никто друг друга не узнавал — не принято было. Каждый знал и свое дело и свое место. За углом кудрявый джигит торговал жареным мясом.

— Батюшки! — воскликнул Турецкий. — Костя, глазам своим не верю: это ж настоящий люля-кебаб! И на палочке! Сколько стоит, кавалер?

— Две тисача! — радостно оскалился джигит.

— Костя, я ж не поставил за отпуск, а? Слышь, кавалер, а где?..

Саша не успел закончить вопроса, как джигит толстым пальцем ткнул в сторону ближайшего киоска, где Саша увидел готовые к употреблению запечатанные стаканчики водки.

— Костя, в какой стране мы живем! — проникновенно сказал Саша. — Я прошу тебя... Ты ж ведь тоже не обедал.

— А! — махнул рукой Меркулов. — Давай, Сашка! Где наша с тобой не пропадала!

Турецкий немедленно взял четыре палочки люля, а в киоске — тоже четыре стаканчика-стограммовчика. По толстому куску белого душистого хлеба отрезал им джигит и на бумажные тарелки щедро налил кетчупа.

— Давай, дарагой! Апять падхади! Куший, вот тут можна, — джигит указал на стойку, приделанную к киоску сбоку. Рядом стояла урна с черным пластиковым пакетом, куда бросали пустые стаканчики и грязные тарелки.

— Слушай, Костя, а мне такой капитализм нравится, — сказал Турецкий, распечатывая стаканчик. — Смотри, все у них согласовано. Один — люля на мангале жарит, другой водку продает, третий за чистотой следит. И всем хорошо. Каждый свою прибыль имеет.

— Ага, — буркнул Костя, — и рэкету отстегивает...

— Знаешь, Костя, на тебя не угодишь... Ну? Как там в твоем бесшабашном-то детстве?

Я возвращался на рассвете,
Был молод я и водку пил...

Костя вдруг отставил свой стаканчик, отошел от стойки на полшага и, хлопнув в ладоши, правой рукой шлепнул себя по ляжке:

И на цыганском факультете
Образованье получил! —

Спел и тут же принял пристойный вид, будто ничего и не было. Взял стаканчик, бесшумно чокнулся с Турецким и, запрокинув голову, одним махом выпил.

— Ах, хороша, зараза... — почти рычал он, макая люля в кетчуп и жуя без остановки. — У-уф!.. Нет, я тоже не против такого капитализма... Хотя, честно скажу, в той забегаловке, что возле Эрмитажа, было ничуть не хуже... при социализме.

— Костя, — наставительно заметил Турецкий, — это мы с тобой можем помнить ту превосходную забегаловку, и не только ее, а сотни других в Москве, но ведь нынешнее-то поколение помнит только трехчасовые позорные стояния в очередях за водкой и колбасой. И они не желают повторения. Тут я им сочувствую.

— Я тоже, — деловито заметил Костя, — открывай следующие...

4

Когда они возвращались в контору, Костя достаточно кратко, хотя и емко, как он это умел, поставил перед Сашей все основные задачи, а под конец прямо-таки ошарашил:

— А чтоб все у тебя получилось, как следует, ты обратишься за помощью, предварительно, естественно, сославшись на меня, к старшему инспектору Франкфуртской уголовной полиции Хансу Юнге. Он тебе немедленно окажет посильную помощь. Привет, конечно, передашь.

— Ко-остя... Да ты что, волшебник, что ли? — изумленно спросил Турецкий. — Ты знаешь, чем он сейчас занимается? Расследует именно убийство Манфреда Шройдера, директора филиала «Золотого века»! Откуда тебе известен этот Юнге?

— Александр Борисович, — почти официально заявил Меркулов, — когда я вас научу не задавать своему начальству нелепых вопросов?

Перед внутренним взором Турецкого словно бы просквозила цепочка фактов: Алмазов — Шройдер — «курьер» — звонок из Франкфурта — другой звонок...

Кажется, что-то оформляется, подумал Саша с неожиданной тоской в душе.

— Костя, позволь и мне дать тебе на прощанье маленькую информацию к размышлению. Можно?

— Ты так говоришь... — усмехнулся Меркулов. — Ну что ж, давай.

— Костя, я понимаю, что это похоже просто на бестактность, на элементарную невежливость, вообще черт знает на что, но... Попробуй еще раз любым способом подкатиться к академику, понимаешь? И, Христом Богом прошу тебя, узнай, под своей фамилией уехал в командировку Кирилл Романов или под псевдонимом?

— Так что ж тут спрашивать-то, — пожал плечами Костя. — Естественно, под псевдонимом.

— Это точно?

— Во всяком случае, мне можешь верить.

— Все равно спроси, — настаивал Турецкий, — псевдоним — Владимир Захарович Рослов?

— Ты... сошел... с ума... — Меркулов даже глаза вытаращил. — Почему ты думаешь?

— Потому что думаю, Костя... Денис вчера провел глобальную проверку. В квартире 19 по Благовещенскому, в доме 7 А, которого не существует уже почти два года, проживала большая семья ныне покойного майора КГБ Хлоплянкова. И никаких других жильцов там отродясь не было. Липа, Костя.

— Вот это номер... — пробормотал Меркулов — Хорошо, я запомню. Ты хотел позвонить в Мюнхен, этому своему Равичу, чтоб встретил. Я полагаю, лучше всего это сделать от Грязнова. До свиданья, Саша.

— До свиданья, Костя. Но что я объясню Ирке и Нинке?

— Если хочешь, объясню им я.

— Это было бы неплохо. Но лучше я сам позвоню. От Грязнова. Пока.

ПЯТНИЦА, 13 октября

1

Было еще темно и пасмурно, когда Турецкий поставил свою «лайбу» на платной стоянке возле аэропорта Шереметьево-2 и, подняв воротник утепленного плаща, с кейсом в одной руке и длинным черным зонтиком, навязанным Денисом, в другой, проследовал в зал вылета. Он уговорил Грязновых пожалеть и дать возможность избавиться от ненужных прощальных церемоний. Достаточно того, что они втроем, по обычаю, присели на дорожку, после чего Саша повторил Денису, что, мол, встретит во Франкфуртском аэропорту в воскресенье утром. Лету, как сказали Турецкому в агентстве «Люфтганзы», до Франкфурта три часа, а учитывая два часа временной разницы, в общем, выйдет так на так. Денису, конечно, в Германии будет гораздо легче: он их язык знает. А Турецкий владел языком в пределах школьной программы вековой давности. Две-три матерщины не в счет...

Больше всего не желал Александр Борисович, чтобы рейс по какой-нибудь причине отложили. Из-за погоды. Совсем низкая облачность, противное сеево — не то дождь со снегом, не то, наоборот, снег с дождем. Да к тому же — только тут, в аэропорту, сообразил — ведь, мать честная! — сегодня ж пятница! И мало того — тринадцатое число! Нарочно не придумаешь. Но, вспомнив Ирку и скрестив, по ее обычаю, указательный со средним пальцы, он сплюнул через левое плечо и смело направился к стойке регистрации.

Заполнение декларации заняло несколько минут. Вещей при себе нет. Золота — тоже, ни на пальцах, ни на шее. Часы — обычные. Валюта? А какая у командированного особая валюта? Ту, что выдали в конторе, Саша как-то забыл поменять на марки или доллары. Поэтому выручил, как всегда, Грязнов. Он велел Денису посчитать и поменять дяде Саше... хм, Александру Борисовичу, по сегодняшнему курсу, ну... на пятьсот долларов. Два миллиона, когда-то мифическая сумма, была немедленно выложена на стол. Господи, кто бы мог подумать, что он станет настоящим миллионером! А вот ведь нате вам, и еще осталось. Это уж, когда вернется, понадобятся, жить-то надо... Хоть и миллионеру.

Сразу после пограничного контроля (а как звучит: секьюрити!) он перешел в руки Европы. Желаете откушать? Нате вам шведский стол. Выпить? Ноу проблем! Но Саша не был новичком: чай, даже в Америку однажды летал! Его эти глупости не интересовали, ибо обслуживание у «Люфтганзы» было на высшем уровне. А коли так, следовало сохранить в желудке место для хорошей пищи, а не случайного силоса.

Саша быстро понял, что не прогадал. Потому что, едва взлетели, очень милые, совсем не похожие на немок, стюардессы проворно засновали по просторному салону «боинга», готовя пассажиров к первому завтраку. Руководил этой милой длинноногой командой не то пилот-недоучка, не то старший стюард. Вид у него был, во всяком случае, почти неприступный, а золотых шевронов по всем возможным местам — в избытке. А еще он напоминал полномочного посла какой-нибудь самой маленькой островной империи, где все блестящие причиндалы высокородства передаются по наследству. Видел однажды Турецкий такого посла — он переливался в буквальном смысле всеми цветами радуги.

Но юмор ситуации заключался в данный момент в том, что «посол», как тут же про себя стал именовать этого мужика Саша, почему-то выбрал мишенью своей любезности именно Турецкого. Не его соседа справа — полного, тяжело сопящего господина в странном парчовом жилете, и не соседку слева через проход, за которой Саша и сам бы с большим наслаждением приударил, так мило и ненавязчиво меняла она элегантные позы, ловко вскидывая ногу на ногу и демонстрируя в глубоком разрезе короткой юбочки нечто интимно-розоватое. Не прошло и десятка минут, как «посол» склонил в вежливом поклоне белесо-золотистое темечно и произнес по-русски:

— Будем пить аперитив?

— Будем, — охотно согласился Турецкий, принимая бокал слабенького алкоголя, пахнущего анисом.

Через несколько минут — новый поклон:

— Сейчас завтрак. Будем водка, шнапс, пиво?

— Пиво, — сказал Саша, вспомнив совет Генерального прокурора Российской Федерации.

— Нет, — заметил услужливый «посол» — надо «Столичная». Пиво — потом.

Вместе с благожелательной улыбкой Саша получил граммов, наверное, тридцать водяры в большом стакане. А еще через несколько минут вместе с вопросом-утверждением: «Можно повторять?» — еще такую же порцию.

«Для тринадцатого числа совсем неплохо, — подумал Турецкий. — У нас бы только первую и единственную дали бесплатно. А дальше — гони монету. Хорошо в Европах, черт побери!»

После вкусного завтрака Саша слегка откинул спинку сиденья, думая немного вздремнуть, но перед ним снова выросла фигура «посла»:

— Наверно, надо немного выпить? — Вопрос был, конечно, по существу.

— А! — таким вот образом высказал Саша все свое отношение к прошлому. — Давайте! И выпить, и закусить.

«Посол» слегка дернулся, чтобы идти выполнять заказ, поскольку порцию водки он уже держал на подносе, но тут же склонил вопросительно голову:

— Прошу извинять. Вас ист дас «закусъить»?

Оказывается, он не знал значения такого всемирно известного слова! А когда, поставив перед Сашей водку, он отправился за сандвичем (примерно таким образом объяснил ему Турецкий, что такое легкая закуска), Саша остановил пробегавшую мимо стюардессу и спросил по-английски, кто этот симпатичный молодой человек и почему он так старательно хочет напоить пассажира, девушка смеясь ответила, что Вальтер — у них старший стюард и в настоящее время стремительно изучает русский язык. Начиная, естественно, с самого необходимого в России. Турецкий смеялся, как ребенок, а позже объяснил Вальтеру, обратившись к нему: «герр Вальтер», чем, вероятно, поразил его до глубины души, что вообще-то всем иным напиткам лично он предпочел бы хорошее баварское пиво. И стюард все оставшееся время полета старался доказать русскому пассажиру, что в Баварии варят действительно самое вкусное пиво.

Как-то за пивом постепенно отошли в сторону окружавшие Турецкого со всех сторон заботы. Он как бы запретил себе вспоминать, зачем, с какой целью летит сейчас в Германию. Будто, перенеся кипу дел из своего сейфа в меркуловский, он напрочь отрешился и от необходимости думать о них. Однако несколько мелких гвоздей все-таки не давали возможность почувствовать себя до конца свободным. Не удалось переговорить с Толей Равичем. Секретарша в офисе сообщила, что патрон находится в городе и дома будет только ночью. Но она обязательно сумеет передать ему просьбу Турецкого встретить его в аэропорту Франкфурта. Еще она сказала, что если он сам не успеет, то обязательно найдет возможность прислать кого-то из своих сотрудников, надо, чтобы господин Турецкий внимательно прослушал объявление по радио.

В принципе-то, конечно, не беда, если и не встретят, уж как-нибудь по-английски Саша сумеет объясниться со справочным бюро. Да и офис городской криминальной полиции — тоже, вероятно, не Бог весть какая тайна. А там есть герр Ханс Юнге — дэус экс махина, как сказал бы латинянин, — то бишь Бог из машины, типично театральный термин, перешедший в нашу грешную действительность: десяток лет назад — секретарь райкома партии, а сегодня — рояль в кустах... Тут особых сложностей Саша не видел.

Печалил разговор с Ириной. Естественно, она не ревела, не обвиняла в нежелании побыть с семьей, понимала, что ему просто необходимо отдохнуть, иначе он свалится, а семья в прямом смысле подохнет с голоду. Но за всеми этими фразами стояла горчайшая правда. И выражала она лишь одно: очень, чрезвычайно плохи твои дела, Александр Борисович. Нельзя так дальше жить, ибо это уже и не жизнь вовсе, а одно сплошное мучение. И обещание примчаться к ним в самые ближайшие дни было понято Ириной как еще одно очередное обещание, которое способно быть нарушенным любым словом или указанием вышестоящего начальника. И никто ни в чем не будет виноват, потому что такова эта сучья жизнь и сволочная профессия.

Турецкий долго не мог отделаться от ощущения какой-то общей безнадеги после сумбурного разговора с женой. А тут еще этот младшенький бензинчику подлил! Поздно уж было, когда Олег позвонил Грязнову и попросил передать трубку Саше. Сказал, что вопрос с Иркой он уже практически решил и осталось ожидать лишь Сашиного звонка из Германии. Спросил, встретят ли, не нужна ли еще какая-нибудь помощь от него. Турецкий бурчал в ответ нечто благодарственное и нейтральное, а сам думал, что надо действительно бросить все к черту, уйти в белодомовские служащие, перекладывать со стола на стол никому не нужные бумаги и при этом пользоваться всеми благами, которые прежде были доступны Совету Министров, Верховному Совету и прочим верхним организациям, вместе взятым. А если разрешат при этом еще и советы давать, так извините, ради этакой жизни можно поступиться очень многими принципами. Если вообще не всеми.

Стюардесса объявила о скорой посадке в аэропорту города Франкфурта-на-Майне, а Саша получил от любезного герра Вальтера последнюю порцию водки.

А дальше все было как в лучших аэропортах мира. Самолет приземлился, к нему присосалась труба-коридор, и пассажиры, не надевая пальто, беззаботно протопали в огромный, сверкающий зал. Плащ, кейс да зонтик — вот все Сашино добро, и с ним он спокойно и неторопливо прошествовал к паспортному контролю. Вообще-то говоря, на отдых так не ездят. Но Турецкий был готов ответить любому интересующемуся, что той пары рубашек, носков, трусов и прочей мелочи, что уместилась в кейсе, ему вполне достаточно для первого дня пребывания. А в дальнейшем — к услугам любой магазин. Разве не по-европейски? А чем же мы хуже других?..

2

Пройдя все кордоны, он вышел, наконец, в зал, где толпились встречающие, и огляделся: никто к нему не кинулся. Что ж, будем внимательно слушать, сказал он сам себе, и снова рассеянным взглядом окинул лица встречавших. В этот момент кто-то вежливо тронул его за локоть. Саша обернулся. Рядом стоял рослый молодой человек с явно славянским лицом — русоволосый, нос вздернутой кнопкой, голубые наивные глаза.

— Извините, — сказал парень с легким, напоминающим прибалтийский, акцентом, — это вы, — господин Турецкий?

— Я, — кивнул Александр Борисович. — А с кем имею честь?

— Очень приятно, — ушел от прямого ответа встречающий. — Мы вас ждем. Очень приятно, прошу, там машина. — Он тут же предупредительно, но настойчиво, как — помнил Саша — делает это обслуга за границей, почти выхватил у Турецкого кейс и зонтик, оставив только плащ, взял Александра Борисовича под локоть и увлек сквозь толпу к выходу. Шагал он широко и свободно, помахивая кейсом и не забывая при этом освобождать проход гостю. Турецкого так заняла эта необычная встреча-пантомима, что он как-то и не глядел по сторонам и опомнился лишь тогда, когда оказался на улице, а к самой бровке тротуара, где он остановился, подкатил шикарный серый автомобиль.

Из машины вышли двое и пошли навстречу.

Саша раскрыл было рот, чтобы поприветствовать их и произнести приличествующие ситуации слова, но тут же ощутил весьма чувствительный толчок в бок, ближе к печени, дернулся, но его мигом успокоили.

— Без волнений! Садитесь в машину, господин Турецкий, — сказал улыбчивый голубоглазый. — Не создавайте себе ненужных неприятностей.

Те двое, спереди, как бы вежливо расступились, один открыл заднюю дверь машины и первым нырнул в салон, показав Турецкому ладонью следовать за собой. Длинный черный ствол пистолета снова больно ткнул в печень. Левый Сашин локоть крепкой хваткой держал голубоглазый. Ситуация!

— Ну же, — негромко сказал тот, что открыл дверь, — не заставляйте нас ждать.

Что оставалось делать? Надо слушаться, а то дяди, видать, серьезные, могут и шум поднять, и стрельбу среди бела дня затеять. Страха Саша почему-то не чувствовал, может быть, оттого, что ему все еще казалось, будто происходящее совершается не с ним, а просто он со стороны наблюдает или смотрит по видику какое-нибудь американское кино. Турецкий покорно сел в машину, рядом тут же устроился голубоглазый, причем голова едва не упиралась в потолок салона, и он съехал на сиденье ниже, почти лег, отчего колени оказались почти на уровне лица. Здоровый парнишечка, похоже, за два метра перевалил. И крепкий — силу хватки уже почувствовал Саша. Третий похититель — теперь только так и мог их называть Турецкий — сел рядом с молчаливым и не обращающим никакого внимания на все происходящее водителем. Кивнул. Шофер плавно и почти бесшумно тронул тяжелый автомобиль с места.

— Для вашей же безопасности, господин Турецкий, — сказал голубоглазый, — нам придется принять в отношении вас некоторые меры предосторожности. Пожалуйста, дайте ваши руки.

Что было делать? Сопротивляться, затевать драку? Раньше все следовало понять, раньше... Саша выпростал руки из-под плаща, и сейчас же на них ловко были защелкнуты наручники, после чего плащ по-прежнему лег сверху.

Машина набирала скорость, за сильно притененными стеклами ее проносились стволы деревьев, еще далеко не всюду сбросивших листву, которая казалась почему-то красного цвета — возможно, от этих автомобильных стекол. Высокая передняя спинка закрывала обзор, вертеться из стороны в сторону было тоже трудно — с боков крепко зажимали накачанные плечи похитителей.

— Чего... он... крутится? — ни к кому конкретно не обращаясь, раздельно произнес передний.

— Господин Турецкий, — миролюбивым голосом сказал голубоглазый, — если вы немедленно не успокоитесь, мы будем вынуждены вкатить вам хорошую дозу успокоительного.

— Я успокоился, — ответил Турецкий и, помолчав с минуту, спросил: — Вопросик простенький можно?

— Если простенький... — хмыкнул голубоглазый.

— Я понимаю, вы меня не в отель везете. Но все же кто вы и на кой хер я вам сдался?

Шофер бросил по-немецки короткую непонятную фразу, в которой было много шипящих звуков. Парни слева и справа мгновенно обернулись и стали вглядываться в заднее стекло машины. Саша тоже хотел было повернуть голову, но тут же получил сильный толчок слева. Передний тоже что-то сказал, но его немецкий, даже для такого неопытного уха, как Сашино, был, конечно, грубой подделкой. Наш, видать. Однако все они поняли друг друга. Машина стала резко набирать скорость. На такой автостраде, понял Турецкий, можно и две сотни спокойно себе выжимать. Однако их беспокойство, вероятно, было вызвано серьезной причиной. Кто-то преследует? А что у них бывает в подобных случаях? Берут заложника, объявляют ему цену, получают деньги, соответственно, убивают либо сами похитители, либо полиция случайной пулей, после чего объявляется, что подобные операции, к сожалению, полностью без жертв не обходятся... Приятная перспектива. Турецкий вдруг усмехнулся и подумал, что поскольку он сам не потерял еще способности к иронии, значит, не все, наверно, и потеряно.

Между тем похитители продолжали совещаться и, наконец, пришли к согласию. Голубоглазый повернул лицо к Саше и сказал с легкой усмешкой:

— Все-таки мы решили сделать вам, господин Турецкий, небольшую дозу. Так надо. Обстоятельства. Не мешайте ему, — он кивнул налево, — надо укол.

Сидевший слева тут же вытащил из внутреннего кармана небольшой кожаный футляр, раскрыл его на коленях, мгновенно собрал шприц, наполнил из ампулы желтоватой жидкостью и, повернувшись к Турецкому, который, ненавидя уколы, готов был даже глаза зажмурить, каким-то ловким, профессиональным движением наркомана со стажем вогнал иглу Саше в предплечье прямо через костюм и рубашку. «Ну и нравы тут! — чуть не воскликнул Турецкий. — Это же зараза, это же черт знает что!» Но сейчас же обожгла иная мысль: а какая теперь разница? Какая разница для приговоренного к смерти, кто перед ним пил из стакана — здоровый или сифилитик в последней стадии?.. Мрачный юмор старого анекдота не то чтобы успокоил Турецкого, а просто слегка расслабил. Или это укол действует? Ему даже захотелось сползти на сиденье, подобно голубоглазому, и закрыть глаза, которые, видимо, устали от нелепого обилия красного цвета за стеклами автомобиля. Что он и сделал, грамотно, как учили когда-то тренеры, расслабив все мышцы. По его виду даже дурак бы понял, что Турецкий впал в беспамятство.

Была и другая надежда: похитители явно не хотели говорить при нем по-русски, а их немецкий, мягко выражаясь, резал слух. Может, все-таки клюнет?

— Как он? — услышал Александр Борисович родную русскую речь. — Отключился, сучара?

— Ага! — Турецкого грубо толкнули в правое плечо, и он расслабленно навалился на сидящего слева. Его снова пихнули, на этот раз слева, и тогда Турецкий покорно сложился, ткнувшись лицом в собственные колени.

— Готов, — констатировал первый. — Не нравится мне тот зеленый...

— Который?

— А вон что за «мерсом» прячется. От порта, между прочим, идет без отрыва. Чей он? Можем уйти?

— Да, вот прямо так и уйдешь... Но это не полиция, та б не тянула... Нет, надо с бана сходить... Я знаю, чего делать. Надо через ярмарку, там ни одна сука не выследит.

— А с этим что? Сделай, чтоб двигался.

Сидящий слева повозился, и Турецкий почувствовал резкий укол в предплечье, отчего и в месте укола, и в груди, и даже в животе скоро стал разливаться огонь.

Машина между тем резко сбавила скорость, видимо, сошла на более узкую дорогу, запетляла, но вскоре снова вынеслась на трассу. Турецкий, борясь с пожаром в груди, начал активно вспоминать, заставлять себя вспоминать хотя бы то немногое, что вынес со школьных уроков немецкого языка. Дорога, шоссе — бан, убан — это вроде бы метро, баннхоф — железная дорога, но поверху, над головой... или нет? Дениса бы сюда... Вот же дьявольщина! Он же послезавтра прилетит, а его, Турецкого, может, уже вообще не будет в живых. На вопрос, какого черта им от него надо, они, конечно, так и не ответили. Значит, в чьих он руках? Мафии? Скорее всего, именно так. А что им от него нужно — опять-таки только дураку еще неясно. Что нужно было тем, кто хотел вмять его в багажник банкира Игоря Борко? А тем, кто ему и Косте шайбочки подкинул? Тем, кто совершенно в открытую, нагло, на глазах десятков людей, сунул заточку в сердце Семену Червоненко? Но если им от следователя Турецкого действительно что-то всерьез нужно, значит, далеко не все потеряно, можно и побороться, и поторговаться за свою жизнь.

Ну вот, от напряжения, оказывается, стали и мысли проясняться. Значит, приказал себе Турецкий, категорически нельзя ни на миг расслабляться. Надо выдержать... выдержать... выдержать... Он громко застонал и, демонстрируя неимоверное усилие, разлепил веки. Похитители тут же перешли на плохой немецкий.

В их диалоге мелькнуло слово «вестхафен» — с российским, как говорится, прононсом. Ну «вест» — это запад, а «гафен-хафен» — что? Да «гавань» же! — обрадовался Турецкий и сообразил, что речь шла о западной гавани Майна. Вот, значит, где они сейчас находятся. Нет, не зря Дениска возил его носом по карте Франкфурта, показывая, где что. Где аэропорт, где центр, какие мосты и магистрали, куда они ведут. Конечно, всего запомнить Турецкому было не по силам, да и карта была немецкая, вот если б русские названия... И то польза, однако. Но куда ж его все-таки везут? Центр города, который так хвалил покойный Кочерга, похоже, много правее. Как это? «Сижу я на Цайле...» Ну да, пиво темное пил в баре. Где его и выследили рыжий с чеченом...

Машина проскочила мост, и Турецкий увидел здоровенного, будто вырезанного из фанеры, плоского мужика, метров, наверно, десяти высотой, который с размеренностью механизма странно пластичными, но дергаными движениями поднимал и опускал огромный молот. Интересно, что он должен символизировать? Постой, насторожился Турецкий, а о чем этот молотобоец должен мне напомнить? Ведь говорил Дениска о нем. Справа вырос нелепый какой-то островерхий дом-башня с черными, не то сизыми стеклами. Машина уже двигалась по улице, запруженной народом. Голубоглазый вдруг спросил о самочувствии, Саша попытался неопределенно пожать плечами, демонстрируя большую слабость, нежели ощущал на самом деле. Это, кажется, окончательно успокоило похитителей. Они снова перекинулись несколькими фразами, после чего голубоглазый продолжил беседу с Турецким.

— Сейчас, господин Турецкий, я снимаю с вас наручники, если вы нам немедленно пообещаете не делать резких движений, никого не звать на помощь и не сопротивляться. Мы выйдем из машины и пройдем в то большое здание, это Книжная ярмарка. Я настоятельно не советую вам проявлять это... самостоятельность. Идет?

Саша равнодушно пожал плечами и кивнул, будто перебравший алкоголик. Добавил индифферентно:

— В туалет хочу... Пиво... бир... ферштеете? Нет? Ну и ладно... Я вам тут...

— Туалет будет, — быстро сказал голубоглазый и повторил по-немецки, и Саша так и не понял, почему им стало весело. Зато очень хорошо он понял другое: любое необдуманное движение или жест могут немедленно повлечь за собой пулю из длинного черного ствола, столь изящно украшенного глушителем. Так что никто рядом ничего даже не услышит и не поймет, почему это человек свалился на пол, а из рта его разит спиртным.

Похитители, конечно, — и это быстро оценил Турецкий — знали свое дело. Они ловко подхватили его под руки и буквально вынесли из салона. Рассекая толпу, поднялись в здание, а дальше началось просто невообразимое: они быстро двигались какими-то прозрачными переходами, спускались и поднимались эскалаторами, перемещались из павильона в павильон движущимися дорожками. Их со стороны, как бы представлял Саша, и не могли бы счесть за похитителей и заложника. Просто двигались в кишащем людском муравейнике несколько человек, одетых весьма прилично, поддерживали друг друга, помогали, подхватывали под руки, о чем-то на ходу переговаривались, — что же тут необычного? Турецкий, ослабленный уколом, но искусственно взвинченный энергичными движениями похитителей, помимо своей воли поддался их темпу и со стороны, пожалуй, ничем от них не отличался.

В том же деловом ритме зашли они в туалет, где Турецкого тактично и ловко окружили и позволили совершить необходимое дело. С той же скоростью поднялись в ярко освещенный зал, где Турецкому зачем-то вручили вафельный кулек с мороженым. Он послушно и даже с какой-то детской радостью лизнул холодный сладкий шарик, пахнущий ванилью. Группа в приличном темпе промаршировала дальше, от павильона к павильону, двое поочередно придерживали Турецкого под руку, третий двигался сзади. Саша понимал какимто отстраненным умом, что он выглядит с этим мороженым в высшей степени нелепо, но потом, увидев, что не он один облизывает цветные кулечки, не то чтобы успокоился, а просто без сожаления выкинул свое недоеденное мороженое в ближайшую урну.

Перед входом в один из павильонов — десятый или одиннадцатый по счету, Саша уже не мог бы вспомнить, — они остановились, и голубоглазый принес каждому по бутылке пива. Турецкий видел, что темп, который был взят с самого начала, требовал подпитки. И похитители, словно наперегонки, опустошили свои бутылки. Саша же не торопился. А куда ему-то было спешить. Тем более что внимание его привлек странный человек — длинный, и худющий, с козлиной бородкой, весь в черном, игравший у входа на скрипке. Возможно, похитители не возражали, чтобы Турецкий немного передохнул от сумасшедшей гонки. Он даже позволил себе сделать по направлению к скрипачу пару мелких шажков.

Это был старик, на нем, словно на вешалке, надет был черный фрак. На ногах черные же остроносые туфли. Скрипач вытягивался вверх, изгибался длинной черной змеей в такт музыке, фигура казалась такой же нелепой, как тот плоский стальной молотобоец, но так же, как и там, что-то непонятное завораживало, притягивало взгляд. Мелодия была незамысловатой, старик-скрипач жил в ней — одинокий, обладающий этой единственной возможностью заработать себе на хлеб. Толпа же текла мимо.

И снова — быстрей, в темпе!.. «Шнель, шнель!» — звучало в мозгу Турецкого. Вскоре они оказались у другого выхода с территории ярмарочных павильонов. К ним тут же подкатил новый автомобиль. На этот раз это был большой синий «мерседес», по описанию, вспомнил Турецкий, он мог быть родным братом того, в котором погибли Алмазов и «курьер» отсюда, из этого города.

Сашу опять стиснули с боков, и машина понеслась. Он уже не смотрел по сторонам: бессмысленно. Запомнить в этом его состоянии он все равно ничего бы толком не смог. Значит, следовало сосредоточиться на чем-то другом, не менее важном.

И первая же мысль, которая больно уколола сознание, была о том, что если взяли таким вот образом, то теперь уж точно — живым не отпустят. И никто ничего не узнает... Ведь официально он в отпуске. И правду знают лишь три-четыре человека. Которые абсолютно ничем не смогут ему помочь. Ну, может быть, еще Косте удастся поднять на ноги полицейских герра Юнге. И что? Они ж сами вот даже за случайные свидетельства об убийцах собственного банкира готовы десятки тысяч марок платить. А кто им Турецкий?.. Владислава Листьева убили! И Саша знал, как шло расследование, поскольку этим делом занимались коллеги. Сам Президент над гробом Влада клятву давал, что найдут убийц, а чем все кончилось? Что, снова на рельсы ложиться? Вот точно так же забудут и про него, «важняка» Турецкого. Назовут его гибель очередной издержкой на фронте борьбы с организованной преступностью... А может, ребята из «Новой России» некролог дадут, что вот был, мол, такой у них сотрудник, способный следователь, не добравший даже полувека. Глядишь, и тень от крылышка славы упадет на бывшую грешную голову... Но что это он стал так отчаянно жалеть себя? Разве жизнь уже поставила точку?.. Однако о чем он? Ах да, как писал Щекочихин, смерть, точнее убийство Влада, открыло настежь двери для серии «наглых убийств». Демонстративных. Многие стали проводить собственные расследования и тоже стали жертвами. Тот же Кивелиди... А Алмазов, который захотел изменить финансовую политику... всего лишь! Нет, прав был тогда Щекочихин, сказавший, что нынче иметь большие деньги — все равно что ходить по минному полю. Но это же у них! А что, какие деньги у Турецкого? Пятьсот Славкиных долларов?.. Но зачем же они так долго возят-то его? Давно бы уже шлепнули и — концы в воду. А они все везут куда-то...

«Мерседес» ехал вдоль железной дороги. Саша подумал, что этот мир с того часа, как Гагарин обогнул Землю, становится все меньше и все доступнее. А они, следователи, сыскари, продолжают путаться в трех соснах. И ведь прав этот сукин сын генеральный, надо ездить к коллегам, надо видеть и привыкать к другим городам и странам, чтоб легче было потом ориентироваться. Да хоть бы вот как сейчас. Кто объяснит, куда черт занес и где он свой печальный конец найдет?..

Денис, помнится, говорил, что у них, у немцев, города здесь, как у нас деревни, все вдоль главной улицы. Вот, кажется, в один из них они и прибыли. С широкого шоссе машина свернула направо, покрутилась среди двухэтажных вилл, окруженных небольшими садами и стрижеными газонами, и выехала на тихую улочку, состоявшую из нескольких домов. Невысокие сетчатые заборчики. Так себе, будто оградки от кур. Вазоны с увядшими цветами. Вдали, за домами, темно-зеленый массив деревьев. Похоже, парк. Левее — шпиль кирхи.

Когда вышли из машины, Турецкий, показывая, что укачало, сумел, однако, оглядеться, стараясь спрятать глаза от похитителей. Возле дома на противоположной стороне, наискосок, расхаживал крупный мужчина средних лет, одетый в яркий спортивный костюм. Лицо его показалось Турецкому знакомым. Но где и когда видел, да и видел ли вообще, он утверждать не мог. А может, фотографию запомнил? Сам же говорил недавно Юрке Федорову... ах ты Боже мой, сюда бы на минутку его с ребятами!.. Ну да, говорил, что бывает такая зрительная память, когда человек раз посмотрит на прохожего, а потом всю жизнь перед глазами портрет того человека держит... Но кто же это?

В коротких уважительных фразах, которыми перебрасывались похитители, вдруг мелькнуло слово «Мюллер». И Саша вспомнил: знаменитый футболист! Вот так. Значит, здесь он обитает. Или просто случайно тут оказался. А какая разница, если... «Ты еще жив, Турецкий! — приказал он себе. — И запомни: в доме наискосок ты видел самого великого Мюллера».

3

Особняк, куда его привезли, выглядел внушительно: два круговых пандуса, по которым машина въезжает в портик, поддерживаемый четырьмя спаренными колоннами, высокие окна второго этажа в мавританском стиле, крыши боковых пристроек венчают широкие балконы с мраморными балясинами балюстрад. Богатый дом, сделал вывод Турецкий. И вдруг мелькнула мысль: а вдруг пронесет? Все же — тут немцы, а наши у них, похоже, на подхвате: приведи, принеси, подай, поди вон... А что может интересовать немцев? Какая им польза от русского следователя?

По довольно крутой винтовой лестнице Турецкого спустили в подвал. Включили яркий свет, и он увидел обширную комнату, напоминающую музей. На стенах было развешано старинное оружие, блестящие рыцарские латы, какие-то ржавые цепи, обручи и прочие ценности непонятного назначения.

Чтобы не дать себе расслабиться, Турецкий производил в уме нехитрые расчеты: прикинул время дороги, скорость движения, и у него выходило, что от павильонов Книжной ярмарки они отъехали примерно на тринадцать — пятнадцать километров. Но вот в каком направлении, это загадка: на север, восток или запад? Точно — не на юг, иначе бы пришлось снова Майн переезжать...

А его между тем усадили на тяжелый деревянный стул, наручниками, как в самых дешевых детективах, прихватили запястья снизу, на спинке стула, и направили в лицо яркий сноп света — от пятисотсвечовки, наверно. В то время как само помещение окунулось во мглу. У Саши мгновенно заслезились глаза, но ничем помочь оно себе не мог. Разве что плотно зажмурить веки. Но яркий розовый свет пробивался и сквозь них. Совсем худо дело, подумал он, так ведь и ослепнуть...

Его грубо дернули за плечо, но Саша лишь ниже уронил голову, спасаясь от света.

— Ну-ка подними его! — раздался чей-то новый голос, уже без акцента, явно московского происхождения, с растянутым «а».

Резкий удар в ухо, едва не оглушил.

— Идиот! — крикнул все тот же. Саша раскрыл глаза, но ничего не увидел из-за слепящего света, он смог только промычать от боли и помотать головой. — Кофеин вколи, чтоб он быстрей оклемался...

Щелкнул металл, звякнуло стекло, и Саша снова почувствовал боль от укола в предплечье. И опять через одежду. Вот же суки! Наркоманы дерьмовые! Турецкому хотелось кричать, материться, но он усилием воли сдерживал себя, чувствуя, как у него начинает гореть шея, а спина, напротив, покрываться липким холодным потом. Неожиданно и свет перед глазами стал меркнуть, но не настолько, чтоб Саша мог что-то различить вокруг себя. Однако давление на глаза вроде бы уменьшилось.

«Чего это они таким примитивным методом действуют? — подумал Турецкий. — Кофеин... Воткнули бы какой-нибудь... как это Ким обозвал то изделие? Пила... ага, пилотиазин, кажется. Я бы тут же и раскололся до самого донышка, а потом еще сам бы себе и веревку намылил... Или у них этого средства нет?..» Турецкий не мог бы себе и в самом радужном, счастливом сне сейчас представить, что его жизнь ценится больше, чем вышедшая из употребления российская копейка производства девяностых годов нынешнего, уходящего в небытие столетия...

— Ну как он? — поинтересовался все тот же грубый голос.

— Приходит в себя... — кто-то поднял голову, пальцами раздвинул ему веки, потом жесткая ладонь пару раз чувствительно хлопнула по щекам, и Турецкий решил, что пора «прийти в себя».

Он выпрямился на стуле, насколько позволяли прикованные за спиной руки, и поморщился, отвернув лицо от слепящего света. Впрочем, он уже был не таким ярким, кажется, убавили маленько. Но вокруг все равно ничто не различалось.

— Может, ему добавить? — спросил кто-то сзади.

— Дак же сдохнет, — хмыкнул грубиян. — Или выдюжит? Кажись, пришел в себя, скажи там...

По полу застучали каблуки, кто-то ушел. Затем негромко скрипнула дверь, из которой на Турецкого пахнуло не то старой пылью, не то чем-то специфическим, как пахнет из глубины старых книжных хранилищ. Подумалось, что это помещение действительно напоминает подвал какого-нибудь музея.

Из двери, судя по шагам, вышло несколько человек. Турецкий смог различить лишь крупные темные их силуэты. Они прошли туда, где была лампа, задвигали стульями и расселись.

— Как вы себя чувствуете, господин Турецкий? — спросил тихий и мягкий голос, с елейными такими интонациями. Саша стал для себя называть его Елейным. В отличие, скажем, от Грубого или Голубоглазого. И еще был Наркоман, который по-свински вкатывал ему дозы, сволочь...

— Херово, — буркнул Саша и добавил после паузы: — С вашего позволения.

— Ничего, сейчас почувствуете себя лучше. Сделайте ему еще немного... Да не так! — В тоне Елейного вдруг зазвучал металл. — Ты что, на помойке находишься?.. Рукав закатай... да не рви, а закатай, продезинфицируй, фраер, как положено! Что ж вы все как скоты? А нам жизнь господина Турецкого небезразлична. Он нам расскажет о том, что нас интересует, и мы его тут же отпустим. Вывезем в город и высадим в людном месте, пусть отдыхает себе...

Многое не понравилось Турецкому в этом странном монологе, рассчитанном конечно же лишь на него одного. Но эта феня, эти блатные интонации не могли больше ввести в заблуждение. Никакие это не немцы, а наша родная, уголовная братия, скорее всего обосновавшаяся тут, в финансовом сердце Германии, и делающая свои дела, либо выполняющая чью-то волю из России. Поэтому все эти выражения, вроде «жизнь небезразлична» или «высадим в людном месте», — туфта для дурака, не больше. Вот, значит, к кому мы попали в гости!..

— Ну, — ласково поинтересовался Елейный. — Можете говорить?

— Могу, — спокойно ответил Турецкий, решив пока ничего не обострять и постараться быть действительно послушным. Чем черт не шутит, в конце концов?..

— Меня интересует все, что касается вашего хорошего знакомого Виктора Антоновича Кочерги...

«А он сделал в фамилии правильное ударение!..» — ...что он вам рассказывал, кого видел, словом, все-все. Вы мне это расскажете, а я обещаю не делать вам больно, идет? Кхе-кхе...

Турецкий лишь равнодушно пожал плечами, услышав этот неприятный покашливающий смешок.

— А какое это имеет теперь значение, если он повесился?

— Вы не поняли. То, что он повесился сам, нам хорошо известно. Но мы не знаем, о чем он вам успел рассказать, когда провел в вашем доме целую ночь. Вот об этом он не успел нам рассказать, потому что сильно торопился... — И снова этот смешок. — А вы нам теперь все и расскажете.

— А еще что вас интересует?

— А вы не торопитесь, времени у нас мно-ого! Главное, чтоб вам сил хватило.

— Ладно, я расскажу. А что я-то буду иметь потом за это? Тоже петлю?

— Ну зачем же?.. — посетовал Елейный на такое взаимонепонимание. — Мы вас вывезем, как я обещал...

— Ну да, в людном месте прикончите, понятно. Нет, я готов вам рассказать, что знаю, тем более что сведения эти никакой ценности больше не представляют, поскольку дело-то об убийстве Алмазова — если вам известна эта фамилия — прекращено. И сдано в архив. Но мне нужны твердые гарантии. Иначе и слова от меня не добьетесь.

Елейный хмыкнул, и Саша услышал, как он тихо, почти шепотом, сказал сидящему, видимо, рядом с ним:

— Торгуется... Жить-то хочется, а как же... — И тут же громко: — Мое слово твердое. Вы нам сведения, мы вам — свободу.

— Добавьте: сукой буду! — пошел на обострение Турецкий, он хотел твердо знать, на что мог рассчитывать.

Какое-то легкое шевеление — и сразу же оглушительный удар кулаком сбоку в челюсть. Перед глазами взорвалось солнце, рот наполнился соленой густой массой, которая почему-то колола горящее небо. Саша не мог ни проглотить, ни выплюнуть ее, и лишь перевалил во рту, чувствуя, как быстро увеличивается в размерах его правая часть лица.

— Извините, но вы повели себя нетактично, — услышал он тихий голос Елейного. — Впредь не позволяйте себе грубостей.

Саша, наконец, смог вытянуть голову вперед, насколько это удалось, и выплюнул на пол багровый кисель. Распухшим языком почувствовал дырки между зубами справа вверху. Посмотрел на свои брюки, забрызганные кровью, покачал головой с сожалением. Непонятно было, чего ему больше жаль — загаженного костюма или отсутствующих во рту нескольких зубов.

— По-охо... — выдавил из себя наконец.

— Да уж чего хорошего-то, — подхихикнул Елейный, и его поддержали те, что сидели в темноте.

— Фаша або-та на хее... — протянул Турецкий с трудом.

— Чего он? — спросил Грубый.

— Простите, господин Турецкий, народ не понимает, о чем вы. — Елейный так и сочился благожелательством.

Саша, наконец, смог справиться с речью и объяснил, что он имел в виду Липкина.

— Что за Липкин? Кто он?

— Доктор... Он мне зубы вставлял, недавно. А теперь вся его работа — вон, — Саша подбородком показал на кровавое пятно на полу.

И эта сволота, поняв наконец, о чем шла речь, расхохоталась. Им, видишь ли, было весело от пустой, ненужной уже работы доктора Липкина. Саша не понял, может быть, идиотическая ситуация и его собственный, довольно-таки странный юмор тут оказали влияние, но сама атмосфера, что ли, в этом подвале изменилась. Во всяком случае, больше его не били. И Турецкий, отчетливо сознавая, что положение все равно абсолютно не в его пользу, начал неторопливо, будто припоминая, рассказывать про Кочергу все, что было ему известно. Нет, не все, конечно. Он уже видел, что конкретно, какие сведения были больше всего нужны этим бандитам, и старался незаметно уходить от них. Однако и перед ним сидели явно не дураки, это тоже скоро оценил Турецкий по тем наводящим вопросам, которые ему время от времени подкидывал Елейный.

Саша специально не торопил своего рассказа, всячески тянул время, повторялся, словно память его подводила, а он, морщась, заставлял ее через силу работать. И подспудно почему-то веселила мысль, что с такой памятью его и на пушечный выстрел не следует подпускать не только к Генеральной прокуратуре, но и вообще к профессии юриста. Но, кажется, те сведения, которые он выдавливал из себя в час по чайной ложке, устраивали его похитителей.

Неожиданно вопросы перешли в другую плоскость. Елейного стало интересовать, видел ли Кочерга того, кто сел к Алмазову? А кто там был еще, кроме Алмазова? Куда они делись? Как выглядели?

Вот теперь и наступила, наконец, полная ясность. Убийца желал знать, кто его видел. На всякий случай, первой его жертвой стал сам Кочерга, второй — случайный водитель такси. Следом должны уйти все те, кто так или иначе были задействованы в этом эпизоде и могли видеть убийцу. Значит, что же? Убийцей мог оказаться тот, в длинном темном плаще и с усиками, который рисково стоял на самой бровке тротуара и которого чуть не сшиб Червоненко. Либо это был только исполнитель, который может теперь, без всяких сомнений, вывести на основного заказчика. Но если это был действительно просто исполнитель, его проще убрать, да и дело с концом. Разве не таковы условия их существования! А поскольку этот интерес сохраняется и, помимо всего прочего, еще и оберегается с помощью убийства свидетелей, получается так, что, по логике вещей, этот самый исполнитель являлся одновременно и главной фигурой в кровавой игре. И еще одно обстоятельство в пользу данной версии... Турецкий привычно прокручивал варианты, забыв, что сейчас совсем не до этого, что о собственной жизни надо думать, а не о закрытом, условно естественно, деле. Ведь, черт побери, не мог простой исполнитель спокойно сесть в машину банкира и секретного «курьера»... находящегося, если концы сойдутся, под «крышей» Службы внешней разведки! А если это все-таки так?.. Нет, мелькнувшая было мысль показалась Турецкому настолько чудовищной, что он немедленно отбросил ее. И почувствовал, как его довольно-таки крепко тряхнули за волосы. В чем дело? Оказывается, он пропустил, прослушал очередной тихий вопрос Елейного.

— Простите, у меня что-то с головой. — Саша, опустив голову, помотал ею из стороны в сторону и, сощурившись, попробовал разглядеть своих мучителей, сидевших во мраке, за столом. Свет от лампы задевал край стола, на котором лежали документы Турецкого, деньги, носовой платок, пачка сигарет и зажигалка. Безумно захотелось курить. И он заявил об этом. Елейный не стал возражать, более того, он разрешил даже отстегнуть одну руку Турецкого от стола. Стоявший за Сашиной спиной шагнул к столу, и Турецкий узнал того, кто в машине делал ему укол. Ну точно. Наркоман. Тот протянул сигареты и зажигалку. Саша торопливо закурил и хотел было сунуть пачку в карман, но парень бесцеремонно забрал у него сигареты с зажигалкой и небрежно швырнул обратно на стол.

— Повторяю свой вопрос, — негромким, каким-то педерастическим голосом прогнусавил Елейный. — Кто такой Рослов Владимир Захарович, которого вы, господин Турецкий, и ваши легавые с таким упоением искали всю последнюю неделю?

«А ведь вопросик-то совсем уже по делу...» — подумал Саша. Он и сам хотел бы знать ответ на него. Примерно так и ответил Елейному. И того, кажется, удовлетворило это сообщение. И снова пошли вопросы про Кочергу. Что он делал в Германии? Какое дело у него тут? Зачем отправил его в Германию Алмазов?.. Кстати, последний вопрос заставил призадуматься и Турецкого. Как же это он не принял во внимание и такой возможный вариант?! Ведь он очень многое менял в раскладе сил. Надо обдумать... Но когда?! Оставалось лишь горько усмехнуться своим несбыточным желаниям. Елейный сразу же обратил внимание на это обстоятельство и поинтересовался, о чем размышляет господин Турецкий. Саша, полагая, что в данной ситуации правда больше может пойти ему на пользу, ответил честно, о чем сейчас подумал, и счел, что для этих уголовников признание следователя-«важняка» в своих просчетах и ошибках — для них как елей.

А ведь они прослушивали, и очень внимательно, а главное — давно. Вот в чем основная и теперь, пожалуй, непоправимая ошибка. Но что же они еще знают? Пока вопросы-то особым разнообразием не отличались. Просто Елейный, как опытный, видимо, третейский судья, — таких особо ценят при всякого рода разборках между преступными группировками, на воровских сходняках и вообще считают крупными авторитетами, — обладал определенными знаниями в области психологии. А если он к тому же сиживал на допросах у толковых следователей и сумел разобраться в отдельных специфических особенностях их работы с подследственным, то наверняка усвоил и некоторые из этих правил и приемов. В частности, и этот — задавать, казалось бы, одни и те же вопросы, но в разной последовательности. Человеку надоедает, осточертевает это однообразие, он раздражается, нервничает, ожидая подвоха, и немедленно прокалывается. Конечно, наверняка думают они, с таким недалеким следователем, который и «важняком»-то стал, поди, по блату, особо церемониться нечего, тем более что он и сам только что признался в своих просчетах. Но пора бы им и тему сменить. Раз уж они так все внимательно прослушивали...

— А кто вам помогал составлять фотороботы на тех, как вы говорите, киллеров, которые гонялись за вашим Кочергой тут, в Германии?.. А как вы считаете, получилось удачно?.. А кто это мог бы подтвердить?

Последний вопрос мог быть задан, на первый взгляд, идиотом. Но Саша понял, что им нужны были еще свидетели, а значит, и новые жертвы. Обойдутся.

— Ну, во-первых, их достаточно подробно описал сам Кочерга. Он же был, как вам известно, боксером, следовательно — обладал острым зрением... А во-вторых, — Турецкий решился хорошо блефануть, — их вполне четко обрисовал и директор гостиницы «Урожайная» Волков, где они проживали у него в одном из люксов.

«Валяйте теперь, проверяйте Волкова, который наверняка если уже не под следствием, то в бегах... А он так вам правду и скажет».

Вероятно, это новое известие сбило Елейного с толку. Или он имел совсем другие инструкции? За столом зашевелились, стали отодвигать стулья. Свет в лампе резко прибавился, и Турецкий был вынужден крепко зажмуриться. А потом вдруг он погас и Саша остался совершенно один в полной темноте...

4

Он не знал, сколько прошло времени — час или больше. Сидеть на стуле было неудобно: болели запястья, притянутые наручниками к спинке тяжелого стула. Саша попробовал раскачать его или просто сдвинуть с места — не получилось. Наверное привинчен к полу. Тело тоже ломило от неудобной позы. Он пробовал заснуть, но это не удавалось тоже: оглушающая, в буквальном смысле мертвая тишина раздражающе действовала на нервы. Он попытался сосредоточиться хотя бы на новой версии, которая могла возникнуть в связи с неожиданным вопросом этого Елейного. Но и тут ничего не вышло: прилив сил после кофеиновых уколов сменился опустошением и усталостью. Тогда он постарался просто расслабиться и ни о чем больше не думать. И тут же услышал ликующее: «Па-апа, а у меня лу-учки!» Саша с такой яростью стиснул зубы, что его мгновенно пронзила жгучая боль — совсем забыл, старый дурак, что ему недавно полчелюсти удалили! И без всякого наркоза... Резкая и острая, словно удар ножа, боль стала понемногу затихать, из глаз постепенно перестали сыпаться искры, напоминающие разряды молнии, голова потяжелела, и Саша впал не то в полусон, не то в полуобморок...

Очнулся он снова от яркого света, бившего в глаза. У его предплечья возился Наркоман. Нет, он не стал тратить время и закатывать рукав, он просто разорвал его по шву, наплевав таким образом на приказ Елейного и испортив единственную достойную вещь из небогатого Сашиного гардероба. Из чего опять-таки следовало немедленно сделать два вывода: первый — Елейный тут никакого веса не имеет и только выполняет свою роль, а все его приказы — пустая игра, рассчитанная на простака; и второе — никто никуда его отпускать не собирается. Туфту гонят, полагая, что господин Турецкий за обещание сохранить ему жизнь, отпустить с миром тут же расколется и все выложит на стол. Ну а потом можно будет всем вместе посмеяться над такой детской наивностью взрослого человека. Поэтому придется в любом случае изображать свою жизнь имеющей несомненную пользу для них. Чем дольше протянешь, тем больше проживешь...

— Ну как, господин Турецкий, вы себя теперь, после укольчика, лучше чувствуете? — И не дождавшись ответа: — Вот и ладушки... А теперь нас интересует еще один покойничек по фамилии — Червоненко. Давайте-ка поподробней вспомним и о нем... А вы молодцы, ребятки, правильно сделали, что помогли двум несчастным женщинам... Но это ж по вашей вине, господин Турецкий, вдовами-то они остались, по вашей. Ай-я-яй! Не трогали б вы ихних муженьков, все было бы тип-топ. А вы вот влезли без спросу в чужую жизнь и эвон что натворили, да-а...

На сем проповедь пополам с обвинительным приговором завершилась, и последовал вопрос: как Семен описывал своего пассажира?

Нет, их явно интересовал Рослов. Именно из-за него и разгорелся весь сыр-бор. Не будь его, никого не интересовали бы ни Кочерга, ни Червоненко. По логике вещей, все «хитрые» вопросы этого сукина сына Елейного сводились к одному: что известно про Рослова? То, что именно он садился в машину Алмазова, у Турецкого сомнения больше не было. Его смелая догадка, высказанная в последней просьбе к Косте... Господи, ну надо же — последняя! Да ведь такой оговоркой можно запросто собственную судьбу в угол загнать!.. Однако сказанное тогда было всего лишь мгновенной вспышкой интуиции, не более. Никаких доказательств тому Саша не имел. Вот если бы академик подтвердил, тогда... А что тогда? Нет, лучше не думать, ибо тогда Бога больше нет...

Не интересовал бандитов и Алмазов — так, в общей связи, постольку поскольку. Убедившись с помощью нескольких хитрых ловушек, расставленных в своих ответах, в чем заключается их основной интерес, Саша почувствовал себя увереннее и начал долгую, утомительную для обеих сторон игру, но игру, необходимую ему для сохранения жизни. А им? А черт знает, им-то все это зачем? Приказали наверняка отловить «важняка» Турецкого, вышибить любым путем из него, что ему известно о гонце из Германии в Москву, где предполагает искать убийц, и отправить на тот свет, чтоб на этом не отсвечивал. Вот и вся их логика. Но ведь неужели его напрасно столько лет учили, чтобы он, со своим далеко не бедным опытом, не переиграл каких-то паршивых уголовников? Пусть даже в костюмах от Диора... или от моднейших российских кутюрье, тайно одевающих бандитскую элиту... Деньги, ох, деньги! А ведь это действительно минное поле. Ну, ходите пока...

Турецкий безумно уставал от постоянного напряжения, голова его опускалась, слипались веки. Ему тут же вкатывали очередную дозу кофеина, взбадривали, чтобы продолжать и продолжать многочасовые допросы. Бандиты уставали и уходили, оставляя включенной сильную лампу, свет которой стал действовать на мозги, подобно солнцу, расплавляющему воск. Есть ему не давали, пить тоже. Только один раз подвели к какой-то двери, открыли ее, и на Сашу пахнуло такой тухлятиной, что его чуть не вывернуло. «Давай сюда, — хмыкнул Наркоман, держа его за левую руку, — не боись, хер не откусят...» Трупы они, что ли, сюда сваливают? — мелькнула мысль, от которой всего передернуло. Он, сдерживая дыхание, сделал свое дело, и его снова вернули на стул, сковав обе руки. Так и не удалось узнать, сколько времени. Во всяком случае, казалось, что прошло уже ничуть не меньше суток. Хотя, черт знает, ведь в такой ситуации время может и тянуться бесконечно, и мчаться с сумасшедшей скоростью. Поди разберись...

Больше всего он боялся прекратить выдавать им информацию. Ведь это означало бы, что он полностью выпотрошен и может быть уничтожен за ненадобностью. И Саша тянул, сколько мог, имитировал обморочные припадки, частичную потерю сознания, бредовые галлюцинации, перемежая их минутами вполне трезвого и отчетливого понимания сути задаваемых вопросов.

Что там, наверху, — ночь или день, он, разумеется, не знал. Только однажды, после довольно длительного перерыва в допросе, услышал, как сладко зевнул Наркоман, который постоянно находился у Турецкого за спинкой стула. Для создания общей атмосферы бодрости, надо понимать. И этот зевок подсказал воспаленному мозгу Турецкого, что тот, видимо, недавно вылез из постели. Еще толком не проснулся. Значит, сейчас утро. Но какого дня?..

Вопросы снова, в сотый, наверно, раз, пошли про проклятый «фольксваген». Зачем взяли на Петровку, что в нем искали, что нашли?.. Турецкий тут почти ничего не скрывал, все рассказал про пальцевые отпечатки киллеров, даже про то, на чье имя он был взят. Промолчал лишь об осколках ампулы и отпечатки пальцев Кочерги. Эти последние факты Турецкий скрыл потому, что они потянули бы за собой новую цепь вопросов, которые уж точно не могли бы привести ни к чему хорошему. Пусть они пока считают, что версия о самоубийстве Кочерги полностью удовлетворяет следствие. Если сейчас Турецкий для этих бандитов просто отдыхающий в Германии дурак, то в противном случае они непременно заподозрят в нем хитрого лазутчика... Хотя нелепо рассчитывать на какое-то снисхождение с их стороны. Ну, в конце концов, на каком-то очень опасном этапе можно вспомнить и этот факт и тем самым еще немного оттянуть трагический финал...

Заметив, что Турецкий начал попросту сипеть — все в горле давно и напрочь пересохло, и как он еще говорил, сам не мог понять, — Елейный велел влить ему в рот банку пива. Ведь они наверняка записывали его на магнитофон, потому что Саша не слышал шелеста переворачиваемых страниц бумаги. Значит, им стало просто плохо слышно, что он выдавливал из себя. Пиво утолило жгучую жажду, но и расслабило, снова потянуло в тяжелый сон.

Наркоман тут же воткнул ему иглу шприца, но и укол помог ненадолго. Саше уже и не надо было имитировать безумную усталость.

Он действительно еле соображал, что с ним происходит, и на все вопросы бормотал что-то неразборчивое.

Видимо, это последнее обстоятельство и переполнило чашу их терпения. Хотя внешний вид Турецкого демонстрировал, что он уже полностью и окончательно отключился, а сам Саша в этот момент молил Бога, чтобы тот не дал ему уснуть, провалиться в черноту, остатками угасающего сознания Турецкий понял, что разговор о нем пошел уже без утайки. Бандитам нечего и незачем было теперь скрывать от него. Перед ними полулежал на стуле полутруп, не способный ни на какие истерики или опасные выходки.

— Все, будем кончать, — заявил Елейный безапелляционно. — Только время зря теряем. Конечно, я понимаю, этот долбаный Гладиатор нас затрахает, но вы же сами видите, что легавый уже персонально копыта отбрасывает, а нам тут на кой хер лишняя вонь?

Ему возразил грубый голос:

— Я ж не против, да только указания такого я не помню, чтоб нам его мочить. Колонуть — да, а чтоб по-мокрому...

— Ты помолчи, Колун, — перебил Елейный. — Я здесь старший, мне и знать, что делать. Такое мое решение: легавому в глотку влить бутылку водяры — и в реку. У этого, у Шванхемского моста, и нырнет белый наш лебедь, сизокрылый, кхе-кхе.

— Это ж куда везти!

— А вот и славно: ночь — милое дело, ребятки. Через день-другой отловят, то да се, пьяный русский пузыри пускал. Кого искать-то станут? Он что тут — первый такой? Гном, тащи сюда бутылку...

Саша сквозь пелену сна чувствовал, как его стаскивают со стула, вливают в горло раскаленную жидкость, которая, все опаляя, скапливается внутри и начинает раздирать внутренности каким-то страшным, замедленным взрывом. Он слабо дергался в жестких клещах, сжимавших его со всех сторон, захлебывался и отчаянно сопротивлялся насилию, но со стороны это сопротивление выглядело, как слабые предсмертные конвульсии.

Бандиты быстро вытащили почти бездыханное тело Турецкого наружу и сунули в раскрытый багажник синего «мерседеса». Потом Елейный, грубый Колун и голубоглазый Гном сели в машину и умчались в город. Наркоман, внимательно оглядевшись по сторонам, притворил ворота и ушел в дом.

5

Синий «мерседес» проехал через мост, свернул направо и, проскочив мимо небольшого кладбища, выбрался на набережную Майна. Впереди были шлюзы, у невысокого берега пришвартовались несколько барж и небольшая яхта. «Мерседес» двигался тихо, боковые стекла его были опущены, и пассажиры в салоне наблюдали за тем, что делается на набережной. Встречных машин не было. На баржах — тоже никакого движения. Только на яхте над рубкой краснел маленький фонарик. И нигде никаких голосов — тишина. «Мерседес» подъехал к самому парапету и остановился. Из машины вышли трое, открыли багажник, посветили ручным фонариком.

— Твою мать! — неожиданно злобно выругался один из них. — Да он же мне тут все засрал! Кто отмывать-то будет?

— Ничего, — тихо остановил его ласковый голос второго, — Гному поставишь, он тебе все языком вылижет. Да, Гном?

— А пошел бы ты! — рявкнул третий.

— Ну-ну, без шума, видишь, народ кругом спит, чего кричишь-то? Давай лучше пощупай, есть у него пульс или уже накрылся?

— А ты сам щупай, у него все руки в блевотине, больно мне надо...

— Ну ладно, все равно убирать-то нужно... — примирительно сказал второй. — Давайте берите его там за что можно и — туда, — он махнул рукой за парапет.

Матерясь, двое других вытащили из багажника бездыханное тело и положили на парапет.

— Может, приделать его на всякий случай? — спросил здоровенный Гном.

— А он и так не дышит, — брезгливо склонившись к телу, сообщил другой. — Ладно, ребятки, Бог нас простит, одним легавым все же меньше. Давайте его, давайте! — И он показал обеими кистями рук, чтоб тело поскорее спихнули в воду.

Те столкнули тело, раздался громкий всплеск, и тут же один из них громко, во весь голос, выматерился: он, оказывается, не рассчитал, поскользнулся, а второй его подтолкнул — и теперь он весь перемазался.

И сейчас же громкую ругань перекрыл пронзительный полицейский свисток.

— Бля! — воскликнул Гном и кинулся к машине, за ним остальные. Один миг, и «мерседес», взревев, как сумасшедший, присел и стремглав исчез в темноте.

А вслед умчавшейся машине раздался пьяный хохот.

6

Хельмут Штильке встречал свой очередной день рождения на борту собственной яхты «Сессиль». С ним в этот торжественный вечер, да теперь, пожалуй, можно бы сказать, что и ночь, оставались трое приятелей, таких же старых и мудрых, как шкипер Штильке. Туристский сезон кончился, желающих прокатиться до Майнца и дальше по Рейну не найдешь, что остается делать? Разве что вот так, за кружкой пива, коротать с бывшими бравыми моряками долгие ночи. А сегодня такой превосходный повод!

Хельмут набил свою трубочку и вышел на палубу, к рубке, посмотреть на ночное небо, послушать, откуда ветер, что несет и когда придется идти к герру Штудманну просить разрешения поставить бедняжку «Сессиль» на зиму в сухой док.

Облокотившись на низенькие шканцы, Хельмут задумался и не услышал, как мимо проехала большая машина и остановилась чуть подальше, там, куда не достигал свет фонаря на набережной. А затем он услыхал грубую русскую речь и брань. Ну да, подумал с некой грустью, теперь они повсюду, эти русские, они такие наглые, никаких правил и законов не желают признавать. Нет, в этом мире что-то крепко сместилось, и совсем не в ту сторону.

Эти русские продолжали о чем-то громко спорить, нарушая такую божественную тишину. Из-за их нехорошей брани даже не стало слышно слабого плеска волны о борт старушки «Сессили».

А потом они что-то потащили к воде и кинули через низкий парапет.

Да что им здесь, в конце концов, свалка? Мусорная яма? Почему надо терпеть это безобразие?! Старик вспомнил о полицейском свистке, который болтался у него на цепочке на шее и иногда очень даже выручал в трудную минуту. Ах, как захотелось ему напугать этих наглецов! Хельмут сунул свисток в рот и пронзительно свистнул.

Через мгновенье из каюты к нему приковыляли друзья и, узнав в чем причина шума, дружно рассмеялись.

— Однако они что-то тяжелое кинули вон там в воду, — заявил он друзьям. — Ну-ка давайте посмотрим.

Хельмут включил большой прожектор на рубке и повел лучом по воде.

— Хельмут, старина, да там же человек! Вон, я вижу его! — закричал Фриц.

— А ну-ка киньте ему спасательный круг! — Хельмут наклонился над бортом и увидел в черной воде светлый покачивающийся шар, приглядевшись, он различил человеческую голову. — Все наверх! Человек за бортом! — команды следовали одна за другой.

А тем временем Фриц с товарищами длинным багром подтягивал к борту бело-красный спасательный круг, в который судорожно вцепился тонущий человек.

Через несколько минут его подняли из воды и проводили в теплую каюту. Утопленник очумелыми глазами разглядывал своих спасителей, с его костюма на пол лилась вода. Хельмут достал из своего шкафчика теплую фуфайку, старые, залатанные брюки и толстые шерстяные носки, протянул спасенному, жестом показывая, чтоб тот переоделся. Утопленник только кивал и, дрожа от холода, что-то пробовал промычать сквозь плотно сжатые челюсти.

Мокрую одежду Хельмут унес на камбуз и там повесил сушиться. А когда вернулся, увидел, что Фриц уже вручил спасенному кружку горячего чая, куда влил добрую порцию шнапса.

Настал момент полного прозрения. Горячий чай со спиртным привел Турецкого в чувство. И он, наконец, полностью осознал, что спасен. Что Богу он теперь просто обязан лично отлить самую грандиозную свечу. Из той переделки, в которой он был, живым не выходят. Значит, не зря приносил молитвы, и нет на нем таких грехов, за которые не бывает прощения.

Эти милые старики о чем-то спрашивали его, но что, а главное, как он мог ответить им? Он лишь прикладывал обе руки к сердцу с выражением самой искренней благодарности, но они не понимали по-русски. Тогда Саша попробовал сложить фразу по-английски, не понимая еще, куда подевалось его знание этого языка. С горем пополам все же удалось сказать, что он русский и очень им благодарен за спасение.

— Русиш, русиш, — загомонили старики, — я, я! Горбатшов, я!

«Какой еще Горбачев!» — чуть не подавился Саша, а потом вспомнил, что ведь точно, чуть ли не сам их канцлер назвал в свое время Горбачева лучшим из немцев.

Хельмут, зная английский, понял потуги Саши и успокаивающе положил ему ладонь на плечо, мол, не волнуйся, это возбуждение пройдет и ты сможешь все толком объяснить. А Турецкому казалось, что его прямо-таки распирает буйная энергия, ему хотелось говорить и говорить с этими замечательными стариками, жаль вот только, что руки как будто не слушаются и слова эти проклятые английские куда-то задевались...

Стакан горячего «морского» напитка возбудил и оживил его. Он стал лихорадочно вспоминать, что же с ним такое случилось в эти последние часы, которые он провел взаперти у бандитов.

Ну да, от бесконечно повторяющихся всплесков энергии, которые вызывались уколами кофеина, его организм стал, видимо, сдавать. Уколы действовали все более короткое время, а потом наступал спад. И в один из таких моментов, когда его жизнь, как понимал Саша, держалась на тончайшей ниточке, созданной лишь усилием воли, причем усилие это он мог сделать над собой в последний раз, мерзавцы влили в него целую бутылку водки. Ну уж теперь, мелькнуло в угасающем сознании, не спасет ничто: сейчас раздастся взрыв и — его тело разлетится во все стороны, превращаясь постепенно в пыль, в ничто. И никаких скорбей не испытывала душа Турецкого, а просто мечтала о близком уже покое и тишине... Но взрыва не произошло. А когда его заперли в багажнике и повезли, как он слышал от кого-то, топить в реке, получилось все наоборот. Не умерла душа, а воспрянула упрямо. И Саша почувствовал вдруг прилив непонятной энергии. Потом от плавного качания его стошнило, но даже это пошло на пользу, поскольку ни у кого не было желания проверять его пульс. А он из последних сил сдерживал желание вскочить и броситься от них. Но возвратившаяся к нему из небытия железная решимость, воспитанная годами следственной работы, заставила даже дышать перестать, когда эта елейная мразь наклонилась к нему. Полностью расслабившись, что стоило неимоверных усилий, он отдался в их руки и так же безвольно полетел в ледяную реку. Лошадиная доза алкоголя помогла и тут: какое-то время ему удалось продержаться под водой, а когда всплыл и увидел бьющий ему в глаза луч прожектора, решил, что фортуна снова обошла его стороной. Нет, в их руки он снова попадаться не желал и уже стал поворачивать в воде, чтобы плыть куда угодно, только подальше от этого смертельно слепящего луча. И тут рядом шлепнулся спасательный круг. И только вцепившись в него руками, Турецкий понял, что спасен...

Он морщился, стучал кулаком по своей ладони, пробовал разговаривать жестами, но его не понимали, а только по-приятельски посмеивались и жестами успокаивали, мол, не волнуйся, парень. Всякое в жизни случается.

Наконец Саша понял, что окончательно устал. Он показал жестами, что хотел бы где-нибудь прилечь. И старый Хельмут охотно проводил его в носовой кубрик, где уложил на свою койку и заботливо прикрыл толстым пуховым одеялом.

Потом старик сделал затяжку из трубки, выдохнул и посмотрел на спасенного. Тот крепко спал.

Хельмут вернулся в каюту, сообщив, что парень в порядке, и предложил сделать по глотку за его здоровье.

— Когда суббота кончается добрым делом, — сказал он наставительно, — значит, мы живем правильно.

ВОСКРЕСЕНЬЕ, 15 октября

1

Утром в аэропорту Франкфурта произошла случайная встреча, не имевшая, впрочем, опасных последствий для ее участников. Хотя, знай они заранее друг друга, очень даже неизвестно, чем могло бы кончиться это знакомство.

В маленьком кафе, за столиком сидел симпатичный пожилой человек, похожий на артиста Смоктуновского, и пил пиво. Большой лоб с залысинами, внимательные, немного печальные глаза, сеточка морщин на висках, уголки рта скорбно опущены. На нем был великолепный костюм-тройка цвета маренго с легким голубоватым отливом, голубая рубашка и темно-синий галстук-бабочка.

Молодой человек, ростом под сто девяносто, с широкими, немного покатыми плечами, который подошел к его столику, держа в руке новенький кейс, разукрашенный блестящими наклейками, был рыжеволосым и, как это чаще всего случается, голубоглазым.

«Действительно, какая причуда природы, — подумал пожилой человек, — почему-то у рыжих голубые глаза. А у блондинов — серые. А вот синеглазые брюнетки — так вообще чистый подарок...»

Молодой человек обратился к нему на хорошем немецком языке, попросив разрешения присесть за его столик. Пожилой благодушно кивнул. Тут же подошедшему официанту молодой человек заказал чашечку кофе. Эспрессо.

Плащ свой он повесил на спинку стула, а похожий на рождественскую игрушку кейс поставил между ног.

«Наш, русский», — определил пожилой. — Извините, — мягко обратился он к молодому человеку, — вы из России?

— Да, — охотно кивнул тот. — Только что прилетел.

— Вот как, — покачал головой пожилой. — И какая у нас нынче погода?

Молодой человек увидел примерно такой же, как у себя, плащ пожилого, небрежно брошенный на соседний стул, и улыбнулся, показав на него пальцем:

— Так, конечно, можно ходить, но недолго. Здесь, я вижу, гораздо теплее... А вы, простите, уж не в Москву ли собрались?

— Вы угадали... — И поинтересовался в свою очередь: По делам? Или так, отдохнуть?

— И то, и другое, — принимая от официанта маленькую чашечку, ответил молодой человек. — А вы русский? Давно здесь живете? Или проездом?

Пожилой пожал плечами, из чего можно было сделать любой вывод: и да, и нет.

В это время приятный женский голос объявил по радио: «Господина Грязнова, прибывшего рейсом из Москвы, приглашаем подойти к справочному бюро номер семь». Молодой человек вскинул голову, словно хотел узнать, откуда прозвучал этот мелодичный призыв, затем встал, положил рядом с чашечкой пятимарочную монету, и, взяв свои вещи, слегка склонил голову в поклоне:

— Благодарю вас. Всего вам доброго.

«Грязнов... — нахмурился пожилой человек, и лицо его сразу приняло жестокое, даже хищное выражение. — Откуда знаю эту фамилию?.. Пять марок за чашку кофе — ишь ты, шикует, фраер...»

Тот же голос из радужной сияющей высоты сообщил, что объявляется посадка на московский рейс... пассажирам следует пройти...

Уже устраиваясь в кресле и защелкивая на себе привязные ремни, он, конечно, вспомнил: «Грязнов! Рыжий мент! Дружок того, который вчера ночью нырнул рыб кормить... Постой, тот же старый уже, а этот?.. А, черт их разберет...» И элегантный пожилой мужчина, похожий на знаменитого киноартиста Смоктуновского, ногами задвинул поглубже под кресло старый кожаный портфель, в котором он вез в Москву десяток магнитофонных кассет с записью допроса покойного «важняка» Турецкого...

2

Проснувшись, Саша не сразу сообразил, где он находится. Было ощущение, что его заперли в небольшом сундучке, где и ноги-то вытянуть толком невозможно. К тому же сундучок еще и покачивался, поскрипывал. В полуоткрытом люке над головой был виден краешек серого неба. Дышалось легко, воздух был на вкус слегка горьковатым и пах свежей мокрой зеленью.

Неожиданно крышка люка вскинулась, и в проеме показалось лицо, будто нарисованное художником для детской книжки про пиратов. Лицо было коричневым, под цвет того дерева, которым был обшит сундучок. Низко на лоб надвинута фуражка с примятой белой тульей и потускневшим золотым якорем и подстриженная седая шкиперская борода, обрамлявшая нижнюю часть лица, подтверждали первое впечатление. Усов не было, а вот изо рта воинственно торчала короткая прямая трубка. Светлые, выцветшие от солнца глаза — смеялись!

— Ну и здоров же ты спать, парень! — по-английски сказал пират.

Саша вскочил, едва не стукнувшись теменем в тесном пространстве. Старик показал рукой: выходи! Саша тут же наполовину высунулся из люка и увидел, что находится на палубе судна, связанного с сушей хлипкими сходнями, а вокруг была вода. Судно легко покачивалось. Было не холодно, но ветрено. Пронзительно кричали взмывавшие над водной гладью чайки.

Вслед за стариком Турецкий прошел в кают-компанию, так, наверно, должно было называться это просторное помещение, обшитое лакированным деревом темно-красного цвета. За круглым столом сидели еще трое таких же пожилых людей, которые приветствовали появление Турецкого вежливыми наклонами головы.

Уже через десять минут Саша знал о себе буквально все. И эта информация, наложенная на какие-то размытые, несколько странные его собственные воспоминания и ощущения, наконец-то, прояснила для него истинную картину событий.

Да, теперь он уже мог сказать себе со всей ответственностью: повезло ему так, как просто не бывает в жизни. Вероятно, в одной точке сошлись некие взаимоисключающие силы, каждая из которых определенно вела его к гибели, но их столкновение вызвало совершенно противоположную реакцию. И вот результат — он жив и... даже в общем-то здоров, если не принимать во внимание непонятную ноющую кашу во рту, сизую ссадину на правой скуле и варварски разодранный рукав такого хорошего еще недавно, можно сказать, американского пиджака. Ни документов, ни денег, разумеется, у Турецкого тоже не было. Как не было еще и окончательной ясности, что теперь делать и с чего начинать.

Пока, чтоб не терять времени зря, Турецкий с помощью благожелательных стариков постарался привести свою одежду в более-менее пристойный вид, хотя после допроса, катания в багажнике и купания в Майне вид у костюма был, мягко выражаясь, малосимпатичный. Как мог, Саша привел его в порядок, пошарил на всякий случай по карманам и, естественно, ничего не обнаружил.

Старикам-то он сумел объяснить, что попал в руки русской мафии. Вернее, он говорил по-английски с герром Хельмутом, а тот переводил рассказ остальным. Те внимательно слушали и изредка макали губы в фарфоровые пивные кружки с крышечками. Самый молодой по виду, которого звали Фриц, имел сигареты и, когда Саша докуривал одну, тут же предлагал следующую. Турецкого накормили вкусной жареной картошкой, сырым рубленым мясом с яичным желтком и перцем и налили двойную или даже тройную порцию водки, граммов этак под сто.

Не вдаваясь в подробности, Турецкий объяснил им, что является русским полицейским, полковником...

— О! Оберст, оберст! — многозначительно закивали старики, грозя кому-то указательными пальцами. Они вообще-то были очень милыми и немножко наивными. При слове «мафия», произнесенном Турецким, они враз насторожились, уставились на него с осуждением и одновременно загомонили — сурово и отрывисто. Саша не понял их реакцию и спросил Хельмута, в чем дело, может, он что-то не так сказал?

Хельмут вынул изо рта трубку и, указав мундштуком поочередно на каждого из своих приятелей, сказал:

— Они возмущены до глубины души. Сейчас я им все объясню сам.

И когда старик разъяснил, что вовсе не Турецкий — мафия, а это как раз она за ним охотилась, они все немедленно оценили его подвиг с большим пониманием и достоинством.

Саша приподнялся, чтобы по привычке достать носовой платок из кармана брюк. Не обнаружив его, машинально сунул руку в задний карман и пальцами нащупал что-то твердое. Не веря еще в удачу, он рывком вытащил... визитную карточку Пушкарского. Валентин Дионисьевич Пушкарский дал ее в Доме журналиста, кажется, уже сто лет назад и приглашал в гости сюда, во Франкфурт. Как же она не потерялась, как оказалась в этих брюках! Вот действительно огромная удача!..

Турецкий тут же объяснил, почему его так обрадовала находка, и сказал, что ему необходимо срочно связаться по этому телефону. Тут и помощь, и возможность отблагодарить за содеянное добро. Саша боялся, что его сочтут неучтивым, и хотел сделать им хоть какой-нибудь презент, да хоть просто бутылку хорошей водки поставить, и то...

Хельмут прочитал визитку, показал с разрешения Саши товарищам, те тоже ознакомились, причем слово «профессор» вызвало у них заметное почтение, и стали что-то обсуждать.

— Мы думаем, как вам удобнее проехать в Массенхайм, это не совсем далеко от Франкфурта.

— А разве это не район города? — удивился Саша.

— Иногда можно сказать и так, но они предпочитают называть себя городом, — с некоторым превосходством заметил Хельмут.

«Ну да, пригород, — подумал Турецкий. — Мы — малаховские... или люберецкие, или апрелевские ребятки...»

Пришлось объяснить добродушному старине Хельмуту, что положение Турецкого в настоящий момент несколько хуже, чем можно предполагать. В кармане ведь нет ни копейки. Поэтому самым разумным было бы позвонить господину Пушкарскому, надеясь, что он находится дома, а не в каких-нибудь разъездах, и договориться с ним о помощи. В противном случае придется обращаться к старшему инспектору уголовной полиции герру Хансу Юнге. Причем тоже неизвестно, удастся ли его отыскать, ведь сегодня выходной день...

Хельмут задумался, почесывая мундштуком трубки за ухом. Наконец сказал, что в любом случае готов оказывать русскому полицейскому оберсту гостеприимство и в дальнейшем, но сам он вынужден сегодня сняться с якоря и идти в Майнц ставить свою старушку в док. Турецкий не понял, зачем такая церемония. Постарался объяснить, что надо просто позвонить, а тогда все будет ясно. Позвонить, конечно, можно, согласился старик, но воскресенье — день особый. На удачу рассчитывать нельзя. И, к сожалению, он, Хельмут Штильке, должен именно сегодня отойти, иначе будет большая потеря времени. Саша не понял, почему же нельзя отплыть завтра?

— Ни один уважающий себя моряк никогда не позволит себе поднять якорь в понедельник. Поэтому — либо сегодня, либо — только во вторник.

Разобрались и с этим вопросом.

Хельмут сказал, что ближайший телефон имеется впереди, примерно в полумиле, сразу за мостом, в пивном баре. Но так как русский гость должен чувствовать себя некомфортно, то сейчас Фриц, самый молодой из них и, естественно, быстрый на ногу, проводит господина и поможет ему связаться с нужными людьми. Во всяком случае, сам Хельмут благодарен фортуне за то, что она предоставила ему возможность оказать посильную помощь хорошему, как он уверен, человеку.

Сказано было, конечно, несколько сложно, но от чистого сердца. Турецкий с чувством пожал твердые, будто деревянные, ладони каждому, сошел по шатким мосткам на берег и в сопровождении «самого молодого» Фрица отправился по набережной к недалекому мосту.

3

Пушкарский будто и не удивился Сашиному звонку. Более того, похоже, он даже обрадовался.

— Мой друг! Какое счастье, что вы застали меня дома! А ведь я уже собрался махнуть в Люксембург, я, кажется, рассказывал вам о своем приятеле, который там обосновался? Вот-вот, а тут и вы, какая радость старику! Где вы, мой друг?

После такого и радостного, и недвусмысленно информирующего о неотложных делах приема Саше было не очень ловко говорить старику о своих проблемах, тем более что телефонный аппарат стоял на стойке бара, а бармен, протирая стаканы, ненавязчиво и как бы без особого интереса, искоса поглядывал на непонятного посетителя. А странным действительно было все — от жеваного, словно на помойке найденного костюма до великолепного фингала на физиономии — определенно ручной работы.

Поэтому объяснить что-то подробно по телефону Саша не мог, а сделать это надо было позарез. Вся надежда основывалась на том, что бармен, дай-то Бог, совсем не обязан был понимать по-русски. И в довольно витиеватых, туманных выражениях, поясняя через каждую фразу, что он не может говорить иначе, ибо не один и звонит из кафе, Турецкий сказал, что стал жертвой нападения, случай помог вырваться, и теперь, без документов и денег, он может рассчитывать лишь на немедленную помощь ВДП. Кажется, эта последняя аббревиатура и решила вопрос положительно.

Валентин Дионисьевич, до того слушавший Турецкого не то чтобы с откровенным недоверием, но, вероятно, без всякого почтения к журналисту из России, наверняка пропившемуся и влетевшему в историю, при слове «ВДП» оглушительно захохотал. Отсмеявшись, спросил, где Саша в данный момент бросил якорь. На что Турецкий немедленно ответил, что его действительно сегодня ночью спасли моряки, а один из них находится рядом, и, если Валентин Дионисьевич позволит, тот сейчас объяснит, как сюда попасть, поскольку немецкого Саша не знает, а немец ни фига не сечет в английском.

— Битте, — Саша протянул трубку Фрицу и жестом показал, что надо объяснить...

Фриц с почтением взял телефонную трубку, поздоровался и стал слушать. Затем он, накрыв микрофон ладонью и повернувшись к бармену спиной, стал что-то объяснять, кивая и поглядывая на Сашу. Через минуту он вернул трубку и отошел к бармену, о чем-то заговорил с ним. Пушкарский был серьезен:

— Извините, коллега, я, честное слово, подумал, что у вас обычное, знаете ли, приключение в стиле «гуляй, Вася», но ваш спутник мне отчасти прояснил суть происшествия. Я, правда, не все понял, но чую, что где-то рядом с вами сильно пахнет керосином, а поелику обожаю всякого рода рисковые ситуации, немедленно к вам выезжаю. Сидите в этом баре и никуда не выходите. Полагаю, что появлюсь не позже чем через час.

Турецкий положил трубку и подошел к Фрицу. Тот гостеприимно предложил сесть за столик и показал бармену два расставленных пальца. Тот кивнул и наполнил два больших бокала светлым пивом с плотной шапкой пены. Фриц поставил бокал перед Сашей, приподнял над столом свой, сказав слово, напоминающее «прозит», и сунул нос в пену.

Поскольку говорить было, в сущности, не о чем, да и они попросту не понимали друг друга, пили молча. Саша вдруг вспомнил совет Анатолия Ивановича: попить хорошего баварского пивка. Ну вот, кажется, как в том еврейском анекдоте: Хаима вызвали в КГБ и велели написать письмо дяде в Америку. Он и начал: «Дорогой дядя Изя, наконец нашел время и место написать тебе...» Саша тоже нашел, где пивком побаловаться. Поневоле.

А не могло ли так случиться, что именно от этого, «верного, понимаешь, друга Толи» и исходит вся информация о действиях следователя Турецкого? Ведь однажды являлась такая мысль: что генеральному должно быть важнее — свои или вся эта прокурорская шелупонь? А так как его «свои» наверняка повязаны уголовщиной... да в общем-то нынче ни одна структура не может похвастаться свободой от криминалитета, то сведения о следственно-розыскных действиях Генеральной прокуратуры стоят на рынке действительно недешево.

Потом Турецкий вспомнил, что сегодня должен был прилететь Денис Грязнов. Саша обещал его встретить. Да где уж теперь. Сам едва жив остался... Интересно, а что Равич-то подумал? Наверняка звонил в Москву, сказал, что Турецкий по документам прилетел, но пропал без всякого следа... Ну как тот же Рослов В.З... В Москве, естественно, паника. А может, в этой связи, и не полетел сюда Денис?

Когда шли сюда, в бар, миновали кладбище. Фриц многозначительно показал на него пальцем и сделал такой жест руками, который мог означать только одно: что ж, ему, то есть кладбищу, на этот раз не повезло. Хорошая философская сентенция...

А пиво и в самом деле превосходное. Увидев взгляд Турецкого, высоко оценившего качество напитка, Фриц поднял руку и дважды щелкнул пальцами. Бармен поставил перед ними по бокалу на этот раз темного пива. У него был и другой запах и, естественно, вкус.

Но если главный информатор у новоявленной российской мафии — сам генеральный прокурор, то до чего же мы докатились, братцы?! Вот попробуй сие объяснить да хоть этому Фрицу — он же сочтет Турецкого безумным... Ну ладно, то, что Анатолий — наглец и большой путаник, это понятно. Самодур и подхалим — тоже стоят бок о бок. Что на заказные убийства с его легкой руки стали бросать студентов с юрфака — не просто дурость, а сволочизм, граничащий с преступлением. Мальчишки ломают себе шеи и бросают следственную работу, к чертовой матери. С кем же останемся?

Будь Турецкий главным мафиози, каким-нибудь крестным отцом, да он бы на руках носил такого генерального прокурора...

К бару, увидел Турецкий, неторопливо подкатил большой черный автомобиль. Саша приподнялся и увидел выходящего из-за руля Пушкарского. Вот же артист! Ведь восемьдесят лет, а сам такой танк водит!

Валентин Дионисьевич — высокий, сухощавый, с седой гривой, вошел в бар, слегка пригнувшись в дверях, быстро огляделся, увидел поднимающегося из-за стола Турецкого, его пожилого спутника в вязаной шапочке и, широко раскинув руки, по-русски обнял и трижды расцеловался с москвичом, ясно демонстрируя всем присутствующим свое самое высокое благорасположение к нему. При этом не преминул шепнуть на ухо:

— Однако замечу вам, коллега...

— Это вы про мой фасад? — негромко отреагировал Саша. — Знали б, что внутри творится...

— Догадываюсь... Ну так что, — сказал он, присаживаясь к столу, дружески пожимая руку Фрицу и одновременно отрицательно покачивая ладонью принявшему выжидательную стойку бармену, — немного оклемались, вижу?

— С этим еще не скоро, — усмехнулся Саша. — Валентин Дионисьевич... — Саша изобразил на лице вселенскую скорбь.

— Понятно, коллега, можете не продолжать... — хмыкнул Пушкарский, обернулся к бармену и о чем-то спросил его. Тот ответил. Пушкарский кивнул, положил широкую свою ладонь на руку Фрицу и поднялся, доставая из кармана бумажник. Турецкий встал следом за ним и, направляясь к стойке, где сверкали разнообразными этикетками бутылки всевозможных форм и содержания, спросил:

— Валентин Дионисьевич, не окажете ли вы мне еще небольшую услугу? Точнее, помогите отблагодарить моих спасителей, ну... я хотел бы оставить им сувенир... что-нибудь поприличнее, вот из этого, — Саша провел рукой вдоль стойки. — Дело в том, что сейчас я, как говорится, на нулях, но сегодня же позвоню в Москву и расплачусь немедленно, как вы понимаете... — Ох, как неловко было Саше!

Но изумительный Пушкарский недаром пережил все политические системы и невероятное количество политиков, ему не следовало ничего подробно объяснять. Он лишь кивнул и, обернувшись к Фрицу, что-то сказал. Тот кивнул и подошел ближе. Они перекинулись несколькими фразами, после чего Пушкарский сообщил Саше:

— С вашего разрешения, коллега, я, хо-хо, тоже хочу принять посильное участие с праздновании вашего дня благодарения. И, посовещавшись с одним из спасителей, понял, что эти суровые морские волки из всех существующих напитков предпочитают не джин или виски, не говоря уж о традиционном пиратском ямайском роме, а... сладкий ликер из ежевики. Полагаю, что когда мы присовокупим вон к той золотистой посудине хорошую бутылку «Столичной» в память об одном странном русском, этого им будет вполне достаточно.

Через минуту они уже сидели в просторном салоне машины Пушкарского и ехали вдоль набережной к качающейся вдали невысокой мачте яхты.

С Фрицем распрощались возле мостков. Пушкарский посмотрел на это хрупкое сооружение и не рискнул переходить на борт суденышка. Фриц перешел на яхту, держа сувениры под мышками, и все четверо стариков, сжав ладони, приветливо подняли их над головой. Саша низко поклонился им, прикладывая ладонь к груди, и сел в машину рядом с Валентином Дионисьевичем.

— Понимаете, Саша, — Пушкарский повернул к нему лицо, — вот чтоб вы знали: это самые типичные, нормальные немцы. Терпеть не могут чванливости... как, впрочем, и у нас, где-нибудь в глубинке... Ну давайте-ка, мой друг, остановимся теперь и вы мне расскажете, что с вами произошло. И что это за игра в полицейского оберста?

Турецкий рассказал все как на духу. Конечно, понимал он, его рассказ нельзя было в настоящий момент ничем ни подтвердить, ни опровергнуть. Пушкарскому приходилось либо принимать все на веру, либо сдать его в полицию, как проходимца. Чувствуя, что веры завоевать не удалось, Турецкий плюнул, махнул рукой и начал, как говорится, с самого начала, полагая, что от Пушкарского — чего-чего, а подлянки он не получит.

Рассказ был достаточно долгим. Саша попутно передал привет Маркуши — он так и сказал: «Маркуша», чем вызвал, наконец, первую улыбку на лице Валентина Дионисьевича. Извинившись, Саша не стал вдаваться во все подробности расследований дел об убийствах, но подчеркнул, что именно это и явилось причиной его похищения и едва не привело к смерти. Видя, что недоверие так-таки и не исчезло из глаз Пушкарского, Саша, подумал: «Да что я в, конце-то концов, извиваюсь? Не Бог ведь и весть какой благодетель! Найду Дениса или Тольку Равича, возьму у них денег, расплачусь с ним и — горшок об горшок!»

Валентин Дионисьевич тонким своим чутьем сразу почувствовал этот перепад в настроении Турецкого и поспешил предупредить возможный конфликт:

— Я прошу вас, Саша, не принимать сейчас близко к сердцу кажущееся недоверие к вашим словам, поверьте, не в этом дело. Я прожил столько и видел в жизни такое, что вам, клянусь, даже и не приснится в самом фантастическом сне. И ситуации подобные вашей случались, мой друг, и не раз, и даже со мной. Я о другом думаю: то, что вы мне рассказали, — вещь чрезвычайно опасная. Феликс, как я понимаю, говорил уже вам, какие силы задействованы в этом криминальном переделе экономического влияния на весь мир. Скажу вам совершенно искренне, я давно решил для себя напрочь отойти от всей этой кровавой политики. Навсегда. У меня осталось мало времени, и я не хочу его терять на разъяснение дуракам сакраментальных истин. Есть же еще нечто вечное, о чем они пока не догадываются... Но вы поставили меня, так сказать... э-э-э, в некоторое, я бы сказал, двойственное положение. Вот я и думаю теперь, как бы... хохо! — и невинность соблюсти, и капитал приобрести. Хотя так, увы, в жизни не бывает. Поэтому, Бога ради, не держите обиды на старика, а давайте-ка, друг мой, сообразим, чем бы я мог помочь вам конкретно?.. Послушайте,

Саша, а вам врач не нужен? Нуте-ка заедем, есть тут у меня неподалеку дружок, пусть взглянет, чем вам может грозить октябрьское купание...

4

Врач, смешной, похожий на киношного Айболита старикашка, встретил приветливо, провел гостей в кабинет, предложил Турецкому раздеться до пояса. Потом старательно, с помощью древнего стетоскопа, прослушал Сашин грешный организм — в кои-то веки в руки врача попал! — прощупал его жесткими пальцами и сказал, что, в общем, особых претензий к пациенту не имеет. Просто следовало бы поменьше курить и соблюдать режим питания. Поинтересовался следами уколов на руке, причиной ссадины, а заглянув в рот, скорбно покачал головой.

Саше пришлось, по просьбе Пушкарского, повторить рассказ о кофеиновых уколах, водке, вынужденном купании. Доктор внимательно выслушал, кивая белоснежной шапочкой, а потом объяснил, что Саше просто очень крупно повезло. Его похитители, к счастью, оказались полнейшими дилетантами. Они вбили в него более десятка уколов, а потом завершили экзекуцию громадной дозой алкоголя. В результате чего произошло так называемое алкогольно-кофеиновое растормаживание. Именно эта ошибка бандитов спасла жизнь Турецкому. Человек выглядит совершенно пьяным, но при этом все соображает. Не случись этого, Турецкий, оказавшись в ледяной воде, мог захлебнуться. Тем более повезло, что его даже и не связывали, надеясь, что утопленник будет выглядеть вполне естественно. Но после такой тяжелой стрессовой нагрузки человек на короткое время теряет сдерживающие начала — болтает, хохочет, реагирует неадекватно и, наконец, мертвецки засыпает. Отключается. Бывает, что после этого его нелегко привести в чувство.

Туманной своей памятью Саша ощущал, что, кажется, так оно все и было. А голова тяжелая и будто чужая до сих пор. Правда, он относил это свое состояние на счет мордобития.

По поводу зубной экзекуции доктор предложил адрес своего коллеги, отличного, по его словам, зубного врача. Турецкий адрес, конечно, взял и поблагодарил — не ронять же лица перед этим любезным эскулапом, нашедшим здесь, в Германии, вторую Родину, пусть не мать, а мачеху, но что поделаешь, если мачеха оказалась добрее?.. Сам же решил для себя, что у него все-таки должна состояться встреча с мифическим пока дантистом Немой Финкелем из Оффенбаха, который практикует по чужим страховкам, никому при этом не отказывая.

Пока же доктор дал Турецкому пузырек и предложил перед каждой едой, а также после устраивать себе основательное полоскание горла и полости рта. Ссадину на скуле он смазал какой-то пахучей мазью и аккуратно заклеил пластырем телесного цвета. Можно сказать, что теперь Александр Борисович Турецкий выглядел как ветеран-боксер, проводивший спарринг со своим весьма способным учеником-тяжеловесом. Выходя от доктора, Турецкий, как говорится, уперся рогами в собственную принципиальность:

— Валентин Дионисьевич, я вам глубоко признателен за вашу заботу обо мне, но ведь все это, как я понимаю, стоит денег и, наверно, немалых. Поэтому, с благодарностью принимая помощь, хочу сказать, что как только я... э-э, свяжусь со своими товарищами, в ту же, так сказать, минуту... вы понимаете, я постараюсь...

Пушкарский с несколько очумелым выражением на лице выслушал эту ахинею, задумчиво склонил голову набок, как тот классический любитель соловьиного пения, и подтвердил срывающимся в икоту голосом:

— Ну разумеется... Александр Борисович, я не премину представить вам счет... — и захохотал, закидывая голову.

Саша понял, что сморозил глупость. Но, с другой стороны, никто ведь и не обязан оказывать ему услуги. Тем более такой человек, как Пушкарский.

— Саша, дорогой мой, — закряхтел Валентин Дионисьевич, забираясь в машину, — ну скажите вы мне на милость: куда я должен тратить деньги, которые мне были так необходимы когда-то в молодости и не представляют ни малейшей ценности теперь? Хотя, впрочем, одну ценность они представляют-таки: даруют свободу передвижения. Но ведь и эта свобода не вечна, друг мой. Так что оставим наши счеты. Я действительно искренне рад помочь вам. Не напрашиваясь ни в друзья, ни, помилуй Бог, в наставники... Вы мне, Саша, показались симпатичны еще там, в Москве. Понравилось, что Феликс вас как-то сразу отличил и приветил, а ведь в нашей компании случайные люди, как правило, не задерживаются, знаете ли... И то, что вы его Маркушей называете, а меня — ВДП, тоже, замечу без ложной скромности, говорит о том, что не так уж безнадежно заканчиваем мы свое пребывание в этом мире... Но самое главное, вероятно, заключается в том, что я помню, как вы, не рисуясь и не раздумывая, тяпнули тогда с нами под селедочку стаканище этой превосходной, плохо очищенной, сиротской нашей, расейской водки... Батюшки мои, совсем старым становлюсь! Да как же это я забыл поинтересоваться у доктора, можно ли вам принимать-то? Ведь он больше про режим говорил... Вернемся, спросим?

— Да ну что вы, Валентин Дионисьевич, какие еще вопросы?

— А новое — хо-хо! — растормаживание не произойдет?

— Полагаю, не должно, — рассмеялся Турецкий.

— Ну тогда вперед, ибо иных дел у нас с вами в городе сегодня не предвидится. Уик-энд, друг мой, кончится только завтра.

5

В Москве уже начиналась паника. Меркулов, услышав Сашин голос, долгую минуту не мог прийти в себя, а затем разразился гневной тирадой, смысл которой заключался в том, что постоянные фокусы, граничащие с полной безответственностью, однажды сделают свое черное дело, но он, то есть Меркулов, не желает принимать участия в этом отвратительном процессе морального падения, вернее, распада человеческой личности...

— Все, Костя? — решительно перебил его Турецкий.

— А что, мало?! — взъярился тот.

— Я к тому, что звоню сейчас по домашнему телефону постороннего для нас человека и не желаю наматывать ему лишние минуты. Поэтому слушай... Да, кстати, твой телефон не прослушивается?

— Нет.

— Почем знаешь?

— Вчера грязновские ребятишки смонтировали мне тут одну штучку, которая мгновенно реагирует на посторонние включения. Короче, что случилось?

— Без подробностей, Костя. Несмотря ни на что жив и снова чувствую себя вполне работоспособным. Здесь более суток всерьез интересовались всеми, понимаешь меня? — всеми без исключения нашими делами. Денис вылетел?

— Да. Грязнов созвонился с твоим приятелем. Он и заявил в полицию.

— Очень хорошо. Сегодня кончаю приходить в себя и завтра с утра еду к твоему приятелю. К сожалению, тебе придется выдать ему звонок или что-нибудь вроде факса, поскольку у меня при себе, понимаешь? — ни денег, ни документов. Ты оказался прав, передав необходимое Денису. Значит, Равич его сегодня встретил? Это хорошо. Пока постараюсь продержаться на его финансах, но нужна помощь, Костя. Запиши телефон, по которому найдешь меня в течение... — Саша посмотрел на Пушкарского, делающего вид, что он не прислушивается к телефонному разговору, и спросил: — Валентин Дионисьевич, могу я вам надоедать в течение... хотя бы пары суток?

— Не возражаю и против недели, но потом я вынужден буду вас оставить, а вы живите тут сколько нравится.

— Спасибо... Костя, я, конечно, нахал, но на пару-тройку дней напросился. Это до разговора, естественно, с Денисом. Поэтому запиши номер телефона... Из конторы не звони, там все насквозь прослушивается. Имею информацию. Все, Костя. Не забудь уточнить у академика, кажется, лепим в десятку. Звонить смогу только поздно вечером. Привет.

— Извините, Александр Борисович, если не жгучая тайна, утолите интерес, с кем беседовали.

— С заместителем Генерального прокурора России Константином Дмитриевичем Меркуловым, Маркуша его, кстати, хорошо помнит. Костя тоже учился у него, но лет на десять раньше меня.

— Да тесен мир... Судя по вашим репликам, он неплохой человек?

— Отличный, — убежденно сказал Турецкий. — Только не могу иногда понять, как он может мириться с... со всякой поганью!

— Узнаю запал, — вздохнул Пушкарский. — Вот и мы, бывало... Пока колер, так сказать, собственной шевелюры не сменился... Конформизм и дипломатия — как бы две полярности обывательского взгляда на мир. Иногда они даже тесно сплетаются друг с другом, но ведь вы знаете из истории, все равно, в конце концов, за одно — расстреливали, а за другое — давали ордена. Хотя, в сущности, они так близки, так похожи. По молодости нетрудно и спутать... Только тяжелый опыт... Однако, что это я стал вам зубы заговаривать? Имею предложение, дорогой мой. Вы сейчас отправитесь в ванную, а я вам приготовлю чистое бельишко. Майн, знаете ли, хоть и чистая река, но тем не менее. А завтра, полагаю, мы сможем с утра пораньше приобрести вам нечто подходящее, пока ваш костюм приведут в божеский вид. Вы какой тип одежды предпочитаете?

— Самый примитивный, — усмехнулся Саша. — Дома в джинсах хожу.

— Неплохо, — одобрил Пушкарский. — Завтра я скажу секретарю нашего союза, он обеспечит. Ну а сегодня нам придется помогать друг другу. Жена на несколько дней уехала к подруге, не обессудьте...

— Валентин Дионисьевич, пожалуйста, не заставляйте меня краснеть. Вы уж и так столько для меня сделали, что я чувствую себя теперь вашим вечным должником.

— Ну уж... вечным... — пробурчал Пушкарский, резко встряхивая своей седой головой и поднимаясь с дивана. — Что вы, молодежь, понимаете-то... в вечности?..

ПОНЕДЕЛЬНИК, 16 октября

1

Рано утром Саша позвонил в Мюнхен, домой Толе Равичу. И — о радость! — он оказался у аппарата. Естественно, возмущению Равича тоже не было предела. Но Турецкий не дал разгореться костру в крупный пожар, он сказал простенько так, но со вкусом:

— Толька, да ведь меня тут в заложники взяли, морду квасили, иголки в задницу втыкали! Хорошие люди спасли, а ты... Лучше помоги Господу хорошую свечку поставить. Ладно, при встрече расскажу. Не сердись...

— Ну ты даешь, отец! — И в этом его восклицании был весь Толька-босяк. Все приятели были у него «отцами», а все девицы — «матерями». Если где-то в углу школьного коридора слышалось: «Знаешь, что я тебе, мать, скажу на это?» или «Ну ты, вообще, даешь, отец!» — значит, там был Равич.

— Ты мне другое скажи: Москва сообщила, что ты встретил моего напарника. Куда ты его задевал? Где искать?

— А-а, Дениска-то? Отличный парень! Я его, отец, по его просьбе в один маленький такой, неприметный отель воткнул. Скорее даже кемпинг. Записывай телефон...

— Это в каком районе?

— А тебе-то какая разница, отец? Ты сам ему позвони, он и найдет тебя. Я скажу без преувеличения, он в городе лучше меня ориентируется. Вот молодежь пошла, отец! Я ему дал городской план, так он сразу привязался. Так когда увидимся? Ты, наконец, в отпуск? А где твои девчонки?

— Толя, никак не выходит в отпуском. Снова командировка. Но я тебе железно обещаю...

— Да ладно, отец, — видимо, уже окончательно махнул на Турецкого рукой школьный друг Равич. — Врешь ты все... Где я тебя найду? Я ж, как ты понимаешь, иногда все-таки и делом должен заниматься, а летать туда-сюда мне накладно, отец. Поэтому скажи, когда будешь готов к встрече, мы договоримся, и либо я прилечу, либо ты сюда, ко мне.

— Я скажу, только после разговора с Дениской. А вообще-то я собирался сделать с тобой большое интервью для одной крупной газеты.

— Что я слышу, отец? Ты, оказывается, еще не оставил своих порочных помыслов издавать стенгазету 10 Б класса?

Саша вспомнил, как его на комсомольском собрании отлучали от руководства классной стенгазетой с чудной формулировкой: «За отсутствие собственного мнения по поводу нарушения дисциплины и срыва занятий на уроке обществоведения». Батюшки, как давно было-то! А Толька вот вспомнил и сразу протянул тропинку в их общее прошлое...

— Так о чем интервью? Скажи, я хоть буду знать и готовиться.

— Можешь не смеяться, статья должна быть проблемной. Ну возьми пока один из аспектов: Россия и Германия — честный бизнес или битва криминальных группировок?

— Ты смеешься, отец? Да кто ж это у вас печатать будет, если я всю правду про вас скажу?

— А вот и будут. Словом, думай. До встречи.

2

Денис обрадовался звонку Турецкого, сказал:

— Дядь Саш, вы меня извините, только я не счел возможным звонить вам так рано.

— А ты что же, знал, где я? Откуда? — изумился Турецкий.

— Так, дядь Саш, вы ж вчера Константину Дмитриевичу звонили, он дядь Славе, а тот — мне. Чего же непонятного? Ну, с вами, значит, у нас все в порядке? Скажите, когда за вами приехать?

— Да хоть сейчас, если ты в порядке.

— А я уже с пяти утра в порядке, прошелся немного, газеты купил. Тут в одной и про вас есть сообщение, что похищен русский турист, и полиция предлагает вознаграждение тому, кто даст достоверные сведения. Это дядя Толя заявил еще в пятницу, когда позвонил к нам в Москву. Ну, газетчики тут знаете какие! Сразу разнесли. Я эту газетку отложил вам на память, ага?

— Еще как «ага»! — сказал Турецкий и языком с опаской провел по щербатой теперь собственной десне. — Ладно, записывай адрес, бери такси и дуй сюда. Разберемся...

— А вы, я смотрю, Саша, птичка ранняя! — заметил Пушкарский, входя в комнату в стеганой домашней куртке, коричневых брюках и тапочках на босу ногу. — Ну что, удалось что-нибудь разузнать?

— Все в полном порядке. До Мюнхена дозвонился. Сейчас сюда уже едет мой боевой помощник, и мы с ним отправимся в уголовную полицию. Какая-то газета написала, что меня похитили и что полиция предлагает вознаграждение. Сумму еще не уточнил. Может, воспользоваться и заработать на себе самом, как вы считаете, ВДП?

— Я считаю, Саша, как в детстве говорили, до трех. Раз, два, три! Пошли завтракать! Между прочим, должен сказать, что вид ваш понемногу — хо-хо! — выправляется. Как вы себя чувствуете после вчерашнего?

Вчера, после того как Турецкий принял ванну, побрился и переоделся в чистое, они в халатах прошли в столовую, где Пушкарский накрыл легкую закуску. Ну и как было устоять, когда он наполнил два объемистых фужера водкой и предложил немедленно по-русски, по-старому... и так далее. Тем более что два аккуратных бутерброда с селедкой и лучком сверху были уже приготовлены. А потом за разговором, не торопясь, уговорили и другую бутылку. Пушкарский заявил, что подобные демарши против собственного организма он совершает нечасто, правильнее сказать, даже редко, но это бывает просто необходимо, чтобы держать его в страхе. А то он иной раз имеет обычай распоясываться, диктовать свои условия, загонять в постель... Нет, ему, то бишь организму, тоже нужна дисциплина. А сегодня вообще такой случай выпал! Когда еще повторится...

Разошлись они за полночь. А сейчас этот ничуть не сутулящийся восьмидесятилетний мужчина чувствовал себя молодым и полным сил, вызывая у Саши совершенно искреннее чувство восхищения.

После завтрака Пушкарский отправился в кабинет работать. Он писал большую статью для философского сборника, выходящего во франкфуртском издательстве «Всходы», а Сашу познакомил со своим, как он сказал, литературным секретарем, «ну как примерно Чертков у Льва Николаича», но только Николай Петрович занимался не устройством литературных дел, а исключительно экономико-бытовой стороной дела.

Николай Петрович, сын эмигранта уже третьей волны, стеснительный молодой человек, окинул опытным взглядом фигуру Турецкого и сказал, что знает, где можно купить подходящие джинсы, вполне качественные и недорогие, а к ним осеннюю кожаную куртку — для ансамбля.

— Дорогое удовольствие? — голосом усталого миллионера спросил Турецкий.

— Я думаю, что в тысячу марок мы уложимся.

— Всего-то? — удивился Турецкий. — Ну что ж, думаю, на эту сумму мы с вами можем рассчитывать. Но тут имеется одно маленькое затруднение. Дело в том, что я...

— Я в курсе, господин Турецкий, — вежливо улыбнулся Николай Петрович. — Валентин Дионисьевич сказал, что я могу действовать по нашему усмотрению. Если вы не против, я съезжу в тот магазин и буквально через час привезу ваш заказ.

— Я вам буду чрезвычайно признателен, милейший Николай Петрович, — произнес Турецкий и удивился, откуда в нем, потомственном, скажем так, парвеню, этакое изысканное «милейший»? Неужели в мамином роду где-то случайно переночевал светлейший князь? Про рискового торгаша отчима Саша не мог бы сказать ничего утешительного. Ну а папа? Что — папа? С папой надо расти и взрослеть, даже если он тебе не сильно нравится. Нет, конечно, графьями в этом семействе не пахло.

3

Герр Юнге был невысоким полным человеком, с бритой наголо крупной головой, двойным подбородком и большими, печальными глазами. Меркулов позвонил ему и даже прислал факс с фотографией Турецкого. Сам оригинал сидел в настоящее время перед ним и, помахивая свернутой газетой, где была опубликована заметка о нем, рассказывал свою почти фантастическую историю. Молодой рыжеватый человек, его спутник, переводил.

Старший инспектор знал русский язык, в том смысле, что понимал речь, правда, не говорил, поскольку практики не было. Сейчас он слушал рассказ, перевод, сравнивал и видел, что в этой истории все действительно держалось на цепи случайностей. Из богатейшей своей полицейской практики он знал, что так, конечно, бывает, но... один раз из тысячи. А возможно, что из ста тысяч. Одним словом, повезло этому москвичу.

Турецкий, как мог, постарался подробно описать дом, где его содержали, своих похитителей. Но подобных вилл и в городе и в его окрестностях было очень много. В кабинете инспектора висела на стене большая карта города, и пока на ней можно было обозначить лишь три известные точки отсчета: аэропорт, Книжную ярмарку и Шванхеймский мост.

Неясная мысль точила Турецкого, но он никак не мог вспомнить, какой еще очень хороший ориентир имелся у него в запасе. Проводить же на этой карте полуокружность радиусом в тринадцать — пятнадцать километров было просто нелепо.

Вспомнил! Там, наискосок от виллы, живет... или бывает известный футболист Мюллер. Похитители, слышал Турецкий, несколько раз повторили его имя. Герр Юнге не считал себя горячим поклонником футбола, но фамилию эту, разумеется, слышал. Он позвонил в справочную своей службы, и ему вскоре дали адрес. Это был, собственно, уже не Франкфурт, а небольшой городок на северо-запад — Нидерхехштадт. Юнге прикинул по карте и — все совпало!

Показания Турецкого были запротоколированы, после чего старший инспектор распорядился послать своих людей выяснить, кто там проживает, кто хозяин виллы, условия аренды и прочее, и установить наблюдение за жильцами, если таковые там окажутся.

Покончив с этим вопросом, перешли к тому делу, ради которого Турецкий прибыл во Франкфурт. Инспектора, конечно, удивил интерес, проявленный русскими к убийству немецкого банкира. Что у них, своих проблем не хватает? Так ведь в России, если судить по выступлениям прессы, едва ли не ежедневно происходят заказные убийства крупных финансистов, в том числе и учредителей банков.

Турецкий объяснил, какой причиной вызван его интерес, постаравшись кратко, но емко изложить все перипетии «Золотого века». Более глубокая, а главное, обширная картина, конечно, давала богатую пищу для размышлений. И герр Юнге не мог не оценить профессиональной помощи коллег из России.

Отдельный разговор пошел об Отаре Санишвили, который вылетел сюда, во Франкфурт, в день убийства депутата Государственной Думы Максимовой-Сильвинской. По сведениям москвичей, вице-президент и соучредитель банка «Золотой век» находится в бегах, возможно, и в связи с этим убийством, поскольку имеются неопровержимые факты, что покойная депутатша была его любовницей.

Герр Юнге, в свою очередь, сообщил, что специально искать господина Санишвили нет никакой нужды, поскольку ему известен адрес русского банкира. Этот Санишвили уже был в полиции и давал показания в связи с убийством Манфреда Шройдера, директора филиала «Золотого века», который находится в Кронберге. Это немного дальше Нидерхехштадта, в том же направлении. Неудивительно ли, что именно в том районе и обосновалась русская мафия...

Да в общем-то ничего странного, возразил Турецкий. Он повторил фразу, которая почему-то вспомнилась в самый тяжелый момент в его жизни: иметь большие деньги — все равно что ходить по минному полю. Старший инспектор задумался, покачал головой: так-то оно так... Но это российский вариант, добавил Турецкий, нецивилизованный, надо понимать. Юнге поиграл бровями и усмехнулся. Эти русские — интересные люди, подумал он, похоже, во всех сложнейших ситуациях их выручает самоирония.

На просьбу Турецкого каким-то образом допросить Санишвили в связи с новым убийством, — Саша не собирался посвящать инспектора в нестыковку некоторых событий по времени — герр Юнге, пожевав пухлыми губами, сказал, что это вполне возможно. Вызвать господина Санишвили в полицию, конечно, нужды нет, но вот подъехать к нему и поговорить у него в доме — это можно.

Турецкий перешел к остальным фигурантам. Детально рассказал о деле Кочерги, не скрывая, что следствием подтверждено убийство, а не самоубийство шофера-телохранителя банкира Алмазова. Причем убийство с использованием сильнейшего психотропного средства, не имеющего твердо установленной формулы. Пока можно говорить лишь о группе, в которую оно входит.

Затем он сообщил о преступниках, которые охотились за Кочергой еще здесь, во Франкфурте, в Висбадене, в Заксенхаузене и, наконец, настигли дома, в Москве. И тут не стал вдаваться в лишние подробности Турецкий, так как не хотел выглядеть в глазах старшего инспектора элементарным разиней. Герру Юнге были предъявлены фотороботы этих убийц, отпечатки их пальцев. Они, конечно, вряд ли могли сейчас оказаться в Германии, хотя кто знает?..

Рассказал о том «деле», гешефте, который имел Кочерга в Заксенхаузене совместно с Михаилом Соколиным. И, наконец, особо остановился на главном вещдоке — челюсти неизвестного, погибшего вместе с Алмазовым. Челюсти, пломбы на которой, по словам эксперта Градуса, были сварганены в Германии, что подтверждено и доктором Липкиным. А покойный Кочерга раскрыл некоторые особенности работы дантистов-эмигрантов из России. Но дело, собственно, не в этих особенностях, а в том, что один из них, некто Нема Финкель, имеющий зубную практику в Оффенбахе, мог бы помочь определить, чья это работа, кого из его коллег. И это очень важно, поскольку тогда есть вероятность узнать, кому принадлежала эта челюсть.

А в самом конце беседы Турецкий предложил старшему инспектору уголовной полиции провернуть насколько смелый, настолько и опасный вариант. Для этого следует опубликовать в газетах сообщение о том, что русский турист, о пропаже которого было объявлено накануне, оказывается, побывал в руках российской мафии, нашедшей себе крышу здесь, во Франкфурте. Бандиты приняли решение убить его, сымитировав несчастный случай на воде. Но благодаря чистой случайности замысел русских уголовников не удался. Туриста спасли оказавшиеся поблизости немецкие моряки. Полиция ведет расследование.

Саша объяснил, что этой информации вполне достаточно, чтобы погнать в его сторону новую волну. Бандиты немедленно объявят охоту на Турецкого, ибо отлично понимают, что никакой он не турист, а приехал наверняка с совершенно конкретным заданием Российской Генпрокуратуры. Значит, останется только быть предельно внимательным. Ну а обеспечить охрану, так, чтоб она не сильно отсвечивала, видимо, не большая проблема?

Герр Юнге оценил степень риска, а также той опасности, которой подвергал себя следователь из России. Но игра и по его мнению стоила свеч.

4

Отар Санишвили выглядел как большой воздушный шар, из которого выпустили половину воздуха — полный, одутловатый и рыхлый. И это несмотря на то, что было ему немногим более тридцати лет, и совсем еще недавно, по свидетельству Кочерги, был он сексуальным бойцом хоть куда. Вот что страх-то с человеком делает, с сочувствием подумал Турецкий, с интересом разглядывая очередного кандидата в покойники, если, конечно, убийства партнеров были делом не его рук.

Вообще-то Санишвили согласился на встречу с Турецким без всякой охоты, скорее даже был против. Но герр Юнге его, мягко говоря, ошарашил, сообщив об убийстве некой мадам Сильвинской, о которой Отар, вероятно, должен был слышать. И в этой связи... Голос герра Юнге обрел металлические нотки. Он сообщил также, что господин Санишвили имеет полное право беседовать в присутствии своего адвоката, и эта возможность хоть какой-то защиты решила вопрос: Отар согласился. Хотя поначалу решил, что московский следователь приехал его арестовывать.

И вот он сидел сейчас напротив Турецкого. Инспектор и адвокат, который вел дела покойного Шройдера, устроились несколько в стороне, причем герр Юнге переводил ему суть вопросов следователя из Москвы.

Турецкий постарался сделать свое описание максимально красочным. Он вовсе не собирался щадить мужское самолюбие этого грузина, но напомнил тому, что среди деловых бумаг, найденных при обыске на его даче, был и документ, свидетельствующий о том, что именно он, Отар Санишвили, активно настаивал на финансировании партии русских прогрессистов, иными словами, вбухал в детище мадам Сильвинской весьма впечатляющую сумму, которая ушла в неизвестном направлении, ибо на счету партии не оказалось в буквальном смысле ни копейки. Саша выдавал сейчас версию спонтанно, поскольку и сам не верил, что убийство очаровательной партийной дамочки есть действительно дело рук ревнивого кавказского Хозе. А впрочем, ни в чем нельзя быть уверенным на все сто процентов. Потерянные по вине того же Санишвили деньги вполне могли вызвать самую резкую отрицательную реакцию соучредителей — тех же Алмазова и Шройдера, хотя последний являлся лишь директором немецкого филиала. А там недалеко и до разборки в лучших бандитских традициях: по бомбе каждому и — ноги в руки. Как, собственно, и произошло на самом деле.

Адвокат быстро разобрался в том, какие обвинения могут быть предъявлены его клиенту, и немедленно потребовал, чтобы ему и господину Санишвили была предоставлена возможность обсудить обстоятельства, вытекающие из речи господина московского следователя — последовал любезный кивок в Сашину сторону, — но наедине. Герр Юнге не возражал, и те удалились. Как там они собираются обсуждать обстоятельства, если Санишвили ни фига не смыслит в немецком, как он сам заявил, а его адвокат — в русском. Но это были их заботы. Турецкого же волновала одна проблема: как бы этот Хозе не сбежал. О чем и сказал инспектору. «Хозе?» — не понял тот.

Ну да, стал объяснять Турецкий, у той покойной дамочки была подпольная кличка — Кармен. Герр Юнге впервые за все время их знакомства, захохотал, но каким-то странным, клекочущим смехом. А затем элегантно, уголком платка, торчащего из верхнего кармана пиджака, промокнул глаза.

Вернулись Санишвили с адвокатом. Видно, они успели договориться каким-то образом.

Отар настаивал, что к убийству Максимовой-Сильвинской никакого отношения не имеет, что он вылетел в Германию по причинам, о которых пока не желал бы распространяться, но к делу об убийстве женщины они не относятся. Что же касается самой Кармен, как ее звали в узком кругу знакомых, то она всегда была самая настоящая сука... Турецкий обратил внимание, как тень недовольства скользнула по лицу инспектора. Она, продолжал Санишвили, всегда была жадна, продажна и любила шантажировать людей. Кстати, те деньги, которые она получила из банка «Золотой век», — тоже результат шантажа.

Но если это так, возразил Турецкий, то ему просто непонятно, что же могло связывать с ней Отара?

— Она — потрясающая любовница, — ответил рыхлый грузин. Причем сказал с такой интонацией, что Саша понял: это правда. О чем еще может с таким почти гастрономическим смаком рассуждать горячий и темпераментный кавказский человек.

— А еще она всегда была связана с КГБ, — многозначительно добавил Отар. — Может быть, там надо искать наши миллионы. Пока не знаю.

— Но что же нам делать с вашей окровавленной рубашкой, — сделал наивные глаза Турецкий, — которую мы нашли в мусорном баке на улице.

— Розовая? — сразу спросил Отар.

— Да. И порванная под мышкой.

— Знаю. Моя рубашка. И кровь на ней — моя. Эта стерва... — Санишвили вдруг скинул с себя пиджак и задрал до горла рубашку. — Вот покажу... — На левой стороне груди были три заживших уже длинных пореза. — Смотрите, это она разозлилась, что больше денег не дам. Так и сказал ей прямо. Пусть ее эти, из КГБ, финансируют. Она в глаза мне хотела, только не достала, как кошка дикая тут вцепилась. Я потом рубашку в угол бросил, зачем с таким, понимаешь, домой ехать? И так каждый день скандалы... У нее в шкафу много моих рубашек было. Приходил... уходил. Надо, чтоб чистая рубашка была, к большим людям ездил, неудобно...

— Ну и чем эта ваша история кончилась? — спросил Турецкий.

— А чем? Надел другую рубашку, плюнул, ушел. Потом вечером улетел...

Саша понял, что это, в общем, вся информация. Через герра Юнге он попросил адвоката, чтобы тот помог, или как там у них положено, оформить максимально подробно показания господина Санишвили, поскольку они должны будут фигурировать в суде.

Адвокат выслушал, кивая, и обещал выполнить просьбу.

И еще Саша попросил Санишвили держать если не его самого, то хотя бы герра Юнге в курсе своих перемещений. Мало ли, вдруг придется что-то уточнить, поправить там... а человека на месте не окажется. Непорядок. Нет, никакой речи о домашнем аресте или еще чем-то подобном не идет. Просто желательно не создавать следствию дополнительных ненужных трудностей.

На том и расстались. Турецкий был почти уверен, что концы надо искать... нет, не в КГБ, конечно, не существует давно такой организации, хотя люди-то... они ж никуда не делись...

5

Самым сложным представлялся Турецкому денежный вопрос. Отсутствие документов в какой-то степени компенсировало благорасположение герра Юнге. А вот без денег... Ожидать скорой помощи от Меркулова вряд ли стоило: там, в родной конторе, на оформление подобных вопросов недели уходили. Значит, оставался только один путь: в расчете на премию, объявленную и, в частности, подтвержденную старшим инспектором, в сумме 50 тысяч долларов за радикальную помощь в расследовании дела Шройдера, лезть уже окончательно по уши в долги к Славке Грязнову. Турецкий прикидывал про себя варианты, как это сделать, чтоб не выглядеть совсем уж навязчивым наглецом. Но его опередил Денис. Он заявил, что созванивался с дядей, вводя его в курс дел, и тот сказал, что предпринял со своей стороны некоторые шаги для оказания им экстренной помощи: перевел в Дрезденский банк некую сумму, которой им должно хватить на первое время. Не шиковать по заграницам, но чувствовать себя в достаточной степени независимо.

И в этом был весь Славка.

Между тем герр Юнге, со своей стороны, активно включился в подготовку операции «Велле» — «волна» по-русски, очень ему понравилось это выражение — «гнать волну». На имя Турецкого был снят номер в одной из центральных гостиниц, не для того, естественно, чтобы там жить, следовало просто появиться пару раз, обозначив тем самым свое существование. А в администрации и на этаже обосновались полицейские, готовые немедленно отреагировать на любой интерес, проявленный к личности Турецкого.

Кроме того, что имело также немаловажное значение, он предоставил московскому следователю и его юному спутнику хороший автомобиль марки «опель» с вооруженным шофером-телохранителем. Можно было начинать действовать.

Для начала стали искать адреса Финкеля и Соколина. Сам поиск у старшего инспектора уголовной полиции не занял долгого времени, поскольку оба русских жили вполне легально, о чем было известно и в городских справочных службах. Полиция Оффенбаха подтвердила, что господин Финкель в настоящее время находится у себя и ведет прием пациентов. А вот в Заксенхаузене их ожидал весьма неприятный сюрприз: инспектор местной полиции в настоящее время как раз и занимался расследованием убийства искомого лица. Причем легализовался он, этот господин Михаил Соколин, буквально несколько дней назад, а до этого, по признанию его любовницы, хозяйки квартиры, которую он снимал, жил что-то около года нелегально. И при этом имел дело, в котором официальной хозяйкой числилась она. Словом, темная ис-тория.

Турецкий сказал, что должен немедленно отправиться в Заксенхаузен, пока сохранились следы преступления. Герру Юнге заявил, что имеет все основания утверждать: это не обычное ограбление, как было отмечено в полицейском протоколе, со случайным убийством подвернувшегося, что называется, под руку хозяина салона шпиль-автоматов, игральных то есть. Тут, наверняка, продолжается процесс уничтожения свидетелей, так или иначе завязанных на делах убитых банкиров «Золотого века».

Старший инспектор не мог не согласиться с доводами своего московского коллеги, и они выехали в Заксенхаузен.

6

Марта Вендельштайн оказалась особой пышнотелой, полногрудой и чрезмерно чувствительной — типичным персонажем из анекдотов про толстых любвеобильных немок с золотистой короной волос, заплетенных в косу, и наивными пронзительно-голубыми глазами. Ну в общем, нечто этакое — овеществленная мечта солдата, увиденная им на рождественской открытке.

Ее восхитительные глаза, вероятно, уже давно были на мокром месте, о чем свидетельствовали вспухшие, будто нарочно нарумяненные, круглые щечки.

Инспектор Шуман сообщил Хансу Юнге, что после его телефонного звонка снова приехал на квартиру Соколина с целью еще раз и более подробно допросить фрау Марту. И вот что ему удалось выяснить дополнительно.

Этих двоих грабителей, которые приходили к Соколину, она видела уже не раз. По мнению Марты, это были те, что недели полторы или две тому назад навещали Соколина в его маленькой конторе при салоне. Они, кажется, кого-то искали. Появлялись они и позже, то есть совсем недавно, видимо, чем-то угрожали Михаилу, потому что он их боялся и говорил Марте, что это русский рэкет — а он самый ужасный, поскольку абсолютно безжалостный. Соколин еще описал их внешность, на тот случай, чтобы Марта могла бы их узнать и уберечься от опасности.

Турецкий с помощью Дениса ознакомился с этой частью полицейского протокола и мог лишь развести руками. Один к одному. Значит, этот рыжий и его напарник снова здесь, ушли из России. Ловко это у них: никаких тебе виз, загранпаспортов, таможенных сложностей... Предъявленные фотороботы вызвали у Марты новый могучий прилив слез. Подтвердили участие в убийстве и пальцевые отпечатки, оставленные преступниками в конторе Соколина, идентичные тем, что привез из Москвы Денис Грязнов. Впрочем, вопреки утверждению инспектора Шумана о том, что имел место грабеж с возможным случайным убийством. Турецкий был склонен предположить обратное: здесь состоялось элементарное заказное убийство, то есть ликвидация свидетеля с последующей имитацией грабежа. Герр Шуман сказал, что обдумает и это.

Больше здесь, собственно, делать было нечего. Снова Турецкого, получается, опередили на один шаг...

Но коль скоро это так, следовало немедленно, не теряя времени, выходить на Финкеля из Оффенбаха.

Саша стал напряженно вспоминать, не проходила ли где-нибудь в протоколах эта фамилия. Не должна была, поскольку ее лишь однажды назвал Кочерга, и Турецкий оставил ее в своей памяти, но не зафиксировал на бумаге. Это что же получается? Соколина ведь не называл Кочерга, и Турецкий по просьбе Виктора Антоновича тогда, на кухне, не стал сильно настаивать. Фамилия Михаила возникла в связи с документами на совместное владение игральным салоном, найденными в комнате Кочерги уже после его так называемого самоубийства. Значит, материалы следствия кем-то прочитываются? Да плюс прослушивание — автомобилей, возможно, и домашних телефонов...

Но Нема, уже определенно мог утверждать Турецкий, нигде не фигурировал. А ведь он являлся едва ли не главным сейчас свидетелем. Или интуиция Александра Борисовича на этот раз дала серьезный сбой.

7

Слово «финк», сказал Денис, по-немецки означает «зяблик». Саша почему-то и ожидал, как говорил Кочерга, увидеть хитренького еврейчика — небольшого роста, быстрого в движениях и нос — клювиком. Все оказалось иначе. Наум Аронович, или, по-домашнему, Нема, был лысым детиной почти двухметрового роста с сильными мускулистыми руками, поросшими рыжеватым волосом и покрытыми веснушками. Рукава его белого халата были закатаны по локти. На левом запястье — большие золотые часы, явно швейцарского происхождения. На безымянном пальце правой руки — толстый золотой перстень. И еще одна деталь — воротник белоснежной сорочки стягивал галстук-бабочка.

Турецкий, естественно, не собирался выяснять совершенно неважный для него вопрос: по чьим страховкам практикует сей находчивый дантист. Его интересовало совершенно конкретное дело, о чем Саша сразу и поставил господина Финкеля в известность. Тот, понимая, что возражать следователю по особо важным делам, прибывшему ради него из самой Москвы... а кстати, как там сейчас?.. Можно жить, понятно, понятно... Так нет, он же и не собирается ничего утаивать...

Наум Аронович пригласил «гостей» пройти в гостиную, а сам отлучился на минутку, чтобы привести себя в порядок.

Вошел он через несколько минут с несколькими толстыми книгами в руках и уже без халата. Предложил гостям выпить, те отказались. Нема не стал настаивать, принял позу внимательно слушающего.

Турецкий коротко рассказал, в чем заключается нужда, сообщил о той хорошей характеристике, которую дал работе Финкеля покойный ныне Кочерга...

— Вам, Наум Аронович, такая фамилия известна?

Финкель на минутку сморщил свой великолепный, словно полированный, лоб большого мыслителя и кивнул. Но при этом, на всякий случай, раскрыл один из гроссбухов и повел пальцем по страницам.

— Да, конечно, помню. Вот он тут у меня. Так от чего, вы сказали, он приказал долго жить?

Турецкий поднял обе ладони кверху и покачал головой из стороны в сторону.

— А отчего могут умирать люди, так или иначе связанные с бизнесом?

— Понимаю, — сочувственно покивал Финкель.

Турецкий взял из рук Дениса целлофановый пакет с куском челюсти и протянул его дантисту. Тот принял сверточек, взглянул на него и, отложив в сторону, вышел из комнаты.

— На одну минуту, прошу прощения, господа.

Вернулся с тонкими резиновыми перчатками, которые тут же ловко натянул на руки. Только после этого вынул из пакета вещественное доказательство и начал его внимательно рассматривать. Он вертел челюсть, разглядывая ее со всех сторон, подошел к окну, чтоб было больше света, взял из стеклянной горки большую лупу и стал изучать ему одному ведомые детали. Наконец положил лупу на место, вещдок сунул обратно в пакет, снял перчатки и небрежно швырнул их в пустой цветочный вазон, заменявший, видимо, ему обычную урну.

— Это моя работа, — сказал наконец. — Но надо вспомнить, кому я ее делал, как я понимаю?..

— Вот именно, — буркнул Турецкий, имея в виду владельца этой челюсти.

Финкель драматично вскинул брови, пожал плечами и вздохнул:

— Давайте будем смотреть... Вы не можете сказать мне, хотя бы примерно, когда я мог этого клиента видеть?.. Понятно, — отреагировал на неопределенный жест Турецкого.

— Возможно... впрочем, я далеко не уверен, что фамилия вашего клиента — Рослов. Но это лишь мое личное предположение, не больше, — сказал Саша.

— О! А это уже что-то! Сейчас! — словно обрадовался Финкель и стал быстро листать свои книги. — Рослов... Значит, русский... Так, не эмигрант?

— Нет.

— Уже лучше... Есть, вот, — Наум Аронович толстым ногтем резко подчеркнул строчку записи. — Читаю: Рослов Владимир Захарович, а что мы ему делали? Так, коронки двух зубов нижней челюсти... Там еще был искусственный зуб московского производства. С ним пришлось повозиться, да... И было это, одну минуточку, в феврале сего года, а если быть точным, двенадцатого числа. Это было воскресенье, и я обычно в этот день не работаю, но... этот молодой человек сильно торопился. И я пошел навстречу.

— Молодой, вы сказали? — насторожился Турецкий.

— Ну как вам ответить... Это мы с вами, извините, можем только мечтать так сказать про себя. Или подумать... Впрочем, вот — ему тридцать четыре года... было...

— Ну что ж, — вздохнул Турецкий. — Благодарю вас, Наум Аронович, за помощь следствию. Но теперь нам надо все сказанное соответствующим образом отразить в протоколе допроса свидетеля и, как вы понимаете, заверить изложенное вашими подписями. Приступим, если вы не возражаете...

— Господин Финкель, — сказал, прощаясь, Ханс Юнге, до сей поры лишь молча наблюдавший и только слушавший диалог Турецкого с дантистом, — я хотел бы вас предупредить, что наша беседа не должна выйти за пределы вашего дома. Это прежде всего в ваших собственных интересах. Если все же найдутся люди, которые захотят задать вам вопросы о причине нашего приезда, можете ответить, что полицию интересовали некоторые аспекты вашей практики, в частности, страховки ваших клиентов и тому подобное. Но разобравшись, мы ничего не нашли... — Юнге вдруг почти неприметно улыбнулся: — Я полагаю, и не могли найти, не правда ли, господин Финкель?

Нема, надо отдать ему должное, и глазом не моргнул. Хорошая выдержка, подумал Турецкий.

— Разумеется, господа, — опустил он глаза, — и я всегда к вашим услугам...

8

На обратном пути, в районе Оберрада, безмолвный водитель бросил через плечо, не отрывая взгляда от дороги:

— Нас повели.

— Давно заметил? — забеспокоился Юнге.

Денис шепотом переводил диалог. — После Заксенхаузена. Уйти?

— Да. В городе. — Юнге обернулся к Турецкому и сказал, поглядывая на Дениса: — Едем ко мне в управление. А оттуда я вас отправлю сам.

— Ну вот и первая ласточка? — улыбнулся Турецкий, а на душе заскребли кошки. — Вероятно, уже появилось сообщение в ваших вечерних газетах?

— Да, — кивнул герр Юнге, — у нас это делается быстро... А вы не будете против, господин Турецкий, если мы приведем их в ваш отель?

— Напротив, — хмыкнул Саша, — лично я всегда за обострение ситуации.

— Отлично, — сухо сказал инспектор и приказал водителю ехать в отель. — Нас высадишь у центрального входа, а сам отъедешь в подземный гараж и там жди...

У портье Турецкий получил свой ключ, затем они втроем поднялись лифтом на десятый этаж и длинным коридором прошли почти до торца здания. Номер Турецкого был угловым, а рядом — выход на служебную лестницу.

Это был совсем не люкс, а самая обычная комната с небольшой прихожей и санузлом.

Герр Юнге объяснил, что и отель, и этот номер им выбраны специально. Здесь все контролируется полицией, и его почему-то особенно любят туристы из России. Им шикарные апартаменты совсем не нужны, лишь бы переночевать, как говорится. Поэтому в номере стояли кровать и диван. Двоим русским вполне. Ну как в Москве, в гостинице «Россия». Саша хотел углядеть в словах инспектора иронию, но ее не было.

— Ну все, — завершил свои объяснения Юнге, — можно спускаться. Те, кому нужно было видеть чудом спасшегося следователя Турецкого, уже смогли это сделать.

Он снял телефонную трубку и набрал три цифры. Сказал кому-то, что ждет в номере, и положил трубку на место. Через несколько минут в дверь раздался негромкий стук.

— Войдите!

Вошел молодой человек в форменной одежде коридорного.

— Докладывайте, — предложил старший инспектор.

— Час назад зафиксирован телефонный звонок из уличного автомата. Женский голос спросил: не в этом ли отеле остановился русский турист господин Турецкий? И если да, то в каком номере? Ответили, что здесь, номер 10-21, но в настоящее время его в отеле нет, поскольку ключ у портье. Десять минут назад возле портье появился молодой человек со сплющенной переносицей, похожий на боксера. Поинтересовался, не приехал ли господин Турецкий, его номер 10-21, и, узнав, что еще нет, спокойно отправился в бар пить пиво. За ним установлено наблюдение.

— Хорошо, — кивнул герр Юнге. — Проверьте служебную лестницу, мы уходим.

Первым вышел коридорный, за ним Юнге с Турецким, замыкал — Денис. Они спустились по безлюдной служебной лестнице до первого этажа, далее инспектор открыл своим ключом окованную железом дверь, и они сошли еще на два этажа, оказавшись в подземном гараже.

— Людвиг должен быть где-то здесь, — сказал герр Юнге и быстро пошел, словно заскользил по бетонному полу, ловко лавируя между тесно поставленными машинами. Свой «опель» обнаружили быстро.

— В управление, — бросил старший инспектор, садясь рядом с шофером. — Если вам, господин Турецкий, надо срочно связаться с Москвой, вы можете это сделать из моего кабинета.

Саша поблагодарил. Конечно, это было бы неплохо, но тот разговор, который был ему сейчас нужен больше всего, он хотел провести один на один, что в кабинете старшего инспектора исключалось. Впрочем, Косте позвонить можно и доложить о первых результатах кончающегося уже дня.

9

Тон голоса у Меркулова был какой-то смурной. Его как будто даже не обрадовало, что челюсть нашла наконец своего хозяина — тридцатичетырехлетнего «молодого человека», темноволосого, приятной наружности. Далее — может следовать описание Семена Червоненко: джинса, бесчисленные молнии на костюме и сумке, акающая манера разговора.

— А что с академиком, Костя?

— Господи, — вздохнул Меркулов, — я понимаю, что у тебя мало времени, но хоть Денис-то, он может тебе подсказать, что как раз в эти дни академик находится в Германии, уже об этом-то наверняка у вас там пишут... Как ты вышел из финансовых затруднений?

— Родина вспомнила наконец о своем блудном сыне, — с сарказмом констатировал Саша. — Ноги бы протянул, кабы не Грязнов.

— Ну, слава Богу, — облегченно вздохнул Меркулов.

— Нет, совсем не слава, — возразил Турецкий. — Вы что же там, у себя, полагаете, что он дойная корова? Не выйдет, дорогие мои, хорошие. Долг платежом красен.

— Разберемся, — как отмахнулся Меркулов.

— Моим не звонил?

— Звонил, — после короткой паузы ответил Костя. — Но их не было. Тетка эта ее сказала, что их пригласили на несколько дней отдохнуть на взморье какие-то ваши общие друзья.

— Костя, — заволновался Турецкий, — у меня в Риге были друзья только в уголовном розыске. До 91-го года. Я тебя очень прошу, уточни!

— Можешь не нервничать, конечно, уточню и попрошу кое-кого проследить за этим делом... Знаешь, Саша, а мне что-то не нравится это твое решение вызвать снова огонь на себя. Какие гарантии-то хоть?

— Мои гарантии — это твой коллега герр Ханс. И ему я полностью доверяю.

— Ну хорошо, можешь от моего имени передать ему горячий привет и сердечную благодарность.

— А ты не хочешь это сам сказать?

— Какой смысл? Я не понимаю по-немецки, а он не говорит по-русски.

— Но все понимает.

— Очень хорошо, — парировал Меркулов, — значит, вам легче общаться.

«Костя нервничает, — понял Турецкий. — Что-то там у них происходит...» Второй, самый главный свой звонок в Москву Саша решил сделать из дома Пушкарского.

— Мне бы очень не хотелось, герр Юнге, — сказал он после того, как передал старшему инспектору Костины стандартные приветы, — чтобы хвост притащился за мной в квартиру Пушкарского.

— Об этом я подумал, — согласился Ханс Юнге. — Вы едете вместе? — он посмотрел на Дениса.

— Я думаю, что мне не стоит, — ответил Денис. — Давайте-ка я заберу к себе все наши материалы и отправлюсь в свой кемпинг. Но только после того, как вы, дядь Саш, уедете. За меня не волнуйтесь, я уже ориентируюсь в городе. А позже созвонимся.

— Хорошо, — кивнул Турецкий. Ему, честно говоря, было не очень удобно тащить сейчас Дениса в квартиру Пушкарского. Ведь и сам, что называется, из милости. А то будет как в еврейском анекдоте: все гости явились с подарками, а еврей с братом: «Зато золотой человек!»

Если бы перед полицейским управлением дежурили российские мафиози, они бы ничего не могли узнать. Из ворот управления одна за другой выехало пяток полицейских машин, и каждая отправилась в своем направлении. В одной из них лежал на заднем сиденье Турецкий, в другой — Денис, которого высадили возле станции метро «Хехст».

10

Валентин Дионисьевич не стал расспрашивать Турецкого о делах. Он считал, что Александр Борисович, если будет нужда, сам расскажет то, что сочтет возможным. Но посетовал, что гость не привез на ужин симпатичного молодого человека, который нынче утром заезжал за Турецким.

Саша дипломатично промолчал, и Пушкарский оставил эту тему.

Был еще один не очень ловкий вопрос. Саша объяснил, что ему надо срочно связаться с Феликсом Евгеньевичем Марковским, но он, к сожалению, не может вспомнить его домашнего телефона. Записная книжка осталась в Москве, и слава Богу, потому что была бы она сейчас в руках бандитов. Пушкарский заявил, что нет ничего проще, и сам набрал по памяти номер Маркуши. И когда услышал его голос, не преминул похвастаться своей памятью. Друзья поболтали несколько минут, обмениваясь в основном известиями об общих знакомых и ближайших планах друг друга. Затем Валентин Дионисьевич, искрясь от смеха, сказал:

— Слушай-ка, дорогой Маркуша, а у меня для тебя тут маленький сюрприз. Сейчас я передам трубку, но хочу заметить, что молодой человек, который будет с тобой говорить, мне искренне понравился. Имей это в виду!

Саша взял трубку и представился. Маркуша ничего не мог понять. Во всяком случае, пауза затянулась. Тогда Турецкий напомнил об их недавнем разговоре, а потом сообщил, что, находясь здесь в служебной командировке, связанной с теми вопросами, которые они с профессором обсуждали у него дома, попал в серьезнейшую переделку, едва не закончившуюся трагически. И помог ему Пушкарский, чья визитка совершенно случайно сохранилась еще с того памятного вечера в пивном баре Дома журналиста. Короче, чтоб не морочить профессору голову долгими историями, Турецкий, памятуя о предложении Феликса Евгеньевича не стесняться и всегда обращаться за помощью, вынужден прибегнуть и, как говорится, припасть к стопам.

— Феликс Евгеньевич, вы уже в самом конце нашей беседы обмолвились об одном человеке, который вам знаком и занимается сходными с моими вопросами. Если не ошибаюсь, он американец. Можно ли с ним выйти на связь? И если да, то как?

Маркуша помолчал и попросил передать трубку Пушкарскому. Тот взял и долго молча слушал, что говорил ему Марковский. Наконец сказал: «Хорошо» — и положил трубку. На вопросительный взгляд Турецкого ответил снисходительно:

— Идемте, дорогой мой, ужинать, а нашему Маркуше предоставим возможность найти способы удовлетворить вашу просьбу. Вы сами понимаете, что без согласия того человека он никак не может вас познакомить, поэтому будем надеяться, что Феликсу это удастся.

Звонок раздался, когда они перешли уже к чаю.

Пушкарский поднял трубку, затем молча придвинул к себе блокнот для записей, ручку и что-то записал на листке бумаги, который тут же оторвал и спрятал в карман своей стеганой куртки. Глядя на Сашу, покивал и сказал:

— Всего доброго, мой друг, льщу себя надеждой еще в этом году свидеться... Передам с удовольствием.

Валентин Дионисьевич вернулся к столу, сделал глоток уже остывшего чая, отодвинул свою чашку и пригласил Турецкого проследовать в кабинет. Там они сели перед низеньким столиком на диване, Пушкарский достал из кармана листок, на котором были записаны цифры. Протянул Турецкому и сказал:

— Он просил запомнить цифры, а запись тут же уничтожить. Миша Майер, так его зовут, — Пушкарский кивнул на листок, — поможет вам. Он знает о вашем деле, я имею в виду это новое страшное явление, которое зовется русской мафией, все. Или почти все. Обязательно сошлитесь на Феликса Марковского. Миша хорошо говорит по-русски. Кажется, он из наших. Отец его, вероятно, оказался на чужбине после плена, не захотел возвращаться в сталинские застенки, а Миша родился в Америке. Здесь живет достаточно долго. Все остальное он, если пожелает, расскажет вам сам. Я вам передал слова Феликса, дальше дело за вами. Запомнили?

Саша еще раз взглянул на семь цифр, повторил их про себя и протянул листок Пушкарскому. Тот достал из кармана коробок спичек, чиркнул, поджег записку и аккуратно положил ее в хрустальную пепельницу. Турецкий невольно улыбнулся:

— Вы прямо как опытный конспиратор...

— А что вы думаете? — хмыкнул Пушкарский. — Всяко в жизни случалось! Ну, желаете звонить?

— Разумеется. Я могу сообщить, что нахожусь у вас, Валентин Дионисьевич?

— А почему же нет? — И Пушкарский не мог удержаться от легкой бравады: — Смею надеяться, что ему как-нибудь уж известна моя фамилия.

Звонок, отзыв, короткое представление и тема интереса не заняли и двух минут.

— Это для вас достаточно срочное дело, — на хорошем русском сказал Миша, — или можно отложить, скажем, до завтра-послезавтра?

— Я понимаю, что создаю вам лишние затруднения, но...

— Ясно. Как ориентируетесь в городе?

— Пока никак. Я нахожусь в квартире друга, Валентина Дионисьевича Пушкарского...

— Ах, вон вы где? Он недалеко? Тогда будьте любезны передать ему трубочку.

— Валентин Дионисьевич, — виновато сказал Турецкий, — вы извините, что я, как говорится, без спросу записал себя в ваши друзья... но он просит вас взять трубку.

— Слушаю, Пушкарский! — бодро начал Валентин Дионисьевич. — Разумеется, мой друг. А как же! Не-ет, это, милый мой, только по молодости бывало, студенческий обычай... Ну что ж, я постараюсь доставить к вам молодого человека.

— Что вы, Валентин Дионисьевич, — всплеснул руками Турецкий. — Куда вам на ночь-то глядя?

— Ну, положим, еще далеко не ночь, а перед сном я с удовольствием прогуляюсь с вами на пару, если не возражаете... Да тут и недалеко. Тряхнем стариной!

— В каком смысле?

— А в том, что по молодости мы, бывало, выбирали направление и шли, не пропуская ни одного пивного бара... Ах, были времена!..

11

Маленький пивной бар, в который они пришли, несмотря на поздний час, был еще полон народу. Турецкий даже забеспокоился, как же Миша их опознает в этакой толчее? Пушкарский успокоил. Он здесь слишком заметная фигура. Вот же старик! Но он оказался прав.

Они взяли по бокалу светлого пива, и едва окунули в густую пену носы, как перед ними вырос невысокий сухощавый человек лет пятидесяти, с глубоко запавшими глазами, крючковатым носом и прямыми поджатыми губами.

— Я вас приветствую, Валентин Дионисьевич, — сказал он, крепко пожимая Пушкарскому руку. Затем обернулся к Турецкому и продолжил церемонию: — Вы — Саша? Очень хорошо, а я — Миша.

Пушкарский уже повернулся к бармену, чтобы заказать бокал для Майера, но тот тронул за рукав и отрицательно покачал головой.

— Я предпочел бы выйти из этого заведения и подышать свежим воздухом. Если не возражаете.

Саша тут же поставил недопитый бокал на стойку.

Они прошли квартал, свернули налево и оказались в небольшом парке. Выбрали скамейку недалеко от входа и сели.

— Рассказывайте, — коротко предложил Майер. Пришлось в который уже раз начать с начала, со взрыва на Ильинке. С убийства шофера, со свидетелей, которых убирают ловко, прямо из-под самого носа следствия. Наконец, о таинственной фигуре Владимира Рослова, который прилетел в Россию и исчез. Турецкий не хотел еще говорить об опознании, проведенном сегодня зубным врачом из Оффенбаха. Решил пока не раскрывать все карты сразу. Рассказал, что и его похитителей, которые сутки допрашивали его в подвале, в частности, интересовало то, что Турецкий знает о Рослове.

Майер помолчал, раздумывая над услышанным, и сказал, что он, вероятно, сможет помочь Саше в некоторых поднятых им вопросах. И прежде всего информацией о своем добром товарище Володе Рослове, вместе с которым ему, Майеру, пришлось заниматься так называемой аферой века. Вообще-то, возможно, пока не следовало посвящать москвича во все тонкости этой суперсекретной операции, но рекомендации таких людей, как Марковский и Пушкарский, это серьезно. Конечно, Владимир мог бы лучше сделать это сам, если счел бы нужным.

Турецкий понял, почему тянул Майер: при всех посторонних рекомендациях он, Турецкий, оставался для этого разведчика, специализирующегося именно на русской мафии, темной лошадкой. Документов-то нет никаких. А ну как провокация? Да и любые документы по нынешним временам — дело техники, не более. Поэтому Саша предложил такой вариант: поскольку операция была действительно в высшей степени секретная, видимо, Майеру следует иметь более твердую уверенность, что здесь не пахнет провокацией. Для этого есть только один путь: удостовериться у старшего инспектора Ханса Юнге, который получил сегодня утром подтверждение полномочий старшего следователя по особо важным делам Генеральной прокуратуры России Александра Борисовича Турецкого вместе с его фотографией.

Майер немедленно отклонил это предложение: он не желал связываться в настоящий момент с германской уголовной полицией. Она, естественно, получив какие-то козыри в руки, немедленно начнет аресты, а потом, ввиду отсутствия доказательств вины, будет вынуждена выпускать преступников и таким образом может сорвать операцию.

Тогда Саша выдвинул последний аргумент.

— Сегодня, — сказал он, — мы были в Оффенбахе у зубного врача, который лечил зубы Рослову. Об этом даже имеется запись в книге. Так вот. Вместе с банкиром Алмазовым, учредителем банка «Золотой век», погиб в машине некто нам неизвестный. До последнего времени. То есть до сегодняшнего утра. По куску челюсти погибшего мы, наконец, смогли установить, что им и был Владимир Захарович Рослов. — Саша громко выдохнул, будто выпустил из себя весь воздух.

Майер утопил лицо в ладонях и замер на скамейке. Он сидел так долго, потом поднял к Турецкому темные, глубоко запавшие глаза и сказал:

— Аферу, которую провернул банк «Золотой век», во всяком случае сейчас можно говорить пока о его германском филиале, мы раскручивали вместе, как я уже сказал, с Володей. Он тоже работал по банкам и мафиозным структурам в финансовой системе. Он был очень хороший аналитик и отличный товарищ... Я мог бы взглянуть на этот ваш протокол?

— Конечно, но для этого мне придется вызвать своего помощника. Завтра, в любой удобный для вас час, я готов показать вам его. Он подписан врачом и старшим инспектором Юнге, в присутствии которого были составлены свидетельские показания.

— Хорошо, я верю вам. Я завтра позвоню часов... в восемь, если не возражаете, мы снова встретимся, и я, возможно, найду вам еще одного человека, который работал вместе с Володей. А теперь, с вашего разрешения, я вас оставлю. Вы принесли мне очень горькую весть, и мне хотелось бы побыть одному. Прощайте. До завтра.

— Что ж вы, сразу-то не могли?.. — будто с осуждением сказал Пушкарский.

— Он абсолютно прав, — ответил своим мыслям Турецкий. — Я бы тоже требовал железных гарантий... А почему сказал не сразу? Манера у меня, понимаете ли, такая: никогда не выкладывать всего на стол. Между прочим, профессионалы на это не обижаются.

— Вероятно, — заметил, поднимаясь со скамейки, Валентин Дионисьевич. — Наверно, я чего-то уже не понимаю в этом мире...

ВТОРНИК, 17 октября

1

Ранний утренний звонок сообщил Турецкому, чтобы он ожидал гостей. С минуты на минуту должен был подъехать и Денис с нужными документами.

Они устроились в кабинете Пушкарского, и старик объявил секретарю, что у него срочное совещание и попросил не входить и не мешать. Вид у Майера был болезненный, на щеках заметна легкая небритость, под глазами темные круги. И речь несколько замедленная. Будто он пил всю ночь напролет. Впрочем, кто его знает, жить без конца в диком напряжении — какое тут здоровье?..

Он пришел не один. Его спутнице было что-нибудь около тридцати лет. Тонкое, изящное лицо было обрамлено длинными, лежащими на плечах каштановыми волосами. Серые глаза смотрели напряженно из-под нахмуренных, собранных в одну ниточку бровей. Пальцы беспокойно теребили маленькую сумочку.

Пушкарский, едва увидев ее, воскликнул:

— Катя! Сто лет, сто зим! Как ты тут оказалась?..

А когда Турецкий знакомился с ней, протянула узкую, но крепкую ладонь и сказала:

— Кэти Торн.

И вдруг это домашнее, российское — «Катя»! Турецкий вопросительно уставился на молодую женщину. Объяснение не заставило себя ждать.

— Мой отец, Павел Иванович Торнин, был хорошим знакомым Валентина Дионисьевича. Он умер. Три года назад. А я одно время пробовала себя в журналистике, отсюда и псевдоним. — И замолчала, уверенная, что данного объяснения вполне достаточно. — Но вы что-то знаете о Рослове? — Голос ее зазвучал напряженно, как натянутая струна.

— Вы имели к нему какое-то отношение?.. Извините, я хотел сказать: вы были знакомы?

— Да.

— Тогда весть для вас будет крайне печальной. Он погиб.

— Когда?

— Сегодня у нас какое? Семнадцатое октября? Ну вот... — сделал паузу Турецкий. — Значит, это случилось третьего октября... Да, ровно две недели назад.

— Но как же так?! — почти возмутилась Катя. Саша решил для себя звать ее по-русски. — Ведь я дважды звонила его матери, но... что-то не получалось на телефонной станции. Соединяли неверно. Я уж подумала, что неправильно записала его телефон в Москве.

Наконец он все понял. Вот она — странная истеричная дама, вызывавшая какого-то Володю, отчего у Шурочки подскакивало давление.

— Простите, — осторожно сказал Турецкий, — Катя, вы уверены, что Владимир Захарович Рослов — подлинное имя вашего знакомого?

— Конечно! — с жаром воскликнула она. — Я даже паспорт его однажды видела.

Турецкий поймал брошенный на него быстрый, скользящий взгляд Миши Майера и решил не продолжать эту тему.

— Миша, я обещал вам вчера показать протокол допроса свидетеля. Он здесь. Денис, будь любезен, дай мне бумаги.

Майер раскрыл тонкую папку. Катя сунулась было к нему, но он сделал легкий отстраняющий жест рукой. Действительно, зачем женщине читать все это?.. Прочитав, вернул папку Турецкому, а Кате лишь кивнул, полузакрыв глаза. Она опустила голову. Молчание длилось не больше минуты, но Турецкому показалось, что это было время их молчаливого прощания с товарищем.

Валентин Дионисьевич, также наблюдавший за этой короткой сценой, не выдержал и, глубоко вздохнув, по-стариковски поднялся из своего кресла.

— Пойду, — сказал, обращаясь в пространство, — погляжу, как там что... А вы продолжайте, не стесняйтесь. У вас дела, понимаю...

— Миша сказал мне, что вас интересуют некоторые факты, связанные с немецким филиалом банка «Золотой век». Что конкретно вы хотели бы знать? — спросила Катя ровным голосом, как бы лишенным интонаций.

— Практически все, что поможет узнать причину убийства президента этого банка Алмазова и директора филиала — Шройдера. У меня есть некоторые соображения, но хотелось бы послушать вас. Извините, я не знаю, имеете ли вы, Катя, отношение к этим делам.

— Самое непосредственное, — сухо ответила она. — Я закончила экономический факультет и последнее время работала... работаю консультантом-аналитиком банка «Золотой век». Но об этом не должен знать никто. Вам я говорю только по той причине, что вы находитесь в доме глубоко уважаемого мной и вообще нашей семьей человека. К тому же вас рекомендовал Мише Феликс Евгеньевич. Это очень высокие рекомендации. А с Володей меня познакомил Миша, когда это было? — Она обернулась к Майеру. — С год назад, больше? Впрочем, теперь это уже не важно. А как погиб Володя?

— Его встретили в Москве на аэровокзале. Он сел в машину Сергея Алмазова, некто встречавший сел сзади. Володя хорошо водил машину, вы не знаете? — как бы между прочим спросил Турецкий.

— Отлично! — с жаром ответила Катя. — Уж на что я рисковый водитель! А он был просто настоящим профессионалом. Даже в гонках, как он рассказывал, не раз участвовал.

— Вот-вот, он и сел за руль. Потому что водителя Алмазов отпустил. И они, как я понимаю, втроем поехали в район Кремля. Но не доезжая немного, а впрочем, кто теперь может сказать, куда они ехали?.. Словом, на одной из пустынных улочек один из пассажиров вышел из машины, а через считанные мгновенья раздался взрыв. Двух мужчин, оставшихся в автомобиле, в буквальном смысле разнесло в клочья. И все сгорело. За исключением... как я говорил...

— И вы не знаете того, кто их встретил? — напряженно спросила Катя, будто сама имела разгадку.

— Нет, конечно... А позже и шофера, и случайного свидетеля-таксиста убрали. Но вы так сказали, словно вам что-то известно?

— Сейчас я не могу ничего сказать, — быстро затрясла головой женщина, — но... мне самой необходимо узнать... Хорошо, я потом скажу. Давайте вернемся к банку, — решительно подняла она голову, и глаза ее блеснули — не то от слез, не то от ненависти к кому-то, о ком она еще не сказала. — Миша, может быть, и ты хочешь что-то объяснить Александру?.. Разрешите, я буду звать вас Сашей?

— Да-да, конечно, — словно спохватился Турецкий.

— Я думаю, как мы познакомились с Владимиром, — медленно цедил слова Майер, — это наше сугубо профессиональная забота. Достаточно того, что мы делали одно дело. Я — по своей линии, он — по своей. Но в определенный момент наши интересы столкнулись... перекрестились... и мы стали работать вместе. Обмениваться информацией. Я знаю, это у вас не поощрялось, но у разведки свои законы. И правила. На определенном этапе, когда у Владимира появился достаточно серьезный материал против филиала «Золотого века», я познакомил его вот с ней, с Кэт. Поскольку, по моим сведениям, только она могла забраться в депозитарий банка.

— Ты, Миша, говоришь обо мне так, будто я какой-то жулик! — нахмурилась Катя.

— Да все мы в некоторой степени... Так вот, Саша... Владимир имел все основания утверждать, что филиал «Золотого века» во Франкфурте стал своеобразной штаб-квартирой криминалитета из России. Через этот банк деньги из России перекачивались сюда, в Германию. Способов много: дорогостоящие фиктивные контракты, да вы и сами знаете о предоплате при непоставке товара, отмывании грязных денег — от продажи наркотиков, торговли оружием. Там же проводились и обратные операции, то есть отмывка денег в России. К вам ушел миллиард долларов сицилийской мафии, полученный ею от наркобизнеса. Причем все документы на этот счет подписывались на уровне вашего кабинета министров. А действующими лицами были теневики-бизнесмены, уголовники, бывшие агенты КГБ, алчные новые госчиновники... Это огромный преступный синдикат. Теперь, Саша, вы понимаете, по какому острию ножа ходил Владимир? И Кэт ему помогала.

— Ну, моя помощь заключалась лишь в том, что мне удалось проникнуть в электронную память акционеров банка и передать Владимиру код и файлы с именами и суммами. Когда он прочитал эти материалы, то сказал, что держит в руках бомбу, которая может взорвать правительство. Он должен был немедленно встретиться с вашим Президентом. И мне стало за него страшно. Но перед отъездом он передал мне один предмет и сказал, чтоб я его сохранила. Он запечатан в пакете и лежит в банке. Я возьму его...

— Я не совсем теперь понимаю, — сказал Турецкий. — Если он имел столь опасный компромат на «Золотой век», то зачем же ему было нужно садиться в машину главного учредителя этого банка? Вы видите логику?

— Я вам скажу, — как бы решилась Катя. — Он мне говорил однажды. У него была возможность подробно информировать свое непосредственное начальство, но ему не позволили этого сделать. По его мнению, потому, что в материалах фигурировали очень крупные государственные деятели вашей страны. Материалы просто не дошли бы до Президента. Поэтому Володе даже было предложено его начальством на какое-то время прекратить свое расследование и отойти в сторону. Другими словами... как это у вас, Миша? Ах да, лечь на дно... Но он не стал. Володя начал искать другой путь. У него была, он говорил, такая возможность. Хотя он сильно сомневался, стоило ли рисковать... Он подробно не говорил. Но все время об этом думал и переживал... Ему даже, по его словам, запретили выходить на связь обычным путем. Только специальные шифровки в определенные часы и дни. И его это угнетало, потому что он не видел причины...

— Последняя шифровка, между прочим, — неожиданно сказал Турецкий, — пришла совсем недавно. Много позже его гибели. Как это могло случиться?

— Как вы сказали? — вскинулся Майер. Турецкий повторил свои сомнения.

— Вывод здесь я бы для себя сделал однозначный: его подставили.

— Но кто? — задал совершенно уже наивный вопрос Турецкий.

— Вот именно, — кто?.. Или собственное начальство, испуганное Володиными возможными разоблачениями, или те, с кем он договаривался о подготовке его встречи с Президентом. Ничего другого предложить не могу. Но это все — не случайность. Это целенаправленное, хорошо подготовленное убийство. Я, конечно, не обладаю всеми Володиными материалами, да у меня и нет ни малейшего желания информировать ваших преступных госчиновников, что все они давно уже на крючке и по ним тюрьма плачет. Лично я избрал для себя другой путь. Все материалы по «афере века» я найду возможность положить на стол своего Президента. А уж он, если пожелает, пусть информирует вашего.

— Простите, Миша, я уже не раз слышу это выражение — «афера века». И в первый раз, кажется, от Феликса Евгеньевича. Вы можете мне объяснить, что это значит, или это тоже нечто суперсекретное? Но Феликс Евгеньевич даже какой-то газетный материал показывал на эту тему...

— Это как раз то дело, которое мы и раскрутили вдвоем с Володей. Только он пошел дальше и выбрался на этот банк. А суть проста, внешне, во всяком случае. Это была многомиллиардная афера с неуничтоженными ценными бумагами американских банков и финансовых корпораций. В операции были задействованы сицилийцы, ваши русские и другие, словом, целая компания уголовных синдикатов. Один из главных каналов, по которому похищенные ценные бумаги поступали в вашу страну, как раз и был «Золотой век». Но, как я понимаю, а мы с Володей не раз обсуждали эту тему, недавние руководители банка не могли, или не желали, резко увеличивать объем операций. В этой же уголовно-финансовой среде, как вам известно не хуже меня, тоже своя бешеная конкуренция, и действуют те же волчьи законы, когда сильный просто обязан сожрать слабого. Кстати, не исключено, что именно в этом и есть основная причина того, почему убрали практически одновременно руководящую верхушку «Золотого века».

«И ловко подставили последнего, оставшегося в живых, его руководителя, вице-президента Санишвили, — сказал сам себе Саша. — Или это ловкая игра?»

— Так, значит, по вашему мнению, этот банк должен перейти в другие руки? — спросил Турецкий.

— Наверняка уже перешел. Только мы об этом еще не знаем...

— А что ж тогда так мучается, разгадывая тайну гибели Манфреда Шройдера, инспектор Юнге?

— А кто вам сказал, что он мучается? Он честно исполняет свой долг. Ему не мои или ваши соображения нужны, а совершенно конкретные отпечатки пальцев, скажем так. Вы ж сами, Саша, следователь... — И по губам Майера, может быть впервые, скользнула улыбка.

— Да, конечно, но кое-что мы ему все-таки привезли.

— Вот и хорошо, значит, получите приз, — добродушно вздохнул Майер. — Есть ли у вас еще ко мне вопросы?..

— Нет, благодарю вас, — Турецкий встал. — Вот разве что к Кате...

— Ну хорошо, — кивнул Майер, вставая, и пожал руки Турецкому и Денису. — Всегда к вашим услугам.

2

— Скажите мне, Катя, Рослов действительно имел какие-то выходы на верхушку преступного синдиката или это ваши предположения?

— У него имелись многие фамилии. Одну он называл не раз — это Матвей Григорьевич Калина, американский подданный, проживающий в настоящее время во Франкфурте. Крупный бизнесмен, один из столпов «Золотого века». Володя даже предполагал, что он мог быть теневым хозяином банка. Калина, кстати, и не скрывает своего адреса.

— Хорошо, спасибо. У меня по этому поводу могут возникнуть некоторые варианты... Значит, говорите, Калина? Матвей Калина! Скажите на милость...

— Вам тоже известна эта фамилия? — вскинула брови Катя.

— Отчасти, Катюша... Вас проводить?

— Да в общем-то я хотела бы вместе с вами заняться свертком Володи. Но для этого мне надо заехать домой, а потом — в банк. Вы не составите мне компанию?

— С удовольствием. Денис, ты внимательно слушал наш разговор? Можешь не отвечать, знаю, что да. Так вот, обо всем этом должен быть информирован Вячеслав, понимаешь? А уж он может поставить в известность Костю. Это слишком серьезно, понимаешь? Есть у нас с тобой такая возможность? И учти, сообщение должно быть максимально кратким, но емким... Катя, простите, вы на колесах?

— Да, но у меня двухместная машина, поэтому...

— Я понял, не беспокойтесь. Денис, по-моему, ты положительно влияешь на этого герра Юнге. Забери у него обещанный «опель» и постарайся не упустить меня из виду.

— Хорошо, дядь Саш. Прямо сейчас надо?

— Нет, мы вместе с Катей смотаемся в ее банк, а вот когда вернусь, твоя помощь понадобится. И скажи герру Юнге, чтобы он тоже был наготове. Я хочу несколько форсировать события.

Катина машина была припаркована возле ворот. Пока шли к ней, Турецкого не оставляло ощущение какой-то некомфортности. Впрочем, он-то знал, откуда у него появляются всякий раз подобные ощущения. И был предельно внимателен. У противоположного тротуара, к примеру, стоит большой темный автомобиль. Зачем? А подальше, у перекрестка, прохаживается мужик в плаще с поднятым воротником и шляпе с низко опущенными полями: классический вариант шпиона из детективного кино.

— Что это за марка такая? — спросил удивленно Турецкий про Катину машину, оглядываясь по сторонам. Вокруг черной машины движения не было. Мужик на углу продолжал скучать, не обращая на них внимания.

— «Альфа-ромео»... Зеленая, как лягушка, да? — улыбнулась она.

— Похожа, — кивнул с улыбкой и Саша, с опаской забираясь в салон. Но его опасения были напрасны — удобно и как-то даже просторно.

— Зато у нее мощность хорошая и скорость, — заметила Катя.

Саша поглядел: на спидометре крайние цифры обозначали 220 миль. Серьезно.

Мотор взревел, и машина рванула. Сашу откинуло и вжало в спинку.

— Обязательно пристегнитесь! — крикнула Катя. — У нас это строго!

Турецкий обернулся, черная машина следовала за ними. Ну вот она и ясность... Саша сказал об этом, Катя взглянула в зеркальце и усмехнулась:

— Уйдем...

И они действительно ушли, потому что Катя водила машину так, что у Турецкого от каждого ее виража желудок подпрыгивал к горлу.

3

Квартиру она снимала в большом доме на шестом этаже. Это, вообще-то говоря, была практически мансарда — с косыми стенами и широченными окнами. Катя сказала, что здесь, во Франкфурте, гораздо выгоднее снимать жилье, нежели покупать. Большая сложность с налогами. А вся остальная семья — мать, двое братьев — живет в Мюнхене. Но здесь ее работа, и Катя привыкла. Жить одна.

Она говорила отрывисто, почти кричала из соседней комнаты, куда удалилась, чтобы переодеться. Эти каблуки не по ней. Ее форма — джинсы, хорошие ботинки, шерстяной свитер.

Турецкий медленно обходил комнату, оглядывая обстановку. Половину угла занимал компьютер со всякими приставками, факс, ксерокс и другие мудреные для Турецкого технические новшества, которыми давно уже пользовался весь цивилизованный мир, а для Саши оставались тайнами за семью печатями. Несовременный ты человек, Александр Борисович. Нет, в принципе-то здесь не было ничего сложного, и он, конечно, смог бы поработать на компьютере. Просто не любил. Авторучкой, на пишущей машинке оно както привычней... Противоположный угол комнаты, в котором главенствовали горшки с цветами и длинными зелеными лианами, был посвящен, видимо, семейным привязанностям хозяйки. В золоченых рамках на стенах висело несколько групповых фотографий — с пожилыми людьми в центре и молодежью по бокам. Были среди них яркие, цветные, сделанные, видно, недавно на хорошем «Кодаке», были и совсем старые, пожелтевшие от времени.

В комнату вошла Катя, и Турецкий с изумлением посмотрел на нее, словно не узнал. Перед ним была изящная и хрупкая, как японская статуэтка, девушка. Казалось странным, но грубый свитер, джинсы и ботинки на толстой подошве делали ее более стройной, чем то платье и высокие каблуки, которые были на ней с утра. Все-таки у каждого свой собственный стиль.

— Что-нибудь не в порядке? — вопросительно взглянула на него Катя и оглядела себя.

— Нет, что вы, наоборот, я просто в восхищении, так вам идет все это...

Ее щеки слегка зарделись. Конечно, заметила она, женщине приятно слышать похвалу в свой адрес. Даже по такому пустяку.

— Почему ж пустяк? — Турецкому показалось, что он мог бы часами сейчас рассуждать на эту тему, но Катя плавным движением кисти руки словно закруглила разговор. — Вы, я смотрю, моими родственниками заинтересовались? Да, когда-то родня у нас была богатая. Но в России уже никого не осталось. Когда началась эта ваша перестройка, папа смог съездить на родину, но приехал разочарованный и сильно расстроенный. Привез некоторые из этих фотографий и сказал, что род Торниных в России умер. Остались только мы... И вот они, — Катя показала пальцем на фотографии. — Но я вам хотела показать еще кое-что.

Она подошла к стенной панели и открыла кусок плиты, за которой был смонтирован стенной сейф. Набрала код, повернула рукоятки и открыла небольшую дверцу. Из сейфа она достала и протянула Турецкому фотографию, на которой были изображены улыбающиеся Катя и... Кирилл Романов. Саша не мог ошибиться. Хотя он знал, что Кирка всегда носил длинные волосы и был похож на битника, а тут на голове у него был короткий ежик, который ему, впрочем, тоже шел.

Катя увидела глаза Турецкого и прижала ладонь к своим губам.

— Вы... вам знаком этот человек?..

— Это и есть Владимир Захарович Рослов, Катя? — с безмерной тоской сказал Саша. — Господи, ведь я же был готов к этому... — прошептал он. — Но не верил, не хотел... не мог поверить...

— Значит, вы знаете его... Кто он?

— Пока Рослов... — с трудом, морщась, вздохнул Турецкий.

— Катя, не хочу вас обижать, но мне очень нужна эта фотография.

— Мне бы не хотелось... Это теперь единственная память о... моем очень хорошем друге. А вы что, тоже дружили с ним?

— Я, Катя, с ним в футбол играл... В Тарасовке... есть под Москвой такое дачное место... И гриб однажды нашли... вот такой, — Саша широко развел руками и махнул ими. — Вы правильно звонили, Катя. Просто Шурочка, его мама, не могла предположить, что его звали Володей. Понимаете, зачем мне нужно это фото?

— Понимаю, — вздохнула и Катя. — А если я вам сделаю ксерокс? Цветной? Уверяю вас, будет один к одному.

— Хорошо. А где это вас снимали? Я смотрю, тут река, да широкая.

— Это мы на Рейне, этим летом... устроили короткий уик-энд...

— Пожалуйста, напишите, если вас не затруднит, это очень важно. И число.

Ксерокс, который Катя сделала в течение нескольких минут, и правда ничем не отличался от оригинала. Саша аккуратно сложил его и сунул в карман куртки.

— А почему же вы тот пакет Рослова дома не храните, вон ведь сейф какой!

— Володя сказал, что это чрезвычайно важный материал. Дома такое держать я не рискнула. Но мы сейчас поедем в банк и все узнаем. Вы готовы?

— Я-то готов, — покачал головой Турецкий и снова окинул взглядом комнату. Ему показалось, что он покидает последнее жилище Кирилла, Кирки... Киры... того, что стоял сейчас на столе в Москве, в «Белом доме», заключенный в позолоченную рамку. Будто миниатюрная кладбищенская плита... — Катя, а от вас позвонить можно?

— Конечно. Куда вам, если не секрет?

— Совсем не секрет. Герру Юнге. Только мне, видимо, придется вас попросить быть переводчиком. Дело в том, что он все понимает по-русски, но не говорит. А для меня немецкий — запертая дверь. Если б по-английски...

— Говорите номер, я сейчас узнаю... — Она пробежала пальцами по кнопкам, сказала несколько фраз и передала трубку Саше. — Пожалуйста, старший инспектор знает английский.

Саша немедленно сообщил герру Юнге о том, что собирается навестить Матвея Григорьевича Калину, одного из хозяев «Золотого века». И если опасения Турецкого на его счет подтвердятся, будет необходима срочная помощь.

Юнге выяснил, когда, на какое время намечено посещение, уточнил адрес.

— За нами был хвост, но, кажется, мы оторвались, — сказал Турецкий. — Большая такая черная машина. Марку не сумел разглядеть.

— Вы ехали на зеленой «альфа-ромео»? — уточнил Юнге. — Тогда это мои люди. От них как раз удирать не надо. Впрочем, они вас уже нашли. Вот сообщение. Куда вы сейчас движетесь?

— В банк, — ответил Турецкий и вопросительно взглянул на Катю. Та поняла, подсказала. — Мне подсказывают: Кайзерштрассе, 68.

— Гут, — кинул герр Юнге в трубку и добавил: — Ка-рашо.

4

Турецкий сидел в машине, а Катя быстро сбегала в здание банка и вскоре вернулась и бросила сумочку рядом с собой.

— Вы хотите сразу посмотреть или отъедем? — спросила она.

— А вы не будете возражать, если я поинтересуюсь?

— Пожалуйста, — она достала из сумочки завернутую в темный целлофан небольшую коробочку, напоминающую аудио-кассету. Турецкий быстро снял обертку: это действительно была обычная магнитофонная кассета.

— Мы можем ее прослушать? — спросил Турецкий и оглядел приборную доску в поисках привычного магнитофона.

— Увы, — сказала Катя, — у меня его нет. Терпеть не могу посторонние шумы в машине. — Что же делать?

— Надо поехать туда, где есть магнитофон, и там прослушать, только и всего.

— Тогда едем быстрее.

— Куда? Обратно ко мне?

— К вам не надо. Давайте к Пушкарскому.

Катя молча нажала на газ. Турецкий положил кассету в карман куртки и рассеянно поглядывал по сторонам. Нет, никак не мог он ориентироваться в этом новом для него городе, никак не мог понять его внутренней, что ли, структуры. Вот Дениска — тот сразу сообразил, молодой потому что. У него башка не перегружена массой ненужной информации. Да и на плане он быстро сориентировался.

Турецкий поглядел в боковое зеркальце и увидел вдалеке черную машину, которая четко держала дистанцию. И вдруг она стала быстро приближаться. А приглядевшись, Саша понял, что это не та вовсе, а совсем другая машина, и радиатор у нее совершенно другой.

— Катя, — быстро сказал он, — у нас на хвосте чужие.

— Вижу, — так же коротко бросила она и добавила газу. Машина аж присела, так рванула вперед. Преследователи быстро отстали. — Будем удирать, — сказала она, резко свернула вправо и пошла крутить узкими улочками, заставленными машинами. Впрочем, так могло только показаться Турецкому, поскольку подобной сумасшедшей езды в городе он еще не видел. Больше всего он боялся, что Катю занесет и она размажет свою лягушачью «альфу» по ближайшей же стене.

Наконец они вырвались на широкую трассу, и Катя вновь прибавила газу. Нет, одно дело, когда ты сам сидишь за рулем, а совсем другое, когда тебя везут, а ты видишь, что от тебя и твоего умения в данном случае абсолютно ничего не зависит. Это, конечно, жутковатое состояние. Он взглянул на Катю: у нее от возбуждения искрились глаза, и зубы, обнаженные в азартном оскале, отстукивали какой-то ритм.

— Вот же сволочи! — выругалась она неожиданно. Турецкий резко обернулся и снова увидел сзади приземистую черную машину со скошенной решеткой радиатора, отчего у машины был хищный вид.

У преследователей был более мощный двигатель, потому что они неумолимо приближались. И это явно не были люди старшего инспектора. Катя занервничала. Турецкий попробовал ее успокоить, но машина, несмотря на свой шикарный спидометр, никак не могла выжать больше того, на что была способна.

— Катя, надо сойти с трассы, — дрожа от напряжения, сказал Турецкий. — Причем сделать это резко. Главное, не перевернуться. У них тяжелый утюг, инерция велика... можем уйти...

Катя быстро, подрезав нос преследователям, сошла с эстакады на боковой съезд и сделала это так, что истошно завизжали колеса. Турецкий боялся только одного: что машина может перевернуться и свалиться с эстакады. Тогда конец. Он, словно это могло помочь, всем весом навалился на правую дверь... пронесло. Черная машина, естественно, «зевнула» их маневр и теперь задом сдавала к съезду с трассы. «Лягушка» же Кати, завершив большой вираж, готова была уже нырнуть под эстакаду. И в этот момент Турецкий увидел, как от машины к ограждению эстакады бегут двое с автоматами в руках.

— Газу! — крикнул он.

Катя тоже увидела бегущих и до отказа вдавила в пол педаль. Грохота выстрелов они не услышали, но, обернувшись, Саша увидел, как большая красная машина, шедшая за ними, вдруг завиляла из стороны в сторону, от нее тут же кинулись другие машины, кто-то кого-то ударил и — заварилась каша.

— Надо скорее уходить, — сказал, с трудом сдерживая дыхание, Турецкий. — И как можно дальше. Пока они там разберутся, мне, Катя, надо быстро осмотреть вашу машину.

— Зачем? — удивилась она, причем как-то спокойно.

— Затем, что нас слишком легко вычисляют. А если эти парни из одной команды, то у них и методы одинаковые. Давайте скорее в любой ближайший лес, парк, куда угодно, где есть канава, чтоб я мог подлезть под ваше днище.

Такое место скоро нашлось, но для этого им пришлось пересечь Майн и изо всех сил рвануть на юг.

Может быть, это был парк, а может, вполне ухоженный лес. Катя ловко поставила машину над кюветом, а Саша, скинув куртку, быстро нырнул под машину. Искать пришлось недолго. Уже через какие-то пять минут он держал в руке шайбочку, отдаленно напоминающую ту, что стояла на его собственной разнесчастной «телеге».

— Ну вот и все, — спокойно сказал Саша, — повертел «маячок» в пальцах и, широко размахнувшись, зашвырнул кусочек металла со всей его начинкой в лесную чащу. — Вот теперь мы можем ехать спокойно. Но лучше какой-нибудь другой дорогой, чтобы их не встретить.

— Я о таких вещах вообще-то читала, — сказала Катя. — Но как она, эта штуковина, у меня очутилась?

— Когда вы приехали, та большая черная машина уже стояла?

— Нет, ее не было. У Миши свой «фольксваген», у меня — «альфа». Мы просто договорились и встретились у ворот Валентина Дионисьевича.

— Понятно. Надо срочно сообщить ему о нашей находке. Не исключено, что и ему такую же подкинули. Но это лишь с одной целью: им не вы с Мишей нужны, а я. Просто они не могли предвидеть, на какой из двух машин я могу уехать от ВДП. — Увидев непонимающие глаза Кати, он объяснил, что такое ВДП. Она засмеялась.

— Хорошо, я позвоню ему из первого же телефона. Боже, как я устала от этой гонки... — Она потянулась всем телом, увидела, какими глазами посмотрел на нее Турецкий, и прошептала: — А я ведь могла бы догадаться, что с вами не соскучишься...

— В каком смысле? — ему пришлось даже немного откашляться.

— А во всех, — многозначительно протянула она и, тряхнув волосами, посмотрела искоса. — Вы меня спасли, и я хочу вас отблагодарить.

— Разве это я — вас? Это вы моя спасительница... — как-то нелепо стал возражать он.

— Тем лучше, — решительно сказала она и повернулась к нему. — Значит, это дело обоюдное.

И она, ухватив его обеими руками за шею, притянула к себе и исступленно впилась в губы. Он взял ее за лопатки, прижимая грудью к себе, и она сразу навалилась на него, опрокидывая на сиденье.

Поцелуй, вернее, сотня поцелуев, растянутая в одном, длился бесконечно. Наконец она оторвалась от него, провела лицом по его груди и села за руль. Сказала, не глядя на него:

— Есть тут неподалеку один хороший кемпинг. Не знаю, хорошо ли это, но ты меня возбудил до такой степени, что я готова рискнуть и предложить тебе первой... что интеллигентным женщинам не к лицу...

— Еще как к лицу, — уверенно возразил Саша, чем вызвал на ее губах широкую улыбку.

5

Кемпинг, или мотель, или еще черт знает как это все называлось, стоял на лесном берегу небольшого озерца. К нему привела асфальтированная дорога с указателями через каждую сотню метров. От воды в лес тянулись два десятка домиков, имевших вполне ухоженный вид, в центре возвышалось двухэтажное деревянное строение с островерхой крышей, где, как гласила вывеска, размещались ресторан, кафе, бар, танцевальный зал и прочие службы.

— Сиди, я сейчас, — сказала Катя и выскользнула из машины. Через короткое время она вернулась, села за руль и загнала машину под деревья, где был натянут между ними полосатый тент. Здесь уже стояло пяток автомобилей разных марок, в основном такие же небольшие, двухместные. Значит, здесь собираются парочки, которые не хотят заниматься любовью под чистым небом.

— Слишком заметно, — покачала головой Катя, оглядывая свою «лягушку». — Странно, а раньше нравилось...

Она достала из багажника непрозрачный пластиковый тент и с помощью Турецкого ловко набросила его на свою невысокую машину. Оглядев работу, удовлетворенно усмехнулась: конспираторы...

Домик, в который они вошли, состоял из двух комнат. Была еще крохотная кухонька и такой же санузел с душем. Кухонное окно выходило в сторону леса. Саша попробовал все запоры — вроде нормально. Пока он совершал экскурсию, Катя уже побывала под душем и вышла, завернутая по пояс в полотенце.

— Ну что же ты?

— Да, — кивнул он, — я основательно вспотел от этой твоей гонки.

А когда он, несколько минут спустя, вышел из душа, Катя уже лежала обнаженная на разобранной кровати и, глядя в потолок, ловко пускала кольца дыма. Турецкий засмеялся и, подойдя к ней, протянул руки. Катя тут же кинула сигарету в пепельницу, схватила его за запястья и с силой швырнула себе на грудь...

Саша забыл обо всем. У нее было очень ловкое, сильное и выносливое тело. И еще ей больше всего нравилось скакать на нем. Она медленно опускалась над ним и вдруг рывком кидалась в сумасшедший галоп, при этом голова ее моталась из стороны в сторону, а длинные каштановые волосы лошадиным хвостом били его по груди. Потом серые сверкающие глаза ее расширялись до невозможности, и она, выдавливая из себя долгий болезненный стон, валилась ему на грудь...

В какой-то момент, когда Турецкий, выйдя из душа, где он в очередной раз смывал горячий пот со своей груди, стал закуривать, в входную дверь тихо постучали.

Катя тут же бесшумно соскочила с кровати и подошла к двери сбоку. Турецкий усмехнулся: как опытный оперативный работник, бережется от пули в дверь. Там что-то тихо сказали, Катя так же тихо ответила. Затем она буквально одним прыжком влетела в свои джинсы, на ходу объясняя: «Нас уже ищут...»

Саша не совсем понял, в чем дело.

— Я предупредила портье, — торопливо одеваясь, говорила она и отчаянно трясла руками, показывая, чтобы и он немедленно следовал ее примеру. — Я сказала, что нас могут искать. Заплатила ему, чтобы он нас немедленно поставил в известность. Он оказался честным парнем... Ключи оставляем здесь, а сами давай уходить через окно...

— Послушай, Катя, — удивленно говорил Турецкий, когда они, выбравшись через широкое кухонное окно и аккуратно притворив его, сделали круг по лесу и вышли к автомобильной стоянке, — у меня есть подозрение, что ты служишь, или служила, в полиции, настолько это все у тебя ловко получается и... профессионально.

— Что — ловко? — спросила она и остро посмотрела на него.

— Получилось двусмысленно, — сказал он, — а я думал о совершенно конкретном. Понимаешь, я — следователь-профессионал, но вряд ли поступил бы в подобной ситуации грамотнее тебя...

— Ах, вот ты о чем, — будто успокоилась она. — Фильмов всяческих нагляделась — вот и весь опыт... А мне показалось, что ты хотел меня обидеть...

— Да что ты! — Турецкий потянулся к ней с поцелуем, но она спокойно отстранила его губы, запечатав их ладошкой. — Не надо, у меня весь кураж прошел... Давай-ка будем лучше побыстрее удирать.

Уже вечерело по-осеннему, и вызывающий цвет Катиной «альфы», не казался столь броским и заметным. Машин преследователей тоже нигде впереди не было видно. Катя села за руль и предложила Саше, когда двигатель заработает на полную мощь, рывком сбросить тент и прыгать в машину. Саша пожалел было хорошую вещь, но Катя отмахнулась, сказав, что цена ей — копейка, а возня вокруг машины наверняка привлечет внимание преследователей.

Машина прыжком вырвалась со стоянки, Саша, обернувшись, увидел кинувшихся им вслед людей, в багажник машины дважды сильно ударило. «Автомат!» — мелькнуло в голове, но Катя уже уходила за поворот.

— Ай, ушли! — сказала она, покачивая головой. — Стреляли?

— Скорее всего... По-моему, где-то в багажнике дырки.

— Пригнись! — взвизгнула она, и машина резко дернулась из стороны в сторону. Кидаясь с сиденья вниз, Саша успел увидеть, как у конца поворота им навстречу выскочили от обочины двое с автоматами на уровне животов. Саша еще ниже пригнул голову, следя за Катей, которая буквально прижалась лицом к рулю и кидала машину резкими, короткими рывками баранки. Раздался грохот, на голову посыпались осколки ветрового стекла. Затем короткий удар, истошный крик, и Турецкого по голове ударило чем-то тяжелым, да так, что он на миг отключился. Когда он открыл глаза, машина неслась уже по трассе, ветер слепяще бил в лицо. Саша потрогал ладонью затылок, обнаружил добрую шишку, а, протянув руку ниже, к шее, обнаружил совершенно посторонний предмет. Оглянулся и ахнул: за его спиной лежал автомат.

Катя, низко склонившись к рулю, вела машину на пределе возможного.

— Послушай, Катя, давай я, — предложил Турецкий.

— Ты с ней не справишься, — процедила она сквозь зубы.

— А откуда у нас тут автомат? Эй, гляди, да он же наш,родненький, «калашников», десантный вариант... Кать, ты слышишь?

— Он бил в упор, а я кинула на него машину, его в сторону, а этот залетел.

— Ну что ж, — сказал Турецкий. — Будет хороший подарок герру Юнге. Чистенький, новенький, отпечатки получатся что надо. Завернем его в какую-нибудь тряпицу, чтоб не стереть... Да не гони уже так, вон город виден.

— Я тебя привезу в полицейское управление, а сама улечу в Мюнхен. Не хочу, чтобы меня тут убили русские сволочи...

Она сказала с таким выражением, что Турецкий мог бы отнести ее слова и на свой счет. Но он промолчал. А что оставалось делать?..

Уже возле здания полиции спросил:

— Ты уезжаешь... Мы, наверно, больше не увидимся?.. А как же с этим? — он похлопал себя по карману, где лежала кассета.

— Я думаю теперь, что она не мне, а тебе нужна. Что мог... Владимир сказать мне, чего бы я и так не знала?.. Нет, не думай, мы с ним никогда не были в этом кемпинге. Ты это, наверно, хотел у меня спросить?

Турецкий молчал, глядя слезящимися, видимо от встречного потока воздуха, глазами прямо перед собой.

— Мы с ним были друзьями. Да. Поэтому, если там есть только о деле, это нужно вам. А если он говорит что-то мне, выброси пленку. Говорить с загробным миром очень тяжело. Поцелуй меня и уходи...

6

Ханс Юнге, положив на стол десантный автомат, ходил вокруг него, словно кот вокруг сметаны. Только что не облизывался. Наконец пришел эксперт, быстро опылил его, показал присутствующим рукой, чтоб отошли и не мешали, принялся за работу.

Инспектор с Турецким отошли к окну, Юнге предложил закурить. Саша вспомнил, что за весь день имел одну затяжку и ту — не до конца, поскольку пришлось одеваться как в лучшие годы — за одну минуту и прыгать в окно.

О происшествии в городе и стрельбе по машинам Юнге уже знал, доложили, там была оперативная группа, но он никак не связал это кровавое происшествие — были убиты водитель и пассажир, а от столкновения пострадали и госпитализированы сразу четверо, — с нападением на Турецкого.

— С вами очень опасно иметь дело, господин Турецкий, — не то в шутку, не то всерьез заметил Юнге, и Саше показалось, что все-таки всерьез.

Тогда он рассказал о нападении на них в районе кемпинга...

— Где это? — быстро спросил Юнге и подошел к огромной карте города.

— Вообще-то мы удирали на юг, переехали через Майн. Там, неподалеку, мы остановились, и я обнаружил на машине Кэти Торн «маячок», с помощью которого нас «вели» бандиты. Что было делать, не таскать же его с собой? Вот я и выкинул его. Подальше. А потом мы захотели перекусить и заехали в кемпинг. Возле озера. А когда ехали в город, на нас снова напали. Хозяин этого автомата, вероятно, убит, поскольку удар машиной был очень силен. Сама машина сильно пострадала. А Кэт... Она уже, видимо, вылетела в Мюнхен. К своим родным. Естественно, женщина теперь боится мести бандитов...

Слушал герр Юнге рассказ Турецкого и не знал, что ему делать. Этот русский был совсем некстати. Но он, к сожалению, был. И с этим приходилось считаться, как и с просьбой старого приятеля Меркулова. Долг платежом красен, говорят русские, а у Юнге было за что благодарить Меркулова. Особенно когда у них началась эта перестройка, а Германия стала решительно ломать на сувениры Берлинскую стену.

Между тем эксперт закончил работу, сличил снятые отпечатки с уже имевшимися, в том числе привезенными из России, ответил на немой вопрос герра Юнге утвердительным кивком.

Когда все ушли. Турецкий попросил Ханса Юнге еще об одном одолжении: предоставить какой-нибудь магнитофон, чтобы прослушать вот эту кассету...

— Я могу при этом присутствовать? — осведомился Юнге.

— Понимаете, — слегка помялся Турецкий. — Если бы вы не были товарищем Кости Меркулова, я бы, пожалуй, ответил отрицательно. Но, учитывая то обстоятельство, что здесь могут быть записаны некоторые вещи, необходимые вам, я вас прошу присутствовать. Но все это, — Саша потряс кассетой, — должно сохраняться в строжайшей тайне. Это, я не исключаю, может стать причиной очень большой крови... Хотя, кто знает, может быть, тут просто любовное послание.

Юнге повернул ключ в замке кабинета, они вошли, сели друг против друга, Саша сунул кассету в гнездо магнитофона и нажал кнопку «Плей».

« — Алька, — раздался хрипловатый и знакомый до боли голос Кирилла, — ты сделал, наконец, что я просил?

— А-а, это ты, Кира... Напомни.

— Да ты что, спятил? Я здесь жду, волнуюсь, а он — напомни!

— А-а, ну да, конечно, а как же... Только, Кира, такие дела так запросто у нас не делаются. Но ты же не хочешь, как все, по команде. Ты хочешь сразу и на самый верх, так? А это очень трудно сделать.

— Но ты же мне твердо обещал!

— Я разве от своих слов отказываюсь? Устрою я тебе эту встречу. Возможно, даже в самое ближайшее время. Только ты меня не подгоняй, у тебя там что, горит? Насколько все это неотложно и срочно?

— Я тебе скажу честно, по-братски. Говорил со своими. Сам понимаешь, используя все сложности и так далее. Но тем не менее вышел на академика. Он сказал, что дело чрезвычайно серьезное. Такое, на что он сейчас решиться не может. Его не пропустят все эти ваши Карасевы, Буровы и другие, обложившие Самого со всех сторон. Значит, надо срочно искать обходной путь. Может быть, и через безопасность. Твою, так сказать, епархию.

— Ну так в чем все-таки причина твоей спешки? Что там, у тебя кто-то уже на хвосте? Так это, Кира, совсем на тебя не похоже... Объясни толком.

— Ладно. Рискну. Но учти, здесь мой смертный приговор. Понял?

— Да что ты так страшно-то? — Неужели Турецкому почудился смешок?

— Ты себе даже не представляешь, Алька... Вчера был убит Манфред. Человека разнесло на куски. Я знаю, чьих рук дело. Мы вскрыли целую сеть преступников, которые создали «Золотой век», как насос для перекачки грязной валюты в Россию, а чистой сюда, обратно.

— Ты говоришь: «мы», это кто же?

— Тебе что, меня одного мало?

— Я не в том смысле... Я в смысле достоверности...

— Можешь не сомневаться. Найдены две ключевые фигуры: там, у нас, Санишвили, вице-президент «Золотого века», у него брат ходит в авторитетах, снабжает оружием дудаевских боевиков. А здесь — некто Матвей Калина. Подданный Штатов. Через него к нам уходили похищенные в американских хранилищах ценные бумаги. Но это отдельный разговор. Алька, что ты молчишь?

— Перевариваю...

— У меня мало времени.

— А у меня его совсем нет. Ты когда хочешь прилететь?

— Хоть завтра. Если бы ты мог обеспечить мне предварительную, хоть накоротке, встречу с Сергеем Алмазовым, я был бы тебе очень признателен, братишка.

— Хорошо, я думаю до вечера, узнаю, какая ситуация наверху и подготовлю встречу. Но учти, об этом не должна знать ни одна живая душа. У тебя там как с аппаратом?

— Можешь быть спокоен, а у тебя?

— То же самое. Жди звонка.

— Жду, обнимаю, ты моя последняя надежда, Алька...»

— Я многого не понял, — сказал Юнге после длительной паузы, во время которой Турецкого буквально трясло от желания заорать в голос, разбить кулаком проклятый магнитофон, кинуться из окна... Со смертью Кирилла он уже смирился, да еще это сегодняшнее сумасшедшее напряжение, Катя эта... Бродила в голове и страшная мысль, что Олег мог быть причастен к гибели брата... Но чтоб вот так?! А потом, неужели Кирилл не знал, что его отец — тот самый Матвей Калина? Ведь Олег это знал... И не сказал? А кто знал вообще-то? Только самый узкий круг близких Шуре людей. А Кира у нее был — Романов. Кирилл Александрович...

— Что вы сказали? — не понял Турецкий смысла фразы герра Юнге.

Тот повторил. И Саша начал терпеливо рассказывать ему, о каком Манфреде шла речь и что узнал об этом Кирилл.

— А где он сейчас? — заинтересовался Юнге.

— Убит в Москве. Вместе с банкиром Алмазовым. А Санишвили и Калина проживают спокойно здесь.

— Это так, — возразил Юнге, — но эта пленка, где говорят два брата, еще не доказательство, чтоб применять жесткис меры.

— Я знаю, — вздохнул Турецкий. — Но теперь хоть у вас есть свидетельство, что Шройдер был честным человеком, за что и погиб. А вот по поводу Санишвили, видимо, мы вскоре сумеем организовать соответствующие бумаги о выдаче его нашему правосудию.

— Мы посмотрим, — ничего не обещающим тоном сказал Юнге. — Хотя Дудаев и Чечня — это ваше внутреннее дело. Мы — германская уголовная полиция.

— И это мы понимаем, герр Юнге.

— Но если «Золотой век» будет уличен в подлогах, махинациях или иных экономических преступлениях, им немедленно займутся соответствующие следственные службы.

— Я могу быть уверен, герр Юнге, в том, что этот материал никуда не просочится?..

— Разумеется. У нас с вами одно дело. Я обещал.

— Ну тогда у меня к вам еще одна просьба, надеюсь, последняя. Теперь просто необходимо, как я говорил, именно сегодня встретиться с этим Матвеем Калиной. Под любым предлогом... И вот уж тут потребуется ваша охрана.

— Хорошо, давайте подумаем, как это сделать лучше.

7

Саша ехал все в том же «опеле», но сидел на заднем сиденье вместе с Денисом. Разговаривали почти шепотом. Турецкий час назад передал кассету Денису и попросил в срочном порядке сделать дубликат. Одна останется пока у Дениса, другую увезет с собой в Москву Турецкий. Если сегодня все кончится нормально, то есть без крови.

— А зачем, собственно, так рисковать, дядь Саш? — спросил Денис. — Давайте я вам воткну в воротник вот эту штуку, — он достал из кармана маленькую коробочку, открыл и выбрал нечто похожее на заколку с головкой размером в половину горошины. — Это будет у вас, а я тут надену наушники и буду все слушать и писать на пленку, о чем вы говорите. И если какая опасность, немедленно сообщу об этом господину старшему инспектору.

— Это что, тоже разработки ваших умельцев?

— Да тут всякое, и наше, и не наше. Главное, чтоб хорошо работало, не подводило.

— Ну посмотрим, может, и вправду пригодится...

Саша оглянулся: за ними следовало несколько разномастных автомобилей. Там ехали Юнге и его полицейские...

Калина снимал большую виллу в районе Хехста, как сказал всезнающий Денис, химико-фармацевтической столицы Германии. Здесь имелось множество старинных замков, следовательно, у них должны быть и таинственные подземелья, которых на всякий случай следует опасаться. Турецкий улыбнулся предостережению юноши: в одном подземелье он уже успел побывать...

Подъехали к воротам. Турецкий шлепнул легонько Дениса по плечу, и тот послушно растянулся на полу машины, накрывшись свисающим с сиденья пледом. Шофер индифферентно откинулся на спинку сиденья и приготовился дремать.

На улице было уже темно. И никто не смог бы разглядеть легкие тени, которые просочились вдоль улицы и замерли возле виллы. Турецкий позвонил у калитки, голос из микрофона спросил: «Кто?» Турецкий представился, и калитка перед ним отворилась. Саша пошел по длинной кирпичной дорожке к дому...

Более часа назад, обсудив все возможные варианты посещения, вызвав к себе Дениса, Турецкий, наконец, взялся за телефонную трубку. Предварительная проверка показала, что Матвей Григорьевич в настоящий момент находится дома. Он взял трубку. Голос был глуховатый, с заметной хрипотцой, будто простуженный. «Что угодно?» — спросил хозяин. Турецкий ответил, что он в настоящее время находится во Франкфурте в служебной командировке. А Матвею Григорьевичу привез привет из Москвы от известной ему Александры Ивановны Романовой. Возникла пауза. Наконец Калина, видимо, пришел в себя и уже другим, странным каким-то голосом, хрипло спросил, что нужно понимать под словом «привет»? Турецкий ответил, что это небольшой сувенир, который он может доставить Матвею Григорьевичу даже сегодня. Александра Ивановна недавно получила генеральские погоны, и это было для нее и всех, кто ее знает и помнит, большой радостью. Возможно, она хотела ею просто поделиться со своим старинным другом и отцом одного из ее сыновей.

— Вам даже это известно? — Показалось, что Калина несколько смутился. — Ну что ж, может быть, за вами прислать машину?

— Не трудитесь, Матвей Григорьевич, — ответил Турецкий, — я сам до вас доберусь, ибо транспорт казенный, а шофер — человек местный.

Турецкий говорил спокойно и дружелюбно. Ему вовсе не хотелось, чтоб Калина раньше времени что-то заподозрил.

— Простите, а зовут вас как?

— Александр Борисович к вашим услугам. — И Турецкий положил трубку. Он не стал называть своей фамилии, потому что банде этого Калины она наверняка была известна, а Александр Борисович — мало ли их бегает по белу свету...

Здоровенный, накачанный мужик открыл дверь и повел Турецкого по широкой ковровой лестнице на второй этаж. Богатая здесь была обстановка. Но Саша не обращал на нее внимания, сосредоточившись лишь на одном: не переиграть сразу.

Калина — сутулый, невысокий человек, с высохшим лицом и дряблыми щеками — ишь, как жизнь-то его употребила! — сидел на диване, но при виде Турецкого привстал и с места протянул сухую, чуть подрагивающую руку. Турецкий мысленно поставил рядом с ним Шурочку и невольно усмехнулся.

— Что, сравниваете? — проницательно заметил хозяин. — Да, молодой человек, возраст, увы, не красит нашего брата... Садитесь. Чаю или чего-нибудь покрепче?

— Благодарю, но я к вам действительно на минуту. Лишь чтобы выполнить просьбу Александры Ивановны и, поскольку время уже не раннее, не буду вас утомлять.

— Н-ну-с, что там у вас, любопытно бы узнать.

Турецкий достал из кармана кассету, только что записанную для этого случая Денисом, и спросил, имеется ли в доме магнитофон?

Старик хлопнул в ладоши, и в комнату тут же вошел телохранитель, так понял роль этого молодца Турецкий. Старик сказал, что надо, и тот спустя короткое время внес и поставил на столик перед диваном портативный магнитофон. Турецкий протянул ему кассету, телохранитель ее вставил и, повинуясь жесту руки Калины, вышел за дверь.

Послышалось шипение. Это Саша попросил Дениса отодвинуть текст диалога подальше, чтобы сделать соответствующую паузу. Калина с удивлением посмотрел на Турецкого, а тот сделал нетерпеливое движение рукой к магнитофону: вот, мол, сейчас, сию минуту... И тут же раздалось это нетерпеливое, горячее, берущее за душу:

« — Алька, ты сделал, наконец, что я просил?

— А-а, это ты, Кира... Напомни...»

При первых же словах Калина вздрогнул, но звук голосов был настолько притягательным, будто завораживающим, что старик словно приник к магнитофону. Поначалу, он, похоже, еще не все понимал, но когда речь зашла о «Золотом веке», гибели Шройдера и самом Матвее Калине, тут он словно проснулся — резко выпрямился и уперся в Турецкого таким диким, беспощадным взглядом, что у Саши даже мурашки пробежали по спине. Он уже открыл рот, чтобы крикнуть, позвать телохранителя, но Турецкий неожиданно поднял вверх указательный палец и повелительно ткнул им в магнитофон. Старик даже осел немного от такого напора. И, уже никак не реагируя, дослушал диалог до конца.

Саша нажал на кнопку и отключил магнитофон. Откинулся к спинке дивана. Калина медленно поднял голову, выпрямился и с заметной иронией спросил:

— Ну а при чем тут Романова? Не понял. Это чьи же голоса записаны, молодой человек?

— Объясняю, — спокойно сказал Турецкий. — Оба говоривших — ее дети. Алька — это Олег Романов-Марчук, сын дяди Толи, а второй Кира — это Кирилл — сын некоего Матвея Калины, Матюши. Старший, значит. Ну а упоминаемый в разговоре Калина, это, стало быть, вы. Кирилл собрал убийственный материал по поводу преступной деятельности вашего синдиката. Он был действительно очень талантливым человеком. Вы спросите, почему был? А потому, Матвей Григорьевич, что ровно две недели назад, уже в Москве, он был убит по вашему приказу своим родным братом Олегом.

— Этого не может быть! Ты врешь! Ты, жалкий проходимец, хочешь меня шантажировать?! — Калина уже поднял для хлопка ладони, но Турецкий остановил его жестом.

— Какой, к черту, шантаж? Кирилл был мне другом и Олег — другом. Они оба выросли на моих глазах. Я любил их. И мне никогда не пришло бы в голову, что они станут жертвами собственных отцов — вас и Марчука, который наверняка не в меньшей степени причастен к этой трагедии. Только мне еще неизвестно, кто из вас — Гладиатор. Но это я узнаю, обещаю как старший следователь по особо важным делам Генпрокуратуры России и друг Кости Меркулова.

— Вы меня ошарашили, — тихим, почти жалким голосом заговорил Калина. — Но ведь я же никогда не видел своего сына, откуда я мог бы что-то знать про него? И как я мог дать приказ об убийстве не сына, нет, вообще любого человека — я, одинокий старик? Нет, вы путаете, молодой человек. Вы говорите, что работаете с Костей. А документы у вас при себе имеются, чтоб я мог вам поверить?

— А вот тут вы правы, с документами у меня туго. Правда, то, что я — это действительно я, может вам подтвердить старший инспектор здешней уголовной полиции Ханс Юнге. Если вам этого мало, вы можете связаться с Олегом — хотите по служебному, хотите — по домашнему телефону, я продиктую их вам, если запамятовали. Мне будет интересно прослушать ваш диалог об убитом вами Кирилле. Ну, напомнить?

— Действительно, а почему бы и нет? — вдруг словно оживился Калина. — Говорите, а я наберу. — Он взял со стола аппарат и придвинул его к себе. — Диалог хотите слышать? Пожалуйста. — И он нажал клавишу переключателя.

— Але, Калина говорит.

— Здравствуйте, Матвей Григорьевич. Что у вас там стряслось? Чего голос-то тревожный?

— Да вот шантажировать меня решили, сынок... Говорят, что вроде как записали ваши голоса с братом, когда вы о каком-то банке рассуждали да меня, грешного, поминали, потом Манфреда, ценные бумаги какие-то из Штатов. Что-то я ничего не понял. Может, ты разъяснишь старику?

— Глупости какие-то вы говорите, Матвей Григорьевич...

Саша заметил, как от слова к слову креп голос Калины, и понял, что этот хищник играл. И про сына он все знал, и про Олега. Притворялся, а сейчас вылезла сущность наружу. Ну что ж, можно еще подождать и не звать помощь. Ведь не будут же они его тут убивать?

А вот Олег — тот растерялся, заегозил, и голосок его стал телячьим.

— Какие же глупости? Сидит вот тут передо мной следователь Турецкий. Из Москвы, говорит. И рассказывает то, что ты изволил слышать.

— Какой еще Турецкий? — словно обрадовался Олег. — Сашка Турецкий со своей семьей сейчас в Дубултах отдыхает. Я с ним час назад по телефону разговаривал, и с женой его, и с дочкой Ниной. Это у вас там проходимец какой-нибудь, вы у него документы-то проверяли...

«Значит, Олег понял, что я здесь, — мелькнуло в голове у Турецкого. — И поэтому он напомнил мне о семье, которой нет в Риге. Не исключено, что и переезд их от тетки в Дубулты или еще куда-нибудь — это мне суровое предупреждение...»

— Так документов у него нету, — продолжал Калина. — А еще он туг хотел меня расстроить, заявив, что ты, сукин сын, своего брата убил, Кирку то есть, а? Ну скажи, каков мерзавец!

— Матвей... Матвей Григорьевич! — тяжко, видать, сейчас было Олегу. — Да как же вы могли?! Два всего дня назад пришло от Кирилла очередное донесение в его контору. Оттуда матери нашей звонили, что жив, здоров...

Турецкий больше не мог слушать этой гнусной мерзости. Он ладонями закрыл уши и опустил голову. Все равно Денис записывает, какая теперь разница?..

Калина увидел, как убит, морально уничтожен и раздавлен Турецкий, и завершил разговор с Москвой.

— Ну что, следователь, — с сарказмом протянул он, — влип? А я ведь действительно чуть не допустил промашку, не усек сразу, что ж это за Александр-то Борисыч? Значит, не утоп, сучара, как тебе велели?

— Вы, что ль, старались-то? Это ж уголовщина! Неужто не совестно на старости-то лет? Чем перед Богом оправдаетесь, вижу вон у вас тут иконы православные... А вы, оказывается, обыкновенный...

— Все сказал? — весело перебил его Калина. — А теперь я тебе вот что скажу: и ты, милый, уже не жилец, нет.

— Вы что ж думаете, я такой дурак, что сам в пекло полез? Без всякой страховки?

— А какая ж она у тебя?

— А так я вам и сказал... — в тон ему игриво ответил Турецкий.

— Не бойся, мы сейчас придумаем, как тебя удушить, поганец...

— Вы мне больше говорите, больше, господин Гладиатор. Вы ж такой классный оратор, на юрфаке учились, адвокатом были — ворюга и убийца собственного единственного сына!

— Ох, как ты мне ответишь за эти слова! — Старик резко и сильно хлопнул в ладоши. Вошел охранник. Калина показал пальцем на Турецкого и сказал: — Держи его на мушке, чтоб не баловал... Гладиатор, говоришь? — повторил он несколько раз, а сам тем временем набирал номер телефона, но у него что-то не получалось, то ли нервничал и палец срывался со старомодного диска, то ли там, куда звонил, было занято. — Гладиатор, да? А вон он твой гладиатор-то, — старик ткнул пальцем в телефонную трубку. — В Москве сидит и с тобой по прямому проводу в Риге разговаривает... И я сам, лично — понял, козел? — к делу его приставил. Чтоб он давил таких, как ты...

Дело, однако, принимало действительно опасный оборот. Пора бы Денису действовать, а то ведь не ровен час и хлопнут сдуру...

Значит, вот кто — Гладиатор!.. Высокий, в длинном плаще, усики... которые он уже наутро сбрил... или через два-три дня, чтоб подозрения не вызвать у знакомых... Личный тайный консультант и давний друг. А Саша ему все выкладывал, советовался, и тот все знал и шел, опережая на один шаг... Нет, все это было бы невероятно, если бы Турецкий только что сам не слышал диалога Олега с этим старым бандитом Калиной. Какой удар!

А старик, видать, дозвонился и уже завершал разговор:

— Так вот ты и пришли ко мне сюда именно полицейских, ага. Им его и отдам, а куда везти, вас учить не надо, пусть все вспомнит да там же и останется...

Старик положил трубку и, старчески семеня, пошел к двери. У выхода остановился.

— И запомни, вша ты поганая, нет у меня таких родственников, которые могли бы мне помешать. Хотя это знание тебе больше не понадобится...

Охранник закрыл дверь и сел в кресло напротив Турецкого.

В голову лезли самые безумные мысли, но Саша их старательно отгонял, он не хотел ни о чем сейчас думать, потому что очень боялся окончательно потерять всякое уважение к человечеству...

Полицейских было четверо. И — о, радость! — среди них Саша сразу выделил серпообразный профиль рыжеволосого парня, примерно на полголовы ниже себя. Вот его ни в коем случае нельзя было потерять... Все оставшееся время Саша старался, как бы нечаянно, находиться ближе к нему. Узнал он и хмурого голубоглазого, которого почему-то звали Гномом. Двое других были незнакомы.

Калина так и не появился больше. Охранник передал им пойманного шантажиста без документов и сказал, что его следует доставить в полицию, а куда, они и сами знают. И все тут же, окружив Сашу и надев на него наручники, повели его к выходу. Гном ухмылялся:

— А я думал, ты дуба дал... Ишь ты, выплыл. Ну, больше не выплывешь...

Охранник открыл дверь и выпустил их наружу. И сейчас же всех стоящих ослепил яркий свет прожектора и громкий голос произнес по-немецки и сразу же по-русски:

— Всем бросить оружие, поднять руки вверх, оставаться на месте. Любой, кто шевельнется, будет немедленно убит. Германская полиция дважды не повторяет. — И короткая очередь вверх.

Все было проделано настолько ошеломляюще быстро, что никто из бандитов не успел действительно пошевелиться. Через мгновенье на их руках защелкнулись наручники, полицейские по двое хватали их под локти и без всякого почтения закидывали в полицейские фургоны. Четко работали. Вместе со всеми загремел в фургон и охранник.

Подбежал Денис, он сиял:

— Ну, дядь Саш, вы и молодец! Он же все сказал, что надо! А запись получилась, хоть по радио ее транслируй! Пошли за вашей кассетой.

Старший инспектор между тем, окруженный группой полицейских, вошел в дом. Он стоял в холле, пока полицейские обыскивали помещение. Но хозяина его так нигде обнаружить и не удалось. Он что-то сказал, будто сам себе. Денис перевел:

— Господин Юнге посетовал, что здесь и на самом деле масса всяких таинственных подвалов, не зря, значит, сказки про всякие ужасы рассказывают.

Наконец он распорядился продолжать обыск, а сам вместе с Турецким и Денисом спустился с широкого крыльца к машинам.

Саша сказал, что он определенно узнал двоих убийц — рыжего, московского, и голубоглазого, которого зовут Гномом.

— Они собирались, по-моему, доставить меня туда, в подвал виллы в... как этот городок называется, Денис?

— Нидерхехштадт.

— А мы сейчас туда и отправимся, — деловито сказал герр Юнге. — Прошу по машинам. Я поеду с вами, господин Турецкий.

8

Владимир Точилин, по прозвищу Точило, — фантазия уголовников далеко не распространяется при подборе кличек — курил на широком пандусе. Он только что сделал себе укол и теперь ловил кайф.

Эту виллу они снимали у какого-то старика-немца, давно выжившего из ума. А на самом деле, на кой ему, одинокому, последнему какому-то графу или барону, такой дом? Да он же заблудится! Графу сделали квартиру в городе, а дом взяли в аренду на длительный срок. И теперь тут был отстойник. Ребята приходили с задания, отдыхали и ждали нового. Только что из России прибыл Секач, это потому, что у него рожа серпом. Говорят, засветился. Но он мужик ловкий.

У самого Точилина было дело покруче. Он был тайным связным. И за это плата шла поболе.

Сейчас четверо ребят отбыли на операцию и должны с минуты на минуты привезти одну паскудину, которая в прошлый раз сорвалась, потому что Гном, этот эстонец, со страху в штаны наложил и не проверил, утопили его или нет. После разборка была. Артист летал в Россию, вернулся злой как черт и устроил голубоглазому эстонцу такую голубую жизнь, что Гном два дня в раскорячку ползал. А чего, Гном же себя в активных держал, ну так вот, а теперь в пассивах поползай. Смеху было! Постарались ребята, порезвились...

В дальнем конце улицы показались огни автомобильных фар. В полной уже темноте подъехала машина. Ну вот, и ребятки прибыли. Точило поднялся им навстречу, сошел с пандуса ближе к калитке.

— Привезли? — весело крикнул Точило.

— Вот он, — пробурчал кто-то.

Точило увидел, как двое буквально волокли под мышки мужика со скованными за спиной руками. Идти он сам уже не мог. Значит, врубили ему в транспорте. Чтоб хорошо тонул, падла. Ну ладно, снова, значит, будут нынче резвиться...

— Ну-ка, покажите мне его! — Точило подошел поближе, поднял голову мужика за волосы и узнал Турецкого. — Ах ты, сука рваная! — крикнул он и размахнулся для удара. Но в тот же миг у него самого от жуткой боли в животе перехватило дыхание, и он только мог шарить по сторонам растопыренными пальцами, заваливаясь на бок. Через минуту он уже корчился, ударяясь от ярости лицом о железное днище полицейского фургона и бессильно сжимая кулаки, стянутые за спиной наручниками.

А в это время внутри особняка шла настоящая война. Несмотря на неожиданное нападение, бандиты поняли, что пощада им не светит, и оказали, опомнившись, бешеное сопротивление. И тогда полицейские, следуя приказу командира, открыли огонь на поражение. Через пять минут безостановочной пальбы все было кончено. Турецкий со старшим инспектором прошли между лежащими трупами. Одного из них Саша, кажется, узнал — это был Грубый, как он назвал его. Денис шел за ними следом и вдруг замер.

— Александр Борисович! Герр Юнге! Битте, посмотрите, я же его знаю! Ей-богу, в тот день, когда прилетел, видел в аэропорту. Он кофе пил или сок, не помню, а меня спросил, какая в Москве погода. Так вот же он!

Герр Юнге кивнул и сказал шедшему сзади полицейскому, чтобы он внес в протокол показания этого молодого человека.

С трудом нашли они дверь, ведущую в подвал. Спустились по винтовой лестнице. Полицейские включили сильные фонари. Саша огляделся. Все здесь было так же, как в тот момент, когда его уволокли наверх, чтобы утопить. И стул стоял на том же месте. И лампа была направлена на стул. Саша машинально сделал движение к столу и вскрикнул. Юнге тут же подошел ближе.

— Смотрите! — вскинул руки Турецкий. — Вот же все! И паспорт мой, битте, герр Юнге! И сигареты, и зажигалка, и даже носовой платок. И на полу — пачка бумажек, которые повытаскивали у него из всех карманов. А вот пятисот долларов не было. Кто-то увел. Слямзил. Не удержался, у своих же и украл.

Герр Юнге внимательно просмотрел паспорт Турецкого, закрыл его и торжественно вручил хозяину.

Потом он принюхался, быстро пошел к одной из дверей, над которой были прибиты к стене старинные латы, рывком открыл дверь, заглянул туда и немедленно захлопнул.

— Там можно работать только в противогазах. Пригласите сюда экспертизу и врача. — И уже поднимаясь по лестнице, обернулся и сказал Турецкому: — За то, что я там увидел, каждому из оставшихся в живых бандитов грозит по меньшей мере по три пожизненных заключения...

СРЕДА, 18 октября

1

Турецкий с Денисом сидели в маленьком кафе в аэропорту, за тем же столиком, как показал Денис, где он встретился с очень приличным пожилым человеком, похожим на артиста Смоктуновского. Теперь Денис провожал в Москву Турецкого. Сам он оставался во Франкфурте.

Дело в том, что вчера, когда герр Юнге привез их к полицейскому управлению, чтобы закончить дело о похищении, снять показания и вообще завершить дела в связи с отбытием Турецкого в Москву, старший инспектор сказал им:

— Тут такая масса ясного обвинительного материала, что, я думаю, следствие не продлится дольше недели. Если бы кто-то из вас остался в городе на короткое время, он почти наверняка смог бы получить причитающийся за помощь в расследовании приз 50 тысяч марок. Это очень приличная сумма. Я бы подумал...

— Ну, обо мне речи быть не может, а вот Денису я бы посоветовал остаться.

— То есть как это, дядь Саш? — растерялся Денис.

— Просто, я думаю, ты заслужил. Оставайся на недельку. А я уже завтра днем все смогу сам объяснить Славе. Тебе же советую не терять времени даром и активно поупражняться, попрактиковаться в языке. И вообще, если бы герр Юнге тебе позволил, я бы на твоем месте самым внимательным образом присмотрелся, как лихо работает немецкая криминальная полиция. Честное слово, лично мне завидно было...

Герр Юнге, польщенный признанием его трудов, поиграл бровями, потупил глаза и сказал как бы между прочим, что лично он ничего бы не имел против толкового практиканта. Потом, почему только неделя, можно срок продлить, он, Ханс Юнге, все же имеет, так сказать, некоторый вес в полиции...

Затем Турецкий с Денисом отправились к Пушкарскому, но лишь для того, чтобы поблагодарить его за гостеприимство и рассказать в общих чертах об успехах прошедшего дня. Валентин Дионисьевич огорчился столь быстрому отъезду, просил передать привет Феликсу, звал приехать еще, он будет искренне рад... Чудный старик...

И, наконец, они отправились к Денису в кемпинг, где Турецкий решил переночевать, поскольку он находился совсем недалеко от аэропорта. Улыбаясь, сказал, что, когда предложил старику отдать свой долг — за врача, одежду, мелкие сувениры, ну, а общей сложности, где-то не более полутора тысяч марок, тот просто-таки обиделся. Сказал: вы меня, уважаемый Александр Борисович, к бурной современной жизни вернули, а то живу созерцателем... Так это не вы мне, а я вам приплатить обязан.

— Ты не сочти за труд, подскочи как-нибудь к ВДП, посиди с ним вечерок, просто чаю попей, послушай. Никогда больше таких людей не увидишь...

Затем Саша попросил напомнить Хансу Юнге, чтоб номер-то в отеле оплатили. А может, это у них служебный, кто знает...

— Дядь Саш, а где же ваш американский костюм? — вдруг вспомнил младший Грязнов, наверняка испытавший в свое время светлое чувство зависти к удачливому следователю дяде Саше.

— После всех купаний он превратился в тряпку. Запомни, Денис, никакой Версачи или наш собственный Юдашкин никогда не сравняется и не достигнет той золотой черты, которой в наше время достиг простой сутулый закройщик из Дома кино — великий Затирка. Он всегда повторял знаменитую, ставшую анекдотом фразу: «И вообще запомните! Не мундирчик делает актерчика, а актерчик — мундирчика. А ви как били говно, так ему и останетесь...» И это, Денис, самая главная мудрость мастера. Он знал, что делал, знал, для кого. Но имел в виду всегда одного человека — себя. И потому был великим... Ладно, спи... будущий великий сыщик... надежда моя...

2

Турецкий уже не раз поглядывал на часы. Ханса Юнге все не было. А ведь обещал...

Летел Александр Борисович в Россию, в дом родной, — как есть, в чем одет: джинсы да куртка. И рубашка от Пушкарского. А плащ и кейс они так в подвале и не обнаружили... Странно чувствовал себя Саша: вроде как раздет...

Вечером и утром звонил Кате — молчание. Значит, улетела в свой Мюнхен.

Затем он позвонил Мише Майеру, чтобы попрощаться и поблагодарить за помощь. Но тот, узнав, что через несколько часов Турецкий улетает, высказал настойчивое желание немедленно встретиться. Александр Борисович сказал, в каком кемпинге их с Денисом можно найти, и Миша заявил, что прибудет в самое ближайшее время.

Вообще-то Турецкий собирался и сам передать Майеру аудиозапись разговора Кирилла с братом и даже попросил Дениса прокомментировать Мише в случае необходимости отдельные его фрагменты. Поэтому возможность встречи с американцем-разведчиком была сейчас как нельзя кстати.

Майер не заставил себя долго ждать. Профессионально оглядев небольшой номер и выслушав сообщение Турецкого, что данное заведение находится под постоянным неусыпным контролем немецкой криминальной полиции, Миша тем не менее скептически пожал плечами и предложил сходить в небольшое уличное кафе напротив, где уже наверняка никто им не помешает поговорить спокойно.

— Я хочу дать вам послушать одну запись, — Турецкий показал кассету.

— Это можно сделать в моей машине, — ответил Майер.

Лицо американца было непроницаемым. Настолько, что Турецкому показалось, будто Майера совершенно не заинтересовал этот диалог. Но в данном случае он ошибся. Прослушав запись и ни слова не говоря, Майер вышел из машины, запер дверцы и предложил спутникам выпить по бокалу пива. Когда уселись за столиком под уличным тентом, Миша задал лишь один вопрос: кто был собеседником Владимира? Узнав, что это его родной брат, крупный деятель из президентского Совета безопасности, задумчиво покивал и заметил:

— Теперь мне многое понятно...

— Что именно? — подхватил Турецкий.

— Ради этого я, собственно, и предложил встретиться. Для вас это будет... новость... Когда я услышал, что вы были вчера у Калины, я подумал, что более подобные данные о нем, нежели те, что успела сообщить вам Кэт, помогут прояснить... Между прочим, этим деятелем я занимался по просьбе Володи... или как вы его звали по-настоящему... впрочем, теперь это уже не имеет никакого значения... Он был... хороший профессионал, этого достаточно.

Из скупого рассказа Миши Майера Турецкий почерпнул ту недостающую ему часть информации, которая объяснил, наконец, суть не только многократно упоминавшейся доселе «аферы века», но и более определенно очертила круг действующих в этой афере лиц...

Итак, суммировать можно было бы следующим образом.

Огромная часть ценных бумаг американских банков и финансовых корпораций, предназначенных к уничтожению, на сумму, превышающую сотню миллиардов долларов, должна была поступить в компанию, созданную специально для этой цели. Одним из ее учредителей являлся небезызвестный теперь бывший русский эмигрант, получивший американское подданство, Матвей Калина. Именно с его помощью похищенные ценные бумаги кружным путем — через Канаду и затем Италию — были вывезены в Восточную Европу. Причина столь сложной операции заключалась в том, что Западная Европа физически не смогла бы «переварить» массированный выброс уже необеспеченных финансами бон и сертификатов. А в Восточной Европе, в частности в России и странах так называемого ближнего зарубежья, для этой аферы оказалось максимально благодатное поле деятельности. По сведениям, добытым Владимиром Рословым, около четырех сотен российских, украинских, белорусских, кавказских, прибалтийских и прочих банков появилось на свет благодаря займам, обеспеченным этими уже потерявшими свою ценность бумагами. Наиболее успешным в этом смысле оказался конец восьмидесятых годов, — когда, словно грибы после теплого дождя, стали возникать одни за другими десятки коммерческих банков. Далее, как следовало ожидать, эти фальшивые банки развернули бешеную рекламную кампанию по привлечению вкладчиков, принявших разнузданную и наглую агитацию за подлинную свободу собственных действий, выстраивались гигантские пирамиды, создатели которых аккумулировали и немедленно переводили за границу уже не липовые финансовые документы, а настоящие деньги, конвертируемые в России и имеющие реальную и стабильную стоимость.

Турецкий хорошо помнил эту совсем, кажется, недавнюю пору, когда в глазах вдруг запестрело от обилия суперсовременных иномарок, запрудивших столичные улицы, когда у обывателя голова пошла кругом от назойливо лезущего в глаза, словно с неба обрушившегося богатства «новых русских», от бесчисленных ночных клубов и казино, где без всякого сожаления за короткий вечер спускались десятки тысяч «зеленых». Да, родное государство оказалось абсолютно не подготовленным к такому обороту дел: не было ни существенного контроля за деятельностью коммерческих банков, ни налоговой полиции. Была только «крыша», причем, на государственном уровне, обеспечивающая невиданный объем денежных махинаций. И под этой «крышей» без устали трудился поистине уникальный контингент лиц — от классических уголовников до госчиновников самого высшего разряда...

Каналом для перекачки миллиардных средств, как уже сообщил недавно Миша Майер, стал созданный исключительно для этой цели русско-германский банк «Золотой век». Вот в его святая святых и удалось, в конце концов, проникнуть с помощью Кэти Торн Владимиру Рослову. Дальнейшее известно. Высшие российские власти не могли допустить утечки информации, то есть предать гласности имена тех, кто с самого начала был задействован в этом преступном бизнесе, — высших правительственных чиновников, депутатов Государственной Думы и Совета Федерации, банкиров и лиц, взявших в тесное кольцо самого Президента. Основным координатором, или, проще говоря, организатором, преступной шайки, судя по некоторым оперативным документам, был назван некто носящий кличку Гладиатор...

Турецкий рассказал Майеру о последнем перед уходом признании Матвея Калины. Да, конечно, Кира сам поставил своего брата перед необходимостью убийства... «Нет таких родственников...» А эта старая сволочь, оказывается, острый нюх имеет. Он, конечно, все продумал и имел достаточно оснований передать шантажиста в руки полиции. А вот кто приехал за Турецким — не его дело. И тем не менее — скрылся же!

Майер предположил, что Калина и люди Гладиатора действуют рука об руку, а потому и убийства банкиров, вероятнее всего, выполнены ими. Мавр, как говорится, сделал свое дело... К тому же и средства могущественного синдиката давно лежат на тайных счетах крупнейших международных банков. Так что ж теперь остается? Только сожалеть...

Нет, подумал Турецкий, это было бы слишком хорошо для Гладиатора, старого негодяя Калины и иже с ними...

Майер хмыкнул, прочтя на лице Турецкого слишком явно написанные мысли.

— Я желаю, коллега... Если это поможет вам. Во всяком случае, я никогда не работал в полиции и поэтому некоторое... определенное время обещаю держать язык за зубами. Постарайтесь успеть...

3

Ну наконец-то... Ханс Юнге шел, словно шарик катился — мелкими шажками и очень стремительно. Турецкий поднялся и пошел ему навстречу. Взял под руку, подвел к столику, подвинул стул и призывно щелкнул, как Денис научил, двумя пальцами официанту. Тот подлетел без паузы.

Саша вопросительно посмотрел на Ханса: виски, джин, водка?

— Кальтен йогурт? — сказал Юнге официанту, тот с готовностью кивнул. Турецкому, когда он понял суть заказа, едва не стало плохо.

А Юнге, с радостью слопав стаканчик запотелой от холода цветной простокваши, успокоился и вытер салфеткой рот.

— Могу сообщить любопытную деталь, — сказал Саше, а посмотрел на Дениса. — Господина Калину так и не удалось обнаружить. А вот задержанный нами вчера господин Владимир Точилин, боясь, что на него, как и на других, будут навешаны все трупы, которые были обнаружены в подвале виллы, подписал показания, что он завербован совершенно для другой работы... Вот я сделал копию его показаний. Прочитайте, коллега Турецкий, и вам многое прояснится с тем Владимиром Рословым, которого вы так усиленно искали. — Он протянул Саше прозрачную целлофановую папку с несколькими листами бумаги. — За неимением времени перевести допрос на русский язык просто не успели. Вы попросите у себя...

— Но он же русский? — недоуменно сказал Саша.

— Этот наркоман-уголовник в совершенстве владеет немецким... Хотя кличку его оценить сумеете только вы — русские: Точило!

Объявили начало регистрации на московский рейс. Саша поднялся, застегнул куртку на молнию, подмигнул Денису, мол, придется тебе расплачиваться, пожал руку Хансу Юнге, спросил, что передать Косте.

— Передайте, что я его помню. Это главное, помнить друг о друге. Вам — хорошей дороги и мягкой посадки, а за юношу не беспокойтесь.

А Турецкий и не беспокоился. Потому что, помимо всяких иных: церковных, политических, сексуальных и прочих братств, существуют еще и профессиональные. И лучше всего, когда они вне политики и прочих идеологических химер...

Бывают, конечно, совпадения, но чтоб так? Турецкий сел в кресло, и первым, кого увидел, был замечательный «посол», стремительно познававший глубинные тонкости русского языка.

Старший стюард подплыл к Саше и склонил голову в легком полупоклоне:

— Надо выпить? — Он был весь в этом вопросе.

— Надо, — ответил Саша убежденно. — Значит, так: цеен... десять, да? — цеен глясс, и чтоб в один стакан. Понятно? — Саша показал пальцами: — Вот такой — гросс глясс. И — шлафен.

«Шлафен», говорил Денис, значит — «спать».

Знаток языка принес высокий бокал, до половины заполненный водкой, и второй — с соком. Саша оценил изобретательность «посла». Он поднял водку, сказал: «Прозит!» — выпил одним махом, слегка окунул губы в апельсиновый сок, блаженно закрыл глаза и сказал:

— А теперь только шлафен... — полностью исчерпав свой словесный запас в немецком языке.

Спал он до тех пор, пока колеса не ударились о посадочную полосу Шереметьева...

4

«Военный совет» проходил в кабинете Вячеслава Ивановича Грязнова, в его офисе. Подробности приключений выслушали внимательно, не перебивая. Затем перешли к документам и магнитофонным записям. Грязнов быстро вызвал умельца, и тот перевел и напечатал текст допроса, точнее его выдержки, касавшиеся Рослова. Точилин утверждал, что был завербован службой безопасности от имени некоего Гладиатора и в течение уже двух недель выполнял особые поручения, то есть посылал шифровки от имени Рослова в центр. Текст ему составляли другие. Кто — он не знал. Но, судя по тексту шифровок, получалось так, что составитель их отлично знал дело, которым занимался Владимир Захарович.

— Я думаю, что главного знатока по этой части, — заметил Грязнов, — надо искать в Москве, и, возможно, даже в ведомстве академика. Господи, — вздохнул он, — ну до чего же все продано!..

На решение Турецкого по поводу Дениса Грязнова отреагировал спокойно: как решили, значит, так и будет.

А потом они неожиданно как-то переглянулись и... опустили глаза. Молчание длилось не больше минуты, и, вероятно, каждый из них в этот момент подумал о Шурочке.

— Костя, — сказал Турецкий, и Меркулов сразу же его перебил:

— Я подумаю, как это сделать... Сразу после сообщения Дениса, — продолжил Костя, — Слава установил скрытое наблюдение за объектом... — Он принципиально не хотел называть имени Олега Романова-Марчука. — Есть основания утверждать, что... объект готовится покинуть страну. Может быть — командировка, а может быть... кто знает. Дома его нет, на службе почти не появляется.

— А где ж он ночует-то? — спросил Саша.

— Мы не знаем, где он не ночует, — наставительно сказал Грязнов. — А вот где он ночует, нам хорошо известно. Ну так что, господа прокуратура, будем брать?

— Генеральный не даст санкции, — сказал Меркулов. — К счастью, объект — не депутат, а то вообще хлопот не оберешься. Но генеральный, сочтя повод очень удобным для себя, чтобы отбелиться, немедленно отправится к Президенту, а там... как сказал наш мальчик: Карасевы, Буровы и иже с ними. Они не допустят.

— Костя, но ведь по закону ты сам можешь дать санкцию на задержание. Дело можно так раскрутить, что небу станет жарко!

— Как бы нам не стало жарко... Тебе — в первую очередь, Саша. Следствие-то придется поручить другому. Ты теперь лицо слишком заинтересованное...

...Первыми словами Турецкого, когда он вошел в офис Грязнова, были:

— Что с моими?

Меркулов, который уже ожидал его, показал пальцем на Славку:

— Вон его благодари.

Рижская шпана, которой поручили увезти и спрятать семью Турецкого, отнеслась к заданию халатно: Ирину с дочкой привезли в Дубулты, якобы по просьбе Турецкого, поселили в небольшом домике и разрешили гулять по садику. Ирине удалось незаметно попросить соседей дать телеграмму тетке, где она находится. Ну а дальше все было уже делом техники, в Латвию съездили двое сотрудников Грязнова. Ирина снова у тетки...

— Да, Костя, я в этом деле лицо действительно заинтересованное. Тут нужен другой следователь. Я могу выступать на следствии и в судебном процессе лишь свидетелем..

— А я так вообще не уверен, что дело позволят довести до суда, — сказал скептик Славка.

— И тем не менее решение принимать надо. Кому поручим?

5

Олега Романова-Марчука взяли на квартире Татьяны Грибовой, которую он снял для нее на время, пока все образуется, как он ей сказал. Олег не оказал сопротивления, лишь усмехнулся:

— Вы соображаете, кого берете-то? Да с вас же головы поснимают, когда я скажу...

Но и Меркулов был не дурак: санкцию выдал по всем правилам, грязновские мужики подчинялись только самому Грязнову. И он с них головы снимать не собирался.

Подозреваемого привезли в «Матросскую тишину» и устроили в одиночке, что было особым шиком, ибо следственный изолятор был переполнен. Но начальник пошел навстречу, когда узнал от Кости, какого рода птицу ждут в гости.

Меркулов с Турецким приехали в СИЗО немедленно. Вызвали Олега на допрос.

Увидев их, Олег взъярился. Лицо его пошло густыми красными пятнами.

— Явились, — язвительно сказал он, — а я уж подумал, что примчится какой-нибудь хлюпик... что не хватит у вас-то духу...

— Значит, знал, — утвердительно сказал Костя. — Но как же ты мог, младшенький?!

И Олег сорвался: любого ожидал — ругани, презрения, чего угодно, только не вот этой жалостливой, почти отцовской интонации.

Он вскочил, заорал, что ему все осточертели, что он видел всех советчиков в гробу, пусть предъявляют обвинение или катятся ко всем чертям!..

— У вас три дня, — выдохнул он, как отмахнулся.

— Ошибаетесь, — сухо и на «вы» поправил Олега Меркулов — тридцать. По новому закону. И перевести вас, вероятно, придется в общую камеру. К уголовникам, с которыми вам легко найти общий язык. Да, впрочем, зачем его искать? Мы получили из Германии достаточное количество следственного материала. Да и ваши киллеры все еще дают вовсю показания — и о Шройдере, и об Алмазове, и о Рослове... Там особо старается некто Владимир Точилин, право на жизнь себе зарабатывает... Вот эта фотография хорошо помогла...

Костя достал ксерокс, который привез Саша, где были изображены Кирилл с Кэт, и показал издалека Олегу. Тот, помимо воли, впился глазами в нее.

— Пассажир, сидевший в самолете с этим человеком, признал его, — блефовал Костя, но реакция была однозначной: Олег вдруг как-то потух и опустил голову. — Дай магнитофон, Александр Борисович, пусть Гладиатор послушает свой последний разговор с братом...

Турецкий вставил кассету в гнездо портативного магнитофона, нажал клавишу и прикрыл ладонью глаза, наблюдая за реакцией Олега. Тот слушал с каменным лицом. Только желваки иногда будто набухали.

Пленка закончилась... Олег молчал, глядя в пол.

— Ну и что вы от меня хотите?

— Я хотел посмотреть в твои глаза, прежде чем ехать к Шурочке...

— Ой! — брезгливо сморщился Олег. — Только этого не надо! Терпеть не могу сентиментов... Значит, просто гости. Любопытные гости.

Олег начал ерничать.

— На ваш арест санкцию дал я, а вот Александр Борисович заявил себе отвод и написал заявление о передаче дела другому следователю...

— И правильно сделал! Зачем ему мараться во всем этом дерьме. Ведь известно, чем все кончится... Твои... кстати, живы и здоровы. Мне сообщили... — сказал Олег Саше, помедлив, но так и не назвав его по имени.

— Я знаю, их спасли от твоих уголовников, — ответил Саша. — Но как же ты мог, сволочь ты распоследняя!

— О-е-ей... — устало выдохнул Олег. — На колу — мочало, начинай писать сначала... Как же вы не понимаете, что все еще живете в мире, которого давно не существует! И все ваши так называемые принципы, и все остальное — это всего лишь штрихи из области воспоминаний. Мир уже сто лет живет по другим законам — жестким и однозначным. А вы все хотите найти какую-нибудь удобную серединку — чтоб и не припекало с одной стороны, и чтоб с другой тоже солнышко пригревало. Не будет так больше! То, что происходит, а точнее — произошло, это закономерный отбор. И никто не виноват, что кому-то не повезло. Просто не повезло — и все. И не надо трагедий!

— Но вы-то полагаете, что вам повезло? И видимо, на этом основании выносите приговоры другим? Так? — не поднимая головы, спросил Костя.

— А вот сейчас вы поняли правильно, — спокойно ответил Олег и, закинув руки за голову, сказал в потолок: — Выносил и буду выносить. Потому что хозяин здесь я... а не ваши моральные принципы... Все, исповедь закончена, попы могут удалиться. Мне действительно жаль, что вам пришлось влезать в эту выгребную яму... Скажите, чтобы меня отвели в камеру.

ЧЕТВЕРГ, 19 октября

— Саша, ты еще спишь? — спросил Меркулов.

Турецкий посмотрел на часы: было семь утра. С чего это друг и учитель, шеф и наставник зашевелился так рано?

— Это потому, что я просто не мог заснуть и ждал момента, когда уже можно и тебя разбудить...

С голосом Кости произошло что-то непонятное: не то сдерживал слезы, не то обида его захлестнула, и все в нем оттого закипело...

— Случилась очередная бяка? — спросил Турецкий, позевывая.

— Если б я мог это назвать так, я был бы счастлив.

— Ну так что же, не тяни!

— Вчера поздно вечером Анатолий позвонил и потребовал, чтоб я срочно прибыл в прокуратуру. Объяснять ничего не стал. Все, сказал, будет на месте. Ну я и поехал, отчего же, думаю? Наверняка что-нибудь связанное с нашим Гладиатором... Угадал... Саша, такого безобразного крика, такой площадной ругани я не слыхал даже от отпетых уголовников! Он так визжал и матерился, будто его живым поджаривали на сковородке в аду...

— Но — аргументы-то хоть были?

— Только один — как посмел?! Словом, после всех многочисленных устных замечаний, числа коим не упомнить, мне было предложено немедленно написать, прямо там же, в его кабинете, что я ухожу из органов прокуратуры по состоянию здоровья и в связи с уходом на пенсию. Ты можешь представить себе?

— Ты написал?

— Да.

— Зачем?

— Потому что он собственноручно подписал постановление о прекращении дела об убийстве Рослова, то есть Кирилла Романова.

— Та-ак... И с какого числа ты за дверью?

— С завтрашнего, с двадцатого. Я же должен ключи передать, все материалы, хранящиеся в сейфе, и прочее.

— Очень хорошо. Значит, я успеваю, и сегодня ты утвердишь мою просьбу об увольнении. Я эту контору теперь окончательно в гробу видел. Могу, Костя, как один мой приятель, телеграмму дать: «Основании этой телеграммы прошу уволить собственному желанию зпт больше никогда не приду тчк Турецкий». Устроит, Костя?.. Эх, зараза! «Я молод был и водку пил...» Ну же, Костя!

— Да-да... «И на цыганском факультете образованье получил...» Но я еще не все сказал. Дело в том, как сообщил, делая страшные глаза, Анатолий, вчера же было некое экстренное заседание — то ли президентского Совета безопасности, то ли еще чего-то сверхвысокого, но после нашему храбрецу позвонил первый помощник Президента и приказал немедленно освободить из-под стражи Олега Романова и строго наказать виновных в нарушении законности и демократических основ о свободе личности, представляешь? Получается, что мы с тобой лично обязаны принести убийце свои извинения. Как я понял, неисполнение этого телефонного указания отнимало у нашего генерального его единственный шанс хоть както дождаться пенсии. Я сказал: нет, Саша. Как теперь быть?

— С таким талантом, как твой. Костя, тебя немедленно купит самый богатый банк. Будешь консультантом по каким-нибудь правовым вопросам, ездить в личном «мерседесе« и не бояться бандитов, потому что такие, как ты, консультанты им тоже позарез нужны. Конкуренты — эти не нужны. Ну а я, с твоего разрешения, уже сегодня заскочу в «Новую Россию» и провентилирую, с какого дня выходить на работу. Для них я, так и быть, готов пожертвовать половиной отпуска, Костя. Держи хвост морковкой! Ты с Шурочкой встречался?

— Нет еще, боюсь...

— Давай это сделаю я.

— Ценю твою поддержку, Саша, но полагаю, этот шаг надо всетаки сделать мне...

ПЯТНИЦА, 20 октября

После ухода Кости Шурочка кинулась лицом в подушку и заревела в голос, с завываниями и причитаниями, как старая русская баба, потерявшая в одночасье сразу всю семью...

Потом она тяжело встала, пошла в ванную и долго смывала перед зеркалом следы своей бабьей слабости. Кремом разгладила морщинки, запудрила красноту щек и темные круги под глазами. Наконец, оглядев себя, взяла телефонную трубку.

— Алька! — Голос ее был чист и прозрачен. — Чего это ты дома прохлаждаешься, босяк этакий? Я ему на работу звоню, а там тишина, потом секретарша твоя новая говорит, что надо дома поискать. А чего, думаю, занятой человек в рабочее-то время дома делает? Алька, да ты уж не водку ли пьешь?! — она заговорила страшным голосом. — А то я знаю этих твоих дружков-то... Сашку того же, босяк тоже порядочный!

Олег поначалу очень растерялся, но, пока мать тараторила, пришел в себя и вернулся к привычному, слегка снисходительному тону.

— Да не, ма! Ну чего ты, ма? Я ж у тебя не алкаш какой-нибудь. А дома я потому, что в командировку собираюсь, ма. В Штаты посылает Президент, серьезные дела, ма, будем мы с ними начинать, понимаешь? Но учти, тебе одной говорю, поскольку ты у нас генеральша и язык за зубами держать умеешь...

— Ой, Алька, далеко-то как! И не страшно? А что, может, где и Киру встретишь... Я от него вчера снова весточку получила... слышишь, Алька? Чего не радуешься-то?

— Да радуюсь я, ма... Ну просто ты, как дитя малое, всякой игрушкой довольна...

— А как же, сынок... ведь оба вы мои дети, — Шурочка всхлипнула.

— Ну вот, ма, началось! Я так и знал! Ну все, успокойся! Я, когда прилечу, позвоню. Или весточку передам из Штатов, ладно, ма?

— Ой! — спохватилась она. — Да что ж я? А самолет-то у тебя когда?

— Сегодня лечу, вечерним коммерческим рейсом. Завтра буду уже там, ма, так что...

— Нет, Алька, я тебя провожу! Ты что, от родной матери уже отказываешься? У меня и машина есть, «Волга» служебная, по всем правилам. Посторонних не хочешь видеть, сама поведу! Все, я за тобой заезжаю! И не смей возражать матери...

Вечерело. Черная «Волга» неслась по Ленинградскому проспекту... За рулем сидела Романова в отлично сшитом генеральском мундире. Сидевший рядом с ней Олег был одет с иголочки, белоснежный накрахмаленный воротник рубашки — чистый хлопок и никакой синтетики — украшала артистическая бабочка. Красив был Олег, хотя что-то, видела Шурочка, в лице у него изменилось: жесткое стало, жалко, что грубеть уже начало...

Проехали мост у метро «Войковская»...

Олег все подшучивал над матерью: чего это она так вырядилась-то? Ведь в аэропорту, едва их увидят вместе, Бог знает что подумают!

— Могу же я в кои-то веки во всем своем генеральском блеске рядом с красавцем сыном постоять... погордиться...

Олегу показалось, что мать готовится снова кинуться в слезы. Ну конечно, как не понять, старый ведь уже человек, от каждого пустяка всплакнуть готова... Но это чаще всего у них слезы радости, а не горя... Как ни вслушивался Олег в интонации ее голоса, ничего не мог уловить такого, что выдало бы ее... Нет, она действительно ничего не знала... Значит, хватило этим старым засранцам понимания, что не надо убивать пожилую женщину, своего же товарища... Ладно, пройдет время, все утрясется, успокоится, и она узнает, но не так, как они хотели, а как доложат по команде: погиб, мол, при исполнении. А что? Кругом войны, Чечня еще эта... каждый день люди гибнут. И ни у кого эти постоянные смерти не вызывают ощущения жуткой трагедии. Хорошо, что это понимают и в президентском окружении и не сильно заостряют внимание... И вообще все удачно получилось: и письмо Калины, где он пообещал в случае неверного решения судьбы Олега опубликовать в западной печати те самые фамилии и номера счетов, которые так долго и напрасно искал... нашел этот прямолинейный дурак и дубина... Олег почему-то не хотел даже про себя называть имя Кирилла. Из суеверия, что ли... Да... И эта командировка, которую немедленно подкинул Олегу его дружок-приятель, начальник президентской охраны. Словом, удачно все...

Проехали когда-то первый в Москве, странно-болотного цвета комплекс зданий кооператива «Лебедь»...

— Алька, — задумчиво глядя на дорогу, сказала Шурочка, — когда вы с Кирой были маленькими... Ну ты-то совсем, а он маленько постарше, все-таки пять лет разницы, я все думала, кем вы станете... И вот шло время, я наблюдала за вами, смотрела, как вы дружили, ссорились... И, ты знаешь, чаще бывала на твоей стороне. Потому что ты у меня рос мягким, добрым, нежным таким, хоть и длиннющим, как жердь, — она обернулась к сыну, и Олег увидел ее светящиеся счастьем глаза, после чего окончательно успокоился. — А Кира — он более жесткий, я даже думала, как бы со своим строптивым характером-то он не испортил себе жизнь, не стал неудачником... Это очень страшно, когда человек неудачник! Он всех винит в своих грехах и бедах, а сам, сынок, палец о палец ударить не желает... Боялась я, честно говорю... Теперь-то понимаю, что не в отце дело, который мог передать ему свой мерзкий характер...

— Ма, — почти без удивления спросил Олег, — ты что это такое говоришь? За что ты Матвея Григорьевича? Он же его совсем не знал.

— Да, я запретила ему, Матвею, когда он однажды хотел...

— Ну и правильно, наверное, сделала, ма... Чего сейчас-то об этом? Ты лучше на дорогу смотри, водила ты моя! — непринужденно рассмеялся Олег.

Проскочили метро «Речной вокзал»...

— Ма, ты куда несешься как угорелая? — хмыкнул Олег. — У нас с тобой еще времени до черта! Успеем попрощаться...

— Я тоже всегда так думала, Алька, что времени у нас у всех много... А оно укатилось, сынок, неизвестно куда, и, как говорится, дай-то Бог, успеть бы в самом деле попрощаться...

— Какие-то у тебя, ма, мрачные нынче мысли... О Боге, о вечности, эк куда нас заносит!

— Но, прожив свою жизнь до конца, сын, я поняла, что всю жизнь жалела и любила не того... Поздно. Пришла вот и нам пора прощаться...

— Не понял, ма! — нахмурился Олег. — Какое прощанье? Ну-ка посмотри на меня!

Машина влетела на мост через Химкинское водохранилище. Дома справа и слева кончились, впереди — только фермы моста и перила ограждения.

— Гляди! — повернула Шура совершенно спокойное лицо к сыну и резко крутанула руль вправо.

«Волга», взвизгнув, подпрыгнула на бортике, вышибла напрочь в далекую сверху воду обломки металлического ограждения и на миг замерла. Олег с разбитой о переднее стекло головой уткнулся в крышку бардачка...

Есть такое действие: контрольный выстрел. Им постоянно пользуются наемные убийцы, чтобы быть полностью уверенными, что заказ выполнен в соответствии с договором...

— Прости, сын, — тихо сказала сама себе Александра Ивановна Романова, генерал-майор милиции, — я вынуждена...

И она плавно, как в тире, вдавила педаль газа. «Волга», стремительно взревев мотором, ринулась в бездну.

СУББОТА, 21 октября

И снова ранним утром позвонил Костя, но ничего нового сообщить не собирался: все уже и так все знали.

— Я вижу, друг, учитель и бывший шеф, что у тебя бессонница стала нормой.

— Можно подумать, что ты беззаботно храпел всю ночь...

— Не храпел... Тоже не спал, но ведь от этого не легче, Костя? Мои приезжают, не хотят больше жить одни... Просто не знаю, что делать.

— Придумаем. Грязнов спит? Или уже бдит в своей конторе?

— Побойся Бога, Костя, сегодня ж суббота — всеобщий выходной. Я впервые отдыхаю в субботу, это ж такое счастье.

— Хватит отдыхать, скажи Грязнову, что я сейчас заеду, пусть заводит свою... «ауди», да?

— Это зачем?

— Приеду — скажу.

Грязнов был смурной после вчерашнего происшествия. Они с Турецким, уже не сдерживая себя, основательно надрались и ни о чем не говорили.

— Чего надо? — хмуро спросил он.

— Не знаю, какие-то Костины фантазии.

— А-а-а...

В руках у Меркулова были четыре пышные белые хризантемы. Сели без слов в машину Славы и поехали. Словно повторили последний путь их славной подруги...

Перед мостом Слава остановил машину, съехал на обочину, и на сам мост пошли пешком. Добрались до того места, где была вырвана из ограждения внушительная часть, а сейчас прогал временно затянули проволокой. Костя помолчал и положил рядом с ограждением свои хризантемы. Достал из кармана плоскую фляжку с коньяком, сорвал и бросил в воду золотистую пробку и, закинув голову, сделал глоток. Передал Грязнову. Славка отпил немного и протянул Турецкому. Саша просто вылил все оставшееся в горло и сунул фляжку в карман кожаной куртки.

Мимо бесконечным потоком двигались машины. Некоторые, увидев разрыв в ограждении, троих мужчин и хризантемы на бетоне, притормаживали, а один водитель даже дал протяжный гудок.

Костя кивал, словно китайский болванчик.

А может, она просто не справилась с управлением? — предположил Турецкий, — Может, занесло, вон грязь-то, ошиблась маленько, а тут и... — Он не закончил.

— Мать-начальница никогда не ошибалась, — сказал Грязнов. — Она подолгу сомневалась, базарила, гоняла всех кого можно, но... не ошибалась.

— Пойдемте, ребята, — сказал Меркулов, — ведь Шурочки больше с нами нет... А нам опять предстоит думать о будущем...

ЭПИЛОГ

В этом году середина ноября в Сочи выдалась теплой и солнечной. Некоторые друзья и коллеги Меркулова по-своему отреагировали на его уход из Генеральной прокуратуры. Словно сговорившись, они заставили его отложить на короткое время оформление пенсионных документов и, может, впервые за долгие годы отбыть в сопровождении жены на курорт.

Все будто в лучшие времена, думал Костя, расхаживая без всякой цели по двухкомнатному люксу и слушая, как сухо скребутся о балюстраду балкона жесткие листья веерной пальмы. Но сколько он ни размышлял, все никак не мог припомнить, чтобы когда-нибудь у него уже было нечто подобное. Вот тебе и лучшие времена... Все — на бегу, в спешке. Но в кино — было, это точно...

Первые несколько дней Костя занимался самыми простыми вещами: ел, отсыпался и молча бродил вместе с Лелей по набережной, вдоль пустых сочинских пляжей. Слепящее солнце и пронзительный ветер делали свое дело — они очищали голову. Кабы еще не эти огорченные крики чаек, которые возвращали в недавнее...

Гибель Шурочки, а затем ее похороны отложились в памяти сплошной черной полосой и представлялись поразительной нелепицей: эти два гроба, обилие постороннего народа, непонятно кому адресованные слова прощания... Других же событий просто не было и, по мнению Меркулова, не могло быть. Как-то совершенно спокойно, то есть даже без малейшей доли злорадства, воспринял Константин Дмитриевич весть об отстранении от дел в связи с уходом на пенсию по выслуге лет исполняющего обязанности генерального прокурора, а затем — утверждение в Совете Федерации нового, и, слава Богу, без всяких и. о. Этого нового Меркулов, разумеется, знал, хотя он был больше ученый, нежели практик. Однако все перемещения и назначения воспринимались как-то отстраненно, без эмоций.

Но одну акцию все же решился предпринять Меркулов, хотя не был уверен, что у него что-нибудь из этого получится. Он вытребовал к себе на целый день Турецкого и заставил новоиспеченного журналиста подробно изложить на бумаге существо дела, которое успел расследовать Кирилл Романов. В сжатом виде информация заняла около трех машинописных страниц. Это было много, знал по опыту Меркулов и взял в руки карандаш. После его тактичного вмешательства изложение, ничего не потеряв в своей сущности, занимало полторы страницы. Оставалось лишь придать письму благопристойный вид и найти возможность вручить его лично Президенту. А для этого последнего акта следовало пошарить в памяти.

Меркулову были известны многие из президентского окружения, но после стремительного и незаконного освобождения Романова Константин Дмитриевич не решался доверять им полностью. Естественно, люди могли чего-то не знать, их сознательно вводили в заблуждение, подавая информацию в специально разработанной упаковке, но ведь от этого общее решение сути своей не меняло. И уж никак нельзя было знать наверняка, имелись ли их имена, псевдонимы и шифры банковских счетов в той сумке, что сгорела при взрыве «мерседеса».

Константин Дмитриевич совсем было отчаялся, когда сам по себе сработал «загашник».

Зазвонила междугородка, и приятный женский голос сообщил, что на проводе Казань, и попросил у Меркулова разрешения соединить его с Хайдером Мухаммедовичем.

— Юра! — искренне обрадовался Константин Дмитриевич. — Тебя сам Бог мне послал!

— Ну уж Бо-ог... — довольно зарокотал Юрин бас.

— Пусть Аллах, я на все согласен...

— Это еще куда ни шло... наслышан о твоих подвигах и, соответственно, их оценке. И на сей счет имею конкретное предложение. Погоди, не перебивай. Завтра буду в Москве, а к концу недели приглашен на высочайшую аудиенцию, понимаешь меня?

— Еще бы! — обрадовался Костя. — По этому поводу...

— Вот именно, поговорим при встрече. Надеюсь, разрешишь навестить?

— Как тебе не стыдно спрашивать? Ты же знаешь наше к тебе отношение... А Леля — так просто всегда рада...

Хайдера пригласил Президент с совершенно конкретной целью, говорить о которой пока было преждевременно. Ясно было одно: Президент начал менять свою команду. Насколько глубоки будут эти изменения, пока трудно предугадать, но то, что они начались, — факт.

Проговорили всю ночь напролет. Как в студенческой юности, когда на все времени хватало. Уезжая под утро в гостиницу, Юра взял с собой письмо Меркулова. А через несколько дней сообщил, что передал его по назначению.

Вот после этого и счел возможным Константин Дмитриевич отправиться на отдых...

Пошла вторая неделя курортной жизни, и вот перед обедом, когда хмурый Меркулов возвратился с прогулки, горничная передала ему толстый пакет и сообщила, что он для Константина Дмитриевича, а от кого, посыльный не сказал, мол, сам разберется. Костя немедленно вскрыл пакет и вытряхнул из него пару плотно сложенных газет и записку с поразительно знакомым почерком бывшего старшего следователя господина Турецкого. Меркулов отложил записку в сторону и развернул газеты.

«Новая Россия» — так, это понятно. Поди, авторское самолюбие тешим. Увидел большую статью на второй полосе, отчеркнутую красным карандашом. Подпись: Борис Александров. Ну а как же иначе-то... Так о чем, говоришь, написано? Ах, вон оно что! «Афера века» открывает свои тайны»... Что ж, заголовок привлекательный...

Статья была построена грамотно: предположения — доказательства — реверансы в сторону догадливого читателя. Нет, недаром постоянно отрабатывал свою технику «мастера версий» Александр Борисович. Значит, не зря его учил и Меркулов. И вообще, все было не зря, поскольку пригодилось...

А ведь наделает статья шуму, подумал Меркулов. Потом, глядишь, и дело придется вынимать из архива.

Вторая газета была из Германии, называлась «Российские вести». И здесь тоже один из материалов был отчеркнут красным. Заголовок гласил: «Следы русской аферы ведут в Штаты». Ага, словно обрадовался Меркулов, уж у немцев-то нет причины расшаркиваться ни перед Россией, ни перед Америкой. Статья шла без подписи, да оно и понятно, автор рисковал всерьез, называя конкретные имена учредителей банка «Золотой век», среди которых были, оказывается, и Калина, и Романов, и многие другие, неизвестные широкой публике. Надо понимать, что одновременная публикация этих двух материалов означала серьезный удар по международной мафии.

Меркулов отложил газеты и задумался. На фоне подобного рода разоблачений столь резкое «покраснение» Государственной Думы представляется вроде бы вполне логичным. Константин Дмитриевич категорически отказывался смотреть телевизор: чтоб не злиться и не лишать себя редкой возможности ни о чем не думать. Но Леле ведь не запретишь. А она и рада пересказывать политические новости из Москвы. И эти «новости» никак не радовали, что-то не сходилось в высшем эшелоне...

Складывая газеты, обратил внимание на маленькую заметку, напечатанную в разделе «Литературная хроника». Автор, широко известный в недавнем прошлом журналист, ныне читающий лекции в каком-то американском университете, сообщил, что в России, в издательстве «Зевс» вышла книга Шамая Голана. Но не сам факт приобщения российского читателя к творчеству еврейского прозаика привлекал внимание автора, а то обстоятельство, что издатель до сих пор находится на свободе. Интересно, что так поразило бывшего перестройщика?

Костя хмыкнул и отложил в памяти: при случае посмотреть, из-за чего сыр-бор... Глаза скользнули вниз полосы и обнаружили обведенную красным короткую информацию с тремя красными же восклицательными знаками. Ну конечно же! Ведь ради этого и старался Турецкий! Вот же чертов Сашка! Меркулов, наконец, опомнился и взял записку Турецкого. Оказывается, с этой информации и начинал Александр свое письмо к Косте.

«...спешу поделиться радостью...» Да какая уж теперь-то радость! «Возбуждено уголовное дело против бывшего и. о. генерального прокурора, который в настоящий момент находится в следственном изоляторе... Как ты думаешь, Костя, чьих это рук дело? Было бы очень обидно за державу, если бы попросту подтвердились высказанные не так уж, пожалуй, и давно уверенные соображения некоего Олега Романова, о которых я тебе, помнится, докладывал. Неужели, Костя, мы дошли до последней черты?..»

А вот и нет, возразил и себе самому, и Александру Борисовичу Турецкому отставной заместитель проворовавшегося вконец бывшего генпрокурора Константин Дмитриевич Меркулов, это еще не черта, мы еще попробуем потягаться...

Старая байка: две лягушки угодили в молоко, одна сразу сдалась и, нахлебавшись молока, утопла, а другая барахталась до тех пор, пока молоко в кусок масла не превратилось — тем и жива осталась...

— Косенька! — закричала из другой комнаты жена. — Иди скорей! Тут по телевизору сказали, что нашего Юру помощником Президента по безопасности назначили! Я правильно назвала его новую должность?

— Все равно будем барахтаться, — заявил, входя к жене, Меркулов.

— Чего? — У Лели округлились глаза.

Меркулов расхохотался.

— Будем, дорогая моя!

СОДЕРЖАНИЕ

По вопросам оптовой покупки книг
издательства АСТ обращаться по адресу:
Звездный бульвар, дом 21, 7-й этаж
Тел. 215-43-38, 215-01-01, 215-55-13

Книги издательства АСТ можно заказать по адресу:
***107140, Москва, а/я 140*, АСТ — «Книги по почте».**

Литературно-художественное издание

Незнанский Фридрих Евсеевич

Контрольный выстрел

Редактор *А.П. Воронов*
Художественный редактор *О.Н. Адаскина*
Компьютерный дизайн: *П.А. Иващук*
Технический редактор *Н.В. Сидорова*
Корректор *О.В. Борисова*

Подписано в печать с готовых диапозитивов 13.02.01.
Формат $84 \times 108^1/_{32}$. Гарнитура «Таймс». Печать высокая
с ФПФ. Бумага типографская. Усл. печ. л. 21,00.
Тираж 4000 экз. Заказ 475.

Налоговая льгота — общероссийский классификатор
продукции ОК-005-93, том 2; 953000 — книги, брошюры

Гигиеническое заключение
№ 77.99.14.953.П.12850.7.00 от 14.07.2000 г.

ООО «Издательство АСТ».
Лицензия ИД № 02694 от 30.08.2000 г.
674460, Читинская область, Агинский район,
п. Агинское, ул. Базара Ринчино, д. 84.
Наши электронные адреса:
WWW.AST.RU E-mail: astpub@aha.ru

КРПА «Олимп». Изд. лиц. ЛР № 070190 от 25.10.96.
121151, Москва, а/я 92 E-mail: olimpus@dol.ru

При участии ООО «Харвест». Лицензия ЛВ № 32 от
10.01.2001. 220040, Минск, ул. М. Богдановича, 155-1204.

Налоговая льгота — Общегосударственный
классификатор Республики Беларусь
ОКРБ 007-98, ч. 1; 22.11.20.300.

Республиканское унитарное предприятие
«Полиграфический комбинат имени Я. Коласа».
220600, Минск, ул. Красная, 23.

Незнанский Ф.Е.

Н44 Контрольный выстрел: Роман. — М.: ООО «Издательство АСТ»; «Издательство «Олимп», 2001. — 400 с. — (Марш Турецкого).

ISBN 5-17-007435-2.

По России прокатилась волна убийств крупнейших банкиров. Что это — выплеснувшаяся наверх тайная война финансовых группировок? Или бандитские разборки? А может быть, борьба за политическую власть?.. В расследование вовлчен «важняк» А.Б. Турецкий. Его версия — последняя — оказывается единственно верной. Но прежде чем в деле ставится точка, совершается множество событий: происходит покушение на самого следователя по особо важным делам, погибает руководитель МУРа Александра Ивановна Романова.

ISBN 5-17-007435-2 (ООО «Издательство АСТ») УДК 882
ISBN 5-7390-0303-2 («Издательство «Олимп») ББК 84(2Рос-Рус)6